PATROCÍNIO

MINISTÉRIO DA
CULTURA

MINISTÉRIO DA CULTURA
APRESENTA

BÁSICO

ENCICLOPÉDIA DE RECEITAS DO BRASIL

EDIÇÃO BILÍNGUE
PORTUGUÊS – INGLÊS
2ª EDIÇÃO, 2018

A meus filhos, Pedro e Antoine,
meus pais, Luiza Helena e Erasmo,
meus irmãos, Frederico e Luciana,
minha avó Zuleide e Tia Luiza,
com quem sempre compartilhei a
paixão pela cozinha brasileira.

E a todas as cozinheiras do
Brasil que me ensinaram a cozinhar
ao longo dos anos. Em especial,
à querida Lúcia, que me ensinou
as primeiras receitas e com
quem aprendo até hoje.

IDEALIZAÇÃO, CRIAÇÃO, PESQUISA E CURADORIA
INSTITUTO BRASIL A GOSTO
Ana Luiza Trajano

PESQUISA E PRODUÇÃO GASTRONÔMICA
Ana Luiza Trajano e Thiago Andrade

TESTE E REVISÃO DE RECEITAS
INSTITUTO BRASIL A GOSTO
Ana Luiza Trajano
Juliana Mendes
Karina Carvalho
Marizete Santos
Thiago Andrade

GESTÃO DE PROJETO E PRODUÇÃO GERAL
Leticia Rocha, Renata Moura, Vinícius Capovilla e Thiago Andrade

DIREÇÃO DE CRIAÇÃO
Bruno D´Angelo

EDIÇÃO, TEXTOS E REVISÕES
Gabriela Aguerre, Gabriela Erbetta e Leticia Rocha

PESQUISA E TEXTOS
Gabriela Aguerre, Gabriela Erbetta, Leticia Rocha e Vinícius Capovilla

CAPA
Bruno D'Angelo e Marcio Penna

PROJETO GRÁFICO
Paulo Inoue e Marcio Penna

EDIÇÃO DE ARTE
Marcelo Furquim e Marcio Penna

FOTOGRAFIA ARTÍSTICA
Alexandre Schneider

PRODUÇÃO CULINÁRIA
ESTÚDIO FUÊ
Janaína Resende

PRODUÇÃO DE OBJETOS
Silvia Goichman
Janaína Resende

TRATAMENTO DE IMAGENS
Luciano Custódio

PREFÁCIO
Carlos Dória

TRADUÇÃO
Julia Debasse, Olívia Fraga e Patrícia Oyama

ASSESSORIA JURÍDICA
Cristiane Olivieri e Willian Galdino (Olivieri Advogados Associados)

GESTÃO ADMNISTRATIVA
Nicole Bornhausen (A2B Consultoria)

Obra conforme o Acordo Ortográfico da Língua Portuguesa.

2ª edição, 5ª impressão, agosto de 2024
ISBN 978-85-06-00215-5

Atendimento ao consumidor:
Caixa Postal 169 - CEP 01031-970
São Paulo - SP - Brasil
sac@melhoramentos.com.br
www.editoramelhoramentos.com.br

Impresso na China

Dados Internacionais de Catalogação na Publicação (CIP)
(Câmara Brasileira do Livro, SP, Brasil)

Básico: enciclopédia de receitas do Brasil / [idealização, criação, pesquisa e curadoria Instituto Brasil a Gosto, Ana Luiza Trajano; tradução Julia Debasse, Olívia Fraga e Patrícia Oyama]. – 1. ed. – São Paulo: Editora Melhoramentos, 2017.

Edição bilíngue: português/inglês.
Bibliografia.
ISBN: 978-85-06-00215-5

1. Culinária 2. Culinária brasileira 3. Receitas
I. Instituto Brasil a Gosto. II. Trajano, Ana Luiza.

17-08802 CDD-641.5981

Índice para catálogo sistemático:
1. Brasil: Culinária: Economia doméstica 641.5981

AGRADECIMENTOS

*Agenor Maia, Antonio Miranda,
Amoa Konoya Arte Indígena, Artesol,
Bel Coelho, Bettina Orrico, Carla e
Beto Pimentel, Anette de Castro,
Carlinhos, César Santos, Chris Von Ameln,
Denise Rohnelt Araújo, D. Filipa,
Depósito Kariri, Dirce Quintino,
Dona Nerinha, Douglas Bello,
Erika Jo Pin Chou, Fabão Hortifruti,
Fábio Vieira, Flávia Quaresma, Fernandinha,
Freddi Carnes, Heloísa Bacellar,
Ideia Unica, Ivan Prado, Janaina Rueda,
Joanna Martins, Joca Pontes, Juarez Campos,
Jussara Dutra, Lidia Raposo, Mara Salles,
Marcos Livi, Maria Emília, Maria Janes,
Neide Rigo, Neli Pereira, Oscar Bosch, Patrícia Fava,
Paulo Machado, Porco Feliz, Rosa Moraes,
Suely Sani Pereira Quinzani, Seu João, Tereza Paim,
Tia Luiza, Ticiana Neves, Vitor Sobral,
Wanderson Medeiros e Zenilda Gomes da Silva*

SUMÁRIO

APRESENTAÇÃO

#PELACOZINHABRASILEIRA

O primeiro livro do Instituto Brasil a Gosto faz a você um convite irresistível: manter a cozinha brasileira viva dentro de nossas casas. Arroz carreteiro, leitoa pururuca, dobradinha, baião de dois, farofa de ovo, moqueca, pato no tucupi e frango cheio são apenas alguns exemplos de pratos que podem – e devem! – fazer parte de nosso cotidiano. Se aparecem em livros de referência e em cardápios de restaurantes dedicados à nossa cultura, por que deixaram de ter espaço em nossas mesas?

As receitas que integram os cinco capítulos do livro refletem muito do que vi em meus dezenove anos de andanças pelo país. São pratos que alimentam e dão prazer nesse imenso território de grandes cozinhas: a da região Amazônica, a do litoral, a do interior, das serras e sertões... Pode ser que, em sua casa, a feijoada inclua outras carnes, ou que o arroz de forno leve frango, e não carne moída. Tudo bem! A cozinha brasileira comporta várias versões para a mesma receita e não existe um "modo certo" de fazer ou comer.

No esforço de organizar parte de nosso rico receituário, optamos por uma divisão que reflete a mesa brasileira. Começa com um Tira-gosto, capítulo de petiscos que dá as boas--vindas ao leitor da mesma maneira com que recebemos nossos amigos em casa. Depois vêm os pratos principais, a Mistura, seguidos pelos acompanhamentos que ajudam a dar Sustância à refeição. As sobremesas revelam a Fartura da doçaria brasileira e os Pães e quitandas acompanham nosso tradicional cafezinho. São 512 receitas, testadas entre as mais de mil presentes na seleção inicial – muitas tiveram que ficar para o próximo livro.

Com o mesmo entusiasmo presente em nosso Manifesto, queremos resgatar a autoestima de nossa cozinha e incentivar sua presença em cada vez mais cursos, pesquisas e bibliografias, torcendo para que ingredientes como azeite de dendê, manteiga de garrafa e boas farinhas de mandioca, entre outros, abandonem o rótulo de "regionais" para tornarem-se, como o arroz e o feijão, parte de nosso dia a dia.

Sirva-se a gosto!

Ana Luiza Trajano,
Presidente do Instituto Brasil a Gosto

MANIFESTO

O Patrimônio Cultural Alimentar do Brasil
não cabe apenas nas mesas dos restaurantes.

Queremos vê-lo nos mercados, feiras e supermercados, nas
mesas de todos os brasileiros, de volta ao nosso dia a dia.

Queremos promover o conhecimento da nossa própria
culinária, muitas vezes desvalorizada ou esquecida.

Vamos tornar acessíveis os tantos anos de pesquisa
que fizemos, e ainda mais: criar uma rede.

Acreditamos que a gastronomia é um agente
importante de mudanças que une preservação
de identidade cultural a impactos sociais.

Nosso papel é ser elo de parcerias entre órgãos de
pesquisa e desenvolvimento, produtores artesanais, órgãos
públicos e governamentais e também indústria e mercado.

Acreditamos que o meio de preservar a nossa cultura é conhecer
as matérias-primas e processos artesanais, registrar e
redescobrir formas tradicionais de uso, além de criar novas.

Vamos criar conteúdo e projetos que valorizem os
ingredientes e garantam sua acessibilidade ao público.

Vamos promover o acesso ao conhecimento,
fazer cursos e eventos. Vamos ensinar e aprender.

Queremos compartilhar histórias. Celebrar a nossa cultura.
Produzir desenvolvimento sustentável e, claro, muito sabor.

Sejam bem-vindos a um grande movimento #pelacozinhabrasileira.
Sejam bem-vindos ao Instituto Brasil a Gosto.

PREFÁCIO

A CULINÁRIA DE PAPEL

CARLOS ALBERTO DÓRIA, SOCIÓLOGO

Este é o quarto livro de Ana Luiza Trajano. Nele, ela amplia o leque de pesquisas sobre a culinária "de raiz", conforme entende, para enfocar também a cozinha do cotidiano brasileiro. A narrativa que aparece na primeira pessoa remete ao universo do qual saíram as receitas coligidas. É especialmente a vivência familiar que põe em destaque o gosto da autora, conduzindo-a por infinitas receitas da tradição doméstica e urbana brasileira.

O leitor poderia dizer que se trata de mais um livro de receitas, à maneira do antigo *Comer Bem Dona Benta*, que nos vem desde os anos 40 do século passado. Nada seria original, não fosse pela sua visão particular sobre esse rol de receitas que não são difíceis de se encontrar. Portanto, o que confere originalidade ao livro é o *ma façon* que assenta nesse conjunto de obras que hoje é conhecido como "culinária de papel".

Essa culinária compreende todo material impresso sobre a arte de cozinhar e/ou relativo às diferentes cozinhas e culinárias existentes. Um universo que inclui vários tipos de livros: os antigos e recentes, disponíveis em livrarias e bibliotecas; os fichários ou cadernos de receitas que se encontram ainda em muitas casas, conventos, hotéis, castelos, hospitais, instituições como fábricas, empresas, escolas, orfanatos e prisões; e, também, livros de crítica gastronômica.

Acrescente-se a isso o fato de a "culinária de papel" ter sido fundamental para o estabelecimento de uma gastronomia no Ocidente. Isso significa que a constituição de um campo específico a partir do qual o "gosto" culinário foi formado e arbitrado dependeu bastante das publicações impressas. Embora essa modalidade de cozinha mantenha uma relação íntima com a "culinária real" (aquela praticada cotidianamente por toda e qualquer sociedade), a "culinária de papel" não pretende pura e simplesmente reproduzi-la. Ao registrá-la, documentá-la e publicá-la sob várias formas, a culinária de papel acaba por transformar o que é real em um paradigma do gosto e, eventualmente, em uma marca identitária de todo um povo, como ocorre, por exemplo, na França, onde uma cultura escrita da arte de cozinhar gerou um estilo gastronômico emblemático para o Ocidente.

No Brasil, a influência da gastronomia francesa nos vem desde o século XIX e é reforçada com a chegada de renomados chefs franceses, como Claude Troisgros e Laurent Suaudeau, entre outros, a partir da década de 70. Esses chefs passaram a utilizar e a valorizar em seus pratos os produtos brasileiros, nativos e exóticos aclimatados, como a jabuticaba, a pitanga, a manga, a jaca, a farinha de mandioca e a mandioquinha, entre outros ingredientes, inaugurando o que atualmente se define como "gastronomia brasileira", praticada por profissionais locais que a toda hora revisitam ou reinterpretam a tradicional cozinha brasileira.

No esforço de Trajano, essa marca também está presente, ao debruçar um olhar moderno sobre a tradição, retendo especialmente aquilo que lhe parece meritório, querendo projetá-la no tempo. Assim, muitos ingredientes praticamente desaparecidos – como o prosaico lambari – reaparecem; alguns "passos atrás" são dados em busca da melhor qualidade, como a receita do pudim de leite que dispensa o leite condensado.

Colocar um receituário como este à mão era o propósito de *Dona Benta*. O tempo passou e a gastronomia se desenvolveu em múltiplas direções até se perder de vista a sua ancoragem doméstica. O livro de Trajano tem a pretensão de retomar esse lugar, dando-lhe feição atual. De notável é que não se dirige mais àquela figura arcaica da "dona de casa", que se esfacelou nas últimas décadas. Quer dialogar com quem cozinha domesticamente, independente do gênero, e que não tem mais a "obrigação" de enfrentar o fogão todos os dias. A classe média, hoje, come grandemente fora de casa. É natural que, em casa, busque dialogar com o prazer e não apenas com a "nutrição". Se este livro alcançar esse propósito, terá cumprido uma missão meritória.

São os nossos votos.

ACARAJÉ, P.22

TIRA-GOSTO

TORRESMO, P. 47

Eu me pego salivando só de pensar em torresmo ou em lambari frito. Quando eu era pequena, no interior de São Paulo, tinha uma caixa de pesca e adorava não só conseguir pescar os lambaris como me deleitar, depois, com o peixe bem fritinho – a espinha ficava crocante, estalando. Que maravilha de tira-gosto!

O hábito de comer um petisco, beliscar alguma coisa ou fazer uma boquinha é tão nosso que criamos essa palavra específica, essencialmente brasileira, para uma categoria inteira de quitutes. E aí pensamos: mas tirar o gosto de quê? Na origem, os tira-gostos serviam para suavizar o sabor forte e amargo de bebidas alcóolicas, geralmente aguardentes. Será que o primeiro tira-gosto ganhou então esse nome nos bares de beira de estrada? Ou em rodas de conversa ao redor de fogueiras nas roças do interior?

Em minhas andanças pelo país, tenho visto tira-gostos em todas as cozinhas. Eles não só entraram nas casas de um jeito definitivo como ganharam uma nova função: o de evitar que alguém ataque as panelas antes da hora. Também ouvi boas histórias sobre a origem dessas pequenas e saborosas porções. Afinal, são iguarias carregadas de "causos" bem brasileiros. Quem nunca parou em frente aos potes de conservas dos botecos tentando adivinhar como os ovos ficaram coloridos? E quem já pensou que iria comer algum felino quando viu "carne de onça" no cardápio?

A maior parte dos tira-gostos tipicamente brasileiros pode ser comida com as mãos, sem o uso de talheres – os guardanapos de papel desempenham a função de proteger os dedos e os alimentos. Mas eles também podem ser servidos em copinhos e cumbucas (caso dos caldinhos) ou com acompanhamentos que acabam por fazer parte do belisco (a exemplo dos pães para as carnes e linguiças).

Existe também uma característica dos tira-gostos que, para mim, está entre as mais importantes: manter as pessoas ocupadas, entretidas em volta da mesa enquanto esperam a refeição. Eles prolongam a confraternização. Na dança de sabores sem hora marcada, o tira-gosto colore nossas tardes de domingo, nossos almoços em família. É a pequena porção que todos adoram – e sempre dá vontade de pedir um a mais.

ABARÁ

12 unidades
40 minutos mais o tempo para hidratar
Difícil

- 3 XÍCARAS (CHÁ) DE FEIJÃO-FRADINHO SEM CASCA
- 3 CEBOLAS GRANDES
- ½ XÍCARA (CHÁ) DE CAMARÃO SECO SEM CASCA
- ½ XÍCARA (CHÁ) DE AZEITE DE DENDÊ
- SAL A GOSTO
- 6 FOLHAS DE BANANEIRA, PARA EMBRULHAR

Deixe o feijão de molho em água fria por pelo menos 12 horas. Escorra e bata no processador com a cebola, o camarão seco, o dendê e sal, até obter uma pasta homogênea. Corte as folhas de bananeira ao meio e, para deixar mais maleável, e passe pelo fogo baixo, na boca do fogão. Segure a folha com a mão e, bem no centro, disponha 3 colheres (sopa) da massa do abará. Feche bem, envolvendo toda a massa, e cozinhe no vapor por 5 minutos. Quando estiver firme, retire da folha e sirva com vatapá (p. 22), camarão seco, vinagrete (receita abaixo) e molho de pimenta (p. 96).

VINAGRETE TRADICIONAL

1 kg
30 minutos
Fácil

- 7 TOMATES SEM PELE E SEM SEMENTES EM CUBINHOS
- 3 CEBOLAS EM CUBINHOS
- 1 PEPINO SEM SEMENTES EM CUBINHOS
- 1 TALO DE SALSÃO EM CUBINHOS
- 2 COLHERES (SOPA) DE COENTRO PICADO
- ½ XÍCARA (CHÁ) DE AZEITE DE OLIVA
- SUCO DE 1 LIMÃO
- SAL E PIMENTA-DO-REINO PRETA EM GRÃOS A GOSTO

Misture todos os ingredientes e tempere com sal e pimenta-do-reino a gosto.

ESMIUÇANDO

O costume de envolver comidas pastosas em folhas de bananeira é comum em países como Nigéria e Daomé, hoje Benin. O abará, termo em iorubá, é um exemplar desse tipo de quitute embrulhadinho, de origem africana, que só ganhou forma no Brasil graças ao azeite de dendê. Diferentemente de seu "primo" acarajé, é cozido no vapor (e não frito).

ACARAJÉ

12 unidades
1 hora mais o preparo de véspera
Médio

- 3 XÍCARAS (CHÁ) DE FEIJÃO-FRADINHO SEM CASCA
- 4 CEBOLAS GRANDES
- AZEITE DE DENDÊ, PARA FRITAR
- 1 XÍCARA (CHÁ) DE CAMARÃO-SECO, OU A GOSTO
- SAL A GOSTO

VINAGRETE DE TOMATE VERDE

- 6 TOMATES VERDES SEM PELE E SEM SEMENTES EM CUBINHOS
- ½ CEBOLA GRANDE EM CUBINHOS
- ½ XÍCARA (CHÁ) DE AZEITE DE OLIVA EXTRAVIRGEM
- 2 COLHERES (SOPA) DE VINAGRE DE MAÇÃ OU SUCO DE LIMÃO
- ¼ MAÇO DE FOLHAS DE COENTRO PICADAS
- ¼ MAÇO DE TALO DE COENTRO PICADO
- SAL E PIMENTA-DO-REINO A GOSTO

Deixe o feijão-fradinho de molho em água fria por pelo menos 12 horas. Escorra e bata no processador com a cebola e sal, até obter uma massa homogênea. Escorra em uma peneira, para retirar o excesso de líquido. Enquanto isso, prepare o vinagrete: junte o tomate, a cebola, o azeite e o vinagre. Tempere com sal e pimenta-do-reino. Acrescente as ervas e misture bastante, para emulsionar o azeite e o vinagre. Aqueça o azeite de dendê em um tacho ou panela funda e frite colheradas da massa do acarajé. Quando os bolinhos estiverem dourados, retire e recheie com o camarão seco, vatapá, vinagrete e molho de pimenta.

VATAPÁ

6 porções
1 hora
Fácil/médio

- ½ KG DE PÃO FRANCÊS, DE FORMA OU OUTRO PÃO BRANCO AMANHECIDO
- ½ LITRO DE CALDO DE CAMARÃO OU ÁGUA (P. 124)
- ½ LITRO DE LEITE DE COCO
- ¾ XÍCARA (CHÁ) DE AZEITE DE DENDÊ
- ½ CEBOLA PICADA
- 1 DENTE DE ALHO PICADO
- 2 COLHERES (SOPA) DE GENGIBRE PICADO
- 1 TOMATE SEM PELE E SEM SEMENTES PICADO
- 1 PIMENTA-DEDO-DE-MOÇA SEM SEMENTES PICADA
- 1 XÍCARA (CHÁ) DE CAMARÃO SECO DESSALGADO
- 1 XÍCARA (CHÁ) DE CASTANHA-DE-CAJU TORRADA
- SAL A GOSTO

Hidrate o pão com metade do caldo e do leite de coco. Aqueça o azeite de dendê e refogue a cebola, o alho, o gengibre, o tomate e a pimenta--dedo-de-moça. Junte o camarão seco, a castanha-de-caju, o pão amolecido, o caldo e o leite de coco restantes. Cozinhe em fogo baixo por 1 hora, ou até ficar pastoso. Bata no liquidificador e, se precisar ajustar a consistência, acrescente um pouco de leite.

ESMIUÇANDO

Comida de santo por excelência, o acarajé é oferecido sem recheio aos orixás Xangô e Iansã nos rituais do candomblé. Chegou ao Brasil ainda no século XVI, onde se combinou com o feijão-fradinho e o azeite de dendê, ganhando a forma dos bolinhos que até hoje preenchem os tabuleiros das baianas. Nas primeiras versões, o feijão era ralado na pedra. Servido com molho de pimenta, forma um trio perfeito com o vatapá, igualmente herdado dos africanos, e com o caruru (p. 153), feito à base de quiabo.

ABARÁ

ASA DE FRANGO

AGULHINHA FRITA

2 porções
15 minutos
Fácil

- 12 AGULHINHAS LIMPAS
- SUCO DE 2 LIMÕES
- FARINHA DE TRIGO, PARA EMPANAR
- ÓLEO DE MILHO, PARA FRITAR
- SAL A GOSTO

Tempere o peixe com o suco de limão e sal a gosto. Passe pela farinha de trigo, para empanar, e frite no óleo quente até dourar dos dois lados. Escorra sobre papel-toalha e sirva imediatamente.

AMENDOIM COZIDO

8 porções
2 horas
Fácil

- 1 KG DE AMENDOIM CRU COM CASCA
- SAL A GOSTO

Lave bem o amendoim e coloque em uma panela com 4 litros de água e sal a gosto. Cozinhe por cerca de 2 horas, ou até ficar bem macio – experimente um grão para checar se está cozido. Se necessário, junte mais água. Escorra, descasque e sirva.

ASA DE FRANGO

4 porções
45 minutos
Fácil

- 1 KG DE ASAS DE FRANGO
- SUCO DE 1 LIMÃO
- 2 DENTES DE ALHO AMASSADOS
- 1 COLHER (SOPA) DE MOSTARDA
- SAL E PIMENTA-DO-REINO A GOSTO
- AZEITE DE OLIVA

Tempere as asas com o suco de limão, o alho, a mostarda, sal e pimenta-do-reino, esfregando bem. Coloque em uma assadeira e regue com um fio de azeite. Cubra com papel-alumínio e leve ao forno por 30 minutos. Retire o papel e deixe dourar por 10 minutos. Sirva imediatamente.

ESMIUÇANDO

Asinhas de frango sempre agradaram as crianças, mas não só. Saborosas, são presença garantida em churrascos com a família e os amigos. Hoje, o corte do frango que utiliza a coxinha da asa "virada" e sem ossos ganhou o nome de "tulipinha".

BOLINHO CAIPIRA

20 unidades pequenas
1h20
Médio

MASSA
- 1 COLHER (SOPA) DE MANTEIGA SEM SAL
- 1 COLHER (CHÁ) DE SAL
- 3¾ XÍCARAS (CHÁ) DE FUBÁ OU FARINHA DE MILHO, MAIS UM POUCO PARA EMPANAR
- ½ XÍCARA (CHÁ) DE POLVILHO AZEDO
- ÓLEO DE MILHO, PARA FRITAR

RECHEIO
- 500 G DE CARNE MOÍDA
- 2 COLHERES (SOPA) DE AZEITE DE OLIVA
- ½ CEBOLA PICADA
- 2 DENTES DE ALHO PICADOS
- ½ XÍCARA (CHÁ) DE AZEITONAS PRETAS PICADAS
- SAL E PIMENTA-DO-REINO A GOSTO

Para a massa, aqueça 1 litro de água com a manteiga e o sal. Quando começar a ferver, junte o fubá, aos poucos, mexendo sempre para não empelotar. Cozinhe por 5 a 10 minutos e transfira para uma tigela grande. Junte o polvilho e sove um pouco, até a massa ficar uniforme. Caso haja grumos, bata na batedeira, até ficar homogêneo. Abra a massa com um rolo e corte círculos – ou separe punhados e faça bolinhos com um buraco no meio, para rechear.

Para o recheio, tempere a carne com sal e pimenta-do-reino. Aqueça o azeite e refogue a cebola e o alho. Junte a carne e deixe dourar, até ficar bem sequinha. Acrescente a azeitona, acerte os temperos e recheie os pastéis. Passe por um pouco do fubá, para retirar a eventual umidade, e frite em óleo quente até dourar levemente.

ESMIUÇANDO

O bolinho caipira é presença garantida nas festas regionais do Vale do Paraíba – de tão emblemático, virou um dos patrimônios culturais da cidade de Jacareí (SP). A receita mostra duas heranças importantes: o uso do milho pelos indígenas dessa região e a fritura por imersão que aprendemos com os portugueses. Em Minas existe uma versão bem parecida: o pastel de angu, com formato semelhante ao rissole e massa feita com angu de milho-verde.

BOLINHO DE AIPIM COM CARNE-SECA

50 unidades
1h20
Médio

MASSA
- 1½ KG DE MANDIOCA (AIPIM) COZIDA EM ÁGUA COM SAL
- 1 OVO
- 1 GEMA
- ½ COLHER (SOPA) DE MANTEIGA
- 1 COLHER (CAFÉ) DE SAL
- ¼ XÍCARA (CHÁ) DE SALSINHA PICADA
- ½ XÍCARA (CHÁ) DE CEBOLINHA PICADA
- ¼ COLHER (CAFÉ) DE PIMENTA-DO-REINO
- 2 COLHERES (SOPA) RASAS DE FARINHA DE TRIGO
- FARINHA DE ROSCA, PARA EMPANAR OS BOLINHOS
- ÓLEO DE MILHO, PARA UNTAR AS MÃOS E PARA FRITAR

RECHEIO

- 1 COLHER (SOPA) DE MANTEIGA DE GARRAFA
- ½ COLHER (SOPA) DE ALHO PICADO
- ¼ CEBOLA PICADA
- 250 G DE CARNE-SECA DESSALGADA, DESFIADA E CORTADA EM TIRAS PEQUENAS
- 2 COLHERES (SOPA) DE CREME DE LEITE FRESCO

Para a massa, passe a mandioca por uma peneira ou amasse bem com um garfo. Junte o ovos, a gemas, a manteiga, o sal, a salsinha, a cebolinha, a pimenta-do-reino e a farinha de trigo. Misture bem, até obter uma massa lisa. Reserve enquanto prepara o recheio. Aqueça a manteiga de garrafa, doure o alho e a cebola, junte a carne-seca e refogue por cerca de 3 minutos. Adicione o creme de leite e mexa por 1 minuto. Coloque 2 colheres (sopa) de massa na palma da mão (unte a mão com o óleo). Abra e recheie com ½ colher (sopa) da carne-seca. Feche para formar um bolinho e empane na farinha de rosca. Repita o processo com a massa e o recheio restantes. Frite em óleo quente (170 °C a 180 °C) até ficar dourado. Também é comum servir os bolinhos sem recheio ou recheados com queijo.

BOLINHO DE ARROZ

30 unidades pequenas
20 minutos
Fácil

- 2 XÍCARAS DE ARROZ COZIDO
- ½ XÍCARA (CHÁ) DE LEITE
- 2 OVOS
- 1 XÍCARA (CHÁ) DE FARINHA DE TRIGO
- 4 COLHERES (SOPA) DE QUEIJO MEIA-CURA OU PARMESÃO RALADO
- 1 XÍCARA (CHÁ) DE SALSINHA E CEBOLINHA PICADAS
- 1 COLHER (SOPA) DE FERMENTO EM PÓ
- SAL A GOSTO
- ÓLEO DE MILHO, PARA FRITAR

Misture todos os ingredientes, exceto o fermento, e tempere com sal. Deixe descansar na geladeira por 30 minutos. Retire, acrescente o fermento e misture. Aqueça o óleo, forme bolinhos com a ajuda de uma colher e frite a massa até dourar. Escorra em um prato forrado com papel-toalha e sirva imediatamente.

ESMIUÇANDO

O bolinho de arroz não é só uma forma de reaproveitar as sobras, mas de esperar o almoço com alegria. Outros ingredientes, como verduras e legumes, também podem virar bolinho, como mostram as receita a seguir. Espinafre e jiló fazem sucesso até com as crianças que não estão habituadas a esses dois alimentos.

BOLINHO DE ESPINAFRE

30 unidades pequenas
20 minutos
Fácil

- 2 XÍCARAS (CHÁ) DE ESPINAFRE COZIDO E PICADO
- ½ XÍCARA (CHÁ) DE LEITE
- 2 OVOS
- 1 XÍCARA (CHÁ) DE FARINHA DE TRIGO
- 4 COLHERES (SOPA) DE QUEIJO MEIA-CURA OU PARMESÃO RALADO
- 1 XÍCARA (CHÁ) DE CHEIRO-VERDE PICADO
- 1 COLHER (SOPA) DE FERMENTO EM PÓ
- ÓLEO DE MILHO, PARA FRITAR
- SAL A GOSTO

Misture todos os ingredientes, exceto o fermento. Deixe descansar na geladeira por 30 minutos. Retire, acrescente o fermento e misture. Aqueça o óleo, forme bolinhos com a ajuda de uma colher e frite a massa até dourar. Escorra em um prato forrado com papel-toalha e sirva.

BOLINHO DE JILÓ

20 unidades pequenas
30 minutos
Fácil

- 6 JILÓS EM CUBOS PEQUENOS
- ½ CEBOLA PICADA
- 2 OVOS
- ¼ XÍCARA (CHÁ) DE LEITE
- 1 DENTE DE ALHO AMASSADO
- 1 XÍCARA (CHÁ) DE FARINHA DE TRIGO
- 1 PITADA DE BICARBONATO DE SÓDIO
- 2 COLHERES (SOPA) DE QUEIJO MEIA-CURA OU PARMESÃO RALADO
- CHEIRO-VERDE A GOSTO
- ÓLEO DE MILHO, PARA FRITAR
- SAL A GOSTO

Misture o jiló, a cebola e cheiro--verde. Em uma vasilha, bata os ovos e junte o leite, o sal, o alho, a farinha de trigo e o bicarbonato, mexendo bastante. Por fim, acrescente o queijo ralado. Aqueça dois dedos de óleo em uma frigideira e frite colheradas da massa, até dourar. Sirva imediatamente.

BOLINHO DE PEIXE COM BANANA-DA-TERRA

40 unidades
40 minutos
Fácil

- 800 G DE PIRARUCU (FRESCO OU DESIDRATADO)
- 3 COLHERES (SOPA) DE AZEITE
- 3 DENTES DE ALHO PICADOS
- 8 BANANAS-DA-TERRA COZIDAS COM A CASCA
- 600 G DE MANDIOCA DESCASCADA COZIDA
- 1 MAÇO DE COENTRO PICADO
- PIMENTA-DO-REINO A GOSTO
- ÓLEO DE MILHO, PARA FRITAR
- SAL A GOSTO

Tempere o peixe com sal e refogue no azeite com o alho, mexendo de vez em quando para deixar que a carne se desfaça em lascas. Descasque a banana, tire a fibra da mandioca e passe ambas, ainda quentes, pela peneira. Misture os purês de banana e mandioca, o pirarucu morno e o coentro picado. Tempere com sal e pimenta-do-reino, forme bolinhos e frite. Sirva com molho de pimenta (p. 96) e limão.

BOLINHO DE PIRACUÍ

20 bolinhos pequenos
40 minutos
Fácil

- 2 XÍCARAS (CHÁ) DE FARINHA DE PIRACUÍ
- 1 BATATA GRANDE COZIDA
- 1 OVO
- ½ CEBOLA GRANDE EM CUBOS PEQUENOS
- PIMENTA-DE-CHEIRO PICADA, A GOSTO
- ½ XÍCARA (CHÁ) DE SALSINHA E CEBOLINHA PICADAS
- 1 OVO (PARA EMPANAR)
- 2 XÍCARAS (CHÁ) DE FARINHA DE PIRACUÍ (PARA EMPANAR)
- ÓLEO DE MILHO, PARA FRITAR
- SAL A GOSTO

Limpe bem a farinha de piracuí para tirar possíveis espinhas de peixe. Amasse a batata, formando um purê. Junte todos os ingredientes ao purê, misturando para obter uma massa homogênea. Forme bolinhas. Passe as bolinhas no ovo batido com um pouco de água e empane com a farinha de piracuí. Frite em óleo quente até dourar. Escorra sobre papel-toalha e sirva imediatamente.

ESMIUÇANDO

O que caracteriza esse bolinho é o tipo de farinha, feita de maneira artesanal a partir de peixes secos dos rios da Bacia Amazônica. O peixe pode ser cozido e seco ao sol (ou assado), tem as espinhas retiradas e, depois, é torrado e peneirado. A primeira vez que vi essa farinha foi no Mercado de Santarém (PA). O interessante é que todo o sabor do peixe fica potencializado. E isso também faz com que o alimento possa estar sempre presente nas casas, sem a preocupação do armazenamento.

BOLOVO

4 unidades
40 minutos
Médio

- 1 COLHER (SOPA) DE VINAGRE DE MAÇÃ
- 4 OVOS
- 400 G DE CARNE MOÍDA (PATINHO OU COXÃO MOLE MOÍDO 2 VEZES)
- ½ CEBOLA PICADA
- ½ DENTE DE ALHO
- 1 COLHER (SOPA) DE MOSTARDA AMARELA
- 200 G DE FARINHA DE TRIGO
- 1 OVO (PARA EMPANAR)

- 250 G DE FARINHA DE ROSCA
- 1 GARRAFA DE ÓLEO DE MILHO, PARA FRITAR
- SAL E PIMENTA-DO-REINO A GOSTO

Aqueça uma panela pequena com água e o vinagre. Quando abrir fervura, junte os ovos, conte 7 minutos e desligue o fogo; mergulhe em água fria, para que as gemas se mantenham moles. Descasque e reserve. Tempere a carne com a cebola, o alho, a mostarda, sal e pimenta-do-reino. Misture bem. Divida em quatro porções e envolva cada ovo cozido em uma delas, cobrindo por inteiro e tomando cuidado para não rachar. Empane na farinha de trigo, depois passe no ovo batido com um pouco de água e, na sequência, na farinha de rosca. Repita a operação. Frite em óleo aquecido em temperatura média-alta, até dourar bem por fora e a carne ficar cozida. Sirva quente.

ESMIUÇANDO

Conheci o bolovo em São Paulo, capital. No interior, era comum encontrar ovo cozido nos botecos, mas não com esse preparo. Será que a invenção desse típico tira-gosto paulista não foi uma forma de reaproveitar as sobras de ovo e de carne nos bares e botecos? Ou será uma receita emprestada de outro lugar? Em Londres, por exemplo, existe um quitute semelhante, o "scotch egg", criado ainda no século XVIII e que tem várias receitas, inclusive com diferenças na consistência da gema.

CALDO DE FEIJÃO

CALDO DE FEIJÃO

6 porções
1h30
Fácil

- 1 XÍCARA (CHÁ) DE TOUCINHO DEFUMADO (BACON) EM CUBOS
- ½ CEBOLA PICADA
- 2 DENTES DE ALHO PICADOS
- 6 XÍCARAS (CHÁ) DE FEIJÃO COZIDO COM BASTANTE CALDO
- 300 G DE BARRIGA DE PORCO COM PELE
- ÓLEO DE MILHO, PARA FRITAR
- ¼ MAÇO DE CHEIRO-VERDE PICADO
- SAL E PIMENTA-DO-REINO A GOSTO

Frite o bacon em uma panela aquecida. Acrescente a cebola e o alho, refogue um pouco e junte o feijão. Deixe o sabor apurar bem, em fogo baixo, por 40 minutos. Enquanto isso, tempere a barriga de porco com sal e pimenta-do-reino. Asse em forno 180 °C por 30 minutos, ou até que a pele esteja crocante. Bata o feijão no processador, passe por uma peneira e reserve. Corte a barriga em cubinhos e frite em óleo quente até ficar bem crocante e virar um torresmo. Sirva o caldo com o torresmo, salpicado de cheiro-verde.

ESMIUÇANDO

Um bom caldinho – de feijão, mocotó, piranha ou sururu – tem a fama de deixar a pessoa mais forte. Em minhas andanças pelo país, encontrei caldinhos que são até consumidos como remédios naturais. O de mocotó teria qualidades especiais: ajudaria a fortalecer os ossos. Minha avó paterna sempre acreditou nisso. Deu tanto mocotó para os netos e ninguém nunca trincou um osso... E olha que a gente caía!

BOLOVO

CALDO DE SURURU

CALDO DE MOCOTÓ

6 porções
2 horas
Fácil

- 1,5 KG DE MOCOTÓ
- SUCO DE 3 LIMÕES
- 2 FOLHAS DE LOURO
- 2 COLHERES (SOPA) DE AZEITE DE URUCUM
- 1 CEBOLA MÉDIA PICADA
- 2 DENTES DE ALHO PICADOS
- 4 TOMATES SEM PELE E SEM SEMENTES PICADOS
- ¼ MAÇO DE CEBOLINHA-VERDE EM RODELAS
- SAL E PIMENTA-DO-REINO A GOSTO

Lave bem o mocotó no suco de limão. Cozinhe na panela de pressão com as folhas de louro por cerca de 50 minutos a partir do momento em que a pressão se formar. Retire, reserve o caldo do cozimento, separe a carne de mocotó dos ossos e das cartilagens e pique. Aqueça o azeite de urucum e refogue a cebola, o alho e o tomate. Junte dois terços do mocotó. Cubra com metade do líquido do cozimento e deixe apurar por 30 minutos. Bata no liquidificador até obter um caldo uniforme. Volte para a panela com o mocotó restante e cozinhe um pouco mais. Tempere com sal, pimenta-do--reino e metade da cebolinha. Sirva salpicado da cebolinha restante.

CALDO DE PIRANHA

6 porções
2h30
Fácil/médio

- 3 PIRANHAS INTEIRAS E LIMPAS
- SUCO DE 3 LIMÕES
- 2 COLHERES (SOPA) DE ÓLEO DE MILHO
- 1½ CEBOLA MÉDIA PICADA
- 2 DENTES DE ALHO PICADOS
- ½ PIMENTÃO VERMELHO SEM PELE E PICADO
- 2 TOMATES SEM PELE E SEM SEMENTES PICADOS
- 1 PIMENTA-DEDO-DE-MOÇA PICADA
- ½ MAÇO DE COENTRO PICADO
- SAL E PIMENTA-DO-REINO A GOSTO

Tempere as piranhas com o suco dos limões. Aqueça o óleo e refogue a cebola, o alho, o pimentão, o tomate, a pimenta-dedo-de-moça e metade do coentro. Acrescente o peixe, cubra com água e cozinhe por 1h30-2 horas, até ficar macio e a carne soltar das espinhas. Retire todas as espinhas e passe a carne de piranha com o líquido de cozimento pelo processador, até obter um caldo uniforme. Tempere com sal e pimenta-do-reino e sirva salpicado com o coentro restante.

CALDO DE SURURU

6 porções
40 minutos
Fácil

- 400 G DE SURURU SEM CONCHA, LIMPO
- SUCO DE ½ LIMÃO
- 1 CEBOLA
- 2 DENTES DE ALHO
- 2 TOMATES SEM PELE E SEM SEMENTES
- ¼ PIMENTÃO VERMELHO SEM CASCA
- 2 COLHERES (SOPA) DE AZEITE DE DENDÊ
- 1 BATATA MÉDIA COZIDA
- 1½ COPO AMERICANO DE LEITE DE COCO
- ½ MAÇO DE COENTRO PICADO
- MOLHO DE PIMENTA A GOSTO
- SAL A GOSTO

Lave o sururu em água corrente e tempere com o suco do limão. Cozinhe por 5 minutos com uma pitada de sal. No processador, bata a cebola, o alho, o tomate e o pimentão, para obter um tempero uniforme. Refogue no azeite de dendê, junte dois terços do sururu, cubra com água e cozinhe por 20 minutos. Enquanto isso, bata o molusco restante, a batata e o leite de coco no liquidificador, até obter um purê. Adicione ao caldo e mexa bem. Junte metade do coentro picado e tempere com molho de pimenta e sal a gosto. Sirva salpicado com o coentro restante.

CAMARÃO AO ALHO E ÓLEO

6 porções
25 minutos
Fácil

- 18 CAMARÕES GRAÚDOS COM CASCA E CABEÇA
- SUCO DE 2 LIMÕES
- 2 COLHERES (SOPA) DE AZEITE DE OLIVA
- 3 DENTES DE ALHO CORTADOS EM LÂMINAS
- 2 COLHERES (SOPA) DE VINHO BRANCO
- ½ MAÇO DE SALSINHA PICADA
- SAL E PIMENTA-DO-REINO A GOSTO

CALDO DE PIRANHA

CAMARÃO AO ALHO E ÓLEO

Tempere os camarões com suco de limão e sal; deixe descansar por 5 minutos. Frite no azeite e acrescente o alho, dourando levemente. Finalize com salsinha e pimenta-do-reino.

CAMARÃO AO BAFO

6 porções
15 minutos
Fácil

- 1 KG DE CAMARÃO-DE-SETE-BARBAS SEM CABEÇA
- 1 COLHER (SOPA) DE ÓLEO
- 2 COLHERES (SOPA) DE VINHO BRANCO
- 1 COLHER (CHÁ) DE SAL

Lave bem os camarões. Coloque numa panela funda e acrescente o óleo, 1 colher (sopa) de água, o vinho e o sal. Tampe e cozinhe em fogo médio por 5 minutos. Sirva em seguida, para serem comidos com as mãos. Se quiser, sirva com maionese, limão, molho de pimenta ou outro de sua preferência.

CARANGUEJO TOC TOC

4 porções
10 minutos
Médio

- 4 CARANGUEJOS FRESCOS
- SAL A GOSTO

Limpe bem os caranguejos frescos, tirando o excesso de areia e raspando as patinhas. Coloque em água fervente com sal e cozinhe de 4 a 5 minutos, até ficar de um tom vermelho vivo. Sirva os caranguejos inteiros, com martelinhos para quebrar a carcaça.

ESMIUÇANDO

Assim como as onomatopeias, o nome dessa especialidade, presente em toda a costa brasileira, não tem data de nascimento. "Toc toc" vem do barulho do martelinho que bate na casca do caranguejo para abri-lo. A região onde mais encontrei o caranguejo toc toc foi o Delta do Parnaíba, entre o Maranhão e o Piauí.

CARNE DE ONÇA

2 porções
15 minutos
Fácil

- 300 G DE COXÃO MOLE MOÍDO
- 1 XÍCARA (CHÁ) DE CEBOLA ROXA PICADA
- 1 COLHER (SOPA) DE MOSTARDA ESCURA, MAIS UM POUCO PARA SERVIR
- SUCO DE 1 LIMÃO
- MOLHO DE PIMENTA
- 1 GEMA
- AZEITE DE OLIVA
- 2 FATIAS DE PÃO PRETO
- ½ XÍCARA (CHÁ) DE CEBOLINHA-VERDE

Junte a carne, sal, metade da cebola, a mostarda, o suco de limão, algumas gotas de molho de pimenta, a gema e um fio de azeite. Misture até ficar uniforme. Aqueça o pão no forno 180 °C, por 2 minutos, até a borda firmar. Distribua a carne sobre o pão e cubra com a cebola restante e a cebolinha-verde. Sirva com mostarda escura.

ESMIUÇANDO

A receita surgiu no restaurante curitibano Embaixador, na década de 1950, e então ganhou os botecos até virar patrimônio imaterial da cidade. Quando pesquisei a origem do petisco, ouvi várias versões. Uma delas é a história de que, um belo dia, a onça que andava passeando pelas fazendas da região havia aparecido morta – ao mesmo tempo em que surgia o tira-gosto, para escândalo de todos na cidade. Outra versão, menos fantasiosa e mais provável, diz que, por vir carregada de ervas e cebola crua, a receita é responsável por provocar um forte "bafo de onça".

CASQUINHA DE CARANGUEJO

12 porções
30 minutos
Fácil

- 5 COLHERES (SOPA) DE AZEITE DE OLIVA
- 1 CEBOLA MÉDIA PICADA
- 4 TOMATES SEM PELE E SEM SEMENTES, PICADOS
- 1 COLHER (SOPA) DE COENTRO PICADO
- 1 COLHER (SOPA) DE SALSINHA
- 500 G DE CARNE DE CARANGUEJO COZIDA E DESFIADA
- 1 COLHER (SOPA) DE SUCO DE LIMÃO
- 1 COLHER (SOPA) DE MANTEIGA
- 1 XÍCARA (CHÁ) DE FARINHA DE MANDIOCA
- ⅓ XÍCARA (CHÁ) DE QUEIJO PARMESÃO RALADO
- SAL E PIMENTA-DO-REINO A GOSTO

Numa frigideira grande, aqueça o azeite e frite a cebola até ficar macia. Junte o tomate e refogue por 2 minutos, sem parar de mexer. Acrescente o coentro, a salsinha, o caranguejo, o suco de limão, sal e pimenta-do-reino. Cozinhe em fogo médio por 5 minutos. Distribua a mistura entre doze conchas ou cumbuquinhas. Aqueça o forno a 200 °C-220 °C. Em outra frigideira, aqueça a manteiga, junte a farinha de mandioca, tempere com sal e mexa por alguns minutos, em fogo médio. Polvilhe sobre o recheio de caranguejo e distribua o queijo ralado por cima. Leve ao forno por 10 minutos, ou até dourar.

CASQUINHA DE SIRI

4 porções
40 minutos
Fácil

- 1 COLHER (SOPA) DE AZEITE DE OLIVA
- 2 COLHERES (SOPA) DE AZEITE DE DENDÊ
- ½ CEBOLA PICADA
- 1 DENTE DE ALHO PICADO
- 2 TOMATES SEM PELE E SEM SEMENTES PICADOS
- ¼ PIMENTÃO VERMELHO SEM PELE E PICADO
- 500 G DE CARNE DE SIRI LIMPA
- 1 COPO AMERICANO DE LEITE DE COCO
- ¼ MAÇO DE COENTRO BEM PICADO
- ¼ MAÇO DE CEBOLINHA-VERDE EM RODELAS FINAS

CARANGUEJO TOC-TOC

CARNE DE ONÇA

CHIPS DE BANANA-DA-TERRA

CHIPS DE JILÓ

- 1 XÍCARA (CHÁ) DE FARINHA DE ROSCA
- SAL A GOSTO

Aqueça os azeites de oliva e de dendê; refogue a cebola, o alho, o tomate e o pimentão. Junte o siri, refogue um pouco e acrescente o leite de coco. Cozinhe em fogo baixo por 5 minutos. Acrescente o coentro e a cebolinha; tempere com sal. Tire do fogo e distribua entre doze conchas ou cumbuquinhas. Polvilhe a farinha de rosca e leve ao forno 200 °C por 5 minutos, para gratinar.

CHIPS DE BANANA-DA-TERRA

4 porções
30 minutos
Médio

- 6 BANANAS-DA-TERRA VERDES E FIRMES
- ÓLEO DE MILHO, PARA FRITAR
- SAL A GOSTO

Descasque e corte as bananas no sentido do comprimento com a espessura de 2 mm. Seque um pouco com papel-toalha, tomando cuidado para não grudar, e frite em óleo preaquecido, dourando levemente. Escorra em papel-toalha, tempere com sal e sirva. Para a versão doce, substitua o sal por canela e açúcar.

CHIPS DE BATATA OU BATATA-DOCE

5 porções
20 minutos
Fácil

- 5 BATATAS OU BATATAS-DOCES MÉDIAS
- ÓLEO DE MILHO, PARA FRITAR
- SAL A GOSTO

Descasque a batata, lave bem e seque em um pano de prato. Com uma faca afiada ou um cortador com lâminas, corte em rodelas bem finas. Frite em óleo bem quente, dourando um pouco dos dois lados – atenção, pois fritam rápido. Escorra em papel-absorvente, tempere com sal e sirva.

CASQUINHA DE SIRI

CHIPS DE JILÓ

6 porções
40 minutos
Fácil

- 1 KG DE JILÓ
- SAL A GOSTO
- 3 XÍCARAS (CHÁ) DE FARINHA DE TRIGO
- ÓLEO DE MILHO, PARA FRITAR

Lave o jiló e corte em rodelas bem finas. Coloque em água com gelo e sal; reserve por 20 minutos. Escorra e empane com a farinha de trigo. Frite em óleo aquecido (180 °C) e escorra em papel-toalha. Sirva imediatamente.

CHIPS DE MANDIOCA

5 porções
20 minutos
Fácil

- 2 MANDIOCAS MÉDIAS DESCASCADAS
- ÓLEO DE MILHO, PARA FRITAR
- SAL A GOSTO

Corte a mandioca em tiras muito finas na vertical – o ideal é usar um cortador com lâminas. Deixe na água gelada por 30 minutos e seque com um pano de prato. Frite em óleo bem quente, dourando um pouco dos dois lados – atenção, pois fritam rápido. Escorra em papel-absorvente, tempere com sal e sirva.

CONSERVA DE BATATA-BOLINHA

10 porções
40 minutos mais o tempo para curtir
Fácil

- 1 KG DE BATATA-BOLINHA COZIDA COM CASCA
- 2 CEBOLAS
- 3 DENTES DE ALHO
- 2 PIMENTÕES VERDES
- 4 TOMATES VERDES SEM SEMENTES
- 1 MAÇO DE SALSINHA
- 1 XÍCARA DE AZEITE DE OLIVA
- ½ XÍCARA DE VINAGRE
- SAL E PIMENTA-DO-REINO A GOSTO

Fure as batatas, para que o tempero penetre, e coloque em uma tigela. Triture ou pique grosseiramente a cebola, o alho, o pimentão, o tomate e a salsinha. Junte às batatas com o azeite, o vinagre, sal e pimenta-do-reino. Misture bem. Leve à geladeira por 24 horas. Sirva gelada. (Conserve na geladeira por até 5 dias.)

CONSERVA DE LEGUMES

1 pote de conserva
15 minutos mais o tempo para curtir
Fácil

- ½ GARRAFA DE VINAGRE DE MAÇÃ
- 1½ XÍCARA (CHÁ) DE AÇÚCAR

- ½ PEPINO JAPONÊS EM RODELAS
- ½ CENOURA EM RODELAS
- ½ NABO EM RODELAS
- 1 XÍCARA (CHÁ) DE COUVE-FLOR EM FLORETES
- 1 PITADA DE SAL

Aqueça o vinagre com 1½ xícaras (chá) de água e o açúcar, até levantar fervura; desligue. Junte os legumes nesse caldo ainda quente. Tempere com sal e deixe esfriar. Transfira para um pote de vidro higienizado com água fervente e deixe curtir por pelo menos 48 horas antes de servir.

CONSERVA DE OVO DE CODORNA

10 porções
10 minutos
Fácil

- 30 OVOS DE CODORNA
- ½ COPO (AMERICANO) DE VINAGRE BRANCO
- 1 COLHER (CHÁ) DE SAL
- 1 COLHER (CHÁ) DE PIMENTA-CALABRESA SECA
- 1 COLHER (CHÁ) DE ORÉGANO SECO
- 1 FOLHA DE LOURO SECA
- UMA PITADA DE PIMENTA-DO-REINO BRANCA

Cozinhe os ovos por 6 a 7 minutos, até que estejam completamente cozidos. Descasque e reserve em uma tigela. Lave em água filtrada, para retirar qualquer resíduo que tenha restado, e seque com papel-toalha. Esterilize um vidro de conserva e encha até a metade com vinagre; complete o volume com ½ copo (americano) de água. Acrescente todos os temperos, misture bem e junte os ovinhos. Tampe e mantenha na geladeira até o momento de servir.

CONSERVA DE PIMENTA NA CACHAÇA, NO AZEITE E NO VINAGRE

10 porções (cada)
20 minutos (cada) mais o preparo de véspera
Fácil

NA CACHAÇA
- 500 G DE PIMENTAS VARIADAS
- 4 XÍCARAS (CHÁ) DE CACHAÇA
- 1 COLHER (SOPA) DE SAL
- 4 DENTES DE ALHO AMASSADOS

NO AZEITE
- 500 G DE PIMENTAS VARIADAS
- 4 XÍCARAS (CHÁ) DE AZEITE DE OLIVA EXTRAVIRGEM
- 4 DENTES DE ALHO AMASSADOS

NO VINAGRE
- 500 G DE PIMENTAS (COMO DE-CHEIRO, MALAGUETA E DEDO-DE-MOÇA)
- 1 XÍCARA (CHÁ) MAIS 2 COLHERS (CHÁ) DE SAL
- 750 ML DE VINAGRE
- 2 COLHERES (CHÁ) DE AÇÚCAR
- 1 RAMO DE TOMILHO
- 4 DENTES DE ALHO AMASSADOS

Para as conservas na cachaça e no azeite, o modo de preparo é o mesmo. Lave e seque a pimenta. Retire os cabos e deixe de um dia para o outro sobre papel-toalha, para secar totalmente. Coloque todos os ingredientes em um vidro de conserva esterilizado, deixando 1,5 cm de folga até a boca. Limpe a borda com papel-toalha, tampe e mantenha na geladeira por 30 dias antes de consumir.

Para a conserva no vinagre, coloque a pimenta em uma salmoura feita com 1 litro de água e 1 xícara (chá) de sal; cubra com um prato e reserve por cerca de 8 horas. Escorra, lave sob água corrente e seque com pano de prato. Fure com um garfo e transfira para um vidro de conserva esterilizado. Aqueça o vinagre, 250 ml de água, 2 colheres (chá) de sal, o açúcar, o alho e o tomilho por cerca de 5 minutos, em fogo médio. Despeje no vidro e deixe 1 cm de folga até a boca. Espere esfriar, tampe e mantenha em temperatura ambiente, em local fresco longe da luz, por até 3 meses.

ESMIUÇANDO

Farinha e algum tipo de pimenta costumam acompanhar boa parte das refeições país afora. De várias formas, cores e graus de picância, as pimentas aparecem no prato brasileiro em forma de molhos, conservas ou in natura. De Norte a Sul, a variedade é imensa: dedo--de-moça, de-cheiro, de-bode, cambuci, malagueta...

COQUETEL DE CAMARÃO

6 porções
40 minutos
Fácil

- 1 GEMA
- 1 COLHER (SOPA) DE MOSTARDA
- ½ GARRAFA DE ÓLEO DE MILHO
- SUCO DE ½ LIMÃO
- 1 COLHER (SOPA) DE CATCHUP CASEIRO (P. 73)
- ½ DOSE DE CONHAQUE
- ½ XÍCARA (CHÁ) DE VINHO BRANCO
- 1 TALO DE SALSÃO
- ½ CEBOLA
- ½ CENOURA
- 1 FOLHA DE LOURO
- 600 G DE CAMARÃO MÉDIO LIMPO
- ½ MAÇO DE SALSINHA BEM PICADA
- SAL E PIMENTA-DO-REINO A GOSTO

Misture a gema e a mostarda. Junte o óleo em fio, batendo com um batedor de arame (ou no liquidificador) até obter uma maionese. Acrescente o suco de limão, o catchup e o conhaque. Misture bem, tempere com sal e pimenta-do-reino e reserve. Aqueça ½ litro de água. Quando ferver, adicione o vinho, os legumes, o louro e sal a gosto. Cozinhe os camarões nesse caldo por 2 minutos. Sirva o molho com os camarões e finalize com a salsinha.

COXINHA DE GALINHA

20 unidades
2 horas
Médio/difícil

- 150 G DE MANTEIGA SEM SAL
- 1 COLHER (SOPA) DE SAL
- 3⅓ XÍCARAS (CHÁ) DE FARINHA DE TRIGO
- 4 COLHERES (SOPA) DE AZEITE DE OLIVA

COXINHA DE GALINHA

COQUETEL DE CAMARÃO

- ½ CEBOLA PICADA
- 2 DENTES DE ALHO PICADOS
- 500 G DE PEITO DE FRANGO COZIDO E DESFIADO
- 1 COLHER (CHÁ) DE EXTRATO DE TOMATE
- ½ MAÇO DE SALSINHA PICADA
- 4 OVOS
- 4 XÍCARAS (CHÁ) DE FARINHA DE ROSCA
- ÓLEO DE MILHO, PARA FRITAR

Aqueça 1 litro de água com a manteiga e o sal. Quando começar a ferver, despeje a farinha de trigo de uma vez na panela, mexendo sem parar até que a massa solte do fundo. Retire e reserve. Aqueça o azeite e refogue a cebola e o alho. Junte o frango e o extrato de tomate, mexa bem e acerte o sal. Acrescente a salsinha e retire do fogo. Faça bolinhas com a massa e abra com as pontas dos dedos. Recheie com o frango e modele as coxinhas. Passe as coxinhas nos ovos batidos e depois na farinha de rosca. Frite no óleo quente até dourar. Se quiser, acrescente requeijão cremoso ao recheio de frango ou na coxinha durante a montagem.

ESMIUÇANDO

Embora os franceses já tivessem o hábito de preparar a coxa-creme desde o século XIX, o aperitivo feito com frango desfiado e temperado que ganhou o coração dos brasileiros nasceu em São Paulo, nos anos 1920, na porta das fábricas. Os mineiros incorporaram requeijão ao recheio.

CROQUETE DE CARNE

CROQUETE DE CARNE

20 unidades pequenas
1h20
Fácil

- ⅓ DE CEBOLA PICADA
- 1 DENTE DE ALHO PICADO
- 2 COLHERES (SOPA) DE AZEITE
- 2 XÍCARAS (CHÁ) DE CARNE DE PANELA DESFIADA (P. 64) OU PROCESSADA
- 3 COLHERES (SOPA) DE MANTEIGA SEM SAL
- 3 COLHERES (SOPA) DE FARINHA DE TRIGO
- 1½ XÍCARA (CHÁ) DE LEITE
- 2 COLHERES (SOPA) DE SALSINHA PICADA
- SAL A GOSTO

PARA EMPANAR

- 1 XÍCARA (CHÁ) DE FARINHA DE TRIGO
- 2 OVOS BATIDOS
- 1 XÍCARA (CHÁ) DE FARINHA DE ROSCA
- 1 GARRAFA DE ÓLEO DE MILHO, PARA FRITAR

Doure a cebola e o alho no azeite. Acrescente a carne, refogue e reserve. Na mesma panela, derreta a manteiga e junte a farinha de trigo, mexendo sem parar, para não empelotar. Misture bem e cozinhe por cerca de 4 minutos, até liberar aroma de biscoito. Adicione o leite, a salsinha, a carne reservada e sal. Refogue em fogo baixo até engrossar; retire do fogo e espere esfriar. Modele bolinhos pequenos e empane, passando primeiro na farinha de trigo, depois nos ovos batidos e, por fim, na farinha de rosca. Frite em óleo quente.

EMPADINHAS DE CAMARÃO, FRANGO E PALMITO

12 unidades
50 minutos
Médio

MASSA

- 500 G DE FARINHA DE TRIGO
- 300 G DE MANTEIGA OU BANHA
- 1 OVO E 2 GEMAS
- UMA PITADA DE SAL

Para a massa, misture a farinha, a

manteiga e o sal e faça uma farofa. Adicione o ovo e, enquanto mistura, vá adicionando aos poucos 3/4 copo (americano) de água, até a massa soltar das mãos e ficar macia. Deixe descansar por 1 hora em temperatura ambiente enquanto prepara o recheio. Abra a massa com um rolo de macarrão, fazendo as bases e as tampas para as empadas. Coloque as bases em forminhas, recheie e cubra com a tampa. Pincele a gema e asse por 15 minutos em forno a 180 °C, ou até dourar.

RECHEIO DE CAMARÃO

- 500 G DE CAMARÃO MÉDIO PICADO
- SUCO DE 1 LIMÃO
- ½ CEBOLA PICADA
- 2 DENTES DE ALHO
- 2 TOMATES PICADOS
- 2 COLHERES (SOPA) DE AZEITE DE OLIVA
- 1 XÍCARA (CHÁ) DE CALDO DE CAMARÃO (FEITO COM AS CASCAS)
- ½ XÍCARA (CHÁ) DE AZEITONA VERDE PICADA
- ¼ MAÇO DE SALSINHA PICADA
- SAL E PIMENTA-DO-REINO A GOSTO

Tempere o camarão com suco de limão, sal e pimenta-do-reino. Refogue a cebola, o alho e o tomate no azeite. Junte os camarões e o caldo; cozinhe até reduzir pela metade e ficar mais cremoso. Acrescente a azeitona e a salsinha e recheie as empadas.

RECHEIO DE PALMITO

- 750 G DE PALMITO PUPUNHA
- 1 COLHER (SOPA) DE AZEITE DE OLIVA
- 2 COLHERES (SOPA) DE MANTEIGA
- ¼ CEBOLA PICADA
- 1 DENTE DE ALHO

- 2 TOMATES SEM PELE E SEM SEMENTES PICADOS
- 1 COLHER (SOPA) DE FARINHA DE TRIGO
- 1 XÍCARA (CHÁ) DE LEITE
- ¼ MAÇO DE SALSINHA PICADA
- SAL E PIMENTA-DO-REINO A GOSTO

Tempere o palmito com o azeite, sal e pimenta-do-reino. Embrulhe em papel-alumínio e leve ao forno a 180 °C por 30 minutos, ou até ficar macio. Corte em cubinhos e reserve. Aqueça a manteiga e refogue a cebola com o alho e o tomate, até murchar. Adicione a farinha de trigo e cozinhe um pouco, mexendo sempre para não empelotar. Acrescente o leite, cozinhe até ficar cremoso e junte o palmito picado. Acerte o tempero, salpique a salsinha e retire do fogo.

RECHEIO DE FRANGO CREMOSO

- 500 G DE PEITO DE FRANGO SEM OSSO
- SUCO DE 1 LIMÃO
- 3 COLHERES (SOPA) DE AZEITE DE OLIVA
- ½ CEBOLA PICADA
- 2 DENTES DE ALHO PICADOS
- 2 TOMATES PICADOS
- ½ MAÇO DE SALSINHA PICADA
- 1 COLHER (SOPA) DE MANTEIGA
- 1½ COLHER (SOPA) DE FARINHA DE TRIGO
- 1½ XÍCARA (CHÁ) DE LEITE
- SAL E PIMENTA-DO-REINO A GOSTO

Tempere o frango com o suco de limão, sal e pimenta-do-reino. Frite no azeite até dourar levemente. Retire a carne; refogue a cebola, o alho e o tomate na mesma panela. Volte o frango, cubra com água e cozinhe até ficar macio (se necessário, junte mais água). Desfie a carne e tempere com a salsinha. Em outra panela, derreta a manteiga e refogue o frango desfiado com os temperos. Adicione a farinha de trigo e misture. Junte o leite e mexa bem; cozinhe até virar um creme. Mantenha por mais 5 minutos em fogo baixo, retire do fogo, deixe esfriar e recheie as empadas.

ESMIUÇANDO

Qual a origem da empadinha? Será que foi uma torta que diminuiu para caber nas bandejas das festas? Ou será que o próprio tira-gosto aumentou e virou uma torta? De qualquer forma, a empadinha virou o salgadinho oficial das festas brasileiras e um ícone obrigatório dos botecos paulistas.

FILÉ APERITIVO

6 porções
30 minutos
Fácil

- 500 G DE FILÉ-MIGNON CORTADO EM TIRINHAS (ALCATRA, MAMINHA OU CONTRAFILÉ)
- 1 COLHER (SOPA) DE AZEITE DE OLIVA
- 3 DENTES DE ALHO AMASSADOS
- 1 COLHER (CHÁ) DE VINAGRE
- 1 CEBOLA CORTADA EM TIRAS FINAS
- 1 COLHER (SOPA) DE MOLHO INGLÊS (OPCIONAL)
- ÓLEO DE MILHO
- SAL E PIMENTA-DO-REINO A GOSTO

Tempere a carne com o azeite, o alho, o vinagre, sal e pimenta-do--reino. Em uma chapa ou panela larga, aqueça um fio de óleo e frite a carne por 2 minutos, sem mexer. Misture e frite por mais 2 minutos. Acrescente a cebola e refogue, mexendo sempre, até dourar. Para finalizar, junte o molho inglês, aqueça por cerca de 1 minuto e desligue. Sirva com pão francês e vinagrete (p. 22).

FRANGO À PASSARINHO

FRANGO À PASSARINHO

4 porções
40 minutos
Fácil

- 1 FRANGO INTEIRO CORTADO EM 22 PEDAÇOS DE TAMANHOS SEMELHANTES
- SUCO DE 2 LIMÕES
- 6 DENTES DE ALHO
- ÓLEO DE MILHO, PARA FRITAR
- ½ XÍCARA DE SALSINHA PICADA
- SAL E PIMENTA-DO-REINO A GOSTO

Tempere o frango com o suco de limão, 2 dentes de alho espremidos, sal e pimenta-do-reino; deixe marinar por 15 minutos. Enquanto isso, pique os outros dentes de alho em cubinhos e frite em fogo baixo em 1 colher (sopa) de óleo, sem deixar queimar; reserve. Aqueça o óleo a 150-160 °C (temperatura intermediária) e frite os pedaços de frango por cerca de 10 minutos, sem deixar dourar demais. Retire e escorra em papel-toalha. Espere o óleo aquecer mais e frite novamente, agora para dourar e deixar a pele crocante. Retire, escorra e misture o alho frito e a salsinha picada.

ESMIUÇANDO

É um petisco clássico das cantinas italianas, popularizado no Brasil na década de 1950. Por ser fácil de comer – basta usar as mãos –, também é muito bem-vindo pelas crianças, que muitas vezes são introduzidas ao consumo de carne por meio do frango à passarinho. Em alguns lugares de Minas Gerais, a receita ganha queijo. Para mim (e para tanta gente, no país inteiro!), a melhor parte é a pele pururucada, sem dúvida o "pedaço" mais disputado do frango.

GINGA COM TAPIOCA

4 porções
40 minutos
Fácil

- 500 G DE GOMA DE TAPIOCA
- ½ COCO FRESCO RALADO
- 16 GINGAS OU MANJUBINHAS
- 1½ XÍCARA (CHÁ) DE FARINHA DE MANDIOCA, PARA EMPANAR

ISCA DE PEIXE COM MOLHO TÁRTARO

- 4 COLHERES (SOPA) DE AZEITE DE DENDÊ
- SAL A GOSTO

Misture a goma e o coco; passe por uma peneira, para a massa da tapioca ficar bem macia. Aqueça uma frigideira antiaderente em fogo brando, junte um pouco da massa e espalhe com as costas de uma colher, para cobrir o fundo de modo uniforme. Torre por 2 a 4 minutos, ou até obter uma espécie de panqueca, com as bordas desprendendo da panela. Vire e frite por mais 1 minuto. Tempere as gingas com sal e enfie em palitos de churrasco quebrados ao meio. Polvilhe farinha de mandioca e frite no dendê bem quente. Quando dourar, retire e recheie a tapioca, com a ponta do palito para fora. Sirva imediatamente.

ISCA DE PEIXE COM MOLHO TÁRTARO

4 porções
20 minutos
Fácil

- 500 G DE BADEJO OU PESCADA AMARELA
- SUCO DE 1½ LIMÃO
- 1 GEMA
- 1 COLHER (SOPA) DE MOSTARDA
- ½ GARRAFA DE ÓLEO DE MILHO
- ¼ MAÇO DE SALSINHA PICADA
- ¾ DE XÍCARA (CHÁ) DE LEGUMES EM CONSERVA (P. 35)
- 1 XÍCARA (CHÁ) DE FARINHA DE TRIGO
- 1 OVO BATIDO
- 2 XÍCARAS (CHÁ) DE FUBÁ
- ÓLEO DE MILHO, PARA FRITAR
- SAL E PIMENTA-DO-REINO A GOSTO

Corte o peixe em tirinhas e tempere com o suco de 1 limão, sal e pimenta-do-reino. Reserve por 15 minutos. Enquanto isso faça o molho tártaro: bata a gema com a mostarda e junte o óleo de milho em fio, batendo sem parar com um batedor de arame, até obter uma maionese. Tempere com o suco de ½ limão, sal e pimenta-do-reino. Acrescente a salsinha e os legumes bem picados. Empane o peixe na farinha de trigo e passe pelo ovo e pelo fubá. Frite em óleo preaquecido e sirva com o molho.

LAMBARI FRITO

4 porções
40 minutos
Médio

- 500 G DE LAMBARI
- 150 G DE FUBÁ, PARA EMPANAR
- ÓLEO DE MILHO, PARA FRITAR
- LIMÃO A GOSTO
- SAL A GOSTO

Limpe o lambari e faça cerca de dez cortes transversais nas laterais do peixe e tempere com sal a gosto. Passe no fubá e retire o excesso com o auxílio de uma peneira. Numa panela alta (10 cm altura x 24 cm diâmetro) ou caçarola média, aqueça o óleo a 180 °C e frite o lambari por cerca de 10 minutos, ou até que fique firme e seco; deve dourar, mas sem ficar muito escuro. Escorra o excesso de óleo e coloque sobre papel-toalha. Sirva com limão a gosto.

ESMIUÇANDO

O lambari frito faz parte das melhores memórias da minha infância. Só de pensar, minha boca se enche de água. Em Franca, interior de São Paulo, eu costumava pescar nos rios e açudes. Tinha até a minha própria caixinha de pesca. Além de suavizar o sabor forte do peixe, esse tipo de preparo faz com que a espinha fique crocante.

LAMBRETA

6 porções
30 minutos
Fácil

- 1/4 DE XÍCARA (CHÁ) DE AZEITE
- 1 CEBOLA PICADA
- 2 TOMATES CORTADOS EM PEDAÇOS
- SUCO DE 2 LIMÕES
- ¼ XÍCARA (CHÁ) DE COENTRO PICADO
- 3 KG DE LAMBRETA
- SAL A GOSTO

Numa panela grande com o azeite, coloque a cebola, o tomate, sal e o suco de limão. Refogue por 5 minutos, sem parar de mexer. Acrescente o coentro, 4 xícaras (chá) de água e a lambreta. Tampe a panela e ferva até todas as conchas se abrirem (descarte as que permanecerem fechadas, pois não estarão próprias para consumo). Retire os mariscos com uma escumadeira e sirva com o caldo quente ou frio, à parte.

LINGUIÇA NA CACHAÇA

4 porções
25 minutos
Fácil

- 500 G DE LINGUIÇA ARTESANAL (P. 103)
- 3 COLHERES (SOPA) DE AZEITE
- 1 CEBOLA CORTADA EM TIRAS
- 1 COLHER (SOPA) DE VINAGRE
- 1 DOSE DE CACHAÇA ARTESANAL
- ½ MAÇO DE SALSINHA PICADA
- SAL E PIMENTA-DO-REINO A GOSTO

Sele toda a linguiça no azeite quente, até dourar. Retire da panela, fatie a linguiça e volte à frigideira para dourar e cozinhar o miolo. Reserve. Na mesma panela, refogue a cebola em fogo baixo, até murchar um pouco. Tempere com sal, pimenta-do-reino e vinagre. Volte a linguiça, refogue com a cebola e adicione a cachaça. Deixe reduzir, adicione a salsinha picada e sirva.

LULA À DORÉE

LULA À DORÉE

4 porções
20 minutos
Fácil

- 12 TUBOS DE LULA MÉDIA
- SUCO DE 2 LIMÕES-CRAVO
- 1 XÍCARA (CHÁ) DE FARINHA DE TRIGO
- ÓLEO DE MILHO, PARA FRITAR
- SAL E PIMENTA-DO-REINO A GOSTO

Limpe e lave bem os tubos de lula. Corte em rodelas, tempere com suco de limão, sal e pimenta-do-reino. Coloque a farinha de trigo dentro de um saco plástico e junte os anéis de lula. Feche e chacoalhe, para que a lula fique bem envolvida na farinha. Aqueça o óleo e frite os anéis rapidamente, por cerca de 1 minuto. Seque em papel-toalha e sirva com molho tártaro.

MANJUBINHA FRITA

6 porções
10 minutos
Fácil

- 1 KG DE MANJUBINHAS LIMPAS E SEM VÍSCERAS
- SUCO DE 2 LIMÕES
- 3 XÍCARAS (CHÁ) DE FARINHA DE TRIGO
- ÓLEO DE MILHO, PARA FRITAR
- SAL E PIMENTA-DO-REINO A GOSTO

Tempere o peixe com limão, sal e pimenta-do-reino. Passe na farinha de trigo e frite em óleo quente até dourar (outra opção é empanar em fubá mimoso). Sirva imediatamente com molho tártaro ou maionese caseira (p. 41).

MOELA NA CERVEJA ESCURA

4 porções
4 horas
Fácil

- 1 KG DE MOELA
- 3 PIMENTAS DEDO-DE-MOÇA SEM SEMENTES

MOELA NA
CERVEJA ESCURA

OSTRA GRATINADA

- 3 LATAS DE CERVEJA ESCURA
- ½ CEBOLA PICADA
- 3 DENTES DE ALHO
- 2 COLHERES (SOPA) DE ÓLEO DE MILHO
- ½ MAÇO DE COENTRO PICADO
- SAL A GOSTO

Limpe bem a moela e lave em água corrente. Pique as pimentas, cubra com a cerveja e junte a carne; deixe marinar por 1h30. Retire a moela e reserve o líquido da marinada. Refogue a cebola e o alho no óleo; acrescente a moela e sele de todos os lados. Cubra com o líquido reservado e cozinhe em fogo médio, com a panela tampada, até ficar macio. Destampe, deixe o molho reduzir até a metade, tempere com sal e finalize com o coentro. Sirva com pão ou com arroz branco.

OSTRA GRATINADA

4 porções
1 hora
Fácil

- 3 XÍCARAS (CHÁ) DE LEITE
- ½ CEBOLA
- 1 FOLHA DE LOURO
- 2 CRAVOS-DA-ÍNDIA
- 2 COLHERES (SOPA) DE MANTEIGA SEM SAL
- 3 COLHERES (SOPA) DE FARINHA DE TRIGO
- 1 PITADA DE NOZ-MOSCADA
- 16 OSTRAS FRESCAS
- 1 XÍCARA (CHÁ) DE QUEIJO PARMESÃO RALADO
- SAL A GOSTO

Prepare o molho branco: ferva o leite com a cebola, o louro e o cravo-da-índia. Derreta a manteiga e junte a farinha de trigo, mexendo sempre até liberar aroma de biscoito. Acrescente o leite fervido, aos poucos, sem parar de mexer para não empelotar. Tempere com sal e noz-moscada; reserve. Abra as ostras com muito cuidado e tempere com uma pitada de sal. Peneire o molho branco e cubra as ostras. Distribua o parmesão e leve ao forno para gratinar, por 6 a 7 minutos, apenas até que o queijo derreta e doure. Sirva imediatamente.

OVO COLORIDO

12 porções
30 minutos
Fácil

- 12 OVOS BRANCOS
- 1½ COLHER (SOPA) DE VINAGRE
- 2 COLHERES (SOPA) DE AÇAFRÃO-DA-TERRA
- 1 XÍCARA (CHÁ) DE BETERRABA RALADA
- 1 XÍCARA (CHÁ) DE ESPINAFRE PICADO

Coloque quatro ovos em três recipientes separados; cubra com água e junte ½ colher de sopa de vinagre a cada um deles. Em um dos recipientes, junte o açafrão-da-terra. Em outro, a beterraba ralada e, no último, o espinafre picado. Reserve por 30 minutos na geladeira. Transfira o conteúdo de cada vasilha para uma panela diferente. Cozinhe por 12 minutos, escorra e coloque os ovos em um vidro, sem retirar a casca. Sirva com ou sem casca.

ESMIUÇANDO

Nos botecos, é comum ouvir a discussão: como surgiram os ovos coloridos? E todo mundo parece encontrar explicação – geralmente ligada a piadas com galinhas. Fato é que os primeiros ovos coloridos surgiram do hábito de ferver os ingredientes junto com as salsichas, as cebolas, a beterraba... Afinal, no boteco normalmente não há muitas panelas!

PASTEL ASSADO

20 porções
40 minutos
Fácil

- 2½ XÍCARAS (CHÁ) DE FARINHA DE TRIGO
- 1 COLHER (CHÁ) DE FERMENTO EM PÓ
- 3 OVOS
- 1 COLHER (SOPA) DE MANTEIGA
- 1 COLHER (SOPA) DE ÓLEO DE MILHO
- 4 COLHERES (SOPA) DE LEITE
- 1 COLHER (CHÁ) DE CACHAÇA
- 400 G DE RECHEIO DE CARNE (P. 46) OU FRANGO CREMOSO (P. 256)
- 2 OVOS, PARA PINCELAR
- SAL

Peneire a farinha e o fermento. Abra uma cova no meio e junte os ovos, a manteiga, o óleo, o leite e sal. Acrescente a cachaça e misture até ficar homogêneo. Sobre uma superfície enfarinhada, abra a massa e corte círculos com 10 cm de diâmetro. No centro, disponha 1 colher (sopa) de recheio e feche o pastel, formando uma meia-lua e aperte as bordas, para vedar. Pincele com ovo batido e asse em forno preaquecido a 180 °C por 20 minutos, ou até dourar.

PASTÉIS

PASTEL DE CAMARÃO, CARNE E PALMITO

10 unidades (cada recheio)
1h20
Médio/difícil

MASSA
- 4 XÍCARAS (CHÁ) DE FARINHA DE TRIGO
- 1 COLHER (SOPA) DE SAL
- 1 COLHER (SOPA) DE ÓLEO DE MILHO
- 1 DOSE DE CACHAÇA
- ½ XÍCARA (CHÁ) DE FARINHA DE TRIGO (PARA ABRIR A MASSA)
- ÓLEO DE MILHO, PARA FRITAR

Misture a farinha de trigo com o sal. Abra uma cavidade no meio e, aos poucos, acrescente 2 copos (americanos) de água, incorporando a massa com as mãos. Junte o óleo e continue a misturar, até ficar homogêneo. Adicione a cachaça e misture mais. Polvilhe farinha em uma superfície de trabalho e sove bem a massa até que ela fique elástica e deixe de grudar na bancada e nas mãos. Cubra com um pano de prato e deixe descansar por 30 minutos. Abra a massa com um cilindro ou com um rolo de macarrão, enfarinhando a superfície sempre que necessário, e corte do tamanho desejado. Recheie os pastéis, feche e frite em óleo aquecido a 180 °C.

RECHEIO DE CAMARÃO
- 500 G DE CAMARÃO MÉDIO LIMPO E PICADO
- SUCO DE 1 LIMÃO
- ½ CEBOLA PICADA
- 2 DENTES DE ALHO
- 2 TOMATES PICADOS
- 2 COLHERES (SOPA) DE AZEITE
- CALDO FEITO COM AS CASCAS DO CAMARÃO
- ½ XÍCARA (CHÁ) DE AZEITONAS VERDES PICADAS
- ¼ DE MAÇO DE SALSINHA PICADA
- SAL E PIMENTA-DO-REINO A GOSTO

Tempere o camarão com suco de limão, sal e pimenta-do-reino; reserve. Refogue a cebola, o alho e o tomate no azeite. Junte o camarão e 1 xícara (chá) de caldo. Deixe reduzir pela metade, até ficar mais cremoso. Acrescente a azeitona e a salsinha. Recheie a massa e frite os pastéis.

RECHEIO DE CARNE
- 500 G DE PATINHO MOÍDO
- 3 COLHERES (SOPA) ÓLEO DE MILHO
- ½ CEBOLA PICADA
- 3 DENTES DE ALHO PICADOS
- PIMENTA-DO-REINO A GOSTO
- ½ XÍCARA CHÁ DE AZEITONAS PRETAS PICADAS
- 4 OVOS COZIDOS E PICADOS
- ½ MAÇO DE SALSINHA PICADO
- SAL E PIMENTA-DO-REINO A GOSTO

Tempere a carne com sal e pimenta--do-reino. Refogue no óleo, até dourar bem. Acrescente a cebola e o alho; refogue mais um pouco. Junte a azeitona, os ovos e a salsinha. Mexa um pouco, tomando cuidado para não amassar os ovos. Tire do fogo, recheie a massa e frite os pastéis.

RECHEIO DE PALMITO
- 750 G DE PUPUNHA IN NATURA
- 1 COLHER (SOPA) DE AZEITE
- 2 COLHERES (SOPA) DE MANTEIGA
- ¼ CEBOLA PICADA
- 1 DENTE DE ALHO
- 2 TOMATES SEM PELE E SEM SEMENTES PICADOS
- 1 COLHER (SOPA) DE FARINHA DE TRIGO
- 1 XÍCARA (CHÁ) DE LEITE
- ¼ MAÇO DE SALSINHA PICADO
- SAL E PIMENTA-DO-REINO A GOSTO

Tempere o palmito com o azeite, sal e pimenta-do-reino. Embrulhe em papel--alumínio e leve ao forno a 180 °C por 30 minutos, ou até ficar macio. Pique e reserve. Derreta a manteiga e refogue a cebola, o alho e o tomate, até murchar. Junte a farinha de trigo e cozinhe um pouco, mexendo sempre para não empelotar. Acrescente o leite, misture e cozinhe até ficar cremoso; adicione o palmito. Acerte os temperos, polvilhe a salsinha e retire do fogo. Recheie a massa e frite os pastéis.

PINHÃO COZIDO

8 porções
2 horas
Fácil

- 1 KG DE PINHÃO
- 1 COLHER (CHÁ) DE SAL

Lave o pinhão em água corrente e cozinhe em água com sal por cerca de 2 horas - ou por 30 minutos na panela de pressão.

QUIBE DE MANDIOCA

20 unidades pequenas
45 minutos
Médio

- 1 KG DE MANDIOCA SEM O FIO CENTRAL
- 3 COLHERES (SOPA) DE ÓLEO DE MILHO
- ½ CEBOLA PICADA
- 3 DENTES DE ALHO
- 500 G DE CARNE MOÍDA (PATINHO)
- ½ MAÇO DE HORTELÃ PICADA
- 1 COLHER (SOPA) DE MANTEIGA SEM SAL
- 4 COLHERES (SOPA) DE FARINHA DE ARROZ
- 3 OVOS, BATIDOS
- 2 XÍCARAS (CHÁ) DE FARINHA DE MANDIOCA FINA TORRADA
- ÓLEO DE MILHO, PARA FRITAR
- SAL E PIMENTA-DO-REINO A GOSTO

QUIBE DE MANDIOCA

RISSOLES

Cozinhe a mandioca em pouca água com sal, até secar. Aqueça o óleo e refogue a cebola e o alho. Acrescente a carne, deixe secar e tempere com sal, pimenta-do-reino e hortelã. Amasse a mandioca para obter uma massa bem firme. Adicione a manteiga e a farinha de arroz, misturando até ficar homogênea. Faça bolinhas do mesmo tamanho, abra uma cavidade e recheie com a carne. Modele em formato de quibe e passe primeiro no ovo batido, depois empane com a farinha de mandioca. Frite em óleo aquecido até ficar levemente dourado.

ESMIUÇANDO

Essa receita é muito comum no Acre, estado que já visitei inúmeras vezes, onde a comunidade árabe adaptou uma de suas mais famosas receitas com os ingredientes locais: sai o trigo em grãos, entra a mandioca.

RISSOLE DE CARNE

20 unidades
2 horas
Médio

- 150 G DE MANTEIGA SEM SAL
- 1 COLHER (SOPA) DE SAL
- 3⅓ XÍCARAS (CHÁ) DE FARINHA DE TRIGO
- 700 G DE CARNE MOÍDA (PATINHO)
- 3 COLHERES (SOPA) ÓLEO DE MILHO
- 3 DENTES DE ALHO
- ½ CEBOLA PICADA
- ½ XÍCARA (CHÁ) DE AZEITONAS PRETAS PICADAS
- ½ MAÇO DE SALSINHA PICADA
- 4 OVOS BATIDOS
- 2 XÍCARAS (CHÁ) DE FARINHA DE ROSCA
- ÓLEO DE MILHO, PARA FRITAR
- SAL E PIMENTA-DO-REINO A GOSTO

Aqueça 1 litro de água com a manteiga e o sal. Quando ferver, despeje a farinha de trigo de uma só vez na panela, mexendo sem parar até que solte do fundo. Retire e reserve. Refogue a carne no óleo de milho, até dourar bem. Adicione o alho e a cebola, refogue um pouco. Junte a azeitona e a salsinha picada, mexa um pouco, tempere com sal e pimenta-do-reino e tire do fogo. Abra a massa do rissole com 0,5 cm de espessura e use um cortador para obter círculos. Recheie com a carne e feche, formando uma meia-lua. Passe pelo ovo e pela farinha de rosca e frite em óleo preaquecido, até dourar levemente. Outros recheios comuns são os de queijo meia-cura (rale e recheie) e de milho (refogue milho-verde fresco com cebola e alho e bata no liquidificador para ficar cremoso antes de rechear).

SARDINHA FRITA

10 porções
30 minutos
Fácil

- 10 SARDINHAS LIMPAS E ABERTAS
- 2 DENTES DE ALHO PICADOS
- ½ XÍCARA (CHÁ) DE FARINHA DE TRIGO
- ÓLEO DE MILHO, PARA FRITAR
- 2 LIMÕES
- SAL E PIMENTA-DO-REINO A GOSTO

Lave as sardinhas e tempere com alho, sal e pimenta-do-reino. Passe pela farinha de trigo e frite em óleo bem quente. Escorra sobre papel-toalha e sirva com rodelas de limão.

TORRESMO

4 porções
5 horas mais o tempo para sorar
Médio

- 1 BARRIGA DE PORCO (2 KG)
- SAL E PIMENTA-DO-REINO A GOSTO
- ÓLEO DE MILHO OU BANHA, PARA FRITAR

Faça cortes diagonais no couro da barriga e tempere com sal e pimenta-do-reino. Coloque sobre uma grelha, com o couro voltado para baixo, e deixe sorar por uma noite, dentro da geladeira. No dia seguinte, leve ao forno 180 °C por 1h30, até ficar bem sequinho e dourado. Corte em cubos grandes e espere esfriar bem. Aqueça o óleo e frite os torresmos até ficarem bem dourados e crocantes.

ESMIUÇANDO

Qual você prefere? O tira-gosto feito apenas com o couro do porco ou o mais encorpado, que leva couro e barriga? Em qualquer uma das versões, o torresmo pode ter vários formatos e servir não só como petisco, mas como acompanhamento de receitas como feijão tropeiro, tutu de feijão e feijoada.

COSTELINHA
DE PORCO, P. 91

MISTURA

COZIDO, P. 70

Na cozinha brasileira, mistura é a parte forte, o alimento rico. Uma casa com mistura é uma casa que tem refeições fartas, completas. Caso contrário, a sensação é a de que não tem comida, ou de que algo está faltando. Como quando alguém olha para o armário cheio de roupas e acha que não tem nada que sirva para vestir. Tanto que quem ascende socialmente vai logo tratando de reforçar a mistura – porque a vida inteira ela fez mágica para fazer render essa porção de carne, seja ela qual for.

Muitos pratos clássicos, aliás, surgiram desse esforço de "fazer render" a mistura. É o caso do arroz Maria Isabel e do arroz carreteiro, que aproveitam as carnes e "engordam" o prato com o acréscimo de arroz. Aumentar a mistura com sustância é fazer com que não falte proteína à mesa – e essa é quase uma questão de orgulho nacional.

Mas a visão de que apenas carne seja parte fundamental da refeição foi se atualizando com o tempo. Hoje, existe "mistura" de leguminosas, batatas, abóboras, mandiocas e outros alimentos de origem vegetal ricos em vitaminas e minerais. E ninguém se atreve mais a dizer que isso também não é comida "forte".

Eu me dei conta da importância da mistura ao reunir os pratos mais representativos da cozinha clássica brasileira. Este capítulo ocupa mais de um terço do total do livro. É o reflexo das viagens que venho fazendo há quinze anos pelo país, recolhendo receitas e causos sobre hábitos alimentares de brasileiros como eu.
Ok, Ana, tudo bem. Mas de onde vem o termo "mistura"?

O que eu vi é que a palavra é mais frequente no interior paulista, no Rio Grande do Sul e em alguns lugares do Nordeste. Se eu fechar os olhos, ainda consigo ver meu pai olhando curioso para dentro da cozinha e perguntando: "O que tem de mistura para hoje?"

CARNE DE BOI

AFOGADO

6 porções
2 horas
Médio

- 1,5 KG DE CARNE DE PEITO DE BOI
- 2 DENTES DE ALHO PICADOS OU SOCADOS
- 1 CEBOLA GRANDE PICADA
- 4 COLHERES (SOPA) DE ÓLEO DE MILHO
- 1 COLHER (SOPA) DE COLORAU
- ½ MAÇO DE CHEIRO-VERDE PICADO
- ¼ MAÇO DE ALFAVACA DESFOLHADO
- 2 FOLHAS DE LOURO
- 6 BATATAS DESCASCADAS
- 2 XÍCARAS (CHÁ) DE FARINHA DE MANDIOCA FINA
- SAL E PIMENTA-DO-REINO A GOSTO

Limpe a carne, corte em cubos grandes e tempere com sal e pimenta-do-reino. Refogue o alho e a cebola no óleo. Adicione o colorau e a carne em cubos; frite para selar de todos os lados. Junte os outros temperos (reserve um pouco do cheiro-verde para finalizar) e cubra com água. Cozinhe por 30 minutos e acrescente a batata. Quando tudo estiver cozido, acerte os temperos, retire do fogo, polvilhe o cheiro--verde reservado e sirva com a farinha de mandioca.

ESMIUÇANDO

O nome tem tudo a ver com o jeito como essa receita é preparada: "afogando" a carne por até 24 horas. Assim como outros cozidos, ele nasceu como uma receita de festa popular, no Vale do Paraíba, lá no século XVIII, quando era feito em grandes tachos de cobre. E o prato é mesmo ótima pedida para dias festivos: uma vez dispostos os ingredientes, quem cozinha também pode se divertir, pois não precisa ficar o tempo todo de olho no fogão. Melhor: esses caldos ricos e substanciosos ainda ajudam a dar energia e equilibrar a bebedeira.

AFOGADO

ARROZ CARRETEIRO

ALMÔNDEGAS AO MOLHO

4 porções
1h20
Fácil/médio

- 1,5 KG DE TOMATE
- 2 PÃEZINHOS FRANCESES
- 700 G DE CARNE MOÍDA (PATINHO OU ALCATRA)
- 1 CEBOLA GRANDE PICADA
- 3 DENTES DE ALHO PICADOS
- 2 COLHERES (SOPA) DE AZEITE DE OLIVA
- SAL E PIMENTA-DO-REINO A GOSTO

Cozinhe o tomate em 1 dedo de água e bata no processador, para obter um molho uniforme. Umedeça os pães até desmancharem e misture à carne moída. Junte ½ cebola, 2 dentes de alho, sal e pimenta--do-reino. Misture bem, até ficar homogêneo. Modele as bolinhas e sele no azeite, até dourar. Retire e reserve. Na mesma panela, refogue a cebola e o alho restantes. Volte as almôndegas, acrescente o molho de tomate e cozinhe por 20 minutos. Sirva com arroz branco (p. 146).

ESMIUÇANDO

As almôndegas fazem parte da minha infância. Lá em casa, eram almôndegas gratinadas, ao molho, servidas com arroz e feijão. Mas

ALMÔNDEGAS AO MOLHO

outra receita clássica é a clássica macarronada com almôndegas aos domingos. Uma curiosidade: embora estejam relacionadas à gastronomia italiana, o nome vem do árabe "albúnduqa" ("de forma redonda").

ARROZ CARRETEIRO

6 porções
2 horas
Médio

- 300 G DE APARAS DE CARNE (FRALDINHA, ALCATRA, MAMINHA, PICANHA) EM TIRAS FINAS
- 4 COLHERES (SOPA) DE ÓLEO DE MILHO
- 400 G DE CHARQUE DESSALGADO COZIDO E DESFIADO
- 2 DENTES DE ALHO PICADOS
- 1 CEBOLA PEQUENA PICADA
- 350 G DE ARROZ BRANCO
- 700 ML DE CALDO DE CARNE (RECEITA ABAIXO)
- 4 COLHERES (SOPA) DE SALSINHA PICADA
- 2 COLHERES (SOPA) DE CEBOLINHA-VERDE PICADA
- 6 OVOS COZIDOS
- 3 LINGUIÇAS DE PORCO GRELHADAS
- SAL E PIMENTA-DO-REINO A GOSTO

Em uma panela de fundo grosso, salteie as aparas de carne no óleo até dourar; tempere com sal e pimenta-do-reino. Junte o charque, o alho e a cebola. Refogue um pouco mais e acrescente o arroz. Cubra com o caldo de carne, acerte o sal e cozinhe com a panela tampada por cerca de 20 minutos, até o arroz ficar macio. Junte a salsinha e a cebolinha e polvilhe com os ovos cozidos e amassados, como se fosse uma farofinha. Sirva com a linguiça grelhada.

CALDO DE CARNE

3 litros
12 horas
Difícil

- 5 KG DE MÚSCULO OU OUTRA CARNE COM BASTANTE COLÁGENO
- 2 CEBOLAS GRANDES
- 1 CENOURA
- 4 TALOS DE SALSÃO
- 1 TALO DE ALHO-PORÓ
- 2 XÍCARAS (CHÁ) DE ÓLEO DE MILHO
- 1 XÍCARA (CHÁ) DE EXTRATO DE TOMATE (P. 63)
- 1 GARRAFA DE VINHO TINTO SECO
- 5 FOLHAS DE LOURO

Corte o músculo em cubos grandes e asse em forno preaquecido a 200 °C por 1 hora, ou até ficar bem sequinho e escuro. Corte a cebola, a cenoura, o salsão e o alho-poró em cubos grandes. Refogue bem no óleo de milho até dourar, sem deixar queimar. Junte a carne e o extrato de tomate; mexa bem. Acrescente o vinho, o louro e 8 litros de água. Cozinhe em fogo médio-baixo por pelo menos 6 horas. Coe com uma peneira, apertando bem para tirar todo o líquido. Descarte os ingredientes sólidos. Volte o caldo ao fogo e ferva em fogo baixo por mais 3 horas, ou até que reduza à metade. Separe o que for usar na hora e congele o restante por 6 meses no máximo.

ARROZ DE FORNO

ESMIUÇANDO

Tão típico dos gaúchos quanto o mate e o churrasco, já foi alimento de viajantes solitários, transportadores de cargas que deixavam a família e venciam longas distâncias nos confins dos pampas para construir pequenas casas (ou ranchos) e, assim, ajudar a povoar o que viria a ser o estado do Rio Grande do Sul. O próprio nome, "carreteiro", guarda essa trajetória do prato: vem do espanhol, carreta ou carroça. A panela de ferro e o charque, que não estragava, iam na bagagem; o arroz era encontrado pelo caminho. Na receita acima, o caldo de carne é meu toque pessoal, pois tradicionalmente o prato é feito apenas com água.

ARROZ DE FORNO

6 porções
1h40
Médio

- 1 KG DE TOMATES
- 750 G DE CARNE MOÍDA (PATINHO)
- 5 COLHERES (SOPA) DE ÓLEO DE MILHO
- 1 CEBOLA PICADA
- 2 DENTES DE ALHO PICADOS
- 1 FOLHA DE LOURO
- 2½ XÍCARAS (CHÁ) DE ARROZ BRANCO
- 2 XÍCARAS (CHÁ) DE QUEIJO MUÇARELA RALADO GROSSO
- ½ XÍCARA (CHÁ) DE AZEITONA VERDE PICADA
- 3 OVOS BATIDOS
- ½ MAÇO DE CHEIRO-VERDE PICADO
- 3 XÍCARAS (CHÁ) DE QUEIJO PARMESÃO RALADO
- SAL E PIMENTA-DO-REINO A GOSTO

Coloque o tomate em uma panela e cozinhe em fogo baixo, sem água, até desmanchar. Bata no processador, passe por uma peneira e reserve. Tempere a carne com sal e pimenta-do-reino. Refogue em 3 colheres (sopa) de óleo, até ficar sequinha. Junte ½ cebola e 1 dente de alho; refogue mais um pouco, até murchar. Acrescente o molho de tomate e o louro; cozinhe por 20 minutos. Enquanto isso, prepare o arroz branco: refogue a cebola e o alho restantes em 2 colheres (sopa) de óleo. Adicione o arroz, cubra com 5 xícaras (chá) de água morna e tempere com sal. Quando estiver cozido, acrescente o molho de carne moída. Deixe esfriar um pouco e junte a muçarela, a azeitona, os ovos e o cheiro-verde, misturando para ficar uniforme. Coloque em um refratário, cubra com o queijo parmesão e leve ao forno preaquecido a 180 °C, até dourar. Sirva quente.
O arroz de forno é uma receita de aproveitamento – ou seja, bem versátil. Dá para acrescentar ingredientes como milho ou ervilha, por exemplo, e trocar a carne moída por frango desfiado ou carne de porco em cubinhos.

ARROZ DE HAUÇÁ

6 porções
2 horas
Médio

- 1 KG DE CARNE-SECA DESSALGADA DESFIADA OU EM CUBOS
- 2 COLHERES (SOPA) DE AZEITE DE OLIVA
- 2 COLHERES (SOPA) DE AZEITE DE DENDÊ
- 2 CEBOLAS
- 3 XÍCARAS (CHÁ) DE LEITE DE COCO (RECEITA A SEGUIR)
- 2 XÍCARAS (CHÁ) DE CAMARÃO SECO DESSALGADO
- 2 COLHERES (SOPA) DE ÓLEO DE MILHO
- 2 DENTES DE ALHO PICADOS
- 2½ XÍCARAS (CHÁ) DE ARROZ BRANCO
- SAL A GOSTO

PARA O MOLHO
- ½ CEBOLA MÉDIA
- 1 TOMATE SEM PELE E SEM SEMENTE
- ½ XÍCARA (CHÁ) DE CAMARÃO SECO DESSALGADO
- ½ PIMENTA MALAGUETA
- 1 COLHER (SOPA) DE AZEITE DE OLIVA
- 1 COLHER (SOPA) DE AZEITE DE DENDÊ
- SUCO DE ½ LIMÃO

Cozinhe a carne-seca até ficar macia. Aqueça 1 colher (sopa) de azeite de oliva e 1 colher (sopa) de azeite de dendê. Refogue 1 cebola cortada em tiras até ficar transparente. Junte a

ARROZ
DE HAUÇÁ

carne-seca e refogue por cerca de 10 minutos, mexendo para não grudar. Acrescente ¾ xícara (chá) de leite de coco e 1 xícara (chá) de camarão seco; deixe secar um pouco e reserve. Faça o arroz branco: aqueça o óleo de milho e refogue ½ cebola picada com o alho. Junte o arroz e 5 xícaras (chá) de água morna; tempere com sal. Quando ficar macio, acrescente ¾ de xícara (chá) de leite de coco e transfira o arroz para uma forma com furo no meio; reserve. Aqueça o azeite de oliva e o azeite de dendê restantes e refogue ½ cebola picada com 1 xícara de camarão seco. Adicione o leite de coco restante, cozinhe por 2 minutos e reserve.

Para o molho, bata a cebola, o tomate, o camarão seco e a pimenta-malagueta no liquidificador. Refogue essa pasta no azeite de oliva misturado ao azeite de dendê; tempere com o suco de limão. Desenforme o arroz e distribua a carne ao redor e no centro. Cubra com o camarão seco no leite de coco e sirva com o molho.

LEITE DE COCO

1 litro
20 minutos
Fácil

- 1 COPO (AMERICANO) DE POLPA DE COCO EM PEDAÇOS

Bata o coco no liquidificador com 5 copos (americano) de água quente. Coe e utilize em seguida.

ESMIUÇANDO

Câmara Cascudo registra a origem: "Os haussás, sudaneses muçulmanos da Nigéria, deixaram na cidade do Salvador um prato de arroz que lhes recorda o nome valoroso, arroz de hauçá, mantido pelos baianos da capital". A crônica de época nota que era o prato preferido do jurista Ruy Barbosa (1849-1923). Ao brincar com a origem etimológica e com a fonologia da palavra, ele teria dito, não sem engano, que a palavra "hauçá" seria uma corruptela de "água e sal".

ARROZ MARIA ISABEL

ARROZ MARIA ISABEL

6 porções
30 minutos
Fácil

- 600 G DE CARNE DE SOL DESSALGADA EM CUBINHOS (P. 65)
- 3 COLHERES (SOPA) DE MANTEIGA DE GARRAFA
- 1 CEBOLA GRANDE PICADA
- 1 DENTE DE ALHO PICADO
- ½ PIMENTÃO VERMELHO SEM PELE PICADO
- 1 PIMENTA-DE-CHEIRO PICADA
- 1 COLHER (CAFÉ) DE COLORAU
- 1 COLHER (CHÁ) DE ÓLEO DE BABAÇU OU MANTEIGA DE GARRAFA
- 2 XÍCARAS (CHÁ) DE MOLHO DE CARNE
- 6 XÍCARAS (CHÁ) DE ARROZ COZIDO
- ¼ MAÇO DE COENTRO PICADO
- SAL A GOSTO

Refogue a carne de sol na manteiga de garrafa. Junte a cebola, o alho, o pimentão e a pimenta-de-cheiro; refogue mais um pouco, para dourar. Acrescente o colorau, o óleo de babaçu e o molho de carne. Adicione o arroz cozido, misture bem e acerte o tempero. Finalize com o coentro picado.

ESMIUÇANDO

O prato teria surgido entre as famílias pobres do sertão do Piauí para que as mulheres se alimentassem de carne, ingrediente até então exclusivo dos tropeiros. Maria e Isabel seriam os nomes das filhas da cozinheira anônima que inventou a receita. Uma outra versão consta do romance histórico "O Escravo e o Senhor da Parnahiba", em que o autor Enéas Barros encontra a origem do prato na biografia de Simplício Dias da Silva, um poderoso fazendeiro da então Vila de São João da Parnaíba, no início do século XIX – Maria Isabel teria sido a mulher do personagem.

ARRUMADINHO

6 porções
30 minutos mais o tempo para dessalgar
Fácil

- 1 KG DE CARNE-SECA CORTADA EM TIRAS
- 5 COLHERES (SOPA) DE MANTEIGA DE GARRAFA
- ½ CEBOLA EM TIRAS E ½ CEBOLA PICADA
- 2 DENTES DE ALHO PICADOS
- 2 XÍCARAS (CHÁ) DE FEIJÃO-VERDE COZIDO EM ÁGUA COM SAL
- SAL A GOSTO
- VINAGRETE SIMPLES (AO LADO), PARA ACOMPANHAR
- FAROFA CLÁSSICA (P. 162), PARA ACOMPANHAR

Dessalgue a carne-seca, deixando de molho por 24 horas e trocando a água três vezes. Cozinhe até ficar macia. Em uma panela ou frigideira, aqueça 3 colheres (sopa) de manteiga de garrafa; refogue a cebola em tiras e 1 dente de alho. Junte a carne-seca e doure de todos os lados; reserve. Para o feijão-verde, aqueça 2 colheres (sopa) de manteiga de garrafa e refogue a cebola e o alho restantes. Acrescente o feijão, misture e acerte o sal. Distribua o feijão entre os pratos de servir, cubra com a carne-seca e disponha o vinagrete por cima. Sirva com a farofa à parte.

VINAGRETE SIMPLES

6 porções
15 minutos
Fácil

- 10 TOMATES MADUROS SEM PELE E SEM SEMENTES EM CUBINHOS
- 1 CEBOLA MÉDIA EM CUBINHOS
- ¾ XÍCARA (CHÁ) DE AZEITE DE OLIVA EXTRAVIRGEM
- ¼ XÍCARA (CHÁ) DE VINAGRE DE MAÇÃ OU SUCO DE LIMÃO
- ¼ MAÇO DE COENTRO PICADO
- ¼ MAÇO DE CHEIRO-VERDE PICADO
- SAL E PIMENTA-DO-REINO A GOSTO

Junte o tomate, a cebola, o azeite e o vinagre. Tempere com sal e pimenta-do-reino. Adicione as ervas e misture bem, para emulsionar. Também é possível acrescentar pimentão, alho ou frutas cítricas, variar o tipo de vinagre ou deixar de fora o coentro, por exemplo.

ESMIUÇANDO

Vem da culinária do sertão nordestino não apenas a mistura de ingredientes como o hábito de dispô-los com ordem e lógica próprias. Alguns ajeitam o feijão por baixo, a farofa por cima, logo a carne e, sobre tudo isso, o vinagrete; outros preferem dispor as porções lado a lado na travessa. E você, acha que o feijão tem que vir em cima ou embaixo, nos pratos? Essa é uma grande polêmica...

ARRUMADINHO

BAIÃO DE DOIS

6 porções
1h30
Médio

- 500 G DE CARNE-SECA DESSALGADA EM CUBOS
- 2 XÍCARAS (CHÁ) DE FEIJÃO-VERDE
- 2 COLHERES (SOPA) DE ÓLEO DE MILHO
- 1 CEBOLA PICADA
- 2 DENTES DE ALHO PICADOS
- 2 XÍCARAS (CHÁ) DE ARROZ BRANCO
- 4 TOMATES SEM PELE E SEM SEMENTES EM CUBOS
- ¼ MAÇO DE CEBOLINHA-VERDE BEM PICADO
- ¼ MAÇO DE COENTRO PICADO
- 2 XÍCARAS (CHÁ) DE QUEIJO DE COALHO GRELHADO E CORTADO EM CUBOS
- SAL A GOSTO

Cozinhe a carne-seca na panela de pressão por 30 minutos. Cozinhe o feijão-verde com um pouco de sal até ficar al dente; desligue e guarde a água do cozimento. Aqueça o óleo de milho e refogue a cebola com o alho até murchar. Junte o arroz e refogue mais um pouco. Acrescente a carne-seca e o feijão. Misture e cubra com a água do cozimento do feijão até ultrapassar os ingredientes em três dedos. Cozinhe até o arroz ficar macio. Junte o tomate, a cebolinha, o coentro e o queijo. Aqueça um pouco e sirva.

ESMIUÇANDO

Qual o melhor baião de dois? Cada um tem sua própria receita. O primeiro que eu experimentei foi o da minha avó, e era esse que eu servia no restaurante Brasil a Gosto. Independentemente do modo de preparo, para ser baião de dois são necessários apenas de dois ingredientes: arroz e feijão-de-corda, na mesma proporção, cozidos na mesma água. Os acréscimos variam segundo o que se tem na cozinha: carne-seca, linguiça, queijo de coalho. Mas o baião é "de dois" – o resto é complemento.

BAIÃO DE DOIS

BIFE ACEBOLADO

BARREADO

6 porções
7 horas mais o tempo para marinar
Médio

- 1 KG DE MIOLO DE PALETA OU PEITO BOVINO
- COMINHO A GOSTO
- 2 CEBOLAS CORTADAS EM TIRAS
- 3 DENTES DE ALHO PICADOS
- 1 MAÇO DE CHEIRO-VERDE BEM PICADO
- 2 FOLHAS DE LOURO
- 1 PRATO RASO DE TOUCINHO DEFUMADO (BACON) EM FATIAS
- 3 DOSES DE CACHAÇA
- 3 BANANAS-DA-TERRA BEM MADURAS
- 2 XÍCARAS (CHÁ) DE FARINHA DE MANDIOCA EXTRAFINA
- SAL A GOSTO

PARA A MASSA

- ½ XÍCARA (CHÁ) DE FARINHA DE MANDIOCA EXTRAFINA
- ½ XÍCARA (CHÁ) DE FARINHA DE TRIGO

Corte a carne em tiras largas e tempere com sal, cominho, a cebola, o alho, o cheiro-verde, o louro e um quarto do toucinho. Deixe marinar por uma noite. No dia seguinte, forre o fundo de uma panela de barro com o toucinho restante. Junte a carne, todos os temperos e 2 doses de cachaça. Cubra com água e vede a panela: misture os ingredientes da massa com 1 xícara (chá) de água, até ficar homogêneo, e espalhe entre a panela e a tampa, para fechar bem. Cozinhe em fogo médio-baixo por 6 horas, ou até a carne desfiar por completo. Cozinhe a banana-da-terra em água com a dose de cachaça restante. Sirva inteira ou em rodelas, com um pirão feito com a farinha de mandioca e o caldo do cozimento da carne.

ESMIUÇANDO

O nome barreado tem relação direta com o preparo do prato e remete à prática de vedar (ou "barrear") a tampa da panela com uma massa de farinha de mandioca para não deixar o vapor escapar. Símbolo da culinária paranaense, ele continua sendo preparado como iguaria típica nas cidades de Antonina e Morretes. Na origem, é um prato das festas populares dos povoados da Serra do Mar e podia ficar cozinhando por até 24 horas.

BIFE ACEBOLADO

6 porções
15 minutos
Fácil

- 6 BIFES DE CONTRAFILÉ
- 2 COLHERES (SOPA) DE ÓLEO DE MILHO
- 2 CEBOLAS MÉDIAS CORTADAS EM TIRAS
- 2 COLHERES (SOPA) DE VINAGRE
- SAL E PIMENTA-DO-REINO A GOSTO

Tempere os bifes com sal e pimenta-do-reino. Frite no óleo aquecido – para ficar ao ponto, só vire quando a carne soltar os sucos na parte de cima. Retire, junte a cebola em tiras à frigideira e tempere; espere murchar. Adicione o vinagre e raspe o fundo da frigideira, para soltar o dourado da carne. Sirva a cebola sobre os bifes.

BIFE À MILANESA

6 porções
20 minutos
Fácil

- 6 BIFES DE ALCATRA OU FILÉ-MIGNON
- 2 XÍCARAS (CHÁ) DE FARINHA DE TRIGO
- 3 OVOS
- 3 XÍCARAS (CHÁ) DE FARINHA DE ROSCA
- ÓLEO DE MILHO, PARA FRITAR
- SAL E PIMENTA-DO-REINO A GOSTO

Cubra os bifes com uma folha firme de plástico e bata com um martelo de carne, para que fiquem maiores e mais finos. Tempere com sal e pimenta-do-reino. Passe na farinha de trigo, depois nos ovos bem batidos e, por fim, na farinha de rosca – se quiser, tempere a farinha de rosca, para acrescentar mais sabor. Frite em óleo bem quente, até dourar, e sirva imediatamente.

BIFE À PARMEGIANA

6 porções
1 hora
Fácil

- 6 BATATAS COM CASCA CORTADAS EM PALITOS GROSSOS
- 6 BIFES DE ALCATRA OU FILÉ-MIGNON (150 G CADA)
- 2 XÍCARAS (CHÁ) DE FARINHA DE TRIGO
- 3 OVOS
- 3 XÍCARAS (CHÁ) DE FARINHA DE ROSCA
- ÓLEO DE MILHO, PARA FRITAR
- 3 XÍCARAS (CHÁ) DE MOLHO DE TOMATE (RECEITA ABAIXO)
- 18 FATIAS DE QUEIJO MUÇARELA
- 1 XÍCARA (CHÁ) DE QUEIJO PARMESÃO RALADO
- SAL E PIMENTA-DO-REINO A GOSTO

Mergulhe a batata em água com gelo e reserve por 30 minutos. Enquanto isso, cubra os bifes com uma folha firme de plástico e bata com um martelo de carne, para que fiquem maiores e mais finos. Tempere com sal e pimenta-do-reino. Passe primeiro na farinha de trigo, depois nos ovos bem batidos e, por fim, na farinha de rosca – se quiser, tempere a farinha de rosca, para acrescentar mais sabor. Aqueça o óleo (mas sem deixar ficar muito quente) e frite a batata uma primeira vez, para que cozinhe um pouco. Retire, aumente a temperatura do óleo e frite os bifes empanados, até dourar. Em uma fôrma ou refratário, espalhe uma camada fina de molho de tomate. Cubra com os bifes e mais uma camada generosa de molho. Disponha a muçarela, uma colherada de molho e o parmesão. Leve ao forno 180 °C por 10 minutos, ou até que os queijos derretam completamente. Enquanto isso, frite novamente a batata no óleo quente, até ficar bem dourada e crocante. Escorra em papel-toalha e tempere com sal. Sirva o bife e a batata com arroz branco (p. 146).

BIFE À MILANESA

BIFE À PARMEGIANA

MOLHO DE TOMATE

4 kg
2h20
Fácil

- 5 KG DE TOMATE MADURO SEM PELE E SEM SEMENTES
- 3 COLHERES (SOPA) DE AZEITE DE OLIVA
- 3 CEBOLAS BEM PICADAS
- SAL E PIMENTA-DO-REINO A GOSTO

Aqueça o azeite em fogo médio e refogue a cebola até dourar. Bata o tomate no liquidificador e acrescente à panela. Quando começar a ferver, diminua o fogo e cozinhe por 1h30, mexendo de vez em quando, até encorpar. Tempere com sal e pimenta-do-reino.

ESMIUÇANDO

A grande ironia do filé à parmegiana é que ele não existe na Itália, ao contrário do que muitos pensam. Seus antepassados mais próximos são a "cotoletta alla milanese" e a "parmigiana di melanzane", mas a receita foi mesmo criada em São Paulo, no começo do século XX. O prato carrega afeto e virou sinônimo de "comfort food". Muitas vezes substitui a lasanha nos almoços de fim de semana.

BIFE À ROLÊ

6 porções
1h20
Médio

- 6 BIFES GRANDES DE COXÃO DURO
- 12 FATIAS DE BACON
- 1 CENOURA CORTADA EM TIRAS
- ½ PIMENTÃO VERMELHO CORTADO EM TIRAS
- ½ CEBOLA MÉDIA CORTADA EM TIRAS E ½ CORTADA EM CUBINHOS
- 2 COLHERES (SOPA) DE ÓLEO DE MILHO
- 1 DENTE DE ALHO PICADO
- 1 COLHER (SOPA) DE EXTRATO DE TOMATE (RECEITA ABAIXO)
- SAL E PIMENTA-DO-REINO A GOSTO

Cubra os bifes com uma folha firme de plástico e bata com um martelo de carne, para que fiquem mais finos.

BIFE À ROLÊ

BIFE DE FÍGADO
ACEBOLADO

CARNE ASSADA COM BATATA

Tempere com sal e pimenta-do-reino. Sobre cada bife, distribua as fatias de bacon, a cenoura, o pimentão e a cebola em tiras. Enrole e prenda com palitos de dente. Aqueça o óleo e sele a carne de todos os lados; retire e reserve. Na mesma panela, refogue o alho e a cebola picada. Adicione o extrato de tomate, refogue um pouco e junte os bifes. Cubra com água e cozinhe até a carne ficar bem macia e o líquido se transformar em um molho. Acerte os temperos e sirva.

EXTRATO DE TOMATE

300 g
30 minutos
Fácil

- ¼ XÍCARA (CHÁ) DE VINAGRE
- 2 CRAVOS-DA-ÍNDIA (OPCIONAL)
- ½ XÍCARA (CHÁ) DE AÇÚCAR MASCAVO
- 3 XÍCARAS (CHÁ) DE MOLHO DE TOMATE (P. 61)
- 1 COLHER (CAFÉ) DE PUXURI OU NOZ-MOSCADA
- SAL E PIMENTA-DO-REINO A GOSTO

Leve ao fogo o vinagre, o cravo-da--índia e o açúcar, até derreter. Junte o molho de tomate e o puxuri; cozinhe por cerca de 20 minutos. Tempere com sal e pimenta-do-reino. Espere esfriar e mantenha na geladeira.

BIFE DE FÍGADO ACEBOLADO

6 porções
12 minutos
Fácil

- 6 BIFES DE FÍGADO MUITO BEM LIMPOS
- 4 COLHERES (SOPA) DE VINAGRE
- 1 DENTE DE ALHO BATIDO
- 2 COLHERES (SOPA) DE ÓLEO DE MILHO
- 2 CEBOLAS MÉDIAS CORTADAS EM TIRAS
- SAL E PIMENTA-DO-REINO A GOSTO

Tempere os bifes com sal, pimenta-do--reino, 2 colheres (sopa) de vinagre e o alho batido. Aqueça o óleo e frite os bifes. Para que não fiquem duros, doure por apenas 3 minutos de cada lado; retire e reserve. Coloque a cebola na frigideira, tempere com sal e pimenta-do-reino e deixe murchar um pouco. Junte o vinagre restante e raspe o fundo da frigideira, para liberar o sabor e soltar o dourado da carne. Sirva a cebola sobre os bifes.

CARNE ASSADA COM BATATA

8 a 10 porções
2h30
Fácil

- 1 PEÇA DE LAGARTO OU MAMINHA LIMPA (2,5 KG)
- 5 DENTES DE ALHO
- 2 TALOS DE SALSÃO
- ¼ CENOURA
- 2 XÍCARAS (CHÁ) DE VINHO TINTO
- 2 FOLHAS DE LOURO
- 1 RAMO DE TOMILHO
- 6 BATATAS DESCASCADAS E CORTADAS AO MEIO NA HORIZONTAL
- SAL E PIMENTA-DO-REINO A GOSTO

Fure a carne com uma faca e tempere com uma pasta feita com o alho, o salsão, a cenoura, o vinho, sal e pimenta-do-reino batidos. Junte o louro e o tomilho e deixe descansar por pelo menos 30 minutos. Cubra o lagarto e os temperos com papel-alumínio e leve ao forno 180 °C por cerca de 1 hora, ou até ficar macio. Enquanto isso, cozinhe a batata em água, até ficar al dente. Transfira para a assadeira, cubra com o papel--alumínio e volte ao forno por 10 minutos. Retire o papel e asse por mais 10 minutos antes de servir.

CARNE DE PANELA

CARNE DE SOL COM NATA

CARNE DE PANELA

6 porções
2-3 horas
Médio

- 900 G DE FRALDINHA, COXÃO MOLE, ACÉM OU MÚSCULO
- 2 COLHERES (SOPA) DE AZEITE DE OLIVA
- ½ XÍCARA (CHÁ) DE TOUCINHO DEFUMADO BEM PICADO
- 1 CEBOLA MÉDIA PICADA
- 2 DENTES DE ALHO PICADOS
- 4 TOMATES SEM PELE E SEM SEMENTES PICADOS
- 1 COLHER (CHÁ) DE EXTRATO DE TOMATE (P. 63)
- 2 BATATAS SEM CASCA CORTADAS EM CUBOS GRANDES
- 2 CENOURAS SEM CASCA CORTADAS EM RODELAS GRANDES
- ½ MAÇO DE SALSINHA PICADA
- SAL E PIMENTA-DO-REINO A GOSTO

Limpe e corte a carne em cubos grandes; tempere com sal e pimenta--do-reino. Sele no azeite, de todos os lados, retire e reserve. Na mesma panela, refogue o toucinho, a cebola, o alho e o tomate, até os legumes murcharem. Junte o extrato de tomate, mexa bem e volte a carne; misture e cubra com água ou caldo de carne (p. 53). Quando a carne estiver quase macia, acrescente as batatas e adicione mais água. Cozinhe por 5 minutos e adicione a cenoura. Quando tudo estiver cozido, acerte o tempero, polvilhe a salsinha e sirva.

ESMIUÇANDO

Mais do que apenas uma mistura clássica, a carne de panela é também versátil e pode ser um coringa na cozinha: as sobras viram recheio de croquete ou até uma versão deliciosa de carne louca para comer com pão. A carne, afinal, pega ainda mais sabor com o passar dos dias. No preparo, o mais importante é respeitar o tempo de cozimento. Uma carne de panela ideal você quase pode comer de colher, porque se desmancha.

CARNE DESFIADA

7 porções
1 hora
Fácil

- 2 COLHERES (SOPA) DE AZEITE DE OLIVA
- 1 KG DE COXÃO DURO (OU MÚSCULO) CORTADO EM CUBOS GRANDES
- 1 CEBOLA PICADA
- 3 DENTES DE ALHO PICADOS
- 1 XÍCARA (CHÁ) DE MOLHO DE TOMATE (P. 61)
- 5 TOMATES MADUROS SEM PELE E SEM SEMENTES
- 1 XÍCARA (CHÁ) DE CALDO DE CARNE (P. 53)
- SALSINHA PICADA A GOSTO
- CEBOLINHA PICADA A GOSTO
- SAL A GOSTO

Aqueça o azeite na panela de pressão e doure a carne temperada com sal. Junte a cebola e o alho; deixe dourar. Acrescente o molho de tomate e misture. Cozinhe por 2 minutos, para reduzir um pouco. Adicione o tomate e refogue por cerca de 5 minutos. Junte o caldo de carne e, se necessário, complete com água, para cobrir o conteúdo

CARNE DE SOL COM PIRÃO DE LEITE E QUEIJO DE COALHO GRELHADO

da panela. Espere ferver, tampe e cozinhe em fogo médio por 40 minutos. Quando não houver mais pressão, abra a tampa e transfira a carne para um prato. Desfie com um garfo e volte à panela. Acrescente a salsinha e a cebolinha, aqueça por 5 minutos e sirva com polenta.

CARNE DE SOL COM NATA

4 porções
2 horas
Fácil

- 600 G DE CARNE DE SOL DESSALGADA (RECEITA A SEGUIR)
- 1 CEBOLA MÉDIA CORTADA EM TIRAS MÉDIAS
- 1 COLHER (CHÁ) DE ALHO BATIDO
- 4 COLHERES (SOPA) DE MANTEIGA DE GARRAFA
- 1½ XÍCARA (CHÁ) DE NATA
- 1 XÍCARA (CHÁ) DE LEITE INTEGRAL
- SAL A GOSTO

Cozinhe a carne até ficar macia, desfie e reserve. Refogue a cebola e o alho na manteiga de garrafa, até a cebola murchar. Junte a carne e refogue mais um pouco. Acrescente a nata, misture e adicione o leite (para uma consistência ainda mais leve, junte mais leite). Acerte o sal e sirva com arroz branco (p. 146).

CARNE DE SOL

5 kg
3-4 dias
Difícil

- 1 PEÇA DE COXÃO MOLE COM CERCA DE 7,5 KG
- 2 XÍCARAS (CHÁ) DE SAL GROSSO
- SAL FINO

Retire o excesso de gordura da carne e separe a peça em duas partes. Abra a carne em duas mantas de mais ou menos 4 dedos de altura, esfregue o sal grosso e o sal fino em ambos os lados e coloque em uma fôrma furada, para soltar o excesso de líquido, por pelo menos 24 horas. No dia seguinte, verifique se a carne soltou todo o líquido e pendure em um varal ensolarado, em lugar coberto e protegido, preservando a peça para evitar o contato de insetos ou outros animais. Deixe no varal por pelo menos 48 horas. Quando consumir, dessalgue em água ou leite por pelo menos 12 horas.

ESMIUÇANDO

O hábito de desidratar e salgar as carnes tem mais de 400 anos no país. "A provisão mais vulgar do Brasil é a carne-seca, de sol, de vento ou do sertão, do Ceará, charque, jabá, carne de gado, salgada, exposta ao sol e vento brando, e com alguma duração", registra Câmara Cascudo. Tantos nomes guardam pequenas diferenças no preparo. A de sol é um clássico da cozinha do Nordeste, feita com carne de boi ou de bode, aberta e cortada em mantas.

CARNE DE SOL COM PIRÃO DE LEITE E QUEIJO DE COALHO GRELHADO

4 porções
40 minutos
Fácil

- 600 G DE CARNE DE SOL DESSALGADA (ACIMA)
- 6 COLHERES (SOPA) DE MANTEIGA DE GARRAFA, MAIS UM POUCO PARA GRELHAR

CARNE LOUCA

- ½ CEBOLA PICADA
- 2 DENTES DE ALHO PICADOS
- 2½ XÍCARAS (CHÁ) DE LEITE
- 1 XÍCARA (CHÁ) DE FARINHA DE MANDIOCA FINA
- 200 G DE QUEIJO DE COALHO CORTADO EM FATIAS DE 4 MM
- SAL A GOSTO

Em uma churrasqueira ou chapa bem quente, grelhe a carne de todos os lados com um pouco de manteiga de garrafa. Enquanto isso, refogue a cebola e o alho na manteiga restante, até murchar. Junte o leite e espere ferver. Sem parar me mexer, acrescente a farinha de mandioca até obter um pirão; tempere com sal. Grelhe o queijo de todos os lados e sirva com a carne e o pirão quente.

CARNE LOUCA

12 porções
3-4 horas
Fácil

- 1,5 KG DE COXÃO MOLE
- 4 COLHERES (SOPA) DE AZEITE DE OLIVA
- 2 CEBOLAS CORTADAS EM TIRAS
- 4 DENTES DE ALHO PICADOS
- 6 TOMATES SEM PELE E SEM SEMENTES PICADOS
- 1 PIMENTÃO VERMELHO SEM PELE CORTADO EM TIRAS
- 2 COLHERES (SOPA) DE EXTRATO DE TOMATE (P. 63)
- 1 MAÇO DE SALSINHA PICADA
- SAL E PIMENTA-DO-REINO A GOSTO

Limpe a carne, corte em tiras grossas no sentido da fibra e tempere com sal e pimenta-do-reino. Aqueça o azeite e sele a carne de todos os lados; retire e reserve. Na mesma panela, refogue a cebola, o alho, o tomate e o pimentão. Junte o extrato de tomate, misture bem e acrescente a carne. Cubra com água e cozinhe em fogo médio; se necessário, adicione mais água. Quando a carne começar a desmanchar, desfie com um garfo, dentro da própria panela, e incorpore ao molho. Acrescente a salsinha e sirva com arroz branco (p. 146) ou como um sanduíche, no pão francês.

ESMIUÇANDO

Sabe aquela carne assada de ontem? É o ingrediente ideal para a carne louca em suas duas versões: fria, preparada ao vinagre como um escabeche, ou quente, como prato principal ou recheio de sanduíche – lembra daqueles lanchinhos que eram servidos em festinhas infantis?

CARNE MOÍDA COM BATATA

CARNE MOÍDA COM BATATA

6 porções
50 minutos
Fácil

- 900 G DE CARNE MOÍDA (PATINHO)
- 3 COLHERES (SOPA) DE ÓLEO DE MILHO
- 1 CEBOLA PICADA
- 3 DENTES DE ALHO PICADOS
- 1 COLHER (SOPA) DE EXTRATO DE TOMATE (P. 63)
- 4 TOMATES SEM PELE E SEM SEMENTES PICADOS
- 3 BATATAS CORTADAS EM CUBOS MÉDIOS
- ½ XÍCARA (CHÁ) DE AZEITONA PICADA
- ½ MAÇO DE SALSINHA PICADA
- SAL E PIMENTA-DO-REINO A GOSTO

Tempere a carne com sal e pimenta--do-reino. Aqueça o óleo em uma panela larga e refogue a carne até dourar bem. Junte a cebola e o alho, refogue até murchar e acrescente o extrato de tomate. Adicione o tomate e a batata, cubra

CARNE-SECA COM ABÓBORA

CARNE-SECA ACEBOLADA

com água e acerte o sal. Cozinhe em fogo baixo, até a batata ficar macia. Junte a azeitona, mexa e aqueça. Finalize com a salsinha.

CARNE-SECA ACEBOLADA

6 porções
2 horas
Fácil

- 1 KG DE CARNE-SECA DESSALGADA
- 6 COLHERES (SOPA) DE MANTEIGA DE GARRAFA
- 2 CEBOLAS ROXAS CORTADAS EM TIRAS

Cozinhe a carne-seca com água até cobrir por cerca de 2 horas, ou até ficar macia – deve reduzir quase pela metade. Desfie ou corte em tiras grossas e doure de todos os lados na manteiga de garrafa. Junte a cebola e refogue, com a carne, até murchar. Sirva imediatamente.

CARNE-SECA COM ABÓBORA

6 porções
2 horas
Fácil

- 1 KG DE CARNE-SECA DESSALGADA
- 1 ABÓBORA-DA-TERRA (JAPONESA)
- 8 COLHERES (SOPA) DE MANTEIGA DE GARRAFA
- 2 CEBOLAS CORTADAS EM TIRAS
- SAL A GOSTO

Cozinhe a carne-seca com água até cobrir por cerca de 2 horas, ou até ficar macia – deve reduzir quase pela metade. Asse a abóbora por 30 minutos em forno a 200 °C, ou até ficar bem macia. Abra ao meio, descarte as sementes e corte em meias-luas; reserve. Corte a carne em cubos pequenos e refogue na manteiga de garrafa; junte a cebola e refogue. Grelhe a abóbora, tempere com sal e manteiga de garrafa e sirva com a carne.

CHAMBARIL

2 porções
2 horas
Fácil/médio

- 2 UNIDADES DE CHAMBARIL (OSSOBUCO) COM 2 DEDOS DE ALTURA E 2 CM DE OSSO
- 2 DENTES DE ALHO BEM PICADOS
- 1 COLHER (SOPA) DE AZEITE DE OLIVA
- 2 XÍCARAS (CHÁ) DE CALDO DE CARNE (P. 53)
- SAL E PIMENTA-DO-REINO A GOSTO

Tempere o chambaril com sal e pimenta-do-reino. Asse em forno preaquecido a 200 °C por 15 minutos, ou até dourar bem. Refogue o alho no azeite e junte o chambaril. Cubra com o caldo e cozinhe por cerca de 1h30, ou até a carne começar a soltar do osso.

CHAMBARIL

ESMIUÇANDO

O ossobuco do Sudeste e do Sul (a palavra, em italiano, significa "osso furado") é conhecido por chambaril – ou, às vezes, por chambari – nas demais regiões do país. Esse corte horizontal da perna do boi inclui o músculo, o osso e, no meio, o tutano. Eu conheci o chambaril nos bares de Pernambuco.

COSTELA NO BAFO

8 porções
2h30-7 horas
Fácil

- 1 COSTELA BOVINA INTEIRA COM OSSOS
- SAL GROSSO

Existem dois modos de preparo. O primeiro é temperar a costela e assar em uma churrasqueira de bafo, controlando o fogo para que a carne não queime e virando a cada hora, até os ossos começarem a se soltar, o que deve levar umas 4 horas. O outro método consiste em temperar a carne, embrulhar em papel-alumínio e assar no forno a 200 °C por volta de 2h30 ou na parte mais alta da churrasqueira convencional por cerca de 6 a 7 horas, virando 3 horas depois do início.

COSTELA NO BAFO

COZIDO

COZIDO

10 porções
2h30
Médio

- 500 G DE CARNE-SECA DESSALGADA
- 500 G DE PEITO BOVINO
- 500 G DE PAIO
- 500 G DE LINGUIÇA CALABRESA DEFUMADA
- 4 COLHERES (SOPA) DE ÓLEO DE MILHO
- 1 XÍCARA (CHÁ) DE TOUCINHO DEFUMADO EM CUBOS
- 1 CEBOLA GRANDE PICADA
- 3 DENTES DE ALHO PICADOS
- 2 TOMATES SEM PELE E SEM SEMENTES PICADOS
- 2 FOLHAS DE LOURO
- 1 MANDIOCA CORTADA EM RODELAS
- 1 BATATA CORTADA EM CUBOS
- 1 BATATA-DOCE CORTADA EM CUBOS
- 1 PEDAÇO DE ABÓBORA SECA
- ½ MAÇO DE SALSINHA PICADO
- ½ MAÇO DE CEBOLINHA-VERDE PICADA
- 1 XÍCARA (CHÁ) DE FARINHA DE MANDIOCA FINA
- SAL E PIMENTA-DO-REINO A GOSTO

Corte a carne-seca em cubos e cozinhe até ficar quase macia; reserve. Corte o peito em cubos e tempere com sal e pimenta-do-reino. Corte o paio e a linguiça em rodelas grossas. Em uma panela grande, aqueça o óleo e refogue o toucinho, a cebola, o alho, o tomate e o louro. Junte todas as carnes, cubra com água e cozinhe por 1 hora. Acrescente a mandioca e, a cada 10 minutos, as outras hortaliças, nessa ordem: batata, batata-doce e abóbora. Acerte o tempero e finalize com as ervas. Faça um pirão misturando a farinha de mandioca e o caldo do cozimento, em fogo baixo, mexendo até engrossar. Sirva com arroz branco (p. 146).

ESMIUÇANDO

Tradicionalmente servido às segundas--feiras no bairro da Ribeira, em Salvador, mas presente também em diversos outros pontos do litoral brasileiro. Na região Sudeste, a receita que prevalece tem origem portuguesa, com batata e cenoura. À medida que avançamos ao Nordeste, encontramos cozidos com carnes mais gordurosas e a escolha de legumes também pode se modificar, incorporando ingredientes como maxixe e abóbora. "O cozido é justamente um caso de prato universal, o mais elementar deles em qualquer terra onde o boi não seja sagrado", escreve Odylo Costa Filho. Vale lembrar que, no Nordeste, tão importante quanto o cozido em si é o caldo resultante, usado para fazer o pirão que acompanha o prato.

DOBRADINHA

10 porções
2-3 horas
Médio

- 1 KG DE BUCHO BOVINO LIMPO
- 1 LIMÃO EM GOMOS OU RODELAS
- 3 XÍCARAS (CHÁ) DE FEIJÃO-BRANCO
- 2 FOLHAS DE LOURO
- 1 XÍCARA (CHÁ) DE TOUCINHO DEFUMADO CORTADO EM CUBOS
- 1 LINGUIÇA CALABRESA DEFUMADA CORTADA EM RODELAS
- 3 PAIOS CORTADOS EM RODELAS
- 1 CEBOLA PICADA
- 3 DENTES DE ALHO PICADOS
- 6 TOMATES SEM PELE E SEM SEMENTES PICADOS
- ½ PIMENTÃO VERMELHO SEM PELE PICADO
- 1 MAÇO DE SALSINHA PICADA
- SAL A GOSTO

Lave bem o bucho, corte em tirinhas e afervente com o limão. Troque a água e ferva mais uma vez. Descarte o líquido e cozinhe em nova água com sal. Em outra panela, cozinhe o feijão com sal e o louro, até ficar al dente; não descarte o caldo. Em uma panela sem gordura, refogue o toucinho, a linguiça e o paio. Acrescente a cebola, o alho, o tomate e o pimentão. Quando o bucho estiver macio, escorra e junte aos temperos; misture bem e adicione o feijão e o caldo. Cozinhe por 15 a 20 minutos, adicione a salsinha, acerte o tempero e sirva.

ESMIUÇANDO

Você sabia que muita gente chama o estômago do boi (o bucho) de dobradinha justamente por causa dessa receita que combina o ingrediente ao feijão e que se manteve idêntica até hoje tanto no Brasil quanto em Portugal? O que diferencia o preparo é o trato que se dá ao bucho, cuidando para fazer uma boa higiene.

DOBRADINHA

ENSOPADO DE CARNE COM JILÓ

4 porções
2 horas
Fácil

- 600 G DE COXÃO MOLE
- 2 COLHERES (SOPA) DE ÓLEO DE MILHO
- ½ CEBOLA PICADA
- 2 DENTES DE ALHO PICADOS
- 2 TOMATES SEM PELE E SEM SEMENTES PICADOS
- 2 XÍCARAS (CHÁ) DE CALDO DE CARNE (P. 53)
- 1 PRATO FUNDO DE JILÓS CORTADOS EM QUARTOS
- SAL E PIMENTA-DO-REINO A GOSTO

Corte a carne em cubos grandes e tempere com sal e pimenta-do--reino. Aqueça o óleo e sele a carne de todos os lados. Quando dourar, retire e refogue a cebola, o alho e o tomate. Volte a carne e cubra com o caldo; se necessário, complete com um pouco de água. Enquanto isso, afervente o jiló, trocando a água duas vezes; reserve. Quando a carne estiver quase cozida, acrescente o jiló. Retire do fogo quando tudo estiver macio; sirva com arroz branco (p. 146).

ENSOPADO DE CARNE COM JILÓ

ESCONDIDINHO DE CARNE-SECA

4 porções
2 horas
Fácil

- 800 G DE CARNE-SECA DESSALGADA
- 2 PRATOS FUNDOS DE MANDIOCA
- 1 COLHER (CHÁ) DE ALHO PICADO
- 2 COLHERES (SOPA) DE MANTEIGA SEM SAL
- 3 XÍCARAS (CHÁ) DE LEITE
- 2 COLHERES (SOPA) DE MANTEIGA DE GARRAFA
- 1 CEBOLA MÉDIA CORTADA EM TIRAS
- ½ XÍCARA (CHÁ) DE CEBOLINHA-VERDE PICADA
- 1½ XÍCARAS (CHÁ) DE QUEIJO DE COALHO RALADO
- SAL A GOSTO

Cozinhe a carne-seca, trocando a água pelo menos três vezes; desfie e reserve. Cozinhe a mandioca até que fique bem macia; passe pelo processador, até obter um purê firme. Refogue o alho na manteiga; junte o purê e o leite, cozinhe por alguns minutos, tempere com sal e bata no processador, para formar um purê liso. Em uma frigideira, refogue a carne-seca na manteiga de garrafa e adicione a cebola; tempere com a cebolinha-verde. Monte o prato em uma travessa ou em cumbucas individuais, na seguinte ordem: uma camada de purê, uma de carne--seca, outra de purê e queijo de coalho. Leve ao forno 180 °C por 15 minutos, até dourar.

ESTROGONOFE DE CARNE

6-8 porções
40 minutos
Médio

- 2 COLHERES (SOPA) DE AZEITE DE OLIVA
- 1,5 KG DE MIOLO DE ALCATRA CORTADO EM ISCAS
- 2 CEBOLAS PICADAS
- 3 DENTES DE ALHO PICADOS
- 3 COLHERES (SOPA) DE CATCHUP CASEIRO (RECEITA ABAIXO)
- 1 COLHER (SOPA) DE AÇÚCAR
- 3 COLHERES (SOPA) DE MOLHO INGLÊS
- 3 COLHERES (SOPA) DE CONHAQUE
- 700 G DE CREME DE LEITE FRESCO

FAVADA NORDESTINA

ESCONDIDINHO DE CARNE-SECA

- 500 G DE COGUMELO-DE-PARIS CORTADOS EM FATIAS
- SAL E PIMENTA-DO-REINO A GOSTO

Aqueça 1 colher (sopa) de azeite em fogo médio e doure as iscas de carne aos poucos, de todos os lados (se necessário, acrescente mais um fio de azeite); retire e reserve. Refogue a cebola e o alho em 1 colher (sopa) de azeite, até a cebola murchar. Junte o catchup e o açúcar, misture e volte a carne à panela. Acrescente o molho inglês, o conhaque, o cogumelo e o creme de leite. Tempere com sal e pimenta-do-reino, misture e cozinhe por cerca de 15 a 20 minutos, mexendo de vez em quando, até engrossar. Sirva com arroz branco (p. 146) e batata palha (p. 153).

CATCHUP CASEIRO

450 g
20 minutos
Fácil

- ¼ XÍCARA (CHÁ) DE VINAGRE
- 2 CRAVOS-DA-ÍNDIA (OPCIONAL)
- ½ XÍCARA (CHÁ) DE AÇÚCAR MASCAVO
- 3 XÍCARAS (CHÁ) DE MOLHO DE TOMATE
- 1 COLHER (CAFÉ) DE PUXURI OU NOZ-MOSCADA RALADA
- 2 COLHERES (SOPA) RASAS DE POLVILHO DOCE
- SAL E PIMENTA-DO-REINO A GOSTO

Leve ao fogo o vinagre, o cravo-da-índia e o açúcar, até derreter. Junte o molho de tomate e o puxuri; cozinhe por cerca de 10 minutos. Acrescente o polvilho, mexa e cozinhe por mais 3 minutos. Tempere com sal e pimenta-do-reino; espere esfriar e leve à geladeira.

ESMIUÇANDO

Os Strogonoff, aristocratas russos, realmente existiram – a versão original da receita teria sido criada por um chef da família. No Brasil, o prato popularizou-se na década de 1950 e ganhou o atributo de "comida de pensão". Cogumelos em conserva ou secos, amolecidos na água, integram algumas variações.

FAVADA NORDESTINA

8 porções
2-3 horas mais o preparo de véspera
Médio

- 500 G DE BUCHO BOVINO
- SUCO DE 1 LIMÃO
- 600 G DE CARNE-SECA
- 500 G DE FAVA BRANCA
- 1 XÍCARA (CHÁ) DE TOUCINHO DEFUMADO
- 2 PAIOS CORTADOS EM RODELAS
- 1 LINGUIÇA CALABRESA DEFUMADA CORTADA EM RODELAS
- 1 CEBOLA PICADA
- 3 DENTES DE ALHO PICADOS
- 4 TOMATES SEM PELE E SEM SEMENTES PICADOS
- 1 COLHER (CHÁ) DE URUCUM MOÍDO
- ½ XÍCARA (CHÁ) DE COENTRO PICADO
- SAL A GOSTO

Na véspera, lave bem o bucho com água corrente e suco de limão. Corte em tirinhas, afervente, troque a água e cozinhe até ficar macio. Corte a carne-seca em cubos e deixe de molho por 8 horas, trocando a água pelo menos três vezes. No dia seguinte, cozinhe a carne-seca até ficar macia; cozinhe a fava em água com um pouco de sal. Refogue o toucinho, o paio e a linguiça. Junte a cebola, o alho, o tomate e as carnes. Refogue um pouco e acrescente a fava com o caldo de seu cozimento. Ferva até cozinhar a linguiça e o paio. Adicione o urucum, acerte o tempero e finalize com o coentro.

ESMIUÇANDO

A fava é muito apreciada no Nordeste, mas não parece ser tão consumida no restante do país, embora diversas receitas clássicas brasileiras usem a leguminosa – é o caso desse cozido, de forte teor nutritivo. Por que será, então, que a fava não é tão popular quanto os feijões? Eu acredito que uma das razões pode estar na película mais grossa que envolve o grão e que não deixa a fava absorver tanto o sabor do caldo ou dos condimentos.

FEIJOADA BRASILEIRA (TRADICIONAL)

8 porções
2 horas mais o tempo para dessalgar
Médio

- 2 XÍCARAS (CHÁ) DE CARNE-SECA EM CUBOS
- 1 XÍCARA (CHÁ) DE COSTELINHA DE PORCO SALGADA EM CUBOS
- 2 XÍCARAS (CHÁ) DE LOMBO DE PORCO SALGADO EM CUBOS
- 1 PÉ DE PORCO SALGADO EM CUBOS
- 1 ORELHA DE PORCO SALGADA
- 1 RABO DE PORCO
- 4 XÍCARAS (CHÁ) DE FEIJÃO-PRETO
- 2 FOLHAS DE LOURO
- 1 XÍCARA (CHÁ) DE LINGUIÇA CALABRESA EM RODELAS
- 2 XÍCARAS (CHÁ) DE PAIO EM RODELAS
- ½ LARANJA
- 5 COLHERES (SOPA) DE ÓLEO DE MILHO
- ½ XÍCARA (CHÁ) DE BACON EM CUBOS PEQUENOS
- 3 DENTES DE ALHO PICADOS
- ½ CEBOLA PICADA
- 1 PIMENTA-DEDO-DE-MOÇA SEM SEMENTES E PICADA
- 1 DOSE DE CACHAÇA
- SAL A GOSTO

Na noite anterior, deixe a carne-seca, a costelinha, o lombo, o pé, a orelha e o rabo de porco de molho em água fria; troque o líquido pelo menos três vezes e lave bem as carnes. Cozinhe o feijão com o louro em 1,5 litro de água por 30 minutos. Junte a carne-seca e a costelinha; cozinhe por 20 minutos. Acrescente o lombo, o pé, a orelha e o rabo; cozinhe por 30 minutos. Adicione a linguiça calabresa e o paio; cozinhe por 20 minutos. Junte a laranja. Em outra panela, aqueça o óleo e refogue o bacon até dourar. Adicione o alho, a cebola e a pimenta-dedo-de-moça. Junte um pouco do caldo de feijão ao refogado, mexa e transfira tudo para a feijoada. Cozinhe por mais alguns minutos, acrescente a cachaça e desligue. Experimente e acerte o sal. Sirva com arroz branco (p. 146), farofa, couve refogada e laranja cortada em gomos.

FEIJOADA BRASILEIRA

ESMIUÇANDO

A feijoada é um dos pratos que sempre alegraram os almoços de domingo em minha casa. Quanta gente, como eu, não prepara a receita e se servem do feijão e das carnes quase fazendo reverência? Em grandes comemorações, almoços beneficentes, nos barracões das escolas de samba... A história de que o prato teria surgido nas senzalas, com restos do que os senhores de engenho rejeitavam, já caiu por terra. O argumento é razoável: seria impossível a casa-grande consumir o número de pernis e lombos necessários para que as sobras de orelhas, línguas, pés e rabos fossem aproveitadas em quantidade pelos escravos. Sabemos, hoje, que os registros mais antigos da receita apontam para o Rio de Janeiro como local de seu surgimento.

FEIJOADA PERNAMBUCANA

15 porções
1h20
Médio

- 1 KG DE FEIJÃO-MULATINHO OU CARIOCA
- 300 G DE CHARQUE DESSALGADO EM CUBOS
- 400 G DE PATINHO OU ALCATRA EM PEDAÇOS
- 500 G DE LINGUIÇA (CALABRESA OU PAIO) EM RODELAS
- 6 FOLHAS DE LOURO
- 2 CENOURAS EM RODELAS GRANDES
- 3 BATATAS CORTADAS EM CUBOS GRANDES
- 2 COLHERES (SOPA) DE ÓLEO DE MILHO
- 1 CEBOLA GRANDE PICADA
- 6 DENTES DE ALHO PICADOS
- 1 COLHER (SOPA) DE COMINHO
- 1 COLHER (SOPA) DE COLORAU
- 1 MAÇO DE COENTRO PICADO
- 1 MAÇO DE CEBOLINHA-VERDE PICADA
- 1 TOMATE PICADO
- 1 XÍCARA (CHÁ) DE VINAGRE
- ½ ABÓBORA-MORANGA (JERIMUM) EM PEDAÇOS GRANDES
- 6 MAXIXES
- 6 QUIABOS
- SAL A GOSTO

FILÉ À OSVALDO ARANHA

Cubra o feijão, o charque, a carne, a linguiça e o louro com água; cozinhe por 1 hora. Acrescente a cenoura e a batata; cozinhe por 10 minutos. Em outra panela, aqueça o óleo e refogue a cebola, o alho, o cominho, o colorau, o coentro, a cebolinha e o tomate; junte o vinagre. Retire do fogo e adicione o refogado à mistura de feijão e carnes. Acrescente a abóbora, o maxixe e o quiabo. Acerte o tempero e sirva com arroz branco (p. 146).

ESMIUÇANDO

Essa feijoada difere das demais por conta apenas do tipo do feijão e por ser mais rica em legumes. No lugar do feijão-preto da versão tradicional, aqui se usa o mulatinho.

FILÉ À OSVALDO ARANHA

4 porções
40 minutos
Fácil

- 1 KG DE FILÉ-MIGNON
- 3 BATATAS GRANDES EM RODELAS DE 2 A 3 MM
- 5 DENTES DE ALHO EM LÂMINAS FINAS
- 4 COLHERES (SOPA) DE ÓLEO DE MILHO
- 4 XÍCARAS (CHÁ) DE ARROZ

BRANCO COZIDO (P. 146)
- ½ XÍCARA (CHÁ) DE SALSINHA BEM PICADA
- ÓLEO DE MILHO, PARA FRITAR
- SAL E PIMENTA-DO-REINO A GOSTO

Corte a carne em quatro filés grandes e altos, na diagonal. Deixe a batata de molho em água fria com gelo por 30 minutos. Frite o alho em óleo não muito quente, para não queimar; reserve. Frite a batata em óleo quente, até dourar levemente; escorra sobre um pedaço de papel-toalha e tempere com um pouco de sal. Tempere os filés com sal e pimenta-do-reino. Aqueça uma frigideira com 4 colheres (sopa) de óleo de milho e sele a carne de todos os lados, até ficar dourada. Transfira para uma assadeira e leve ao forno a 180 °C por 10 minutos. Na mesma frigideira em que fritou a carne, refogue rapidamente o arroz. Monte o prato com filés cobertos com alho frito, a batata e o arroz. Polvilhe a salsinha e sirva com farofa de ovo (p. 164).

ESMIUÇANDO

Restaurante Cosmopolita, Lapa, Rio de Janeiro, meados do século passado. Se não passasse para a História por ter presidido a Primeira Sessão Especial da Assembleia da ONU, em 1947, o diplomata gaúcho Osvaldo Aranha pelo menos ganharia a honra de ter seu nome atrelado a esse prato de filé alto com alho frito, batata e arroz, sua receita preferida, que entrou no cardápio da casa graças a seus pedidos frequentes.

FRITO DO VAQUEIRO

10 porções
3 horas
Médio

- 2 KG DE FRALDINHA DE BÚFALO EM TEMPERATURA AMBIENTE (OU CUPIM OU OUTRA CARNE FARTA DE GORDURA)
- 1 COLHER (SOPA) DE SAL

Enxugue a carne em papel-toalha ou pano e corte em cubos, mantendo a gordura. Tempere com o sal. Leve ao fogo bem baixo, em uma panela de ferro tampada, e deixe cozinhar no próprio vapor, por 2 a 3 horas, até que que comece a dourar; mexa de vez em quando. Está pronto quando a carne ficar macia e dourada, sem ressecar.

ESMIUÇANDO

Também chamado de "frito marajoara", o prato nasceu com os vaqueiros da Ilha de Marajó, que costumavam guardar a refeição em latas, para ser aquecida, ou mantê-la quentinha debaixo da sela do cavalo. Pesquisadora de ingredientes brasileiros e autora do blog Come-se, Neide Rigo conta que ainda hoje, na ilha paraense, a receita é servida já no café da manhã.

GODÓ DE BANANA VERDE

8 porções
50 minutos
Médio

- 12 BANANAS-VERDES CORTADAS EM RODELAS
- 350 G DE CARNE DE SOL DESSALGADA (P. 65)
- 250 G DE CHARQUE DESSALGADO
- 100 G DE TOUCINHO PICADO
- 2 DENTES DE ALHO AMASSADOS
- 1 TOMATE PICADO
- 1 PIMENTÃO PICADO
- CÚRCUMA A GOSTO
- 4 XÍCARAS (CHÁ) DE CALDO DE CARNE (P. 53)
- SAL A GOSTO

Cozinhe a banana na panela de pressão, até ficar macia; reserve. Pique a carne de sol e o charque; refogue no toucinho, junte o alho e frite mais um pouco. Acrescente o tomate, o pimentão, cúrcuma e sal. Cubra com o caldo de carne e cozinhe por 40 minutos na panela de pressão. Adicione a banana e cozinhe mais um pouco antes de servir.

ESMIUÇANDO

Tem origem na Chapada Diamantina dos séculos 18 e 19, quando era preparado como refeição de garimpeiros que aproveitavam os ingredientes abundantes na região.

LAGARTO RECHEADO

8 porções
40 minutos
Médio

- 1 KG DE LAGARTO
- 200 G DE LINGUIÇA CALABRESA PICADA
- 1 CENOURA CORTADA EM PALITOS
- 10 AZEITONAS VERDES PICADAS
- 1 COLHER (SOPA) DE MANTEIGA
- 1 COLHER (SOPA) DE AZEITE DE OLIVA
- 2 XÍCARAS (CHÁ) DE CALDO DE CARNE (P. 53)
- SAL A GOSTO

Tempere a carne com sal. Com uma faca afiada, faça um buraco no meio da peça, em toda a extensão. Recheie com a linguiça, a cenoura e a azeitona. Aqueça a manteiga e o azeite na panela de pressão e doure a carne de todos os lados. Junte o caldo, tampe e cozinhe em fogo baixo por 30 minutos após o início da pressão. Quando a pressão terminar, abra e cozinhe por mais 5 minutos, ou até o caldo engrossar. Corte a carne em fatias finas e sirva com o molho.

LÍNGUA NA CERVEJA COM POLENTA DE LEITE

2 porções
2h30
Médio

- 1 LÍNGUA BOVINA SEM PELE, BEM LIMPA
- 4 COLHERES (SOPA) DE MANTEIGA SEM SAL
- 1 CEBOLA PICADA
- 3 DENTES DE ALHO PICADOS
- 2 LATAS DE CERVEJA ESCURA
- 1 XÍCARA (CHÁ) DE LEITE
- 4 COLHERES (SOPA) DE FUBÁ
- SAL E PIMENTA-DO-REINO A GOSTO

Tempere a língua com sal e pimenta--do-reino. Aqueça 2 colheres (sopa) de manteiga e refogue metade da cebola e do alho, até murchar. Junte a língua, sele um pouco e cubra com a cerveja escura. Cozinhe por 2 horas, ou até a carne ficar bem macia e o molho reduzir a um terço do volume inicial. Refogue o restante da cebola e do alho em 2 colheres (sopa) de manteiga, acrescente o leite e espere ferver. Tempere com sal e pimenta-do-reino, adicione o fubá e cozinhe por 10 minutos sem parar de mexer, para não empelotar. Fatie a língua e sirva sobre a polenta, cobrindo com o molho de cerveja.

LINGUIÇA PANTANEIRA (DE MARACAJU)

4 unidades
2 horas mais o tempo para descansar
Difícil

- 1 KG DE PICANHA (OU OUTRA CARNE GORDUROSA E MACIA), EM PEÇA
- 500 G DE TOUCINHO OU GORDURA DE BOI
- 3 PIMENTAS-BODINHO
- SUCO DE 1 LARANJA MISTERIOSA (AZEDA)
- CHEIRO-VERDE A GOSTO
- SAL E PIMENTA-DO-REINO A GOSTO
- TRIPAS GROSSAS, PARA RECHEAR

Hidrate as tripas, vire e lave bem; reserve. Corte a picanha e o toucinho na ponta da faca. Tempere com a pimenta amassada e o restante dos ingredientes. Deixe na geladeira por 30 minutos. Com um funil apropriado, recheie as tripas com a mistura de carnes; dê um nó em cada ponta, para a linguiça não abrir. Reserve na geladeira por algumas horas. Quando grelhar, faça alguns furinhos na pele, para tirar o excesso de ar e de líquido. Grelhe a linguiça inteira e corte em rodelas. Pode servir com mandioca cozida.

LAGARTO RECHEADO

LÍNGUA NA CERVEJA COM POLENTA DE LEITE

LINGUIÇA PANTANEIRA

ESMIUÇANDO

No Pantanal, essa linguiça feita com carne de boi é considerada prato principal, especialmente em churrascos. Preparar o embutido foi a solução que tropeiros mineiros encontraram para conservar as carnes durante o povoamento de Maracaju e arredores, hoje Mato Grosso do Sul. A laranja do tipo azeda ou amarga, de casca enrugada, ajuda na conservação.

MACARRÃO DE COMITIVA

MACARRÃO DE COMITIVA

4 porções
40 minutos
Fácil

- 500 G DE CARNE DE SOL DESSALGADA (P. 65)
- 2 COLHERES (SOPA) DE AZEITE DE OLIVA
- 2 COLHERES (SOPA) DE BANHA DE PORCO
- ½ CEBOLA PICADA
- 2 DENTES DE ALHO PICADOS
- 2 TOMATES SEM PELE E SEM SEMENTES PICADOS
- 1 COLHER (SOPA) DE COLORAU
- 1 PACOTE DE ESPAGUETE (500 G)
- SUCO DE 1 LARANJA
- ½ MAÇO DE CHEIRO-VERDE PICADO
- SAL E PIMENTA-DO-REINO A GOSTO

Corte a carne de sol em cubos pequenos. Aqueça o azeite com a banha e doure a carne. Junte a cebola, o alho, o tomate e o colorau; refogue mais um pouco. Acrescente o espaguete quebrado ao meio. Misture, refogue, adicione o suco de laranja e ½ xícara (chá) de água e cozinhe até secar. Repita o processo, adicionando mais ½ xícara (chá) de água, até o macarrão ficar cozido. Tempere com sal e pimenta-do-reino, finalize salpicando o cheiro-verde e sirva.

ESMIUÇANDO

Essa receita é feita até hoje pelos peões do campo (as comitivas) que transportam rebanhos pelo Pantanal, especialmente no Mato Grosso do Sul. A variação se dá por conta dos ingredientes na versão original.

MANIÇOBA

MANIÇOBA

10-12 porções
3h30
Médio

- 1,5 KG DE MANIVA PRÉ-COZIDA
- 4 FOLHAS DE LOURO
- 1 KG DE CARNE-SECA DESSALGADA
- 1 KG DE LOMBO DE PORCO DESSALGADO
- 3 COLHERES (SOPA) DE ÓLEO DE MILHO
- 1 XÍCARA (CHÁ) DE TOUCINHO DEFUMADO PICADO
- 2 CEBOLAS PICADAS
- 4 DENTES DE ALHO PICADOS
- 1 KG DE PEITO BOVINO
- 500 G DE LINGUIÇA DE PORCO CURADA
- SAL A GOSTO

Ferva a maniva e o louro em uma panela grande, com bastante água. Corte a carne-seca e o lombo em cubos e refogue no óleo com o toucinho, a cebola e o alho. Junte o refogado e as demais carnes à panela com a maniva. Cozinhe por 3 horas, ou até que todas as carnes estejam se desmanchando; se necessário, acrescente mais água. Acerte o tempero e sirva com farinha de mandioca e arroz branco (p. 146).

ESMIUÇANDO

Também conhecida como "feijoada paraense", pode ser encontrada nos mercados locais, para comer na hora. A sabedoria de cozinhar a maniva pelo longo tempo necessário – para anular o veneno das folhas de mandioca – é passada de geração em geração. Use apenas a maniva pré-cozida.

MÃO DE VACA

10 porções
2h30
Médio

- 2,5 KG DE PERNA TRASEIRA DE BOI CORTADA EM PEDAÇOS
- 5 DENTES DE ALHO PICADOS
- 1 COLHER (SOPA) DE COLORAU
- 4 COLHERES (SOPA) DE AZEITE DE OLIVA
- 1 CEBOLA EM RODELAS
- 1 PIMENTÃO EM RODELAS
- SAL E PIMENTA-DO-REINO A GOSTO

Tempere a carne com o alho, o colorau, o azeite, sal e pimenta-do-reino. Junte a cebola e o pimentão. Refogue em fogo baixo e acrescente 1 litro de água fervente. Cozinhe por cerca de 2 horas, até ficar macia; se necessário, adicione mais água. Sirva com legumes, arroz branco (p. 146) e pirão de carne (p. 165), que pode aproveitar o caldo do cozimento da mão de vaca.

ESMIUÇANDO

Quantas vezes, no fim de uma noite entre primos e amigos, acabei comendo mão de vaca nos mercados do interior do Ceará! O guisado é tão nutritivo quanto revigorante. A expressão mão de vaca também se dá ao mocotó, a pata do boi, que inclui o osso e o tutano.

MATAMBRE ENROLADO

MATAMBRE ENROLADO

8 porções
3 horas mais o tempo para marinar
Médio

- 1 PEÇA DE MATAMBRE (CARNE ENTRE A COSTELA E O COURO DO BOI) COM 1,2 KG
- 10 FATIAS DE TOUCINHO DEFUMADO
- 1 CENOURA DESCASCADA CORTADA EM TIRAS
- 1 PIMENTÃO VERMELHO SEM PELE CORTADO EM TIRAS
- 1 CEBOLA CORTADA EM TIRAS
- ½ XÍCARA (CHÁ) DE VINHO BRANCO
- 2 DENTES DE ALHO PICADOS
- 1 FOLHA DE LOURO
- SAL E PIMENTA-DO-REINO A GOSTO

Abra o matambre, tempere com sal e pimenta-do-reino e cubra a carne com o toucinho, a cenoura e o pimentão. Disponha a cebola por cima e enrole o matambre; amarre com um barbante. Tempere a parte de fora com sal e pimenta-do-reino e deixe a carne em uma marinada feita com o vinho, o alho e o louro; reserve por 2 horas. Enrole em papel-alumínio e asse em forno preaquecido a 180 °C por cerca de 2h30. No final do cozimento, remova o papel-alumínio, para a carne dourar.

ESMIUÇANDO

Do castelhano, matambre é a contração das palavras que compõem a expressão "matar el hambre", ou matar a fome. Trata-se de uma carne de uso muito comum na região Sul, assim como na Argentina, no Uruguai e no Paraguai. Dessa forma, enrolado, serve tanto como prato principal quanto tira-gosto, quente ou frio.

MAXIXADA COM CARNE-SECA

6 porções
3 horas
Fácil

- 1,5 KG DE CARNE-SECA DESSALGADA
- 30 MAXIXES
- 2 COLHERES (SOPA) DE MANTEIGA DE GARRAFA
- ½ LINGUIÇA CALABRESA DEFUMADA CORTADA EM RODELAS
- 1 CEBOLA MÉDIA CORTADA EM TIRAS
- 4 DENTES DE ALHO PICADOS
- ½ PIMENTÃO VERMELHO SEM PELE CORTADO EM TIRAS
- ½ MAÇO DE COENTRO PICADO
- SAL A GOSTO

Corte a carne-seca em cubos e cozinhe até ficar macia. Branqueie os maxixes inteiros em água com sal; reserve. Refogue a carne na manteiga de garrafa, até dourar; retire e reserve. Na mesma panela, refogue a linguiça; retire e reserve. Refogue a cebola, o alho e o pimentão. Volte as carnes à panela e junte o maxixe, para aquecer. Finalize com o coentro e sirva.

MOCOTÓ

8 porções
3 horas
Fácil

- 3 KG DE MOCOTÓ
- SUCO DE 2 LIMÕES
- 2 FOLHAS DE LOURO
- 3 COLHERES (SOPA) DE AZEITE DE OLIVA
- 1½ CEBOLA GRANDE PICADA
- 2 DENTES DE ALHO PICADOS
- 3 TOMATES SEM PELE E SEM SEMENTES CORTADOS EM CUBOS
- 1 COLHER (SOPA) DE COLORAU
- ½ MAÇO DE HORTELÃ PICADA
- ½ MAÇO DE CEBOLINHA-VERDE PICADA

Lave bem o mocotó com suco de limão e água corrente. Cubra com água e cozinhe na panela de pressão, com as folhas de louro, por cerca de 1h10 depois que a pressão se formar. Despreze a água e reserve o mocotó, que deve estar quase soltando do osso. Aqueça o azeite e refogue a cebola, o alho, o tomate e o colorau. Junte o mocotó, cubra com água e cozinhe até o caldo reduzir e o mocotó soltar do osso. Tempere com sal e pimenta-do-reino, polvilhe a hortelã e a cebolinha e sirva.

MAXIXADA COM CARNE-SECA

MOCOTÓ

PANELADA NORDESTINA

8 porções
3 horas
Médio

- ½ KG DE BUCHO DE BOI CORTADO EM PEDAÇOS
- ½ KG DE TRIPA DE BOI CORTADA EM PEDAÇOS
- 1 PATA DE BOI CORTADA EM PEDAÇOS
- 2 FOLHAS DE LOURO
- 2 COLHERES (SOPA) DE AZEITE DE OLIVA
- 1 CEBOLA GRANDE PICADA
- 4 DENTES DE ALHO PICADOS
- 1 PIMENTÃO PICADO
- 2 TOMATES PICADOS
- 3 COLHERES (CAFÉ) DE PIMENTA CALABRESA
- 1 COLHER (SOPA) DE COLORAU
- CHEIRO-VERDE PICADO A GOSTO
- SAL E PIMENTA-DO-REINO A GOSTO

Lave bem o bucho, as tripas e a pata de boi; tempere com sal. Cubra com água, junte o louro e cozinhe por cerca de 2 horas, ou até as carnes ficarem bem macias. Espere esfriar e retire a gordura que se formou na superfície do caldo. Aqueça o azeite em fogo médio e refogue a cebola até dourar. Acrescente o alho e o pimentão; refogue um pouco e adicione o tomate. Cozinhe até o tomate começar a se desfazer. Junte a pimenta calabresa, as carnes e o caldo. Tempere com o colorau, sal e pimenta-do-reino. Espere ferver, desligue e finalize com o cheiro-verde.

ESMIUÇANDO

Sabores fortes e alto valor calórico caracterizam esse prato do sertão nordestino que leva a fama de curar ressaca e "levantar morto". Tradicionalmente, pode ser comido a qualquer hora do dia.

PANQUECA DE CARNE

PANQUECA DE CARNE

6 porções
1 hora
Médio

- 1,2 KG DE TOMATE
- 1½ CEBOLA PICADA
- 4 DENTES DE ALHO PICADOS
- 750 G DE CARNE MOÍDA (PATINHO)
- 2 COLHERES (SOPA) DE ÓLEO DE MILHO
- ½ XÍCARA (CHÁ) DE AZEITONA PRETA PICADA
- ½ XÍCARA (CHÁ) DE SALSINHA PICADA
- 1 XÍCARA (CHÁ) DE QUEIJO PARMESÃO
- RALADO
- SAL E PIMENTA-DO-REINO A GOSTO

PARA A MASSA
- 1 XÍCARA (CHÁ) DE LEITE
- 2 XÍCARAS (CHÁ) DE FARINHA DE TRIGO
- 1 OVO
- 2 CLARAS
- 5 COLHERES (SOPA) DE ÓLEO DE MILHO, MAIS UM POUCO PARA UNTAR

Corte o tomate em quartos e cozinhe em fogo baixo até desmanchar, mexendo de vez em quando para não grudar no fundo da panela. Enquanto isso, prepare a massa da panqueca: bata o leite, a farinha de trigo, o ovo, as claras, o óleo, sal e pimenta-do-reino, até ficar homogêneo. Aqueça uma frigideira, unte com óleo e derrame uma concha de massa; espalhe e vire depois de 30 segundos. Prepare todas as panquecas e reserve. Refogue 1 cebola e 2 dentes de

PICADINHO

alho; junte ao molho de tomate e bata no liquidificador, para ficar uniforme. Tempere a carne com sal e pimenta-do-reino e refogue no óleo, até dourar bem. Acrescente a cebola e o alho restantes, refogue um pouco e adicione a azeitona e a salsinha; mexa e tire do fogo. Recheie as panquecas com a carne moída, transfira para um refratário, cubra com o molho e polvilhe o queijo ralado. Leve ao forno preaquecido a 180 °C por 20 minutos antes de servir.

PICADINHO

4 porções
50 minutos
Médio

- 600 G DE FILÉ-MIGNON PICADO NA PONTA DA FACA
- 2 COLHERES (SOPA) DE AZEITE DE OLIVA
- ½ XÍCARA (CHÁ) DE TOUCINHO DEFUMADO PICADO
- 1 CEBOLA PICADA
- 4 DENTES DE ALHO PICADOS
- 2 XÍCARAS (CHÁ) DE CALDO DE CARNE (P. 53)
- 3 COLHERES (SOPA) DE MANTEIGA
- 2 XÍCARAS (CHÁ) DE FARINHA DE MANDIOCA
- 2 COLHERES (SOPA) DE VINAGRE
- 6 OVOS
- SAL E PIMENTA-DO-REINO A GOSTO

Tempere a carne com sal e pimenta--do-reino. Sele no azeite, dourando de todos os lados; retire e reserve. Na mesma panela, refogue o toucinho, acrescente metade da cebola e do alho e volte a carne selada. Junte o caldo e cozinhe até reduzir à metade. Enquanto isso, faça a farofa: refogue o restante da cebola e do alho na manteiga. Adicione a farinha de mandioca e tempere com sal e pimenta-do--reino. Para os ovos poché, aqueça água com o vinagre em uma panela pequena. Com uma concha, faça um redemoinho no meio do líquido e disponha um ovo cru. Cozinhe por 3 minutos e retire. Sirva o picadinho com arroz branco (p. 146), feijão--preto, a farofa e o ovo.

PICANHA ASSADA COM SAL GROSSO,
FAROFA CLÁSSICA

ESMIUÇANDO

Qual é a versão de picadinho mais gostosa, a carioca ou a paulista? Enquanto o primeiro vem com feijão-preto, ovo pochê, banana e pastel, a receita dos paulistas inclui feijão-carioca e ovo frito – a banana é opcional e o pastel não aparece no prato. Herdeiro dos guisados portugueses, o picadinho surgiu nas tabernas cariocas do Brasil na época colonial.

PICANHA ASSADA COM SAL GROSSO

4 porções
1h10
Fácil

- 1 PICANHA COM 1 KG
- SAL GROSSO

Tempere a picanha com sal grosso de todos os lados, sem exagerar. Coloque a peça numa assadeira e cubra com papel-alumínio. Leve ao forno 180 °C por cerca de 1 hora, ou até ficar macio. Tire o papel e deixe dourar um pouco antes de servir.

PICANHA INVERTIDA

4 porções
40 minutos
Fácil

- 1 PICANHA (COM ATÉ 1,5 KG)
- 1 LINGUIÇA CALABRESA PICADA
- 250 G DE BACON PICADO
- 250 G DE QUEIJO MEIA CURA PICADO
- SAL GROSSO

Com uma faca fina, retire um pouco da gordura da carne. Faça um corte no meio da picanha, sem chegar até as pontas e sem furar as laterais. Vire a carne "do avesso", empurrando uma das extremidades para dentro, para que a gordura fique por dentro da peça. Misture a linguiça, o bacon e o queijo. Recheie a picanha e tempere com sal grosso. Asse em forno 210 °C até o ponto desejado (25 a 30 minutos para mal passado).

POLENTA MOLE COM MOLHO À BOLONHESA

6 porções
40 minutos
Fácil/médio

- 1 KG DE TOMATE
- 750 G DE CARNE MOÍDA (PATINHO)
- 5 COLHERES (SOPA) DE ÓLEO DE MILHO
- 1 CEBOLA PICADA
- 4 DENTES DE ALHO PICADOS
- 1 FOLHA DE LOURO
- 2 COLHERES (SOPA) DE MANTEIGA SEM SAL
- 1½ XÍCARA (CHÁ) DE FUBÁ MIMOSO
- 1 XÍCARA (CHÁ) DE QUEIJO PARMESÃO RALADO
- SAL E PIMENTA-DO-REINO A GOSTO

Para o molho, lave o tomate, corte em quartos (retire os talos) e leve ao fogo baixo, sem água. Cozinhe até desmanchar, bata no liquidificador, passe por uma peneira e reserve. Refogue a carne no óleo. Quando estiver sequinha, junte a cebola e 2 dentes de alho; refogue mais um pouco, até os temperos murcharem.

POLENTA MOLE COM MOLHO À BOLONHESA

RABADA COM POLENTA E AGRIÃO

Acrescente o tomate batido e o louro; cozinhe por 20 minutos. Tempere com sal e pimenta-do-reino. Enquanto isso, refogue o alho restante na manteiga por 3 minutos. Adicione 6 xícaras (chá) de água e espere ferver. Tempere com sal e junte o fubá aos poucos, sem parar de mexer para não empelotar. Cozinhe em fogo baixo por 10 minutos, mexendo sempre. Transfira para uma travessa, cubra com o molho e sirva com queijo ralado.

QUIABADA COM CARNE

5 porções
40 minutos
Médio

- 2 COLHERES (SOPA) DE ÓLEO DE MILHO
- 1 CEBOLA MÉDIA PICADA
- 5 DENTES DE ALHO AMASSADOS
- 100 G DE CARNE-SECA DESSALGADA CORTADA EM CUBOS
- 500 G DE CARNE (PATINHO) CORTADA EM CUBOS
- 100 G DE CAMARÃO SECO DESCASCADO
- 1 MAÇO DE COENTRO PICADO
- 300 G DE QUIABO CORTADO EM CUBOS
- AZEITE DE DENDÊ A GOSTO
- SAL A GOSTO

Aqueça o óleo e refogue a cebola e o alho. Junte os dois tipos de carne. Sem parar de mexer, acrescente o camarão seco e o coentro. Quando a carne estiver macia, acerte o sal, adicione o quiabo e cozinhe até ficar al dente. Tempere com azeite de dendê a gosto, deixe no fogo por mais 5 minutos e sirva.

RABADA COM POLENTA E AGRIÃO

4 porções
3h30, mais o tempo para marinar
Médio

- 1 KG DE RABADA
- 6 DENTES DE ALHO PICADOS
- ½ XÍCARA (CHÁ) DE VINHO TINTO
- 4 COLHERES (SOPA) DE ÓLEO DE MILHO
- 3 XÍCARAS (CHÁ) DE CALDO DE CARNE (P. 53)
- 3 COLHERES (SOPA) DE MANTEIGA
- 1½ XÍCARA (CHÁ) DE FUBÁ MIMOSO
- ½ MAÇO DE AGRIÃO
- SAL E PIMENTA-DO-REINO A GOSTO

Corte a rabada nas juntas e tempere com sal, pimenta-do-reino, 3 dentes de alho e o vinho. Reserve por pelo menos 2 horas, para marinar. Aqueça o óleo, sele a carne e cubra com o caldo; cozinhe por cerca de 3 horas (ou por cerca de 40 minutos na panela de pressão). Refogue o alho restante em 2 colheres (sopa) de manteiga, junte 4½ xícaras (chá) de água e espere ferver. Tempere com um pouco de sal e junte o fubá aos poucos, sem parar de mexer para não empelotar. Cozinhe em fogo baixo por 10 a 15 minutos, mexendo sempre. Derreta 1 colher (sopa) de manteiga e salteie o agrião por alguns segundos; tempere com um pouco de sal. Sirva com a polenta e o agrião.

RABADA NO TUCUPI

4 porções
3h30, mais o tempo para marinar
Fácil/médio

- 1 KG DE RABADA
- 3 DENTES DE ALHO PICADOS
- 4 COLHERES (SOPA) DE AZEITE DE OLIVA
- 1 LITRO DE TUCUPI
- ½ MAÇO DE FOLHAS DE JAMBU
- SAL E PIMENTA-DO-REINO A GOSTO

Corte a rabada nas juntas e tempere com sal, pimenta-do-reino e o alho. Reserve por pelo menos 2 horas, para marinar. Aqueça o azeite e sele a carne. Cubra com água e cozinhe por 3 horas em panela tampada – destampe na metade do tempo, para reduzir o caldo até quase secar. Quando faltarem cerca de 30 minutos para o final do cozimento, aqueça o tucupi e cozinhe as folhas de jambu até ficarem macias. Junte à rabada e termine o cozimento. Acerte o tempero e sirva com arroz branco (p. 146) e farinha d'água.

ESMIUÇANDO

O Acre é o único estado do Norte que usa a carne vermelha no tucupi. Nessa receita, o rabo de boi é cozido em bastante caldo com jambu. Vale lembrar que o caldo de tucupi serve a muitíssimas receitas no restante da região – mas sempre com peixes ou frango.

ROCAMBOLE DE CARNE

8 porções
1 hora
Fácil

- 1 KG DE CARNE MOÍDA (PATINHO OU COXÃO MOLE)
- ½ CEBOLA PICADA
- 2 DENTES DE ALHO PICADOS
- ½ MAÇO DE SALSINHA PICADA
- 20 FATIAS FINAS DE BACON
- 2 XÍCARAS (CHÁ) DE QUEIJO MUÇARELA RALADO GROSSO
- SAL E PIMENTA-DO-REINO A GOSTO

Tempere a carne com a cebola, o alho, a salsinha, sal e pimenta-do-reino; misture bem. Abra um pedaço de filme plástico e espalhe a carne, formando um retângulo com a espessura de um dedo. Cubra com as fatias de bacon e a muçarela. Com a ajuda do filme, enrole a carne no formato de um rocambole (descarte o filme). Embrulhe em papel-

RABADA NO TUCUPI

-alumínio e leve ao forno 180 °C por 30 minutos. Retire o papel e asse por mais 10 minutos. Corte em fatias e sirva.

ROSBIFE

8 porções
40 minutos
Fácil

- 1 PEÇA DE FILÉ-MIGNON
- 2 COLHERES (SOPA) DE ÓLEO DE MILHO
- 3 COLHERES (SOPA) DE MOSTARDA
- 2 COLHERES (SOPA) DE VINHO TINTO
- SAL E PIMENTA-DO-REINO A GOSTO

Tempere a carne com sal e pimenta--do-reino. Aqueça o óleo em uma panela grande e doure o filé-mignon de todos os lados. Transfira a carne para uma assadeira e leve ao forno a 210 °C por 10 minutos, para que termine de cozinhar, mas ainda mantendo o centro rosado. Junte a mostarda e o vinho tinto aos sucos que restaram na panela, acerte o tempero e sirva com o rosbife fatiado, quente ou frio.

ROUPA VELHA

4 porções
1 hora
Fácil

- 1 KG DE CHARQUE DESSALGADO
- 2 COLHERES (SOPA) DE ÓLEO DE MILHO
- ½ CEBOLA CORTADA EM TIRAS
- 1 DENTE DE ALHO PICADO
- 2 TOMATES SEM PELE E SEM SEMENTES CORTADOS EM CUBOS
- ½ MAÇO DE SALSINHA

Cozinhe o charque, trocando a água pelo menos duas vezes, até ficar macio. Desfie e refogue no óleo; junte a cebola, o alho e o tomate. Espere o tomate soltar um pouco de caldo, acrescente a salsinha e sirva.

ESMIUÇANDO

Enquanto a receita brasileira usa mais o charque, em Portugal os ingredientes que aparecem com maior

ROSBIFE

ROCAMBOLE DE CARNE

ROUPA VELHA

frequência são bacalhau, batatas e legumes variados. É sempre feito de véspera, aliás – daí vem o nome divertido do prato, feito normalmente com as sobras da refeição que foi servida no dia anterior.

SOPA DE BATATA COM CARNE

6 porções
2h30
Fácil/médio

- 500 G DE ACÉM OU MÚSCULO EM CUBOS DE 2 CM
- 2 COLHERES (SOPA) DE AZEITE DE OLIVA
- ½ CEBOLA PICADA
- 2 DENTES DE ALHO PICADOS
- 2 TOMATES SEM PELE E SEM SEMENTES PICADOS
- 6 BATATAS GRANDES CORTADAS EM CUBOS
- ½ MAÇO DE CHEIRO-VERDE PICADO
- SAL E PIMENTA-DO-REINO A GOSTO

Tempere a carne com sal e pimenta-do-reino; sele de todos os lados no azeite. Junte a cebola, o alho e o tomate, cubra com água e cozinhe por cerca de 1h30, até a carne ficar bem macia.

Acrescente a batata e cozinhe até ficar macia. Retire 2 xícaras (chá) de batata cozida e bata no processador ou liquidificador, até obter um purê. Misture com a sopa e mexa, para deixar uniforme. Acerte o tempero, polvilhe o cheiro-verde e sirva.

SOPA DE LEGUMES COM CARNE

6 porções
1 hora
Fácil

- 1 COLHER (SOPA) DE AZEITE DE OLIVA
- 1 DENTE DE ALHO AMASSADO
- 1 CEBOLA PEQUENA PICADA
- 500 G DE MÚSCULO EM CUBOS
- 1 XÍCARA (CHÁ) DE CALDO DE CARNE (P. 53)
- 4 MANDIOQUINHAS EM CUBOS MÉDIOS
- 2 BATATAS EM CUBOS MÉDIOS
- 2 CENOURAS MÉDIAS EM CUBOS MÉDIOS
- 1 CHUCHU GRANDE EM CUBOS MÉDIOS
- 2 ABOBRINHAS EM CUBOS MÉDIOS
- SAL A GOSTO

Na panela de pressão, aqueça o azeite e refogue o alho e a cebola. Junte a carne, espere dourar, acrescente o caldo de carne e complete com água.Cozinhe por 30 minutos, ou até a carne ficar macia. Acrescente os legumes; cozinhe por 10 minutos na pressão. Espere a pressão parar, destampe, junte o chuchu e a abobrinha e cozinhe por mais 10 minutos.

SOPA DE BATATA COM CARNE

SOPA DE MANDIOCA COM MÚSCULO

6 porções
1h10
Fácil

- 500 G DE MÚSCULO
- 2 CEBOLAS PICADAS
- 3 DENTES DE ALHO PICADOS
- 1 KG DE MANDIOCA
- 3 COLHERES (SOPA) DE ÓLEO DE MILHO
- 300 ML DE CALDO DE CARNE (P. 53)
- CHEIRO-VERDE A GOSTO
- SAL E PIMENTA-DO-REINO A GOSTO

Tempere a carne com 1 cebola, o alho, sal e pimenta-do-reino. Cubra com água e cozinhe por 40 minutos na panela de pressão. Corte em cubos pequenos e reserve. Cozinhe a mandioca em água e sal. Depois de esfriar um pouco, bata no liquidificador, acrescentando o líquido do cozimento até obter um creme consistente. Aqueça um fio de óleo e doure a cebola restante. Junte o creme de mandioca, o caldo de carne e o músculo. Espere ferver, acerte o tempero, polvilhe o cheiro-verde e sirva.

VACA ATOLADA

8 a 10 porções
4 horas
Fácil

- 1,5 KG DE COSTELA BOVINA SEM OSSO EM CUBOS GRANDES
- 4 COLHERES (SOPA) DE ÓLEO DE MILHO
- 1 COLHER (CHÁ) DE COLORAU
- 1 CEBOLA PICADA
- 3 DENTES DE ALHO PICADOS
- 4 TOMATES SEM PELE E SEM SEMENTES PICADOS
- 1 KG DE MANDIOCA CORTADA EM PEDAÇOS MÉDIOS
- 1 MAÇO DE CHEIRO-VERDE PICADO
- SAL E PIMENTA-DO-REINO A GOSTO

Tempere a costela com sal e pimenta-do-reino. Aqueça o óleo e refogue a carne com o colorau. Quando dourar, junte a cebola, o alho e o tomate. Cubra com água e cozinhe por 3 horas. Acrescente a mandioca e deixe em fogo médio por cerca de 40 minutos, até ficar cozida. Acerte o sal, polvilhe o cheiro-verde e sirva com arroz branco (p. 146) e farinha de mandioca.

ESMIUÇANDO

Das panelas de Minas Gerais no começo do século XVIII, no auge da extração de ouro e diamantes, surgiram receitas simples com ingredientes que viajavam o país no lombo dos animais. De lá vieram o nome e a fama do prato, hoje típico da cultura caipira. Costela bovina e mandioca são os elementos sempre presentes nas variações da receita por todo o país – é justamente na mandioca que a carne fica "atolada".

XIXO

XIXO

4 porções
40 minutos
Fácil

- 400 G DE ALCATRA
- 400 G DE LOMBO DE PORCO
- 400 G DE LOMBO DE CORDEIRO
- 5 TOMATES ITALIANOS
- 3 CEBOLAS MÉDIAS
- 1 DENTE DE ALHO
- 1 PIMENTÃO VERMELHO
- 150 G DE BACON EM FATIAS

Corte a alcatra, o lombo de porco e o lombo de cordeiro em oito cubos grandes, cada. Bata 1 tomate, 1 cebola e o alho no processador ou liquidificador; tempere as carnes com essa pasta. Corte o pimentão, o tomate e a cebola restantes em pedaços do mesmo tamanho. Em quatro espetos, intercale pedaços de carne, o bacon, o tomate, a cebola e o pimentão. Leve à churrasqueira para assar.

ESMIUÇANDO

Xixo é como os gaúchos chamam as espetadas. Os espetos variam de tamanho e podem intercalar cubos de carne de boi, frango ou porco a pedaços de pimentão, tomate e cebola.

CARNE DE PORCO

ARROZ COM SUÃ

6 porções
1h20 mais o tempo para marinar
Médio

- 1 KG DE SUÃ (ESPINHA DORSAL) DE PORCO
- 1 CEBOLA PICADA
- 2 DENTES DE ALHO PICADOS
- 1 PIMENTA-DEDO-DE-MOÇA SEM SEMENTES PICADA
- 1 XÍCARA (CHÁ) DE VINHO BRANCO
- 2 COLHERES (SOPA) DE BANHA OU ÓLEO DE MILHO
- 3 XÍCARAS (CHÁ) DE ARROZ BRANCO
- ½ MAÇO DE CEBOLINHA-VERDE PICADA
- ½ MAÇO DE SALSINHA PICADA
- SAL A GOSTO

Corte o suã em pedaços médios. Faça uma marinada com ½ cebola, 1 dente de alho, a pimenta-dedo-de-moça, o vinho e sal. Cubra a carne e reserve por pelo menos 1 hora. Aqueça a banha e sele o suã de todos os lados; cubra com água e cozinhe até secar. Junte o arroz, a cebola e o alho restantes; refogue até os grãos ficarem brilhantes. Cubra com 6 xícaras (chá) de água. Quando o suã e o arroz estiverem cozidos, acerte os temperos e finalize com cebolinha e salsinha.

CALDO VERDE

6 porções
1h30
Fácil

- 1 KG DE BATATA DESCASCADAS E CORTADAS EM CUBOS
- 2 COLHERES (SOPA) DE AZEITE DE OLIVA
- ½ CEBOLA PICADA
- 2 DENTES DE ALHO PICADOS
- 1 LINGUIÇA DEFUMADA
- 1 MAÇO DE COUVE CORTADO EM TIRAS
- SAL E PIMENTA-DO-REINO A GOSTO

Cozinhe a batata em muita água, até desmanchar. Bata no liquidificador, com o líquido do cozimento, até obter um creme. Aqueça o azeite, refogue a cebola e o alho e junte o creme de batata, para apurar o sabor. Tire a pele da linguiça e cozinhe por 15 minutos dentro do creme. Retire, corte em rodelas e volte à panela. Acrescente a couve e cozinhe um pouco. Acerte os temperos e sirva.

ESMIUÇANDO

De origem lusitana, o caldo verde mistura verdura (a couve) e carne (a linguiça), mas mantém a consistência leve. Comum no norte de Portugal, a receita logo caiu no gosto dos brasileiros e ganhou novas carnes por aqui, como costelinha e linguiça.

COSTELINHA DE PORCO

4 porções
1h50
Fácil

- 1 PEÇA DE COSTELINHA DE PORCO COM CERCA DE 1 KG
- SUCO DE 1 LIMÃO
- 2 COLHERES (SOPA) DE ÓLEO DE MILHO, MAIS UM POUCO PARA UNTAR
- SAL E PIMENTA-DO-REINO A GOSTO

Tempere a carne com suco de limão, sal e pimenta-do-reino. Use o óleo para esfregar sobre as costelinhas e untar uma assadeira. Leve ao forno preaquecido a 180 °C por cerca de 1h40. Não é preciso cobrir com papel-alumínio.

ESMIUÇANDO

Desmanchando na boca, a costelinha de porco é uma das sensações do nosso churrasco – e uma das estrelas da cozinha mineira. Pode ser feita na panela de pressão ou levada ao forno depois de descansar e pegar os temperos de uma marinada. Uma forma deliciosa de servir é junto com canjiquinha.

ARROZ COM SUÃ

CALDO VERDE

COSTELINHA DE PORCO COM CANJIQUINHA

6 porções
1h30 mais o tempo de marinar
Fácil/médio

- 1,2 KG DE COSTELINHA DE PORCO COM OSSO
- 4 DENTES DE ALHO
- ½ CEBOLA
- 1 PIMENTA-DEDO-DE-MOÇA
- 1 XÍCARA (CHÁ) DE VINHO BRANCO SECO
- 4 COLHERES (SOPA) DE ÓLEO DE MILHO, MAIS UM POUCO PARA REFOGAR
- 2½ XÍCARAS (CHÁ) DE CANJIQUINHA (QUIRERA)
- 1 RAMO DE FOLHAS DE ORA-PRO-NÓBIS
- SAL A GOSTO

Corte a costela em ripas. No liquidificador, bata os dentes de alho, a cebola, a pimenta-dedo-de-moça e o vinho, até ficar uniforme, para fazer uma vinha-d'alhos. Tempere a costela com essa pasta e deixe descansar por pelo menos 1 hora. Aqueça o óleo em uma panela funda e sele as ripas de costela, reservando o tempero. Comece a pingar água e cozinhar a carne aos poucos. Quando estiver quase cozida, junte a vinha-d'alhos e refogue um pouco, sem dourar. Acrescente a canjiquinha e cubra com água, ultrapassando dois dedos o volume total. Cozinhe até amolecer. Retire as costelas e tempere a canjiquinha. Desfie a carne, descarte os ossos e volte à panela. Em uma frigideira, refogue a ora-pro-nóbis com um pouquinho de óleo e uma pitada de sal. Sirva as folhas sobre a canjiquinha.

JOELHO DE PORCO

JOELHO DE PORCO

2 porções
3 horas mais o tempo para marinar
Fácil

- 1 JOELHO DE PORCO COM PELE
- 1 XÍCARA (CHÁ) DE VINHO BRANCO
- 2 CRAVOS-DA-ÍNDIA
- 2 COLHERES (SOPA) DE ÓLEO DE MILHO
- ½ CEBOLA PICADA
- 1 DENTE DE ALHO PICADO
- SAL E PIMENTA-DO-REINO A GOSTO

Faça alguns furos no joelho de porco e tempere com o vinho, o cravo, sal e pimenta-do-reino; reserve por 30 minutos. Aqueça o óleo e refogue a cebola e o alho. Junte o joelho com a marinada, cubra com água e cozinhe até ficar macio, por cerca de 1h30 a 2 horas. Transfira para uma assadeira e leve ao forno a 180 °C por 30 minutos. Sirva com chucrute (p. 154).

ESMIUÇANDO

No Brasil, em geral, pode não ser muito valorizado como corte de carne, mas é um dos símbolos da culinária alemã na região Sul, onde também é chamado de "esbein". Tradicionalmente acompanhada de chucrute, a receita se mantém fiel à dos primeiros imigrantes.

LEITOA PURURUCA

10 porções
5-6 horas mais o tempo para marinar
Difícil

- ½ LEITOA CORTADA NO SENTIDO DO COMPRIMENTO
- 1 GARRAFA DE VINHO BRANCO SECO
- 5 DENTES DE ALHO AMASSADOS
- 2 GARRAFAS DE ÓLEO DE MILHO
- SAL E PIMENTA-DO-REINO A GOSTO

Faça furos na leitoa e tempere com o vinho, o alho, sal e pimenta-

-do-reino – esfregue principalmente na parte de dentro. Deixe marinar por 2 horas. Cubra a carne com papel-alumínio e asse em forno preaquecido a 200 °C, por cerca de 2h30, ou até estar macia. Coloque a leitoa sobre uma grade e seque a pele com papel-toalha, para retirar o excesso de líquido. Aqueça bem o óleo. Coloque uma luva de pano e, com uma concha, despeje o óleo quente sobre toda a pele do porco, até pururucar. Tome bastante cuidado para não se queimar durante esse processo.

ESMIUÇANDO

Foi por causa dessa receita que eu quis aprender a cozinhar. Quando Dona Altina preparava a leitoa para a ceia, os mais velhos se serviam primeiro. Só depois vinham as crianças e, na minha vez, eu ficava apenas com a carne, pois a pele pururuca que eu tanto adorava já tinha acabado. Quando comecei a cozinhar, portanto, me dei o direito de tirar umas lasquinhas assim que a pele pururucava. A origem do nome desse preparo, tão tradicional no interior de São Paulo e Minas Gerais, é controversa; pode vir de uma variação do tupi "pororoca" (estrondo).

LEITOA PURURUCA

LOMBO ASSADO

8 porções
2 horas
Fácil

- 2 XÍCARAS (CHÁ) DE VINHO BRANCO
- SUCO DE 1 LIMÃO
- ½ CEBOLA
- 4 DENTES DE ALHO
- 1 TALO DE SALSÃO
- 1 TALO DE ALHO-PORÓ
- 1 PIMENTA-DEDO-DE-MOÇA SEM SEMENTES
- 1 LOMBO DE PORCO COM CERCA DE 2KG
- SAL A GOSTO

Bata o vinho, o suco de limão, a cebola, o alho, o salsão, o alho-poró, a pimenta e sal no liquidificador ou processador. Fure o lombo com uma faca pequena e tempere com a marinada; reserve por 1 hora. Transfira para uma assadeira ou refratário com uma parte do tempero. Cubra com papel-alumínio e leve ao forno preaquecido a 180 °C por cerca de 1 hora, ou até ficar macio. Retire o papel e espere dourar um pouco. Sirva com couve refogada e farofa simples.

LOMBO ASSADO

PERNIL DE PORCO

25 porções
5 horas mais o tempo de preparo de véspera
Médio

- 2 CEBOLAS GRANDES
- 1 CENOURA GRANDE
- 4 TALOS DE SALSÃO

PERNIL DE PORCO

- 1 TALO DE ALHO-PORÓ
- 5 DENTES DE ALHO
- 3 PIMENTAS DEDO-DE-MOÇA SEM SEMENTES
- 1 GARRAFA DE VINHO BRANCO
- 1 PERNIL DE PORCO COM CERCA DE 6 KG
- 4 FOLHAS DE LOURO
- SAL E PIMENTA-DO-REINO A GOSTO

Bata a cebola, a cenoura, o salsão, o alho-poró, o alho, a pimenta-dedo--de-moça e o vinho no liquidificador ou processador. Fure o pernil com uma faca e tempere com a marinada. Junte o louro, esfregue a carne com sal e pimenta-do-reino e tempere também a marinada. Reserve por 24 horas, virando a cada 6 horas. Cubra com papel-alumínio e leve ao forno 180 °C por cerca de 4 horas, ou até ficar macio. Retire o papel-alumínio e asse por 30 minutos, para dourar. Retire do forno, fatie e sirva. Aproveite o que ficou grudado na assadeira e faça um molho para servir com a carne.

ESMIUÇANDO

Um dos cortes mais saborosos do porco costuma ser preparado nas ceias de Natal – mas depois pode se transformar em várias coisas, desde um sanduíche e um arroz de forno até uma carne desfiada. Geralmente ganha ainda mais sabor nessa transformação, por causa da marinada.

PORCO NA LATA

8 porções
4 horas
Fácil

- 1 KG DE PERNIL DE PORCO DESOSSADO
- 2 DENTES DE ALHO PICADOS
- 1 KG DE BANHA DE PORCO
- 3 FOLHAS DE LOURO
- SAL E PIMENTA-DO-REINO A GOSTO

Corte a carne em cubos e tempere com o alho, sal e pimenta-do-reino. Aqueça 1 colher (sopa) de banha e sele o pernil de todos os lados; transfira para uma assadeira funda. Derreta a banha restante e despeje sobre o porco, até cobrir (a carne precisa ficar submersa). Acrescente o louro e asse em forno preaquecido a 100 °C por 3 a 4 horas, até ficar bem macio. Espere esfriar e armazene na própria banha – ou sirva assim que tirar do forno.

ESMIUÇANDO

Não são apenas os franceses que têm o confit – o de pato é o mais tradicional. Por aqui, herdamos o método de conservação dos alimentos em banha a partir dos portugueses. Preparando as partes do porco em sua própria gordura para depois armazená-la em latas, era possível guardar o alimento por muitos dias sem refrigeração. Mesmo com a invenção da geladeira, a técnica se manteve em campos e fazendas e se estendeu inclusive à galinha.

QUIRERA COM SUÃ

12 porções
1 hora mais o tempo para hidratar
Fácil

- 500 G DE QUIRERA (CANJIQUINHA)
- 2 KG DE COSTELINHA DE PORCO
- 2 KG DE SUÃ EM PEDAÇOS MÉDIOS
- SUCO DE 2 LIMÕES
- 4 COLHERES (SOPA) DE ÓLEO DE MILHO
- 2 CEBOLAS PICADAS

- 6 DENTES DE ALHO PICADOS
- 1 XÍCARA (CHÁ) DE CALDO DE CARNE (P. 53)
- SAL A GOSTO

Lave a quirera e deixe de molho por 30 minutos. Cozinhe por 40 minutos a 1 hora, mexendo de vez em quando; se necessário, acrescente mais água. Tempere a costelinha e o suã com suco de limão e sal. Em outra panela, aqueça o óleo e doure a carne aos poucos. Junte a cebola e o alho, refogue, cubra com água e cozinhe por 40 minutos. Acrescente a quirera e o caldo de carne, acerte os temperos e sirva imediatamente.

QUIRERA LAPEANA

4 porções
50 minutos
Fácil

- 2 XÍCARAS (CHÁ) DE QUIRERA (CANJIQUINHA)
- 3 COLHERES (SOPA) DE ÓLEO DE MILHO
- 1 KG DE CARNE DE PORCO (COSTELINHA FRESCA OU DEFUMADA)
- 2 CEBOLAS MÉDIAS PICADAS
- 2 DENTES DE ALHO PICADOS
- SALSINHA E CEBOLINHA-VERDE PICADAS
- SAL E PIMENTA-DO-REINO A GOSTO

Lave a quirera e deixe de molho por cerca de 30 minutos. Aqueça o óleo e frite a carne de porco até dourar. Acrescente a cebola e o alho e refogue, para dourar. Cubra com água e cozinhe até a carne ficar macia. Acrescente a quirera e cozinhe em fogo baixo, mexendo. Tempere com sal e pimenta-do-reino. Quando a quirera estiver cozida e al dente, junte as ervas e sirva imediatamente.

PORCO NA LATA

ESMIUÇANDO

Até pouco tempo atrás, a quirera (canjiquinha em Minas Gerais ou xerém no Nordeste) era vendida nos grandes supermercados como ração para animais. Mas esse milho grosso moído que servia para engordar os porcos hoje está presente em vários clássicos da culinária mineira ou sertaneja.

Essa receita, em particular, vem do interior do Paraná, um antigo caminho de tropeiros que faziam a rota entre o Rio Grande do Sul e São Paulo.

SARAPATEL

6 porções
2h40
Médio

- 1,2 KG DE MIÚDOS DE PORCO (FÍGADO, BOFE, LÍNGUA E CORAÇÃO)
- 3 LIMÕES
- 1 PIMENTÃO VERMELHO
- 1 PIMENTÃO AMARELO
- ½ MAÇO DE HORTELÃ
- ½ MAÇO DE CEBOLINHA-VERDE
- ½ MAÇO DE COENTRO
- 2 CEBOLAS MÉDIAS
- 2 DENTES DE ALHO
- 3 TOMATES
- 4 PIMENTAS-DE-CHEIRO
- 4 FOLHAS DE LOURO
- 1 COLHER (SOBREMESA) DE COMINHO
- 4 COLHERES (SOPA) DE ÓLEO DE MILHO
- ½ XÍCARA (CHÁ) DE TOUCINHO DEFUMADO EM CUBOS
- SAL A GOSTO

Lave bem os miúdos e deixe de molho em suco de limão. Pique os pimentões, a hortelã, a cebolinha, o coentro, a cebola, o alho, o tomate, a pimenta-de-cheiro, o louro e o cominho – reserve um pouco das ervas para finalizar o prato. Misture os ingredientes picados aos miúdos. Em uma panela funda, aqueça o óleo e refogue o toucinho. Junte os miúdos e o tempero, refogando muito bem. Cubra com água e cozinhe por cerca de 2 horas em fogo médio; se necessário, acrescente mais água. Sirva com arroz branco (p. 146), farinha de mandioca e molho de pimenta (*receita abaixo*).

MOLHO DE PIMENTA

1 litro
10 minutos
Fácil

- 150 G DE PIMENTA-DE-CHEIRO EM CONSERVA
- 150 G DE PIMENTA-MALAGUETA EM CONSERVA
- 150 G DE PIMENTA-CUMARI EM CONSERVA
- 800 ML DE AZEITE DE OLIVA EXTRAVIRGEM

SARAPATEL

Escorra bem as pimentas e bata no liquidificador ou no processador com o azeite. Manter na geladeira, pois não se trata de uma conserva.

ESMIUÇANDO

Chegou até nós pela cozinha do Alto Alentejo, região de Portugal. O ensopado forte é comum tanto no Nordeste, servido com arroz branco e farinha de mandioca, quanto no Norte. Guarda muitas semelhanças com o sarrabulho, um pouco mais complexo, que ainda utiliza as vísceras de outros animais, como carneiro e até tartaruga.

VIRADO À PAULISTA

2 porções
2 horas, mais o tempo para marinar
Médio/difícil

- 2 BISTECAS GRANDES COM 1½ DEDO DE ALTURA
- ¼ CEBOLA
- 2 DENTES DE ALHO PICADOS
- ¼ PIMENTA-DEDO-DE-MOÇA SEM SEMENTES
- ½ XÍCARA (CHÁ) DE VINHO BRANCO
- 200 G DE BARRIGA DE PORCO
- 2 LINGUIÇAS TOSCANAS FRESCAS

- 2 XÍCARAS (CHÁ) DE FEIJÃO COZIDO
- 2 COLHERES (SOPA) DE FARINHA DE MANDIOCA FINA
- 1 BANANA-NANICA
- 2 COLHERES (SOPA) DE FARINHA DE TRIGO
- 1 OVO BATIDO
- 3 COLHERES (SOPA) DE FUBÁ
- 1 MAÇO DE COUVE CORTADO EM TIRAS
- 2 OVOS
- 1 COLHER (SOPA) DE MANTEIGA
- ÓLEO DE MILHO, PARA FRITAR
- SAL E PIMENTA-DO-REINO A GOSTO

Tempere as bistecas com sal e pimenta-do-reino. No liquidificador ou no processador, bata a cebola, metade dos dentes de alho, a pimenta--dedo-de-moça e o vinho; espalhe essa marinada sobre a carne e reserve por 1 hora. Tempere a barriga de porco com sal e pimenta-do-reino, esfregando bem; leve ao forno a 180 °C por 40 minutos, ou até dourar; reserve. Em uma panela aquecida, sele as bistecas (reserve o líquido da marinada) e a linguiça. Transfira para uma assadeira e reserve. Na mesma panela, coloque e refogue a marinada; diminua o fogo e junte o feijão. Acerte o tempero e acrescente a farinha de mandioca, mexendo para não empelotar; cozinhe um pouco e reserve. Corte a banana ao meio e empane na farinha de trigo, no ovo e no fubá; frite por imersão em óleo quente e reserve. Corte a barriga de porco assada em cubos e frite por imersão; retire e escorra quando os torresmos estiverem dourados. Asse as carnes por 10 minutos. Refogue o alho restante em um fio de óleo de milho e junte a couve; espere murchar um pouco, tempere com sal e reserve. Frite os ovos na manteiga. Sirva as bistecas e a linguiça com o virado (feijão), o torresmo, a banana frita, a couve, o ovo frito e arroz branco (p. 146).

ESMIUÇANDO

Surgiu entre os bandeirantes que saíam de São Paulo para colonizar o interior, em direção a Minas Gerais. Nos restaurantes de São Paulo, tem dia próprio para aparecer nos cardápios de almoço: segundas-feiras.

VIRADO À PAULISTA

CARNES DE CARNEIRO E CABRITO

CARNEIRO GUISADO

4-6 porções
40 minutos mais o preparo de véspera
Fácil

- 1,5 KG DE PERNIL DE CARNEIRO
- 5 DENTES DE ALHO
- 4 COLHERES (SOPA) DE VINAGRE
- 3 COLHERES (SOPA) DE ÓLEO DE MILHO
- 1 CEBOLA
- 1 PIMENTÃO VERMELHO
- 3 TOMATES
- ½ XÍCARA (CHÁ) DE PIMENTA-DE-CHEIRO
- 1 MAÇO DE CHEIRO-VERDE
- SAL E PIMENTA-DO-REINO EM GRÃOS A GOSTO

Na véspera, limpe o carneiro, corte em cubos grandes e tempere com 2 dentes de alho amassados, o vinagre, sal e pimenta-do-reino em grãos. Deixe marinando, na geladeira, de um dia para o outro. Aqueça o óleo e refogue o alho restante, a cebola, o pimentão, o tomate e a pimenta-de--cheiro, até dourar. Junte o carneiro e a marinada. Misture bem, cubra com água e cozinhe, em panela tampada, por 20 minutos. Quando estiver completamente cozido, polvilhe o cheiro-verde e sirva.

ESPINHAÇO DE OVELHA

6 porções
1h20 mais o tempo para marinar
Médio

- 1 ESPINHAÇO DE OVELHA
- 1 CEBOLA PICADA
- 1 DENTE DE ALHO PICADO
- 1 COLHER (SOPA) DE BANHA
- ½ XÍCARA (CHÁ) DE FARINHA DE MANDIOCA TORRADA
- CHEIRO-VERDE PARA DECORAR
- SAL E PIMENTA DO REINO A GOSTO

Corte o espinhaço de ovelha nas juntas e tempere com sal e pimenta-do-reino; mantenha na geladeira por 4 horas. Doure a cebola e o alho na banha. Junte o espinhaço, cubra com 2 xícaras (chá) de água e cozinhe por cerca de 1 hora em fogo baixo. Se o líquido secar, acrescente um pouco mais, para manter o mínimo de 3 dedos de água na panela. Retire do fogo e misture a farinha de mandioca aos poucos, sem parar de mexer. Finalize com o cheiro--verde e sirva quente.

BODE ASSADO

4 porções
40 minutos mais o preparo de véspera
Médio

- 500 G CARNE DE BODE
- SAL E PIMENTA-DO-REINO A GOSTO

Retalhe a carne de bode já limpa, tempere com sal e pimenta-do-reino e coloque para secar, à sombra, de um dia para o outro. Grelhe em um braseiro por cerca de 15 minutos de cada lado. Sirva quente.

ESMIUÇANDO

Apesar de muito apreciada no Nordeste, a carne marcante do bode sofre preconceito no resto do país. Em Petrolina (PE), existe até um Bodódromo, área com restaurantes especializados em receitas que vão muito além da buchada, feita apenas com as vísceras cozidas. No Sul e no Sudeste, o mesmo bicho é consumido com outro nome: cabrito.

BODE GUISADO

4 porções
40 minutos
Médio

- 600 G DE CARNE DE BODE EM CUBOS MÉDIOS
- 50 ML DE CACHAÇA
- ½ COLHER (SOPA) DE COLORAU
- 1 COLHER (SOPA) DE ALECRIM
- 1 COLHER (SOPA) DE ÓLEO DE MILHO
- 1 COLHER (SOPA) DE ALHO TRITURADO
- 1 CEBOLA EM CUBOS PEQUENOS
- 1 TOMATE EM CUBOS PEQUENOS
- 1 PIMENTÃO VERDE EM CUBOS PEQUENOS
- SAL A GOSTO

Mantenha a carne em uma marinada feita com a cachaça, o colorau e o alecrim por cerca de 10 minutos. Retire e tempere com sal. Aqueça o óleo e doure os pedaços de bode por igual. Acrescente o alho, a cebola, o tomate, o pimentão e 1 xícara (chá) de água. Cozinhe por cerca de 25 minutos e sirva quente.

BUCHADA DE BODE

6 porções
4-5 horas
Médio

- 2 KG DE VÍSCERAS DE BODE (MIÚDOS E BUCHO)
- SUCO DE 3 LIMÕES
- 1 XÍCARA (CHÁ) DE SANGUE DE BODE
- 1 CEBOLA PICADA
- 5 TOMATES SEM PELE E SEM SEMENTES PICADOS
- ½ PIMENTÃO AMARELO PICADO
- ½ PIMENTÃO VERMELHO PICADO
- 3 DENTES DE ALHO PICADOS
- 1 COLHER (SOPA) DE VINAGRE
- 1 XÍCARA (CHÁ) DE TOUCINHO DEFUMADO
- ¼ MAÇO DE HORTELÃ PICADO
- 2 PIMENTAS DEDO-DE-MOÇA SEM SEMENTES E PICADAS
- 2 COLHERES (SOPA) DE COMINHO
- 1 COLHER (SOPA) DE COLORAU
- 1½ XÍCARA (CHÁ) DE FARINHA DE MANDIOCA FINA
- SAL E PIMENTA-DO-REINO A GOSTO

Lave muito bem os miúdos (coração, fígado etc) e o bucho em água corrente e suco de limão. Ferva por 5 minutos, retire do fogo e lave novamente em água corrente e suco de limão. Pique os miúdos e mantenha o bucho inteiro. Junte os

BUCHADA DE BODE

miúdos com o sangue, a cebola, o tomate, os pimentões, o alho, o vinagre, o toucinho, a hortelã e a pimenta-dedo-de-moça. Misture e tempere com sal, pimenta-do-reino e cominho. Recheie o bucho e costure com linha e agulha, para selar bem. Cubra com água, acrescente o colorau e cozinhe por 3 a 4 horas, em panela tampada. Quando estiver cozido, retire o bucho e faça um pirão com o caldo e a farinha de mandioca. Sirva quente.

COSTELA DE BODE

20 porções
1 hora
Médio

- 2 KG DE COSTELA DE BODE EM PEDAÇOS MÉDIOS
- ½ LIMÃO
- 3 COLHERES (SOPA) DE ÓLEO DE MILHO
- ½ PIMENTÃO EM CUBOS PEQUENOS
- 2 TOMATES EM CUBOS PEQUENOS
- 6 DENTES DE ALHO PICADO
- 1 CEBOLA PICADA
- ½ MAÇO DE COENTRO
- ½ MAÇO DE CEBOLINHA
- SAL, COMINHO E COLORAU A GOSTO

Escalde a carne em água com o limão. Escorra e lave em água corrente, retirando o excesso de gordura. Em uma panela de pressão, aqueça o óleo e refogue o pimentão, o tomate, o alho e a cebola. Junte a carne, tempere com sal, cominho e colorau, refogue e cubra com água. Cozinhe por 25 minutos. Acrescente o coentro e a cebolinha. Sirva quente.

CABRITO GUISADO COM BATATA

8 porções
1h10 mais o preparo de véspera
Médio

- 1 KG DE CABRITO LIMPO EM CUBOS MÉDIOS
- 2 XÍCARAS (CHÁ) DE VINHO TINTO
- 3 DENTES DE ALHO EM LASCAS
- 2 COLHERES (SOPA) DE BANHA
- ½ XÍCARA (CHÁ) DE BACON EM CUBOS MÉDIOS
- 1 COLHER (SOPA) DE FARINHA DE TRIGO
- 1 CEBOLA PICADA
- 2 TOMATES EM CUBOS
- 1 CENOURA EM CUBOS
- 2 COLHERES (SOPA) DE POLPA DE TOMATE
- 8 BATATAS PEQUENAS DESCASCADAS E CORTADAS AO MEIO
- HORTELÃ A GOSTO
- SAL E PIMENTA-DO-REINO A GOSTO

Deixe a carne por 12 horas em uma marinada feita com o vinho, o alho, a hortelã, sal e pimenta-do-reino. Escorra bem e reserve a marinada. Derreta a banha e doure o cabrito de todos os lados por cerca de 5 minutos. Junte o bacon e deixe dourar. Polvilhe a farinha e mexa para envolver os cubos de carne. Acrescente a cebola, o tomate e a cenoura; refogue por 5 minutos e adicione a marinada e a polpa de tomate. Cubra com água e cozinhe em fogo baixo por 40 minutos. Junte a batata, cozinhe por 15 minutos e sirva quente.

AVES

FRANGO CAIPIRA COM PEQUI

6 porções
1h30
Médio

- 1 FRANGO CAIPIRA CORTADO NAS JUNTAS
- 1 PIMENTÃO EM FATIAS
- 1 CEBOLA PICADA
- 1 TOMATE PICADO
- 1 DENTE DE ALHO PICADO
- 2 COLHERES (SOPA) DE ÓLEO DE MILHO
- 300 G DE PEQUI INTEIRO E DESCASCADO
- 200 G DE BACON PICADO
- ½ XÍCARA (CHÁ) DE VINAGRE DE VINHO BRANCO
- CEBOLINHA-VERDE PICADA
- SAL E PIMENTA-DO-REINO A GOSTO

Misture o frango com o pimentão, a cebola, o tomate e o alho; tempere com sal e pimenta-do-reino. Junte 2

FRANGO CHEIO

xícaras de água e cozinhe até secar completamente. Em outra panela, aqueça o óleo e doure o pequi e o bacon. Retire o excesso de gordura e acrescente o frango. Adicione o vinagre e 5 xícaras (chá) de água à panela em que o frango foi cozido; aqueça, mexendo bem, para obter um caldo aromático. Cubra a carne com esse caldo e acerte o tempero. Tampe e cozinhe até ficar macio. Finalize com a cebolinha e sirva.

FRANGO CHEIO

4-6 porções
2h30
Fácil

- 5 COLHERES (SOPA) DE MANTEIGA SEM SAL EM TEMPERATURA AMBIENTE
- RASPAS DE 1 LARANJA
- ¼ XÍCARA (CHÁ) DE SALSINHA BEM PICADA
- 1 FRANGO INTEIRO

PARA A FAROFA

- 300 G DE MOELA
- 150 G DE FÍGADO DE GALINHA
- 1 CEBOLA MÉDIA PICADA
- 2 DENTES DE ALHO PICADOS
- 2 COLHERES (SOPA) DE MANTEIGA
- ½ XÍCARA (CHÁ) DE AZEITONA PICADA
- 2 XÍCARAS (CHÁ) DE FARINHA DE MANDIOCA
- ½ XÍCARA (CHÁ) DE FARINHA DE MILHO
- ¼ MAÇO DE SALSINHA PICADA
- SAL E PIMENTA-DO-REINO A GOSTO

Misture a manteiga com as raspas de laranja, a salsinha, sal e pimenta-do-reino. Com os dedos, descole cuidadosamente a carne e a pele do frango e passe a manteiga temperada por dentro da pele nos peitos, sobrecoxas, coxas e onde mais conseguir. Espalhe também dentro da ave e um pouco por cima. Reserve enquanto prepara a farofa. Limpe a moela e o fígado e pique separadamente. Tempere com sal e pimenta-do-reino. Refogue a cebola e o alho em 1 colher (sopa) de manteiga. Junte a moela, refogue um pouco e cubra com água. Quando estiver cozido, espere o líquido reduzir e acrescente o fígado com a manteiga restante. Refogue e, quando estiver no ponto, adicione a azeitona e as farinhas. Tempere com sal, pimenta-do-reino e salsinha. Recheie o frango com a farofa (deve sobrar um pouco), cubra com papel-alumínio e asse em forno preaquecido a 180 °C por 40 minutos. Tire o papel e asse por mais 10 minutos. Sirva o frango com a farofa que restou.

FRANGO COM QUIABO

FRANGO COM CATUPIRY

6 porções
1 hora
Médio

- 1 KG DE SOBRECOXA OU PEITO DE FRANGO
- 1 COLHER (SOPA) DE AZEITE DE OLIVA
- 1 CEBOLA PICADA
- 1 XÍCARA (CHÁ) DE MOLHO DE TOMATE
- 1 XÍCARA (CHÁ) DE QUEIJO CREMOSO (CATUPIRY)
- ½ XÍCARA (CHÁ) DE QUEIJO PARMESÃO RALADO
- 1 XÍCARA (CHÁ) DE BATATA PALHA
- SAL A GOSTO

Cozinhe o frango com água e sal; escorra e desfie. Aqueça o azeite, doure a cebola e acrescente a carne. Refogue, junte o molho de tomate, tempere com sal e deixe apurar. Transfira para um refratário, espalhe o catupiry por cima do frango e cubra com o queijo parmesão. Leve ao forno preaquecido a 210 °C por cerca de 10 minutos, para gratinar. Cubra com a batata palha e sirva quente.

FRANGO COM QUIABO

6 porções
1h30
Fácil

- 1 FRANGO INTEIRO CORTADO NAS JUNTAS
- SUCO DE 2 LIMÕES
- 4 DENTES DE ALHO ESPREMIDOS
- 1 KG DE QUIABO

- 2 COLHERES (SOPA) DE ÓLEO DE MILHO
- 1 CEBOLA PICADA
- 4 TOMATES PICADOS
- 1 COLHER (SOPA) DE COLORAU
- SAL E PIMENTA-DO-REINO A GOSTO

Tempere o frango com o suco de limão, 2 dentes de alho, sal e pimenta-do-reino. Reserve na geladeira por 30 minutos. Lave bem os quiabos e quebre a ponta para ver se estão bons. Arranque os cabinhos, seque os quiabos e corte em três partes do mesmo tamanho. Aqueça o óleo e sele o frango, primeiro com a pele para baixo e depois do outro lado; doure bem. Retire e reserve. Na mesma panela, refogue a cebola, o alho restante, o tomate e o colorau, até murchar. Junte o quiabo e refogue até perder a baba; retire e reserve. Recoloque o frango na panela, cubra com água e cozinhe até ficar macio. Adicione o tomate, cozinhe por 5 minutos e sirva em seguida – tradicionalmente, acompanha angu de milho-verde (p. 166).

ESMIUÇANDO

Incluir quiabo – e não batatas, mais comuns no ensopado de frango – é hábito mineiro registrado desde o século XVIII. O angu casa com a consistência viscosa e quase pastosa da hortaliça quando refogada.

FRANGO NA CERVEJA

FRANGO NA CERVEJA

6 porções
1h30 mais o tempo para marinar
Fácil

- 6 COXAS COM SOBRECOXA DE FRANGO
- 1 CEBOLA PICADA
- 3 DENTES DE ALHO AMASSADOS
- ½ CENOURA PICADA
- 2 TALOS DE SALSÃO PICADO
- ½ XÍCARA (CHÁ) DE TOUCINHO DEFUMADO PICADO
- 3 LATAS DE CERVEJA LAGER
- SAL E PIMENTA-DO-REINO A GOSTO

Separe as coxas das sobrecoxas e coloque em uma vasilha. Junte todos os outros ingredientes e deixe marinar por pelo menos 4 horas. Transfira a carne, as hortaliças, o toucinho e um pouco da cerveja para uma assadeira. Cubra com papel-alumínio e leve ao forno preaquecido a 180 °C por 1 hora. Retire o papel-alumínio e deixe dourar um pouco. Sirva imediatamente.

FRICASSÊ DE FRANGO COM LEITE DE COCO

5 porções
30 minutos
Médio

- 2 PEITOS DE FRANGO CORTADOS EM CUBOS
- 3 COLHERES (SOPA) DE AZEITE DE OLIVA
- 1 CEBOLA PEQUENA PICADA
- 2 DENTES DE ALHO ESPREMIDOS
- 2 XÍCARAS (CHÁ) DE LEITE DE COCO
- 3 XÍCARAS (CHÁ) DE CREME DE LEITE
- 100 G DE BATATA PALHA
- NOZ-MOSCADA A GOSTO
- CHEIRO-VERDE A GOSTO
- SAL A GOSTO

Tempere o frango com sal e noz-moscada. Aqueça o azeite e doure a cebola e o alho. Junte o frango e frite, sem mexer muito, até dourar. Acrescente o leite de coco e o creme de leite; cozinhe até o frango ficar macio. Acerte o tempero e finalize com o cheiro-verde e a batata palha. Sirva com arroz branco (p. 146).

EMPADÃO GOIANO

4-6 porções
3 horas
Médio/difícil

PARA A MASSA
- 500 G DE FARINHA DE TRIGO

- 300 G DE BANHA OU MANTEIGA SEM SAL
- 2 OVOS E 1 GEMA

PARA O RECHEIO
- 2 COLHERES (SOPA) DE AZEITE DE OLIVA
- ½ CEBOLA PICADA
- 2 DENTES DE ALHO PICADOS
- 6 TOMATES SEM PELE E SEM SEMENTES PICADOS
- 2 GOMOS DE LINGUIÇA FRESCA (RECEITA ABAIXO)
- 1½ XÍCARAS (CHÁ) DE FRANGO COZIDO EM CUBINHOS
- 1 COLHER (CHÁ) DE EXTRATO DE TOMATE (P. 63)
- 1 GUARIROBA COZIDA EM PEDAÇOS PEQUENOS
- 3 OVOS COZIDOS EM CUBOS
- 1 XÍCARA (CHÁ) DE QUEIJO MEIA CURA EM CUBINHOS
- ½ XÍCARA (CHÁ) DE AZEITONA VERDE PICADA
- ½ MAÇO DE SALSINHA PICADA
- SAL E PIMENTA-DO-REINO A GOSTO

Para a massa, faça uma farofa com a farinha e a banha. Junte os ovos inteiros (reserve a gema) e, aos poucos, incorpore ½ copo (americano) de água com sal. A massa estará no ponto quando desgrudar das mãos e ficar bem macia. Deixe descansar por 1 hora, fora da geladeira, enquanto prepara o recheio. Aqueça o azeite e refogue a cebola, o alho e o tomate, até murchar. Junte a linguiça sem pele e mexa até ficar cozida. Acrescente o frango e o extrato de tomate. Misture e adicione a guariroba, o ovo, o queijo, a azeitona e a salsinha. Prove, acerte o tempero e espere esfriar. Abra dois terços da massa com um rolo de macarrão (coloque filme plástico por cima, para não grudar) e forre o fundo e as laterais de uma panela de barro com 15 cm de diâmetro. Recheie e cubra com a massa restante, também aberta. Com as aparas, faça uma borda sobre a beirada da tampa, para cobrir eventuais falhas. Pincele com a gema e leve ao forno 180 °C por cerca de 40 minutos, ou até dourar.

EMPADÃO GOIANO

LINGUIÇA ARTESANAL

12 unidades
2-3 horas
Difícil

- 1 KG DE PERNIL DE PORCO DESOSSADO
- 1 KG DE LOMBO DE PORCO
- 4 DENTES DE ALHO MOÍDOS
- ½ XÍCARA (CHÁ) DE VINHO BRANCO
- TRIPAS, PARA RECHEAR
- SAL E PIMENTA-DO-REINO A GOSTO

Você precisa de um funil para encher as linguiças. O ideal é trabalhar com um moedor de carne, que, além de triturar os ingredientes, ajuda no momento de rechear as tripas. Deixe as tripas de molho, para amolecer. Vire ao contrário e lave bem sob água corrente, para tirar a sujeira. Corte as carnes em cubos grandes, mantendo a gordura, e passe apenas uma vez no moedor com o disco mais grosso (se não tiver moedor, compre as carnes já moídas). Tempere com o alho, o vinho, sal e pimenta-do-reino (é possível variar os temperos e acrescentar, por exemplo, outros tipos de pimenta, ervas e queijo). Deixe na geladeira por 40 minutos. Durante esse período, mantenha o cilindro e a lâmina do moedor dentro de água com gelo, para ficarem bem gelados. Encaixe o funil na boca do moedor, dê um nó em uma extremidade da tripa e prenda a outra ponta no funil. Coloque as carnes aos poucos dentro do moedor e efetua uma segunda moagem ao mesmo tempo em que enche a tripa com a força do aparelho (ou encha com o próprio funil, caso não tenha aparelho). Cuidado para não deixar entrar ar dentro das tripas, ou as linguiças podem estourar na hora de grelhar. Quando encher, dê um nó na ponta da tripa e mantenha na geladeira por pelo menos 2 horas. Antes de grelhar, fure com um garfo para tirar o ar eventual e o líquido excedente.

ESMIUÇANDO

Na década de 1980, a receita ganhou o nome de "empadão" ao ser incluída no cardápio de um restaurante do Centro de Tradições Goianas, em Goiás. Hoje, extrapolou o estado e tornou-se um dos pratos mais conhecidos do Centro-Oeste. Entre os ingredientes que podem servir como recheio estão lombo de porco, pequi, linguiça e ovo cozido.

SOPA DE CAPELETE

6 a 8 porções
2 horas
Médio/difícil

- 1 KG DE FARINHA DE TRIGO, MAIS UM POUCO PARA POLVILHAR
- 6 OVOS SEPARADOS
- ½ COLHER (SOPA) DE SAL
- 2 COLHERES (SOPA) DE ÓLEO DE MILHO
- 500 G DE PEITO DE FRANGO EM TIRAS
- ½ CEBOLA PICADA
- 2 DENTES DE ALHO PICADOS
- ½ XÍCARA (CHÁ) DE SALSINHA PICADA

Coloque a farinha na superfície de trabalho e abra uma cova no centro. Acrescente as gemas, o sal e, aos poucos, incorpore até ½ xícara (chá) de água. A massa estará no ponto quando desgrudar das mãos e ficar bem macia e elástica. Cubra com um pano e deixe descansar por 30 minutos, fora da geladeira. Enquanto isso, sele o frango no óleo de milho. Junte a cebola e o alho, refogue, cubra com bastante água e cozinhe até o frango desfiar; reserve o caldo. Abra a massa com um cilindro ou rolo de macarrão com 2 mm de espessura. Corte círculos e recheie com o frango desfiado salpicado de salsinha. Dobre a massa como se fosse um pastel e passe água nas bordas, para grudar. Junte uma ponta do pastel à outra para formar os capeletes. Acerte o tempero do caldo de cozimento do frango, que deve estar escuro. Junte as claras e leve ao fogo – as claras absorverão as impurezas do caldo, deixando o líquido translúcido. Cozinhe o capelete e sirva com o caldo quente.

ESMIUÇANDO

Hoje com nome aportuguesado, essa versão do "capeletti in brodo" italiano é um dos pratos típicos da Serra Gaúcha. Além de frango, pode ser feito com galinha caipira e acrescido de carnes como ossobuco ou ponta de peito bovino. "Comfort food" com sustância!

CANJA DE GALINHA

CANJA DE GALINHA

6 porções
30 a 40 minutos
Fácil

- 500 G DE PEITO DE FRANGO
- SUCO DE ½ LIMÃO
- 2 COLHERES (SOPA) DE AZEITE DE OLIVA
- ½ CEBOLA PICADA
- 2 DENTES DE ALHO PICADOS
- 1 CENOURA EM CUBOS
- 1 BATATA EM CUBOS
- 1 XÍCARA (CHÁ) DE ARROZ BRANCO
- ½ MAÇO DE SALSINHA BEM PICADA
- SAL E PIMENTA-DO-REINO A GOSTO

Corte o frango em tiras compridas e tempere com o suco do limão, sal e pimenta-do-reino. Aqueça o azeite e refogue a cebola e o alho, até murchar. Junte o frango e sele bem de todos os lados, mas sem dourar muito. Cubra com água e cozinhe até ficar bem macio. Retire o frango do caldo, desfie e volte para a panela. Adicione a cenoura, a batata e o arroz; cozinhe até que tudo esteja macio. Acerte os temperos, adicione a salsinha e sirva.

ESMIUÇANDO

Quem gosta garante que uma boa canja cura desde dor de cotovelo até resfriado. A origem do prato – que chegou a ser um dos preferidos do imperador Dom Pedro II – é, vejam só, asiática. A "kanji" (em malaiala, língua falada em Kerala, no sul da Índia) foi de Goa a Portugal e de lá chegou até nós, sofrendo acréscimos e modificações. No século XVIII, chegou a ser servida até em refeições de gala, com ovos diluídos. Hoje em dia, graças a Jorge Benjor e às nossas avós, todo mundo sabe que "canja de galinha não faz mal a ninguém".

GALINHA À CABIDELA

6 porções
1h40
Fácil/médio

- 1 GALINHA INTEIRA CORTADA NAS JUNTAS
- SANGUE DE UMA GALINHA, TALHADO NO VINAGRE
- 4 DENTES DE ALHO PICADOS
- ½ COPO (AMERICANO) DE VINAGRE DE VINHO BRANCO
- 3 COLHERES (SOPA) DE ÓLEO DE MILHO
- 1 CEBOLA PICADA
- 3 TOMATES SEM PELE E SEM SEMENTES PICADOS
- 1 PIMENTÃO SEM PELE E SEM SEMENTES PICADO
- 2 PIMENTAS-DE-CHEIRO PICADAS
- ½ MAÇO DE COENTRO PICADO
- ½ MAÇO DE CEBOLINHA-VERDE EM RODELAS FINAS
- SAL A GOSTO

O ideal é comprar a galinha no dia em que será preparada e pedir para que se guarde o sangue fresco, talhado com vinagre, para compor o molho. Tempere a carne com 2 dentes de alho picados, o vinagre e sal; reserve por 30 minutos. Aqueça o óleo e refogue a cebola, o alho restante, o tomate, o pimentão e a pimenta-de-cheiro. Adicione a galinha com a marinada, cubra com água e cozinhe até a carne ficar macia. Junte o sangue, misture bem e deixe o molho encorpar. Acrescente as ervas, verifique o tempero e sirva imediatamente.

ESMIUÇANDO

Todo lugar no Brasil tem algum prato preparado com galinha, não necessariamente com frango – é o caso de vários ensopados, cozidos numa panela só. A receita mais tradicional é à cabidela (chamada assim no Nordeste), ou ao molho pardo (no Sudeste). Nos dois casos, é cozida no sangue – na versão ao molho pardo, porém, não entra pimentão e a salsinha substitui o coentro. O tomate é opcional. Para acompanhar, arroz branco ou farinha (no Norte) e farofa (em Minas Gerais). Outros preparos da ave incluem um cozido ao próprio molho e a galinhada, feita com arroz. No quintal de minha casa, sempre havia uma galinha que era considerada a "próxima vítima".

GALINHA AO MOLHO PARDO

6 porções
1h40
Fácil/médio

- 1 GALINHA INTEIRA CORTADA NAS JUNTAS
- SANGUE DE UMA GALINHA, TALHADO NO VINAGRE
- 4 DENTES DE ALHO PICADOS
- ½ COPO (AMERICANO) DE VINAGRE DE VINHO BRANCO
- 3 COLHERES (SOPA) DE ÓLEO DE MILHO
- 1 CEBOLA PICADA
- 6 TOMATES SEM PELE E SEM SEMENTES PICADOS
- 2 PIMENTAS-DEDO-DE-MOÇA SEM SEMENTES E PICADAS
- 1 MAÇO DE CHEIRO-VERDE PICADO
- SAL A GOSTO

Veja as recomendações sobre o sangue do animal na receita anterior. Tempere a galinha com 2 dentes de alho picados, o vinagre e sal; reserve por 30 minutos. Aqueça o óleo e refogue a cebola, o alho restante, o tomate e a pimenta-dedo-de-moça. Adicione a galinha com a marinada, cubra com água e cozinhe até a carne ficar macia. Junte o sangue, misture bem e deixe o molho encorpar. Acrescente o cheiro-verde, acerte o tempero e sirva imediatamente.

GALINHA AO MOLHO PARDO

GALINHA CAIPIRA AO MOLHO

6 porções
1h40
Fácil/médio

- 4 DENTES DE ALHO PICADOS
- ½ COPO (AMERICANO) DE VINAGRE DE VINHO BRANCO
- 1 GALINHA CAIPIRA CORTADA NAS JUNTAS
- 3 COLHERES (SOPA) DE ÓLEO DE MILHO
- 1 CEBOLA PICADA
- 2 PIMENTAS-DEDO-DE-MOÇA SEM SEMENTES E PICADAS
- 1 MAÇO DE CHEIRO-VERDE PICADO
- SAL A GOSTO

Faça uma marinada com 2 dentes de alho picados, o vinagre e sal a gosto; tempere a galinha e reserve por 30 minutos. Aqueça o óleo e faça um refogado com a cebola, o restante do alho e a pimenta-dedo-de-moça. Junte a ave e o líquido da marinada. Cubra com água e cozinhe até a carne ficar macia. Acrescente o cheiro-verde, acerte o tempero e sirva imediatamente.

GALINHA NA LATA

8 porções
5-6 horas
Médio

- 1 GALINHA CAIPIRA
- SAL E PIMENTA-DO-REINO A GOSTO

Limpe a galinha, retire e descarte os miúdos e a pele; retire e reserve a gordura. Separe nas juntas e corte o peito em pedaços; tempere com sal e pimenta-do-reino. Derreta a gordura da galinha e acomode os pedaços de carne, deixando submersos – se preciso, acrescente mais gordura. Leve ao fogo muito baixo, sem deixar ferver. Cozinhe por 5 horas, ou até que os pedaços estejam macios. Sirva quente.

GALINHADA

6 porções
1h30
Fácil

- 1 GALINHA CAIPIRA CORTADA NAS JUNTAS
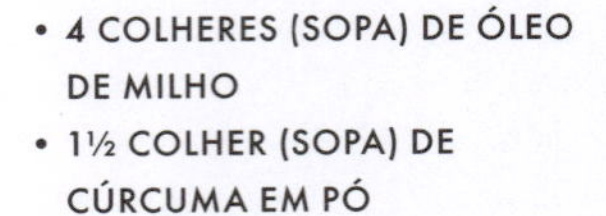
- 4 COLHERES (SOPA) DE ÓLEO DE MILHO
- 1½ COLHER (SOPA) DE CÚRCUMA EM PÓ
- 1 CEBOLA PICADA
- 3 DENTES DE ALHO PICADOS
- ½ PIMENTÃO AMARELO SEM PELE PICADO
- 2 XÍCARAS (CHÁ) DE ARROZ
- ½ MAÇO DE CHEIRO-VERDE PICADO
- SAL E PIMENTA-DO-REINO A GOSTO

Tempere a galinha com sal e pimenta-do-reino. Aqueça o óleo em uma panela grande e refogue a cebola, o alho e o pimentão até murchar. Junte a cúrcuma e sele a carne, começando pelo lado da pele. Cubra com água e cozinhe por 30 minutos, sem tampa, para o caldo reduzir quase até secar. Junte o arroz, refogue um pouco e cubra com 4 xícaras (chá) de água fervente. Tempere com sal e um pouco de pimenta-do-reino e cozinhe até o arroz ficar macio. Finalize com o cheiro-verde e sirva.

GALINHADA

GALINHADA COM PEQUI

10 porções
1 hora mais o tempo para marinar
Médio

- 1 GALINHA INTEIRA (DE PREFERÊNCIA CAIPIRA) CORTADA NAS JUNTAS
- 4 DENTES DE ALHO PICADOS
- 1 PIMENTA-MALAGUETA OU DE-CHEIRO SEM SEMENTES E PICADA
- 3 COLHERES (SOPA) DE ÓLEO DE MILHO
- 1 CEBOLA MÉDIA PICADA
- 1 COLHER (SOBREMESA) DE AÇAFRÃO EM PÓ
- 12 PEQUIS EM PEDAÇOS
- 2 CENOURAS PICADAS
- 3 COPOS (AMERICANOS) DE ARROZ
- CHEIRO-VERDE A GOSTO
- SAL A GOSTO

Tempere a galinha com o alho, a pimenta-malagueta, sal e pimenta--do-reino; reserve por 30 minutos. Aqueça o óleo e refogue a cebola com o açafrão. Junte a carne e doure de todos os lados. Cubra

XINXIM DE GALINHA

VATAPÁ DE GALINHA

com água e cozinhe em fogo alto. Quando secar, acrescente o pequi e a cenoura; doure um pouquinho. Adicione o arroz e frite. Adicione água fervente até cobrir os ingredientes em um dedo, diminua o fogo e cozinhe até o arroz ficar macio. Acerte o tempero, decore com cheiro-verde e sirva imediatamente.

VATAPÁ DE GALINHA

8 porções
3 horas
Fácil

- 6 PÃES FRANCESES
- 1 LITRO DE LEITE
- 1 COPO (AMERICANO) DE LEITE DE COCO
- 1 COLHER (SOPA) E 1 COLHER (CHÁ) DE COLORAU
- 2 COLHERES (SOPA) DE AZEITE DE OLIVA
- 1 CEBOLA MÉDIA PICADA
- 4 DENTES DE ALHO PICADOS
- ½ PIMENTÃO SEM PELE PICADO
- 1 PEITO DE FRANGO COZIDO E DESFIADO
- ½ MAÇO DE COENTRO PICADO
- ½ MAÇO DE CEBOLINHA-VERDE PICADO
- SAL E PIMENTA-DO-REINO A GOSTO

Para a base do creme, umedeça os pães em metade do leite; deixe de molho até desmanchar. Cozinhe o leite restante, o leite de coco, os pães e 1 colher (sopa) de colorau por cerca de 1h30-2 horas, até encorpar bastante. Bata no liquidificador, para ficar homogêneo; reserve. Aqueça o azeite com 1 colher (chá) de colorau e refogue a cebola, o alho e o pimentão. Junte o frango e tempere com sal e pimenta-do-reino. Misture o frango ao creme e cozinhe por 15 minutos. Finalize com o coentro e a cebolinha.

XINXIM DE GALINHA

8-10 porções
2h30
Fácil/médio

- 1 GALINHA INTEIRA (2 A 3 KG)
- SUCO DE 2 LIMÕES
- 2 DENTES DE ALHO PICADOS
- 1 CEBOLA GRANDE
- 2 XÍCARAS (CHÁ) DE CAMARÃO SECO LIMPO E DESSALGADO
- 1 XÍCARA (CHÁ) DE AMENDOIM TORRADO E SEM PELE
- 3 COLHERES (SOPA) DE AZEITE DE DENDÊ
- ½ MAÇO DE COENTRO PICADO
- SAL A GOSTO

Corte a galinha nas juntas e tempere com suco de limão, o alho e sal, esfregando bem; reserve por 30 minutos. Bata a cebola, o camarão e o amendoim no liquidificador. Aqueça o azeite de dendê e refogue essa pasta até amolecer. Junte a galinha e refogue bem. Cubra com água e cozinhe sem tampa, para obter um pouco de molho (se necessário, acrescente mais água). Quando a galinha estiver cozida, misture o coentro e sirva.

ESMIUÇANDO

Nos rituais religiosos do candomblé, é uma receita apreciada por Oxum, segunda mulher de Xangô. Quando feito para ela, o xinxim é preparado de um modo especial, com ovos. Nas casas, a receita também pode levar carne de boi ou miúdos.

GALETO COM
POLENTA FRITA

GALETO COM POLENTA FRITA

2 porções
1h15 mais o preparo de véspera
Fácil

1 GALETO
- 1 XÍCARA (CHÁ) DE VINHO BRANCO
- RAMOS DE TOMILHO
- SAL E PIMENTA-DO-REINO A GOSTO

POLENTA
- 2 COLHERES (CHÁ) DE MANTEIGA
- ½ CEBOLA PICADA
- 2 DENTES DE ALHO PICADOS
- 2 XÍCARAS (CHÁ) DE FUBÁ
- ÓLEO DE MILHO, PARA FRITAR
- SAL A GOSTO

Tempere o galeto com sal, pimenta--do-reino, tomilho e o vinho branco. Deixe marinar de um dia para o outro. Transfira para um refratário, despeje a marinada por cima e cubra com papel--alumínio. Asse em forno moderado (170 °C a 190 °C) por cerca de 1 hora, regando com o caldo durante esse tempo. Retire o papel-alumínio e asse por mais 15 minutos, até dourar.

Enquanto o galeto assa, prepare a polenta. Aqueça a manteiga e refogue a cebola e o alho. Junte 6 xícaras (chá) de água e espere ferver. Diminua o fogo e junte o fubá aos poucos, enquanto mexe vigorosamente com um batedor de arame. Cozinhe em fogo baixo por 20 minutos, sem parar de mexer. Retire do fogo, tempere com sal e transfira para um refratário de 35 cm x 23 cm. Quando amornar, cubra com filme plástico e leve à geladeira por 30 minutos, ou até firmar. Corte a polenta em pequenos retângulos e frite em óleo quente por 5 minutos, até dourar. Escorra em papel-toalha e sirva com o galeto.

ESMIUÇANDO

Galeto é o frango jovem, em italiano, que teria sido introduzido na região Sul do Brasil pelos imigrantes que vieram da Itália. As aves são abatidas com menos de meio quilo, no primeiro mês de vida. A guarnição de polenta frita caracteriza o prato, tradicional em restaurantes de Porto Alegre e da Serra Gaúcha.

CAPOTE AO MOLHO

ARROZ DE CAPOTE (GALINHA D'ANGOLA)

6 porções
3h30
Médio

- 1 CAPOTE GRANDE CORTADO EM PEDAÇOS NAS JUNTAS
- 1 LIMÃO
- 3 DENTES DE ALHO PICADOS
- 1 PITADA DE COMINHO
- 1 PIMENTA-DEDO-DE-MOÇA PICADA
- ½ XÍCARA (CHÁ) DE VINAGRE DE VINHO BRANCO
- ½ CEBOLA PICADA
- ½ PIMENTÃO VERMELHO SEM PELE PICADO
- 3 PIMENTAS-DE-CHEIRO PICADAS
- 3 COLHERES (SOPA) DE AZEITE DE URUCUM
- 2½ XÍCARAS (CHÁ) DE ARROZ BRANCO
- ½ MAÇO DE COENTRO PICADO
- ½ MAÇO DE CHEIRO-VERDE PICADO
- SAL E PIMENTA-DO-REINO A GOSTO

Lave o capote com suco de limão e deixe por pelo menos 1h30 descansando em uma marinada feita com 2 dentes de alho, o cominho, a pimenta-dedo-de-moça, o vinagre, sal e pimenta-do-reino. Refogue a cebola, o pimentão, a pimenta-de-cheiro e o alho restante no azeite de urucum. Junte a ave, frite de todos os lados, cubra com água morna e cozinhe, na panela tampada, até o capote ficar macio. Acrescente o arroz e, se necessário, cubra com mais água morna. Tempere com sal e cozinhe até ficar macio. Salpique o coentro e o cheiro-verde antes de servir. (Em algumas versões da receita, o arroz frita bem e gruda no fundo da panela antes de ser cozido. Dessa maneira, fica crocante e absorve bem o sabor do capote. Para servir, basta raspar o fundo da panela.)

ESMIUÇANDO

O capote (também conhecido como galinha d'angola ou galinha-do--mato) tem uma carne rígida, de sabor marcante. No Piauí, a ave de origem africana se sobressai em uma série de receitas típicas que estão entre as marcas mais originais da cozinha piauiense: ao molho, frito ou refogado no urucum e acrescido de arroz.

CAPOTE AO MOLHO

6 porções
3h30
Médio

- 1 CAPOTE GRANDE CORTADO EM PEDAÇOS NAS JUNTAS
- 1 LIMÃO
- 3 DENTES DE ALHO PICADOS
- 1 PITADA DE COMINHO
- 1 PIMENTA-DEDO-DE-MOÇA PICADA
- ½ XÍCARA (CHÁ) DE VINAGRE DE VINHO BRANCO

- ½ CEBOLA PICADA
- ½ PIMENTÃO VERMELHO SEM CASCA PICADO
- 3 PIMENTAS-DE-CHEIRO PICADAS
- 3 COLHERES (SOPA) DE AZEITE DE URUCUM
- ÁGUA PARA COZINHAR O CAPOTE
- ½ MAÇO DE COENTRO PICADO
- ½ MAÇO DE CHEIRO-VERDE PICADO
- SAL E PIMENTA-DO-REINO PRETA A GOSTO

Lave o capote com suco de limão e deixe por pelo menos 1h30 em uma marinada feita com 2 dentes de alho, o cominho, a pimenta-dedo-de-moça, o vinagre, sal e pimenta-do-reino. Refogue a cebola, o pimentão, a pimenta-de-cheiro e o alho restante no azeite de urucum. Junte a ave, sele de todos os lados, cubra com água morna e cozinhe, na panela tampada, até o capote ficar macio. Finalize com o coentro e o cheiro-verde. Sirva com arroz.

CAPOTE FRITO

5 porções
50 minutos
Médio

- 1 CAPOTE CORTADO EM PEDAÇOS
- 1 CEBOLA PEQUENA PICADA
- 1 DENTE ALHO PICADO
- 2 TOMATES EM CUBOS
- 3 COLHERES (SOPA) DE ÓLEO DE MILHO
- 1½ COPO DE FARINHA DE MANDIOCA
- CHEIRO-VERDE A GOSTO
- SAL E PIMENTA-DO-REINO A GOSTO

Tempere a ave com sal e pimenta-do-reino. Em uma panela, refogue a cebola, o alho e o tomate no óleo de milho; junte o capote. Cubra com água e, quando estiver cozido, deixe o líquido secar, até dourar a ave. Junte cheiro-verde e a farinha, doure por mais 3 minutos e sirva.

PATO NO TUCUPI

MARRECO ASSADO COM REPOLHO ROXO

8 porções
3 horas mais o tempo para marinar
Médio

- 1 MARRECO INTEIRO SEM OS MIÚDOS
- 1 GARRAFA DE VINHO BRANCO SECO
- 3 DENTES DE ALHO PICADOS
- ½ CENOURA GROSSEIRAMENTE PICADA
- 2 TALOS DE SALSÃO GROSSEIRAMENTE PICADOS
- ½ CEBOLA GROSSEIRAMENTE PICADA E ½ CEBOLA EM TIRAS
- 2 COLHERES (SOPA) DE MANTEIGA
- ½ REPOLHO ROXO EM TIRAS
- 3 CRAVOS-DA-ÍNDIA
- SAL E PIMENTA-DO-REINO A GOSTO

Deixe o marreco por pelo menos 4 horas em uma marinada feita com o vinho, o alho, a cenoura, o salsão, a cebola picada, sal e pimenta-do-reino; vire a ave na metade do tempo. Cubra com papel-alumínio e leve ao forno preaquecido a 180 °C por cerca de 2 horas. Retire o papel-alumínio e asse por mais 20 minutos, até dourar. Para acompanhar, refogue a cebola em tiras na manteiga e junte o repolho; deixe soltar um pouco do líquido. Acrescente os cravos-da-índia e cozinhe um pouco em fogo baixo. Tempere com sal e pimenta-do-reino e sirva com o marreco.

ESMIUÇANDO

Faz parte do receituário da colônia alemã do Vale do Itajaí, em Santa Catarina. Tradicionalmente, o prato aproveita todos os miúdos como ingredientes do recheio.

PATO NO TUCUPI

2 porções
1 hora mais o tempo para marinar
Fácil

- 2 COXAS COM SOBRECOXA DE PATO
- ½ XÍCARA (CHÁ) DE VINHO BRANCO
- 2 DENTES DE ALHO PICADOS

MARRECO ASSADO
COM REPOLHO ROXO

- 2 PIMENTAS-DE-CHEIRO-DO-PARÁ AMASSADAS
- ¼ MAÇO DE FOLHAS DE JAMBU COM FLOR
- 1 COLHER (CHÁ) DE AZEITE DE OLIVA
- ¼ CEBOLA PICADA
- 1 LITRO DE TUCUPI
- 4 FOLHAS DE CHICÓRIA-DO-PARÁ

Deixe o pato por 1 hora em uma marinada feita com o vinho, 1 dente de alho, a pimenta e um pouco de sal. Afervente as folhas de jambu e reserve. Aqueça o azeite e sele o pato, começando com o lado da pele para baixo. Junte a cebola e o alho restante e refogue até murchar. Acrescente o tucupi e cozinhe por 40 minutos, ou até o pato ficar bem macio. Adicione o jambu e a chicória; ferva por 10 minutos. Sirva com farinha d'água e arroz branco (p. 146).

ESMIUÇANDO

Assim como muitos outros clássicos da cozinha brasileira, o pato no tucupi nasceu em uma festa popular e foi adentrando as casas também em outras ocasiões ao longo do ano. Nesse caso, a festa era o Círio de Nazaré, a maior manifestação católica do país, que todo mês de outubro leva mais de 1 milhão de pessoas às ruas de Belém, no Pará, em devoção a Nossa Senhora. O esforço dos romeiros é tamanho que, antes de começar a procissão, padrinhos oferecem a seus afilhados um pato no tucupi especial. Nessa receita, usamos coxas e sobrecoxas; no Pará, é tradicionalmente feito com todas as partes do pato, ou com a ave inteira.

PERU ASSADO

15 porções
1h30 mais o tempo para marinar
Fácil

- 1 PERU DE 3,5 KG
- 1 CEBOLA GROSSEIRAMENTE PICADA
- 1 CENOURA GROSSEIRAMENTE PICADA
- 1 TALO DE SALSÃO GROSSEIRAMENTE PICADO
- 10 FOLHAS DE LOURO
- 10 DENTES DE ALHO AMASSADOS
- 1 MAÇO DE TOMILHO PICADO
- 1 MAÇO DE ALECRIM PICADO
- 4 COLHERES (SOPA) DE VINHO BRANCO
- 6 COLHERES (SOPA) DE MANTEIGA
- 1 COLHER (SOPA) DE VINAGRE
- 5 COLHERES (CAFÉ) DE PÁPRICA DOCE
- FAROFA DE MIÚDOS (P. 163), PARA RECHEAR
- SAL E PIMENTA-DO-REINO A GOSTO
- 2 LITROS DE ÁGUA FILTRADA

Coloque o peru em uma assadeira grande com a cebola, a cenoura, o salsão, o louro, o alho e as ervas. Faça uma marinada com o vinho, a manteiga, o vinagre, a páprica e sal. Espalhe por dentro e por fora da ave e mantenha na geladeira por 24 horas. No dia seguinte, prepare a farofa de miúdos. Recheie o peru com a farofa, cubra com papel-alumínio e leve ao forno preaquecido a 180 °C por 30 minutos. Retire o papel-alumínio e asse por mais 30 minutos, para dourar.

PEIXES

BACALHOADA

ANCHOVA NA BRASA

2 porções
30 minutos
Médio

- 1 ANCHOVA COM 1 KG
- AZEITE DE OLIVA EXTRAVIRGEM
- RODELAS DE LIMÃO A GOSTO
- SAL

Acenda a churrasqueira com antecedência. Abra o peixe, limpe sem retirar as escamas e lave. Coloque a anchova aberta sobre a grelha da churrasqueira, pincele com azeite e polvilhe o sal. Grelhe com as escamas viradas para baixo por cerca de 20 minutos. Quando estiver assada, vire para dourar do outro lado. Sirva com rodelas de limão.

AZUL-MARINHO

6 porções
1 hora
Fácil/médio

- 900 G DE TAINHA EM POSTAS
- SUCO DE ½ LIMÃO
- 2 COLHERES (SOPA) DE AZEITE DE OLIVA
- ½ CEBOLA PICADA
- 1 DENTE DE ALHO PICADO
- 6 BANANAS-DA-TERRA BEM VERDES
- 4 TOMATES SEM CASCA EM CUBOS
- ¼ MAÇO DE COENTRO PICADO
- ¼ MAÇO DE ALFAVACA
- ½ XÍCARA (CHÁ) DE FARINHA DE MANDIOCA FINA
- SAL A GOSTO

Tempere o peixe com sal e suco de limão. Em uma panela de ferro, aqueça o azeite e refogue a cebola e o alho. Junte a banana-da-terra cortada no comprimento e depois ao meio. Acrescente 1 litro de água e cozinhe até a banana ficar macia – nesse momento, o líquido já deve estar azulado. Tire a fruta e metade do caldo; reserve. Adicione o tomate e as ervas e cozinhe o peixe no caldo da panela, tomando cuidado para não passar do ponto. Quando estiver cozido, retire o peixe e, com metade do caldo, faça um pirão adicionando aos poucos a farinha de mandioca e mexendo sem parar. Sirva o peixe com o pirão.

ESMIUÇANDO

O peixe pode variar segundo a oferta: salgado e seco, fresco e firme, tainha ou bagre, robalo, garoupa ou pescada amarela. O que não muda nunca é a banana-da-terra, bem verde – é ela que deixa a receita azulada por uma curiosa reação química com a panela de ferro, durante o cozimento.

BACALHOADA

6 porções
1 hora mais o tempo para dessalgar
Fácil

- 1,5 KG DE LOMBO DE BACALHAU SALGADO
- 4 BATATAS
- 1 XÍCARA (CHÁ) DE AZEITE DE OLIVA EXTRAVIRGEM
- 1 PIMENTÃO AMARELO EM RODELAS
- 2 TOMATES EM RODELAS
- 1 CEBOLA EM RODELAS
- 1 XÍCARA (CHÁ) DE AZEITONA PRETA
- SAL A GOSTO

Dessalgue o bacalhau por pelo menos 24 horas, trocando a água com frequência e experimentando o peixe, para verificar o sabor. Cozinhe a batata (com ou sem casca) e corte em rodelas. Coloque o peixe em uma assadeira ou refratário, cubra com papel-alumínio, regue com metade do azeite e leve ao forno 180 °C por 10 minutos. Distribua a batata, o pimentão, o tomate, a cebola e a azeitona sobre o bacalhau. Regue com o azeite restante, cubra com papel-alumínio e volte ao forno por 20 minutos; retire o papel nos 5 minutos finais. Sirva com arroz branco (p. 146). Outras versões da bacalhoada podem incluir ovos cozidos, por exemplo. O prato também pode ser feito com bacalhau desfiado, para aproveitar as aparas do lombo.

CALDEIRADA PARAENSE

AZUL-MARINHO

ESMIUÇANDO

A bacalhoada da Sexta-feira Santa já é uma tradição brasileira. Preparado dessa forma – e apenas na Páscoa –, era o único peixe que meu pai e meus irmãos comiam, pois não estavam acostumados aos pescados. Em Portugal, país que consome um quarto do bacalhau vendido no mundo, há inúmeras receitas com o ingrediente. Muitas delas vieram e permanecem com força no Brasil, especialmente no Rio de Janeiro.

CALDEIRADA DE PEIXE

8 porções
40 minutos
Médio

- 1 KG DE PEIXE (FILHOTE OU TUCUNARÉ) EM PEDAÇOS GRANDES
- SUCO DE 2 LIMÕES
- 15 BATATAS-BOLINHA
- 1 XÍCARA (CHÁ) DE AZEITE DE OLIVA
- ½ CABEÇA DE ALHO AMASSADO
- 3 CEBOLAS PICADAS
- 5 TOMATES SEM SEMENTES EM PEDAÇOS GRANDES
- ½ MAÇO PEQUENO DE COENTRO
- ½ XÍCARA (CHÁ) DE PIMENTA-DE--CHEIRO PICADA
- ½ MAÇO PEQUENO DE CHEIRO-VERDE
- SAL A GOSTO

Tempere o peixe com sal e o suco de limão. Cozinhe a batata, escorra e reserve. Aqueça o azeite e refogue o alho e 1 cebola picada, até dourar. Junte o peixe e o cheiro-verde. Refogue um pouco, cubra com água fervente até dois dedos acima do peixe e acrescente a batata, o tomate e a cebola restante. Cozinhe por 20 minutos e sirva com o caldo quente, polvilhado de coentro e pimenta--de-cheiro. Para fazer caldeirada de tambaqui, tempere o peixe com sal e o suco de 3 limões; reserve por 30 minutos. Proceda da mesma maneira e, no final do preparo, acrescente 6 ovos cozidos cortados ao meio.

ESMIUÇANDO

Alimentos facilmente disponíveis são a base da caldeirada, receita com ingredientes variáveis e que, assim como os cozidos, é uma forma de "fazer render" a mistura. Na Amazônia, são comuns as caldeiradas de filhote, tambaqui e tucunaré, peixes característicos da região, mas que também se distribuem pelos rios de água doce mais ao sul. Em alguns lugares, como o Maranhão, são acrescentados ovos cozidos.

CALDEIRADA PARAENSE

6 porções
1h20 minutos
Fácil

- 1,2 KG DE FILHOTE EM POSTAS
- SUCO DE 1 LIMÃO
- 2 COLHERES (SOPA) DE AZEITE DE OLIVA
- 1 CEBOLA EM CUBOS
- 2 DENTES DE ALHO PICADOS
- 3 TOMATES SEM PELE E SEM SEMENTES EM CUBOS
- ½ PIMENTÃO VERMELHO SEM PELE EM CUBOS
- ½ PIMENTÃO VERDE SEM PELE EM CUBOS
- 2 PIMENTAS-DE-CHEIRO PICADAS
- 2 LITROS DE TUCUPI
- ¼ MAÇO DE JAMBU DESFOLHADO
- ¾¾ MAÇO DE ALFAVACA PICADO
- ½ MAÇO DE CHEIRO-VERDE PICADO
- 3 OVOS COZIDOS
- SAL A GOSTO

Tempere o peixe com sal e o suco de limão; reserve por 10 a 15 minutos. Aqueça o azeite e refogue a cebola, o alho, o tomate e os pimentões. Junte a pimenta-de-cheiro e o tucupi. Quando ferver, acrescente o jambu e cozinhe um pouco. Adicione o peixe e, quando a carne estiver cozida, junte a alfavaca, o cheiro-verde e o ovo. Acerte o tempero e sirva.

COSTELA DE PACU

10 porções
20 minutos mais o tempo para marinar
Fácil

- 1 PACU LIMPO COM CERCA DE 3 KG
- SUCO DE 3 LIMÕES
- 4 OVOS BATIDOS
- FARINHA DE MANDIOCA OU FUBÁ, PARA EMPANAR
- ÓLEO DE MILHO (OU BANHA), PARA FRITAR
- SALSINHA PICADA
- SAL E PIMENTA-DO-REINO A GOSTO

Corte o peixe em postas e tempere com sal, pimenta-do-reino, o suco de limão e salsinha a gosto; reserve por 2 horas. Passe cada pedaço no ovo batido e, em seguida, na farinha de mandioca. Frite em óleo bem quente.

DAMORIDA

5 porções
40 minutos
Fácil

- 1 KG DE FILHOTE, PINTADO OU TAMBAQUI
- 1 COLHER (SOPA) DE PIMENTA (MISTURA DE MURUPI, DE-CHEIRO, MALAGUETA, OLHO-DE-PEIXE, CARAIMÉ) PICADA
- ½ MAÇO DE FOLHAS DE CARIRU
- 2 COLHERES (SOPA) DE TUCUPI PRETO
- BEIJU DE MANDIOCA, PARA ACOMPANHAR
- UMA PITADA DE SAL

Corte o peixe em cubos grandes. Em uma panela de barro, aqueça 2 litros de água com a pimenta e o cariru. Quando ferver, diminua um pouco o fogo e junte o peixe. Assim que estiver cozido, acrescente o tucupi e desligue. Sirva em cumbucas, com beiju de mandioca.

ESMIUÇANDO

Em Roraima, a damorida mais tradicional não é oferecida em restaurantes, mas na casa das pessoas. Os ingredientes – peixes e pimentas – são tão importantes quanto as panelas de barro que preparam essa receita tipicamente indígena. A que você vê na foto abaixo está servida em uma panela feita pela etnia Macuxi. "Eles pegam o barro na região onde vivem, na comunidade da Raposa, no norte de Roraima", conta Denise Rohnelt Araújo, pesquisadora gastronômica que me presenteou com o lindo objeto. "Acreditam que o barro da região é o melhor, pois não racha e deixa as panelas mais fortes".

ENSOPADO DE PEIXE

6 porções
20 minutos mais o tempo para marinar
Fácil

- 700 G DE PEIXE EM POSTAS (NAMORADO, BADEJO, VERMELHO)
- 4 COLHERES (SOPA) DE SUCO DE LIMÃO
- 2 CEBOLAS MÉDIAS
- 3 TOMATES
- 1 PIMENTÃO VERMELHO
- 3 COLHERES (SOPA) DE COENTRO PICADO
- SAL A GOSTO
- 2 XÍCARAS (CHÁ) DE ÁGUA

Tempere as postas com sal e o suco de limão. No liquidificador, bata a cebola, o tomate, o pimentão, o coentro e sal a gosto. Misture essa pasta ao peixe e reserve por pelo menos 30 minutos. Junte 2 xícaras (chá) de água e cozinhe em panela tampada por cerca de 20 minutos, sem deixar que a carne desmanche.

ESCALDADO DE PEIXE

6 porções
30 minutos
Fácil

- 1 KG DE PEIXE EM POSTAS (ROBALO OU GAROUPA)
- SUCO DE 2 LIMÕES
- ½ KG DE QUIABO
- ½ KG DE MAXIXE
- ½ KG DE JILÓ
- 2 COLHERES (SOPA) DE AZEITE DE OLIVA
- 2 DENTES DE ALHO PICADOS

DAMORIDA

- 1 CEBOLA PICADA E 3 CEBOLAS PEQUENAS INTEIRAS
- ½ MAÇO DE COENTRO
- 6 OVOS COZIDOS
- PIMENTA-DE-CHEIRO A GOSTO
- SAL A GOSTO

Lave o peixe com limão e tempere com sal. Lave o quiabo, o maxixe e o jiló. Seque bem e tire os cabinhos. Aqueça o azeite e refogue o alho com a cebola picada. Por cima, distribua o peixe e as cebolas inteiras. Tampe e cozinhe por 5 minutos. Junte o quiabo, o maxixe, o jiló e pimenta-de-cheiro. Cubra com água e cozinhe por 10 minutos. Finalize com o coentro e os ovos cozidos.

FRIGIDEIRA DE BACALHAU

8 porções
50 minutos mais o tempo para demolhar
Médio

- 1 KG DE BACALHAU
- 5 COLHERES (SOPA) DE AZEITE DE OLIVA EXTRAVIRGEM
- 4 DENTES DE ALHO PICADOS
- 2 CEBOLAS GRANDES PICADAS E ½ CEBOLA EM RODELAS, PARA DECORAR
- ½ XÍCARA (CHÁ) DE LEITE DE COCO
- ½ XÍCARA (CHÁ) DE COENTRO PICADO
- 7 OVOS
- 1 PIMENTÃO EM RODELAS, PARA DECORAR
- 8 AZEITONAS PRETAS SEM CAROÇO
- SAL E PIMENTA-DO-REINO BRANCA A GOSTO

Deixe o bacalhau de molho por 24 horas, trocando a água de vez em quando. Cubra com água e esquente em fogo médio por alguns minutos, sem deixar ferver. Retire as espinhas e a pele, corte em cubinhos e reserve. Aqueça o azeite e refogue o alho e a cebola picada. Junte o peixe e refogue mais um pouco. Acrescente o leite de coco, o coentro, sal e pimenta-do-reino; cozinhe por cerca de 10 minutos, misturando bem para desfazer o bacalhau. Bata as claras em neve. Junte as gemas e uma pitada de sal; bata mais um pouco. Incorpore duas colheradas dos ovos ao bacalhau e misture bem. Transfira para um refratário untado, cubra com os ovos batidos restantes e decore com a cebola em rodelas, o pimentão e a azeitona. Asse em forno preaquecido a 180 °C até dourar. Sirva quente.

MOJICA DE PINTADO

MOJICA DE PINTADO

4-5 porções
40 minutos
Fácil

- 1 KG DE FILÉ DE PINTADO EM CUBOS GRANDES (USE A CABEÇA E A CAUDA PARA FAZER UM CALDO COM APARAS DE LEGUMES)
- SUCO DE 1 LIMÃO
- ½ COLHER (SOPA) DE COLORAU
- 3 COLHERES (SOPA) DE AZEITE DE OLIVA
- 1 CEBOLA EM TIRAS
- 2 DENTES DE ALHO PICADOS
- 2 TOMATES SEM PELE E SEM SEMENTES EM CUBOS
- 1 KG DE MANDIOCA EM PEDAÇOS, SEM A FIBRA CENTRAL
- CALDO DE PEIXE (FEITO COM A CABEÇA E A CAUDA DO PINTADO)
- 1 XÍCARA (CHÁ) DE ERVAS PICADAS (SALSINHA, CEBOLINHA E COENTRO)
- SAL E PIMENTA-DO-REINO A GOSTO

Tempere o peixe com o suco de limão, sal e pimenta-do-reino. Junte o colorau e frite de todos os lados no azeite, sem dourar demais; retire e reserve. Na mesma panela, refogue a cebola, o alho e o tomate. Adicione a mandioca e cubra com caldo de peixe (ou água). Cozinhe até a mandioca desmanchar e virar quase um creme. Volte os pedaços de peixe, aqueça um pouco e finalize com as ervas. Sirva com arroz branco (p. 146) e farinha de mandioca.

ESMIUÇANDO

No Centro-Oeste, a mandioca encorpa a receita; na Amazônia, são muito usadas a farinha de uarini e as feitas com peixes regionais. Curiosidade: a palavra mojica vem do tupi e significa um caldo engrossado com farinha.

MOQUECA BAIANA

6 porções
40 minutos
Fácil/médio

- 1,2 KG DE CAÇÃO EM POSTAS
- SUCO DE ½ LIMÃO
- 3 COLHERES (SOPA) DE AZEITE DE OLIVA
- 3 COLHERES (SOPA) DE AZEITE DE DENDÊ
- 2 DENTES DE ALHO PICADOS
- ½ CEBOLA EM TIRAS FINAS
- 3 TOMATES SEM PELE E SEM SEMENTES EM TIRAS FINAS
- ¼ PIMENTÃO VERMELHO SEM PELE EM TIRAS FINAS
- ¼ PIMENTÃO AMARELO SEM PELE EM TIRAS FINAS
- ¼ MAÇO DE CEBOLINHA-VERDE PICADA
- ¼ MAÇO DE COENTRO PICADO
- 1½ XÍCARAS (CHÁ) DE LEITE DE COCO
- 1 COLHER (CAFÉ) DE MOLHO DE PIMENTA
- SAL E PIMENTA-DO-REINO A GOSTO

Tempere o peixe com o suco de limão, sal e pimenta-do-reino. Sele de todos os lados no azeite de oliva. Distribua o azeite de dendê e o alho no fundo de uma panela de barro. Cubra com metade da cebola, do tomate e dos pimentões. Disponha o peixe e, por cima, faça outras camadas com a cebola, o tomate e o pimentão restantes. Polvilhe a cebolinha e o coentro. Regue com o leite de coco e cozinhe por 8 minutos. Tempere com o molho de pimenta.

ESMIUÇANDO

Se você ainda fica pensando em qual moqueca é melhor, a baiana ou a capixaba, vale lembrar que uma difere da outra apenas pelo uso do leite de coco e do pimentão, presentes na receita da Bahia. No Espírito Santo, a moqueca ganha urucum, numa tradição herdada dos índios. Além de tirar a acidez, o tempero tem o dom de colorir o prato.

MOQUECA CAPIXABA

4 porções
40 minutos
Fácil/médio

- 800 G DE BADEJO CORTADO EM 8 FILÉS
- SUCO DE 1 LIMÃO
- 2 COLHERES (SOPA) DE AZEITE DE OLIVA
- ½ COLHER (SOPA) DE URUCUM
- 1 CEBOLA EM TIRAS
- 2 DENTES DE ALHO PICADOS
- 6 TOMATES CORTADOS EM TIRAS
- ¼ MAÇO DE COENTRO PICADO
- ¼ MAÇO DE CEBOLINHA-VERDE PICADA
- SAL E PIMENTA-DO-REINO A GOSTO

Tempere o peixe com o suco de limão, sal e pimenta-do-reino. Aqueça o azeite misturado ao urucum e refogue a cebola, o alho e o tomate, deixando soltar um pouco de líquido (caso isso não aconteça, junte um pouco de água ou caldo de peixe). Junte o peixe e cozinhe, tampado, até a carne ficar macia. Finalize com as ervas.

MOQUECA BAIANA

MOQUECA
CAPIXABA

PEIXADA CEARENSE

6 porções
30-40 minutos
Fácil

- 1,5 KG DE PARGO EM POSTAS OU FILÉ
- SUCO DE 2 LIMÕES
- 2 COLHERES (SOPA) DE AZEITE DE DENDÊ
- 2 COLHERES (SOPA) DE AZEITE DE OLIVA
- 2 DENTES DE ALHO PICADOS
- 1½ CEBOLA EM TIRAS
- 3 TOMATES SEM PELE E SEM SEMENTES EM TIRAS
- ½ PIMENTÃO AMARELO SEM PELE CORTADO EM TIRAS
- ½ PIMENTÃO VERMELHO SEM PELE CORTADO EM TIRAS
- 1 COPO (AMERICANO) DE LEITE DE COCO
- 2 BATATAS COZIDAS CORTADAS EM QUARTOS
- 2 CENOURAS COZIDAS CORTADAS EM QUARTOS
- 6 OVOS COZIDOS
- CALDO DE PEIXE
- SAL A GOSTO

Peça para o peixeiro reservar a cabeça e a cauda do pargo; com elas, faça um caldo usando pedaços de legumes, talos de cebolinha e coentro. Tempere o peixe com limão e sal; reserve. Misture os dois tipos de azeite; refogue rapidamente o alho, a cebola, o tomate e os pimentões. Diminua o fogo e acrescente o leite de coco e caldo de peixe; tempere com uma pitada de sal e mexa para ficar homogêneo. Junte o peixe e cozinhe por cerca de 12 minutos, até ficar macio, mas sem desmanchar. Adicione a batata, a cenoura e os ovos inteiros. Sirva com um pirão feito com caldo de peixe e farinha de mandioca.

ESMIUÇANDO

Assim como nas moquecas baianas, na peixada cearense também se cozinha o peixe no leite de coco. A diferença são os complementos desse prato que é estrela em restaurantes litorâneos do Ceará.

PEIXADA DE DOURADO

4 porções
50 minutos
Fácil

- 1 KG DE POSTAS DE DOURADO
- SUCO DE 3 LIMÕES
- 2 DENTES DE ALHO PICADOS
- 5 BATATAS EM RODELAS
- 5 TOMATES EM RODELAS
- 1 CEBOLA EM RODELAS
- 5 COLHERES (SOPA) DE AZEITE DE OLIVA
- SALSINHA PICADA A GOSTO
- SAL, ORÉGANO E PIMENTA-DO-REINO A GOSTO

Tempere o dourado com o suco de limão, o alho, sal e pimenta-do-reino. Tempere o tomate com sal e orégano. Faça camadas de batata, peixe, tomate e cebola em uma panela funda. Regue com o azeite de oliva e com os sucos do tempero do dourado. Tampe e cozinhe em fogo alto por 30 minutos, ou até que a batata esteja cozida. Polvilhe a salsinha e sirva.

PEIXADA CEARENSE

PEIXE ASSADO

10 porções
1h15
Fácil

- 2,5 KG DE PEIXE INTEIRO E LIMPO (COMO TAMBAQUI OU PACU)
- 2 COLHERES (SOPA) DE SUCO DE LIMÃO
- 2 COLHERES (SOPA) DE SALSINHA PICADA
- 1 COLHER (SOPA) DE COENTRO PICADO
- 1 COLHER (SOPA) DE CEBOLINHA-VERDE PICADA
- 2 COLHERES (SOPA) DE AZEITE DE OLIVA, MAIS UM POUCO PARA UNTAR
- COMINHO EM PÓ
- SAL A GOSTO

Faça cortes nos dois lados do peixe, ticando a pele e a carne, e tempere com sal, o suco de limão e cominho. Misture a salsinha, o coentro e a cebolinha; recheie o peixe com as ervas e unte com azeite. Coloque em uma assadeira forrada com papel-alumínio untado. Feche as bordas, formando um pacote. Asse em forno preaquecido a 180 °C por cerca de 1 hora, ou até ficar macio. Remova o papel e sirva imediatamente.

PEIXE ASSADO NA FOLHA DE BANANEIRA

4 porções
50 minutos
Fácil

- 1 PACU INTEIRO SEM ESCAMAS E SEM AS VÍSCERAS
- 3 LIMÕES-ROSAS
- 3 RAMOS DE TOMILHO
- AZEITE DE OLIVA, PARA UNTAR
- SAL E PIMENTA-DO-REINO A GOSTO

PEIXE FRITO COM AÇAÍ

Tempere a parte externa do pacu com o suco de 2 limões, sal e pimenta-do-reino. Tempere o interior com um pouco de sal e pimenta-do-reino, corte o limão restante em rodelas e coloque dentro do peixe com o tomilho. Unte a pele com azeite. Passe uma folha de bananeira no fogo, rapidamente, para deixar mais maleável. Envolva o peixe na folha e amarre com barbante, prendendo bem. Acenda um braseiro e, quando estiver bem quente, coloque o peixe embrulhado na grelha e cozinhe por cerca de 10 minutos de cada lado. Abra a folha e sirva o peixe.

PEIXE COM MOLHO DE ARUBÉ

3 porções
50 minutos
Médio

- 500 G DE FILHOTE EM FILÉS
- SUCO DE 1 LIMÃO PEQUENO
- 1 LITRO DE TUCUPI
- 100 G DE MASSA DE MANDIOCA
- 50 DE GOMA DE TAPIOCA
- 1 CEBOLA PICADA
- 1 TOMATE PICADO
- 1 PIMENTÃO PICADO
- 3 DENTES DE ALHO PICADOS
- CHICÓRIA, ALFAVACA E CEBOLINHA-VERDE PICADOS A GOSTO
- 200 G DE CAMARÃO
- SAL A GOSTO

Tempere o peixe com sal e suco de limão. Asse em forno 180 °C por 30 minutos; reserve. Aqueça o tucupi com a massa de mandioca e a goma de tapioca. Quando começar a ferver, junte a cebola, o tomate, o pimentão, o alho e as ervas. Acrescente o camarão e espere ferver novamente. Quando o molho engrossar, cozinhe mais um pouco e sirva com o peixe.

ESMIUÇANDO

O molho de arubé tem como base o tucupi, que dá sabor a várias receitas da região Norte. Esse prato é típico do Pará.

PEIXE FRITO COM AÇAÍ

6 porções
20 minutos mais o preparo de véspera
Fácil

- 900 G DE PIRARUCU SALGADO EM POSTAS OU FILÉS
- SUCO DE 2 LIMÕES
- 2 XÍCARAS (CHÁ) DE FARINHA DE TRIGO
- 1 KG DE POLPA PURA DE AÇAÍ
- 1 PITADA DE SAL
- 1½ XÍCARA (CHÁ) DE FARINHA D'ÁGUA
- ÓLEO DE MILHO, PARA FRITAR

Dessalgue o pirarucu em água gelada por 20 horas, trocando o líquido três vezes. Experimente e veja se está bom de sal ou se é preciso demolhar um pouco mais. Tempere com suco de limão e empane na farinha de trigo. Frite em óleo quente, até dourar. Bata a polpa de açaí com uma pitada de sal, até virar um creme. Sirva o peixe com o açaí e a farinha d'água.

PEIXE GRELHADO COM MOLHO DE CAMARÃO

3 porções
50 minutos
Médio

- 500 G DE FILÉ DE TILÁPIA
- SUCO DE 1 LIMÃO
- 2 COLHERES (SOPA) DE AZEITE DE OLIVA
- 200 G DE CAMARÃO FRESCO (RESERVE AS CASCAS)
- 100 G DE MASSA DE MANDIOCA
- 50 DE GOMA DE TAPIOCA
- 1 CEBOLA PICADA
- 1 TOMATE PICADO
- 1 PIMENTÃO PICADO
- 3 DENTES DE ALHO PICADOS
- CEBOLINHA-VERDE PICADA
- SAL A GOSTO

Tempere o peixe com sal e o suco de limão. Aqueça o azeite e grelhe a tilápia na panela bem quente; reserve. Doure as cascas do camarão e, quando estiverem alaranjadas, cubra com 2 litros de água; ferva por 40 minutos. Bata o caldo e as cascas no liquidificador; separe 1 litro. Em outra panela, engrosse o caldo com a massa de mandioca e a goma de tapioca. Quando ferver, junte a cebola, o tomate e o restante dos temperos. Acrescente o camarão e ferva, para o molho ganhar consistência. Sirva sobre o peixe grelhado.

PEIXE NA TELHA

6 porções
40 minutos mais o tempo para marinar
Fácil

- 1 KG DE PINTADO (OU OUTRO PEIXE DE COURO) EM POSTAS
- SUCO DE 1 LIMÃO
- 4 DENTES DE ALHO PICADOS
- 2 COLHERES (SOPA) DE AZEITE DE OLIVA
- 3 CEBOLAS EM RODELAS
- 1 KG DE TOMATE MADURO EM RODELAS
- 3 PIMENTÕES MÉDIOS (VERDE, AMARELO E VERMELHO) SEM SEMENTES, EM RODELAS
- 1 XÍCARA (CHÁ) DE LEITE DE COCO
- PIMENTA-DE-BODE A GOSTO
- CHEIRO-VERDE A GOSTO
- FARINHA DE ROSCA, PARA POLVILHAR
- SAL A GOSTO

Tempere o peixe com o suco de limão, um pouco do alho, sal e pimenta-de-bode; deixe marinar por 2 horas. Aqueça o azeite e refogue a cebola com o alho restante. Junte o tomate (reserve algumas rodelas) e cozinhe por cerca de 20 minutos, para formar um molho. Acrescente o pimentão e o leite de coco; cozinhe por 5 minutos. Coloque o peixe sobre uma telha (ou panela de barro) untada com um fio de azeite. Cubra com o molho e, por cima, distribua as rodelas de tomate. Polvilhe o cheiro-verde e um pouco de farinha de rosca. Leve ao forno 220 °C por 10 minutos.

ESMIUÇANDO

A "telha" do nome não é uma expressão, e sim a forma adotada tanto no litoral quanto no interior para assar o peixe sem que o caldo derrame. As pontas da telha costumavam ser vedadas com uma pasta grossa de farinha de mandioca.

PESCADA AMARELA AO FORNO

4 porções
30 minutos
Fácil

PIRARUCU DE CASACA

- 500 G DE FILÉ DE PESCADA AMARELA
- ⅓ XÍCARA (CHÁ) DE MANTEIGA
- 1 COLHER (SOPA) DE SALSINHA PICADA
- ÓLEO DE MILHO, PARA UNTAR
- SUCO DE LIMÃO
- SAL E PIMENTA-DO-REINO A GOSTO

Tempere o peixe com suco de limão, sal e pimenta-do-reino. Misture a manteiga e a salsinha; tempere com sal e pimenta-do-reino. Corte pedaços de papel-alumínio, unte com a manteiga e embrulhe os filés de peixe. Unte uma assadeira com óleo, coloque os pacotes de peixe e asse por 20 minutos em forno a 180 °C. Desembrulhe e sirva com batata cozida na manteiga e polvilhada de salsinha.

PINTADO AO URUCUM

2 porções
50 minutos
Fácil

- 250 G DE PINTADO EM POSTAS
- 1 XÍCARA (CHÁ) DE ÓLEO DE MILHO
- 1 XÍCARA (CHÁ) DE FARINHA DE TRIGO
- 1 TOMATE EM CUBOS
- 1 CEBOLA EM CUBOS
- ½ PIMENTÃO VERDE SEM SEMENTES EM CUBOS
- 2 COLHERES (CAFÉ) DE URUCUM EM PÓ
- 1 COLHER (SOPA) DE AZEITE DE DENDÊ
- 1½ XÍCARA (CHÁ) DE CREME DE LEITE
- 1½ XÍCARA (CHÁ) DE LEITE DE COCO
- ½ XÍCARA (CHÁ) DE QUEIJO MUÇARELA OU AMARELO FATIADO
- SUCO DE LIMÃO
- SAL A GOSTO

Tempere o peixe com suco de limão e sal. Aqueça o óleo a 160 °C. Empane o peixe na farinha de trigo, frite e reserve. Em uma panela, doure o tomate, a cebola, o pimentão e o urucum no azeite de dendê por cerca de 15 minutos. Tempere com sal e junte o creme de leite e o leite de coco. Cozinhe por cerca de 15 minutos. Coloque o peixe empanado em um refratário, cubra com o molho e distribua o queijo por cima. Leve ao forno 160 °C por 15 minutos.

PIRARUCU DE CASACA

8 porções
1h20 mais o preparo de véspera
Fácil/médio

- 1 KG DE PIRARUCU SALGADO
- 1,5 KG DE MANDIOCA SEM O FIO CENTRAL
- 2 BATATAS
- ÓLEO DE MILHO, PARA FRITAR
- ½ CEBOLA EM TIRAS
- 3 DENTES DE ALHO PICADOS
- 3 COLHERES (SOPA) DE AZEITE DE OLIVA
- 3 TOMATES SEM PELE E SEM SEMENTES CORTADOS EM TIRAS
- 2 COLHERES (SOPA) DE MANTEIGA

PORQUINHO EMPANADO

- ¾ DE XÍCARA (CHÁ) DE AZEITONA VERDE PICADA
- ½ MAÇO DE SALSINHA PICADA
- 1 COPO (AMERICANO) DE LEITE
- 1 COPO (AMERICANO) DE FARINHA DE MANDIOCA GROSSA OU FARINHA D'ÁGUA
- 2 BANANAS-DA-TERRA EM FATIAS FINAS NA VERTICAL
- 3 OVOS COZIDOS EM RODELAS
- SAL E PIMENTA-DO-REINO A GOSTO

Dessalgue o pirarucu em água gelada por 20 horas, trocando o líquido três ou quatro vezes. Cozinhe a mandioca com água salgada até cobrir; retire do fogo quando estiver desmanchando. Bata no liquidificador com a água do cozimento e reserve. Rale a batata e deixe de molho em água com gelo por 30 minutos. Frite em óleo quente, até dourar levemente. Espere esfriar e guarde em um pote fechado, para não murchar. Corte o peixe em lascas. Refogue a cebola e metade do alho no azeite. Junte o pirarucu, refogue um pouco e acrescente o tomate e a azeitona. Quando o peixe estiver cozido, acerte o sal e adicione a salsinha. Refogue o alho restante em 1 colher (sopa) de manteiga. Junte o creme de mandioca, o leite, sal e pimenta-do-reino; espere aquecer. Em uma travessa, espalhe uma camada fina do creme de mandioca. Cubra com o pirarucu e faça nova camada de creme. Polvilhe a farinha de mandioca. Grelhe a banana-da-terra em 1 colher (sopa) de manteiga e distribua sobre a farinha. Decore com os ovos e a batata palha e sirva.

ESMIUÇANDO

Tradicionalmente, o pirarucu é vendido seco e salgado, como as postas de bacalhau – por isso, passou a ser chamado de "bacalhau amazônico". O maior dos peixes de água doce (pode chegar a 2 metros) aparece em inúmeras receitas que vão das comidas de rua em Manaus às festividades espalhadas por toda a Amazônia.

Nesse prato, ele chega à mesa todo enfeitado – daí o nome "de casaca".

PIRARUCU NO LEITE DE CASTANHA

2 porções
50 minutos
Fácil

- 200 G DE CASTANHA-DO-BRASIL
- 360 G DE FILÉ DE PIRARUCU
- 1 COLHER (SOPA) DE SUCO DE LIMÃO
- 2 COLHERES (SOPA) DE AZEITE DE OLIVA
- SAL E PIMENTA-DO-REINO A GOSTO

Bata a castanha com 200 ml de água no liquidificador. Passe por uma peneira forrada com um pano fino, apertando bem para extrair todo o líquido. Espalhe o bagaço em uma assadeira e leve ao forno 170 °C por 20 minutos, para secar. Enquanto isso, tempere o peixe com sal, pimenta--do-reino e o suco de limão. Aqueça o azeite e doure o peixe dos dois lados. Junte o leite de castanha e cozinhe em fogo baixo por cerca de 5 minutos. Sirva com o bagaço da castanha dourado e crocante, para decorar os filés.

PORQUINHO EMPANADO

4-6 porções
20 minutos
Fácil

- 800 G DE PORQUINHO SEM AS VÍSCERAS
- SUCO DE 2 LIMÕES
- 2 XÍCARAS (CHÁ) DE FARINHA DE TRIGO
- 3 OVOS BATIDOS
- 3 XÍCARAS (CHÁ) DE FUBÁ
- ÓLEO DE MILHO, PARA FRITAR
- SAL E PIMENTA-DO-REINO A GOSTO

Lave bem o peixe e arranque a cabeça, o couro e a cauda. Tempere com suco de limão, sal e pimenta--do-reino. Passe na farinha de trigo, depois no ovo e, por último, no fubá. Frite por imersão no óleo quente até ficar levemente dourado. Escorra em papel-toalha e sirva imediatamente.

QUINHAPIRA

TAMBAQUI NA BRASA

TORTA CAPIXABA

QUINHAPIRA

6 porções
40 minutos
Fácil

- 1 LITRO DE TUCUPI
- 4 PIMENTAS-DE-CHEIRO
- 2 PIMENTAS-MURUPI
- 1 DENTE DE ALHO
- 1 KG DE FILHOTE EM FILÉ OU EM POSTAS
- TALOS DE COENTRO A GOSTO
- SAL A GOSTO

Ferva o tucupi com 1 litro de água. Amasse as pimentas, o alho e o coentro até desmanchar, e junte ao caldo fervente. Acrescente o peixe, cozinhe por alguns minutos e sirva com beiju de mandioca seco. Se quiser, adicione uma pitada de sal (a receita indígena tradicional não inclui o tempero).

ESMIUÇANDO

Esse caldo picante de peixe ("quinha" signfica pimenta e "pirá", peixe, em tupi) é um prato típico da região do Rio Negro consumido normalmente pelas manhãs. Em algumas versões das receitas, saúvas aparecem como ingrediente.

SARDINHA ESCABECHE

8 porções
1 hora
Fácil

- 3 COLHERES (SOPA) DE AZEITE DE OLIVA
- 1 CEBOLA EM RODELAS
- 3 DENTES DE ALHO EM LASCAS
- 4 TOMATES SEM PELE EM RODELAS
- 1,5 KG DE SARDINHA SEM VÍSCERAS
- ½ XÍCARA (CHÁ) DE VINHO BRANCO
- ½ XÍCARA (CHÁ) DE AZEITONA PRETA
- ½ MAÇO DE SALSINHA PICADA
- SAL E PIMENTA-DO-REINO A GOSTO

Aqueça 1 colher (sopa) de azeite e refogue metade da cebola, do alho e do tomate. Retire do fogo, distribua a sardinha por cima dessa camada, tempere com sal e pimenta-do-reino e cubra com a cebola, o alho e o tomate restantes. Regue com o vinho branco

TAINHA NA GRELHA

e o azeite restante. Junte a azeitona, tampe e cozinhe por 30 minutos. Acerte o tempero, polvilhe a salsinha e sirva.

TAINHA NA GRELHA

4-6 porções
40 minutos
Médio

- 1 TAINHA INTEIRA SEM AS VÍSCERAS E SEM ESCAMAS
- SUCO DE 2 LIMÕES
- 4 COLHERES (SOPA) DE AZEITE DE OLIVA
- SAL E PIMENTA-DO-REINO A GOSTO

Tempere a tainha com o suco de limão, o azeite, sal e pimenta-do-reino; espalhe tanto por fora quanto por dentro do peixe. Esquente a grelha e asse a tainha por 15 minutos; passe uma espátula para não grudar. Vire e cozinhe por 15 minutos. Retire da grelha e sirva.

TAMBAQUI NA BRASA

6 porções
40 minutos
Médio

- 1 TAMBAQUI INTEIRO SEM VÍSCERAS E SEM ESCAMAS
- 4 COLHERES (SOPA) DE AZEITE DE OLIVA
- 1 RAMO DE ERVAS VARIADAS (TOMILHO, ALECRIM, LOURO, ETC.)
- 3 LIMÕES EM RODELAS
- SAL E PIMENTA-DO-REINO A GOSTO

Tempere o tambaqui por dentro e por fora com o azeite, sal e pimenta-do-reino. Coloque as ervas e parte das rodelas de limão dentro do peixe; disponha mais um pouco do limão sobre o tambaqui. Acenda a brasa e deixe a grelha esquentar bem. Coloque o peixe na grelha com algumas fatias de limão por baixo, para não grudar, e asse por 10 a 15 minutos. Vire e repita do outro lado. Tire da brasa e sirva.

TORTA CAPIXABA

6 porções
1h30
Médio/difícil

- 400 G DE BADEJO EM CUBOS
- 400 G DE CARNE DE SIRI
- 200 G DE SURURU PRÉ-COZIDO
- 200 G DE CAMARÃO MÉDIO LIMPO
- SUCO DE 2 LIMÕES
- 2 COLHERES (SOPA) DE AZEITE DE URUCUM
- 1 CEBOLA PICADA, MAIS ALGUMAS RODELAS PARA DECORAR
- 3 DENTES DE ALHO PICADOS
- 5 TOMATES ITALIANOS SEM PELE E SEM SEMENTES PICADOS
- 3 XÍCARAS (CHÁ) DE PALMITO IN NATURA PICADO
- 1½ XÍCARA (CHÁ) DE AZEITONA VERDE PICADA, MAIS UM POUCO PARA DECORAR
- 2 MAÇOS DE COENTRO PICADOS
- 1 MAÇO DE CEBOLINHA-VERDE PICADA
- 8 OVOS
- SAL E PIMENTA-DO-REINO A GOSTO

Tempere o peixe e os frutos do mar com suco de limão, sal e pimenta-do-reino. Em uma panela de barro, aqueça o azeite de urucum e refogue a cebola, o alho e o tomate. Junte o peixe e os frutos do mar, refogue e acrescente o palmito, a azeitona, o coentro e a cebolinha. Tire do fogo e espere esfriar. Bata 4 ovos inteiros e adicione ao refogado. Bata 4 claras em neve e, quando firme, junte as gemas e bata mais um pouco. Despeje sobre o refogado, decore com cebola e azeitona e leve ao forno preaquecido a 180 °C por 15 minutos, até dourar.

ESMIUÇANDO

Assim como outros pratos que nasceram em festividades religiosas e se firmaram no cardápio do ano todo, a torta capixaba era tradicionalmente servida na Semana Santa. Em outros pontos do Brasil, como no Piauí e no Maranhão, o mesmo princípio do preparo – com rodelas de cebola e claras batidas – aparece na torta de caranguejo, consumida amplamente no Delta do Parnaíba.

TRUTA COM AMÊNDOA

2 porções
30 minutos
Fácil

- 300 G DE TRUTA
- 2 COLHERES (SOPA) DE MANTEIGA, MAIS UM POUCO PARA UNTAR O PEIXE
- 3 COLHERES (SOPA) DE VINHO BRANCO
- 1 COLHER (CAFÉ) DE SUCO DE LIMÃO
- 2 COLHERES (SOPA) DE AMÊNDOA TORRADA E PICADA
- 1 COLHER (CHÁ) DE SALSINHA PICADA
- SAL E PIMENTA-DO-REINO A GOSTO

Tempere a truta com sal e pimenta-do-reino. Retire a espinha, espalhe um pouco de manteiga dentro do peixe, coloque em uma assadeira e regue com o vinho. Leve ao forno preaquecido a 180 °C até assar (cerca de 18 minutos). Em uma frigideira, aqueça a manteiga e deixe dourar levemente. Junte o suco de limão, a amêndoa e a salsinha; tempere com sal e pimenta-do-reino. Retire a truta do forno, descarte a pele e regue com o molho. Sirva com batata cozida.

FRUTOS DO MAR

ARROZ DE FRUTOS DO MAR

6 porções
1h20
Médio

- 12 CAMARÕES GRANDES
- 1 DOSE DE CACHAÇA BRANCA
- 1 CENOURA
- 2 TALOS DE SALSÃO
- 1½ CEBOLA MÉDIA
- 2 FOLHAS DE LOURO
- 2 POLVOS MÉDIOS
- ½ LARANJA PERA
- 2 COLHERES (SOPA) DE VINHO BRANCO
- 2 COLHERES (SOPA) DE AZEITE DE URUCUM
- 1 DENTE DE ALHO PICADO
- 2½ XÍCARAS (CHÁ) DE ARROZ BRANCO
- 5 XÍCARAS (CHÁ) DE CALDO DE CAMARÃO (RECEITA ABAIXO)
- 6 LULAS MÉDIAS
- 12 MEXILHÕES
- 4 TOMATES SEM PELE PICADOS
- ½ MAÇO DE COENTRO PICADO
- ½ MAÇO DE CEBOLINHA-VERDE PICADA
- SAL E PIMENTA-DO-REINO A GOSTO

Descasque e pique metade do camarão; reserve as cascas. Faça um caldo com as cascas, a cachaça, ½ cenoura, 1 talo de salsão, ½ cebola e 1 folha de louro; reserve. Lave bem o polvo e cozinhe inteiro com ½ cenoura, 1 talo de salsão, ½ cebola, 1 folha de louro, a laranja e o vinho, até os tentáculos ficarem macios (cerca de 40 minutos). Separe e pique a cabeça. Pique a cebola restante e refogue com o alho no azeite de urucum. Junte o arroz, doure e cubra com o caldo de camarão. Tempere com sal a gosto. Enquanto o arroz cozinha, tempere os frutos do mar com sal e pimenta-do-reino. Grelhe separadamente, reservando o líquido que soltarem na frigideira. Quando o arroz estiver quase cozido, junte os mexilhões e cozinhe até as conchas se abrirem (descarte os que se mantiverem fechados). Adicione então os frutos do mar e os líquidos reservados, o tomate, o coentro e a cebolinha. Misture bem e sirva.

ARROZ DE POLVO

ARROZ DE POLVO

6 porções
1h30
Médio

- 2 POLVOS MÉDIOS
- 1 CEBOLA GRANDE
- 1 TALO DE SALSÃO
- 1 TALO DE ALHO-PORÓ
- ½ CENOURA
- ½ LARANJA PERA
- ½ XÍCARA (CHÁ) DE VINHO BRANCO
- 1 FOLHA DE LOURO
- 2 DENTES DE ALHO PICADOS
- 2 TOMATES SEM PELE PICADOS
- 2 COLHERES (SOPA) DE ÓLEO DE MILHO
- 2½ XÍCARAS (CHÁ) DE ARROZ BRANCO
- 5 XÍCARAS (CHÁ) DE CALDO DE POLVO
- ¼ MAÇO DE CEBOLINHA-VERDE PICADA
- ¼ MAÇO DE COENTRO PICADO
- SAL A GOSTO

Limpe bem o polvo; passe sal nos tentáculos para tirar o excesso de sujeira e lave em água corrente. Cubra

ARROZ DE
FRUTOS DO MAR

de água e cozinhe com ½ cebola, o salsão, o alho-poró, a cenoura, a laranja, o vinho e o louro. Depois de uns 30 minutos, quando estiver quase macio, retire e corte os tentáculos em pedaços grandes; reserve o caldo do cozimento sem os legumes. Pique a outra metade da cebola e refogue com o alho e o tomate no óleo de milho. Junte o arroz, refogue mais um pouco e acrescente o polvo. Cubra com o caldo e cozinhe até o arroz estar cozido e o polvo, macio. Adicione as ervas e sirva.

ARROZ LAMBE-LAMBE

6 porções
1h20
Fácil

- 1 KG DE MARISCOS DE MANGUE FRESCOS
- ½ CEBOLA GRANDE PICADA
- 2 DENTES DE ALHO PICADOS
- 1 PIMENTÃO AMARELO SEM CASCA EM CUBOS MÉDIOS
- 2 COLHERES (SOPA) DE ÓLEO DE MILHO
- 2½ XÍCARAS (CHÁ) DE ARROZ BRANCO
- 5 XÍCARAS (CHÁ) DE CALDO DE LEGUMES (RECEITA ABAIXO)
- 4 TOMATES SEM CASCA EM CUBOS MÉDIOS
- ½ MAÇO DE CEBOLINHA-VERDE PICADA
- ½ MAÇO DE COENTRO PICADO
- SAL A GOSTO

Mergulhe os mariscos na água por 30 minutos, para tirar o excesso de areia; descarte os que se abrirem. Refogue a cebola, o alho e o pimentão no óleo de milho, até murchar um pouco. Junte o arroz e mexa para envolver no óleo. Cubra com o caldo morno (ou água morna), tempere com sal e acrescente os mariscos, o tomate e metade das ervas. Cozinhe até o arroz ficar macio; descarte os mariscos que não se abrirem, pois não estão saudáveis para o consumo. Finalize com as ervas restantes e sirva.

CALDO DE LEGUMES

2,8 litros
1 hora
Fácil

- 1 CENOURA
- 2 CEBOLAS
- 1 ALHO-PORÓ
- 3 TALOS DE SALSÃO
- 5 GRÃOS DE PIMENTA-DO-REINO PRETA
- 1 RAMO DE TOMILHO
- TALOS DE SALSINHA
- 1 FOLHA DE LOURO

Corte a cenoura, a cebola, o alho-poró e o salsão em pedaços com cerca de 1 cm. Coloque todos os ingredientes em uma panela grande com 3 litros de água e aqueça em fogo alto. Quando ferver, diminua o fogo e cozinhe por cerca de 40 minutos. Deixe esfriar, coe e guarde.

ARROZ LAMBE-LAMBE

BOBÓ DE CAMARÃO

ESMIUÇANDO

Presente em todo a costa brasileira, especialmente no litoral sul paulista, essa receita tem um segredo quase poético: precisa ter o gosto do mar.

BOBÓ DE CAMARÃO

6 porções
1h30
Fácil/médio

- 1 KG DE CAMARÃO MÉDIO FRESCO
- SUCO DE 2 LIMÕES
- 1,5 KG DE MANDIOCA
- 1 XÍCARA (CHÁ) DE AZEITE DE DENDÊ
- ½ CEBOLA GRANDE EM CUBOS
- 2 DENTES DE ALHO PICADOS
- 6 TOMATES SEM PELE EM CUBOS
- ½ PIMENTÃO VERMELHO SEM PELE EM CUBOS
- ½ PIMENTÃO AMARELO SEM PELE EM CUBOS
- 2 XÍCARAS (CHÁ) DE LEITE DE COCO
- ¼ MAÇO DE COENTRO PICADO
- ¼ MAÇO DE CEBOLINHA PICADA
- SAL A GOSTO

Limpe bem o camarão, tempere com sal e o suco de limão e faça um caldo com as cascas. Tire a fibra central da mandioca e cozinhe no caldo de camarão, até ficar bem macia. Bata no liquidificador com o líquido, para obter um creme. Aqueça o azeite de dendê e refogue a cebola, o alho, o tomate e os pimentões. Junte o creme de mandioca e o leite de coco; mexa até ficar uniforme. Grelhe o camarão e acrescente ao creme. Finalize com as ervas picadas e sirva quente.

ESMIUÇANDO

A palavra "bobó", de origem fon (um dos idiomas falados no Benim), diz respeito ao creme feito inicialmente de inhame, mandioca ou fruta-pão, ainda sem a presença do camarão. Hoje símbolo da cozinha baiana, pode ser consumido sozinho ou para acompanhar carnes e peixes. Na minha infância, o bobó de camarão competia com o camarão na moranga. Ainda não consigo chegar à conclusão sobre qual deles é o melhor!

CALDEIRADA DE PITU

8 porções
50 minutos
Médio

- 500 G DE FILHOTE EM PEDAÇOS
- 500 G DE CAMARÃO PITU
- 2 COLHERES (SOPA) DE AZEITE DE OLIVA
- 1 CEBOLA EM CUBINHOS
- 2 DENTES DE ALHO
- 1 PIMENTÃO AMARELO EM CUBINHOS
- 3 TOMATES SEM SEMENTES EM CUBINHOS
- ½ XÍCARA (CHÁ) DE LEITE DE COCO
- 3 COLHERES (SOPA) DE CHEIRO-VERDE PICADO
- SUCO DE LIMÃO
- SAL E PIMENTA-DO-REINO A GOSTO

Tempere o peixe com suco de limão e sal; reserve por 15 minutos. Lave o pitu em água corrente. Aqueça o azeite e refogue a cebola e o alho. Junte 1 litro de água e, quando ferver, acrescente o pitu, o peixe, o pimentão, o tomate, o leite de coco e o cheiro-verde. Cozinhe em fogo alto por 20 minutos. Sirva em seguida com arroz branco (p. 146).

CAMARÃO À PAULISTA

4 porções
20 min
Fácil

- ½ KG DE CAMARÃO PISTOLA (GRANDE)
- 2 OVOS
- 1 PITADA DE SAL
- FARINHA DE TRIGO, PARA EMPANAR
- ÓLEO DE MILHO, PARA FRITAR
- LIMÃO, PARA SERVIR

Lave o camarão e retire as cabeças, mantendo as cascas; seque bem. Bata os ovos e junte o sal. Passe o camarão pelo ovo e pela farinha de trigo. Frite em óleo quente, até dourar. Escorra em papel-toalha e sirva imediatamente com gomos de limão.

CAMARÃO ENSOPADO COM CHUCHU

6 porções
30 minutos
Fácil

- 750 G DE CAMARÃO MÉDIO
- SUCO DE 2 LIMÕES
- 1 COLHER (SOPA) DE AZEITE DE OLIVA
- ½ CEBOLA PICADA
- 2 DENTES DE ALHO PICADOS
- 3 TOMATES SEM PELE E SEM SEMENTE PICADOS
- 3 CHUCHUS SEM PELE EM CUBOS GRANDES
- SAL E PIMENTA-DO-REINO A GOSTO

Tempere o camarão com o suco de limão, sal e pimenta-do-reino. Frite dos dois lados, no azeite, e reserve. Na mesma panela, refogue a cebola, o alho e o tomate. Junte o chuchu e cubra com água fervente. Quando estiver cozido, tempere com sal e pimenta-do-reino e volte o camarão. Cozinhe por 2 minutos, acerte o tempero e sirva.

ESMIUÇANDO

"Ensopado e harmonizado ao camarão, (o chuchu) é prato idolatrado no Rio de Janeiro. Foi ali que Carmen Miranda, intérprete de 'Disseram que eu voltei americanizada' aprendeu a saboreá-lo", conta o jornalista e escritor J.A. Dias Lopes no livro "A canja do imperador". Do samba de 1940, quem não se lembra destes versos? "Enquanto houver Brasil, na hora das comidas, / Eu sou do camarão ensopadinho com chuchu".

CAMARÃO ENSOPADO COM CHUCHU

CAMARÃO NA MORANGA

8 porções
2 horas
Médio

- 1 ABÓBORA-MORANGA GRANDE
- 1,2 KG DE CAMARÃO MÉDIO CORTADO AO MEIO
- 4 CAMARÕES GRANDES
- SUCO DE 2 LIMÕES
- 4 COLHERES (SOPA) DE AZEITE DE OLIVA
- 3 DENTES DE ALHO PICADOS
- ½ CEBOLA PICADA
- 4 TOMATES SEM PELE E SEM SEMENTE PICADOS
- 1 LITRO DE CREME DE LEITE FRESCO
- SAL E PIMENTA-DO-REINO A GOSTO

Asse a abóbora inteira no forno preaquecido a 180 °C por 30

CAMARÃO NA MORANGA

FEIJOADA DE FRUTOS DO MAR

minutos, ou até ficar macia. Corte a parte superior, formando uma tampa, e descarte as sementes. Retire um pouco da polpa (cuidado para não deixar a abóbora sem estrutura) e reserve. Tempere todos os camarões (médios e grandes) com o suco de limão, sal e pimenta-do-reino. Frite dos dois lados em 1 colher (sopa) de azeite. Retire e reserve. Na mesma panela, aqueça o azeite restante e refogue o alho, a cebola e o tomate. Junte a polpa de abóbora e refogue mais um pouco. Bata no liquidificador até obter um creme uniforme. Volte ao fogo, acrescente o creme de leite e os camarões médios. Tempere com sal e pimenta-do-reino e recheie a abóbora, misturando para o creme absorver o sabor do fruto. Disponha os camarões grandes por cima e sirva.

ESMIUÇANDO

O caiçara do litoral norte paulista conta uma história curiosa que relaciona as origens dessa receita ao cultivo de abóboras na Ilha Anchieta, durante a década de 1940. Em todo mês de agosto, há mais de vinte anos, uma colônia de pescadores do município de Bertioga celebra a Festa do Camarão na Moranga, que também inclui outras receitas feitas com peixes e frutos do mar.

FEIJOADA DE FRUTOS DO MAR

6 porções
2 horas
Médio

- 500 G DE FEIJÃO-BRANCO
- 2 FOLHAS DE LOURO
- 6 CAMARÕES GRANDES (COM CASCA E CABEÇA)
- 6 LULAS EM RODELAS
- 2 FILÉS DE BADEJO EM CUBOS
- 12 MARISCOS
- 3 TENTÁCULOS DE POLVO COZIDOS E PICADOS
- 3 COLHERES (SOPA) DE AZEITE DE OLIVA
- 1 COLHER (SOPA) DE COLORAU
- ½ XÍCARA (CHÁ) DE TOUCINHO DEFUMADO PICADO
- 1 CEBOLA PICADA
- 2 DENTES DE ALHO PICADOS
- ½ MAÇO DE COENTRO PICADO
- 3 TOMATES SEM PELE E SEM SEMENTES EM CUBOS
- 2 XÍCARAS (CHÁ) DE CALDO DE PEIXE (P. 132)
- SAL E PIMENTA-DO-REINO A GOSTO

Cozinhe o feijão branco com o louro até ficar macio; tire do fogo e reserve com o líquido. Tempere todos os frutos do mar com sal e pimenta-do-reino. Aqueça o azeite com o colorau e frite os pescados individualmente, nessa ordem: camarão, lula, peixe, marisco e polvo. Retire e reserve. Na mesma panela, refogue o toucinho, a cebola, o alho e o tomate. Volte os frutos do mar; junte o feijão, um pouco do líquido do cozimento e o caldo de peixe. Cozinhe por 10 minutos, sem deixar o peixe desmanchar. Acerte o tempero, polvilhe o coentro picado e sirva com arroz branco (p. 146).

ESMIUÇANDO

Essa variação particular da feijoada está presente em diversos lugares da costa brasileira onde há abundância de pescados e frutos do mar, como o litoral de Santa Catarina. A receita até se aproxima do tradicional cassoulet francês, por causa do feijão-branco – mas a inclusão dos demais ingredientes a torna muito mais rica.

FRIGIDEIRA DE CAMARÃO

5 porções
50 minutos
Médio

- 500 G DE CAMARÃO
- 1 COLHER (SOPA) DE AZEITE DE OLIVA, MAIS UM POUCO PARA UNTAR
- 1 CEBOLA PICADA
- 2 TOMATES PICADOS

- 5 BATATAS COZIDAS EM PEDAÇOS PEQUENOS
- ⅓ XÍCARA (CHÁ) DE AZEITONA VERDE SEM CAROÇO EM RODELAS
- 5 OVOS
- 1 COLHER DE (SOPA) CHEIA DE FARINHA DE TRIGO
- ½ XÍCARA (CHÁ) DE LEITE DE COCO
- ¼ XÍCARA (CHÁ) DE QUEIJO PARMESÃO RALADO
- ¼ XÍCARA (CHÁ) DE FARINHA DE ROSCA
- CHEIRO-VERDE A GOSTO
- SAL E PIMENTA-DO-REINO A GOSTO

Tempere o camarão com sal e pimenta-do-reino; doure no azeite e reserve. Na mesma panela, refogue a cebola, o tomate, a batata, a azeitona e cheiro-verde. Bata as claras em neve e junte delicadamente a farinha de trigo. Misture as gemas ao leite de coco e despeje em um refratário untado com azeite. Por cima, distribua o refogado, os camarões e as claras batidas. Polvilhe com o queijo misturado à farinha de rosca. Leve ao forno preaquecido a 180 °C, até dourar.

FRIGIDEIRA DE SIRI

5 porções
1 hora
Médio

- 3 TOMATES PICADOS
- 1 CEBOLA PICADA
- 3 COLHERES (SOPA) DE COENTRO PICADO
- 150 G DE CAMARÃO SECO
- 100 G DE COCO RALADO
- 1½ XÍCARA (CHÁ) DE LEITE DE COCO
- 200 G DE SIRI
- 6 OVOS
- 2 COLHERES (SOPA) DE FARINHA DE TRIGO
- 2 COLHERES (SOPA) DE AZEITE DE DENDÊ
- TOMATE E CEBOLA EM RODELAS, PARA DECORAR
- SAL A GOSTO

Bata no liquidificador o tomate, a cebola, o coentro, o camarão seco e sal a gosto. Coloque em uma frigideira e aqueça com o coco ralado e o leite de coco. Junte o siri e o azeite de dendê; refogue por 20 minutos. Enquanto isso, bata as claras em neve. Acrescente as gemas e a farinha de trigo. Despeje metade em um refratário, distribua o refogado de siri e cubra com os ovos batidos restantes. Decore com tomate e cebola e asse em forno 180 °C por 20 a 30 minutos. Sirva quente.

FRITADA DE ARATU

8 porções
1 hora
Médio

- 1 KG DE ARATU (CARANGUEJO)
- SUCO DE 1 LIMÃO
- 3 COLHERES (SOPA) DE AZEITE DE OLIVA
- 2 CEBOLAS PICADAS
- 2 DENTES DE ALHO PICADOS
- 1 PIMENTÃO PICADO
- 3 OVOS
- 2 COLHERES (SOPA) DE FARINHA DE TRIGO
- 1½ XÍCARA (CHÁ) DE AZEITONA EM RODELAS
- COENTRO PICADO A GOSTO
- SAL A GOSTO

Lave o aratu com o suco de limão, escorra e refogue no azeite com a cebola e o alho. Junte o coentro, o pimentão e sal; cozinhe até que o líquido da frigideira evapore. Bata as claras em neve; acrescente as gemas e a farinha de trigo. Espalhe metade dos ovos batidos no fundo de um refratário, disponha o refogado por cima e cubra com o ovo restante. Decore com azeitona e asse em forno preaquecido a 180 °C por 25 minutos, até dourar.

LAGOSTA GRELHADA

2 porções
20 minutos
Fácil

- 1 LAGOSTA INTEIRA
- 2 COLHERES (SOPA) DE MANTEIGA EM TEMPERATURA AMBIENTE
- RASPAS DE 1 LARANJA
- SAL E PIMENTA-DO-REINO A GOSTO

Ferva água com sal em uma panela funda; cozinhe a lagosta por 10 minutos e transfira para uma vasilha com água gelada, para interromper o cozimento. Aqueça uma grelha ou churrasqueira. Corte a lagosta ao meio, no sentido do comprimento, para obter dois pedaços iguais. Enquanto grelha, tempere a manteiga com

MARISCADA

LAGOSTA GRELHADA

sal, pimenta-do-reino e as raspas de laranja. Tire a lagosta da grelha, passe a manteiga e sirva.

MARISCADA

6 porções
40 minutos
Médio

- 6 CAMARÕES GRANDES INTEIROS
- 6 LULAS EM TUBOS
- 2 COLHERES (SOPA) DE AZEITE DE OLIVA
- 1 COLHER (SOPA) DE URUCUM
- 1 CEBOLA PICADA
- 2 DENTES DE ALHO PICADOS
- 2 TOMATES SEM PELE E SEM SEMENTES PICADOS
- 20 MEXILHÕES FRESCOS
- 1½ XÍCARA (CHÁ) DE CARNE DE SIRI LIMPA
- 4 TENTÁCULOS DE POLVO COZIDOS EM RODELAS
- SUCO DE 2 LIMÕES
- ½ MAÇO DE COENTRO PICADO
- ½ MAÇO DE CEBOLINHA-VERDE PICADO
- SAL E PIMENTA-DO-REINO A GOSTO

Tempere o camarão e a lula com sal e pimenta-do-reino. Aqueça o azeite com o urucum e sele primeiro o camarão, depois a lula; retire e reserve. Na mesma panela, refogue a cebola, o alho e o tomate. Junte o mexilhão, o siri e o polvo. Cozinhe um pouco e acrescente a lula, o camarão e o suco de limão. Acerte o tempero e finalize com as ervas picadas.

MOQUECA DE CAMARÃO

4 porções
40 minutos
Médio

- 400 G DE CAMARÕES MÉDIOS
- SUCO DE 2 LIMÕES
- 2 CEBOLAS PEQUENAS EM RODELAS
- 3 TOMATES EM RODELAS
- 2 PIMENTÕES VERDES SEM PELE E PICADOS
- ¼ XÍCARA (CHÁ) DE AZEITE DE OLIVA
- ¼ XÍCARA (CHÁ) DE AZEITE DE DENDÊ
- 1 MAÇO PEQUENO DE COENTRO PICADO
- 1 MAÇO PEQUENO DE CHEIRO-VERDE PICADO
- SAL E PIMENTA-DO-REINO A GOSTO

Tempere o camarão com o suco de limão, sal e pimenta-do-reino. Em uma panela de barro, faça camadas de cebola, pimentão, tomate e camarão. Regue com um pouco dos dois tipos de azeite e leve ao fogo por alguns minutos. Junte o restante dos azeites e cozinhe por 5 a 10 minutos, até o camarão ficar no ponto, sem deixar demais. Acrescente o coentro e o cheiro-verde, acerte o tempero e sirva com arroz branco (p. 146).

MOQUECA DE OSTRA

5 porções
1 hora
Fácil

- 1 KG DE OSTRA FRESCA
- 2 LIMÕES-GALEGOS
- 3 COLHERES (SOPA) DE ÓLEO DE MILHO
- 1 COLHER (CAFÉ) DE URUCUM
- 3 MAÇOS DE COENTRO PICADO
- 5 TOMATES PICADOS
- 3 CEBOLAS PICADAS
- 3 DENTES DE ALHO PICADOS
- 2 PIMENTAS-MALAGUETA AMASSADAS
- SUCO DE 3 LIMÕES
- 1 COLHER (SOPA) DE AZEITE
- SAL A GOSTO

Limpe bem as ostras com água e limão-galego. Esprema com as mãos sob água corrente; quando estiverem bem limpas, coloque em um refratário e polvilhe com sal. Reserve por 20 minutos. Misture o óleo e o urucum e coloque em uma panela de barro; aqueça e refogue o coentro, o tomate, a cebola, o alho, a pimenta-malagueta, o suco de limão e o azeite. Lave as ostras novamente, escorra e junte ao refogado. Misture, tampe e cozinhe por 20 minutos.

MOQUECA DE SIRI MOLE

4 porções
40 minutos
Médio

- ⅔ XÍCARA (CHÁ) DE AZEITE DE DENDÊ
- 2 CEBOLAS GRANDES PICADAS
- 4 TOMATES GRANDES MADUROS E FIRMES PICADOS
- 1 MAÇO GRANDE DE COENTRO PICADO
- 2 PIMENTAS-MALAGUETA
- SUCO DE 1 LIMÃO
- 12 SIRIS MOLES GRANDES
- 1 VIDRO DE LEITE DE COCO
- 1 COLHER (CHÁ) DE SAL

Unte uma panela de barro com 1 colher (sopa) de azeite de dendê e monte camadas de cebola, tomate e coentro. Amasse a pimenta com o suco de limão e junte à panela. Regue com o dendê restante. Ferva o siri até ficar vermelho e passe por água corrente, esfregando bem. Acrescente à panela. Misture o leite de coco e o sal, regue o siri, espere ferver e cozinhe por cerca de 30 minutos em fogo baixo.

SOPA DE BERBIGÃO

4 porções
30 minutos mais o tempo para deixar de molho
Fácil

- 1 KG DE BERBIGÃO
- 1 CEBOLA EM RODELAS
- 1 FOLHA DE LOURO
- 1 RAMO DE SALSINHA
- 1 ALHO CORTADO EM RODELAS FINAS
- 2 COLHERES (SOPA) DE AZEITE
- 2 COLHERES (SOPA) DE MACARRÃO (OPCIONAL)
- QUEIJO PARMESÃO RALADO A GOSTO (OPCIONAL)
- SAL E PIMENTA-DO-REINO A GOSTO

Deixe os berbigões de molho em água fria por cerca de 8 horas, trocando o líquido sempre que possível. Cozinhe em 1 litro de água com a cebola, o louro e a salsinha. Tampe, espere levantar fervura e cozinhe por 3 minutos. Coe e reserve o caldo e as conchas. Em outra panela, doure o alho no azeite. Regue com o caldo do cozimento dos berbigões, tempere com sal e pimenta-do-reino, espere ferver e junte o macarrão. Quando a massa estiver cozida, junte os berbigões retirados das conchas. Sirva quente, polvilhado ou não com queijo ralado.

SOPA DE CARANGUEJO

10 porções
50 minutos
Médio

- 2 KG DE BATATA DESCASCADA
- 5 COLHERES (SOPA) DE AZEITE DE OLIVA
- 3 CEBOLAS MÉDIAS PICADAS
- 5 DENTES DE ALHO PICADOS
- 3 TOMATES PICADOS
- 1 MAÇO DE CEBOLINHA PICADA
- 1 MAÇO DE COENTRO PICADO
- 2,5 KG DE CARNE DE CARANGUEJO
- 3 XÍCARAS (CHÁ) DE LEITE DE COCO
- 3 COLHERES (SOPA) DE COMINHO
- 6 FOLHAS DE LOURO
- SUCO DE 4 LIMÕES
- ¾ XÍCARA (CHÁ) DE AZEITONA VERDE SEM CAROÇO
- SAL E PIMENTA-DO-REINO A GOSTO

Corte a batata em cubos e cozinhe com água suficiente para cobrir. Bata no liquidificador com um terço do líquido do cozimento, até obter uma pasta; reserve. Aqueça 2 colheres (sopa) de azeite e refogue a cebola, o alho, o tomate, a cebolinha e o coentro. Junte o caranguejo e misture. Acrescente o leite de coco e tempere com sal e pimenta-do-reino. Cozinhe por cerca de 10 minutos, sem parar de mexer. Retire do fogo e reserve. Em outra panela, junte a batata e o caranguejo. Cubra com água e adicione o cominho, o louro, o suco de limão, a azeitona e o azeite restante. Acerte o tempero e cozinhe por 20 minutos. Sirva quente.

SOPA LEÃO VELOSO

10 porções
1h30
Médio

PARA O CALDO DE PEIXE

- 1,5 KG DE CABEÇA DE PEIXE
- 1 CEBOLA
- 1 TALO DE SALSÃO
- 1 ALHO-PORÓ
- 3 RAMOS DE SALSINHA
- 3 RAMOS DE CEBOLINHA-VERDE
- 4 RAMOS DE MANJERICÃO
- 1 RAMO DE ALECRIM
- 5 RAMOS DE COENTRO

PARA A SOPA

- 300 G DE POLVO EM PEDAÇOS
- 300 G DE LULA EM PEDAÇOS
- 200 G DE CAMARÃO MÉDIO
- 50 G DE MEXILHÃO
- 1 CEBOLA PICADA
- 6 DENTES DE ALHO PICADOS
- 2 TOMATES PICADOS
- 2 COLHERES (SOPA) DE AZEITE DE OLIVA EXTRAVIRGEM
- 2 COLHERES (SOPA) DE ÓLEO DE MILHO
- 2 FOLHAS DE LOURO
- 1 XÍCARA (CHÁ) DE VINHO BRANCO SECO
- 1,5 LITRO DE CALDO DE PEIXE
- 1 COLHER (SOBREMESA) DE COLORAU
- 1 PITADA DE NOZ-MOSCADA
- 1 COLHER (SOBREMESA) DE CREME DE ARROZ
- SAL A GOSTO

Prepare o caldo: cubra a cabeça de peixe, a cebola, o salsão, o alho-poró e as ervas com bastante água. Cozinhe por 30 minutos e coe o caldo. Desfie a carne da cabeça de peixe e reserve. Cozinhe o polvo e a lula por 30 minutos; tempere com sal e reserve.

TACACÁ

Cozinhe o camarão e o mexilhão por 10 minutos; tempere com sal e reserve o líquido do cozimento. Refogue a cebola, o alho e o tomate no azeite misturado ao óleo de milho. Junte o louro e o vinho; ferva por 15 minutos, coe e reserve o refogado. Misture o caldo de peixe e 2 xícaras (chá) do líquido de cozimento do camarão. Junte o refogado e ferva por 15 minutos, sem parar de mexer. Acrescente o colorau e a noz-moscada, cozinhe por mais 15 minutos e coe. Adicione o creme de arroz, os frutos do mar e a carne de peixe; espere engrossar, acerte o tempero e sirva.

SURURU AO LEITE DE COCO

4 porções
30 minutos
Fácil

- 1 CEBOLA PEQUENA PICADA
- 2 DENTES DE ALHO PICADOS
- 1 TOMATE PICADO
- ½ PIMENTÃO VERDE PICADO
- 2 COLHERES (SOPA) DE AZEITE DE DENDÊ
- 1½ XÍCARA (CHÁ) DE SURURU
- ¼ XÍCARA (CHÁ) DE MANDIOCA COZIDA
- ½ XÍCARA (CHÁ) DE LEITE DE COCO
- 1 LIMÃO
- 1 MAÇO DE COENTRO PICADO
- SAL A GOSTO

Refogue a cebola, o alho, o tomate e o pimentão no azeite de dendê. Adicione o sururu e cozinhe por 5 minutos. Bata a mandioca e o leite de coco no liquidificador; junte à panela e cozinhe por 10 minutos. Tempere com sal e gotas de limão. Polvilhe o coentro e sirva.

TACACÁ

8 porções
1h20
Fácil

- 1 XÍCARA (CHÁ) CHEIA DE CAMARÃO SECO GRAÚDO
- 2 LITROS DE TUCUPI
- 3 DENTES DE ALHO PICADOS

- PIMENTA-DE-CHEIRO DO PARÁ A GOSTO
- ½ MAÇO DE FOLHAS DE CHICÓRIA
- 1 PITADA DE SAL
- ½ MAÇO DE FOLHAS DE JAMBU
- ½ XÍCARA (CHÁ) DE POLVILHO AZEDO OU GOMA DE MANDIOCA

Limpe os camarões, arrancando as cabeças e as patinhas. Afervente em água quente, trocando o líquido três vezes e guardando 1 litro de água da última leva. Aqueça o tucupi em fogo médio com o alho, a pimenta--de-cheiro, a chicória, o camarão e o sal; tampe e cozinhe por 30 minutos. Enquanto isso, cozinhe as folhas de jambu até ficarem macias; reserve. Aqueça o líquido do cozimento do camarão. Quando começar a ferver, acrescente o polvilho e cozinhe por 5 minutos, mexendo sempre para não empelotar. Junte o jambu ao tucupi, cozinhe por alguns minutos e sirva o caldo com a goma em uma cuia.

ESMIUÇANDO

No Norte, o tacacá costuma ser vendido em barraquinhas nas ruas e tomado nos fins de tarde: das 17h às 18h, é hora do tacacá! Um dos pratos que mais simbolizam a região amazônica vem da "mani poi", antiga sopa preparada por índios do Pará e registrada por Câmara Cascudo. O que varia é a qualidade da goma e a quantidade do camarão e do jambu.

TORTA DE CARANGUEJO

6 porções
1h30
Médio/difícil

- 1,2 KG DE CARNE DE CARANGUEJO
- SUCO DE 2 LIMÕES
- 2 COLHERES (SOPA) DE AZEITE DE OLIVA
- 1 CEBOLA PICADA, MAIS ALGUMAS RODELAS PARA DECORAR
- 3 DENTES DE ALHO PICADOS
- 5 TOMATES ITALIANOS SEM PELE E SEM SEMENTES PICADOS
- 1½ XÍCARA (CHÁ) DE AZEITONA VERDE PICADA, MAIS UM POUCO PARA DECORAR
- 2 MAÇOS DE COENTRO PICADOS
- 1 MAÇO DE CEBOLINHA-VERDE PICADA
- 8 OVOS
- SAL E PIMENTA-DO-REINO A GOSTO

Tempere o caranguejo com suco de limão, sal e pimenta-do-reino. Em uma panela de barro, aqueça o azeite e refogue a cebola picada, o alho e o tomate. Junte o caranguejo, refogue um pouco e acrescente a azeitona, o coentro e a cebolinha. Tire do fogo e espere esfriar um pouco. Bata 4 ovos inteiros e adicione ao refogado. Bata 4 claras em neve e, quando estiver firme, junte as gemas e bata mais um pouco. Despeje sobre o refogado, decore com cebola e azeitona e leve ao forno preaquecido a 180 °C por 15 minutos, até dourar.

CARIBÉ

HORTA E OVO

BOBÓ DE FRUTA-PÃO

10 porções
50 minutos
Fácil

- 3 KG DE FRUTA-PÃO
- 1 KG DE CAMARÃO SEM CASCA
- SUCO DE 1 LIMÃO
- 2 COLHERES (SOPA) DE AZEITE DE OLIVA
- 2 CEBOLAS PICADAS
- 1 COLHER (SOPA) DE ALHO PICADO
- 3 TOMATES PICADOS
- 3 COLHERES (SOPA) DE COENTRO PICADO
- 3 COLHERES (SOPA) DE CEBOLINHA-VERDE PICADA
- 150 ML DE AZEITE DE DENDÊ
- 200 ML DE LEITE DE COCO
- 150 G DE CAMARÃO SECO
- SAL A GOSTO

Cozinhe a fruta-pão em água com sal e bata no liquidificador, até obter um purê. Lave o camarão com o suco de limão e tempere com sal. Aqueça o azeite de oliva e refogue o camarão, a cebola, o alho, o tomate e as ervas. Junte o azeite de dendê, o leite de coco e o camarão seco. Cozinhe por 3 minutos, adicione o purê de fruta-pão, aqueça e sirva com arroz branco (p. 146).

BOBÓ DE INHAME

10 porções
1 hora
Médio

- 4 INHAMES EM PEDAÇOS PEQUENOS
- ½ LIMÃO
- 1 RECEITA DE EFÓ (P. 136)
- 2 XÍCARAS (CHÁ) DE LEITE DE COCO
- SAL A GOSTO

Cozinhe o inhame em água com sal e limão. Prepare a receita de efó. Acrescente o leite de coco e o inhame; cozinhe por 10 minutos. Acerte o tempero e sirva quente.

CARIBÉ

2 porções
10 minutos
Fácil

- ¾ XÍCARA (CHÁ) DE FARINHA DE MANDIOCA FINA OU FARINHA D'ÁGUA
- 1 COLHER (SOPA) DE MANTEIGA

Divida a farinha em duas cuias. Aqueça 3 xícaras (chá) de água até começar a ferver. Derrame sobre a farinha e espere hidratar um pouco. Coloque a manteiga por cima – consuma apenas o líquido.

CARNE DE CAJU

4 porções
25 minutos
Fácil

- 5 CAJUS
- 3 COLHERES (SOPA) DE ÓLEO DE MILHO
- ½ CEBOLA PICADA
- 1 DENTE DE ALHO PICADO
- 1 TOMATE SEM PELE E SEM SEMENTES PICADO
- ½ PIMENTÃO VERDE PICADO
- 1 COLHER (SOBREMESA) DE ORÉGANO
- SAL A GOSTO

Esprema os cajus, para tirar todo o sumo, e desfie até a "carne" soltar da pele. Aqueça o óleo e refogue o caju desfiado, até dourar. Junte a cebola o alho, o tomate e o pimentão. Cozinhe por 10 minutos, tempere com sal e orégano e sirva imediatamente.

CARNE DE JACA

8 porções
1 hora
Fácil

- 1 JACA VERDE PEQUENA
- 3 COLHERES (SOPA) DE AZEITE DE OLIVA
- 1 CEBOLA PICADA
- 1 DENTE DE ALHO PICADO
- ½ XÍCARA (CHÁ) DE MOLHO SHOYU
- 2 XÍCARAS (CHÁ) DE MOLHO DE TOMATE (P. 61)
- ½ XÍCARA (CHÁ) DE LEITE DE COCO
- SAL A GOSTO

Usando uma luva descartável, corte a jaca em pedaços grandes, com casca. Coloque na panela de pressão (encha apenas até a metade, ou trabalhe em porções), cubra de água e cozinhe por cerca de 30 minutos, até ficar com o miolo macio. Escorra, passe por água fria e desfie (despreze a casca e a parte central, que pode ficar dura). Aqueça o azeite e refogue a "carne" com a cebola e o alho. Junte o shoyu, o molho de tomate e o leite de coco. Tempere com sal, espere secar um pouco e sirva quente.

CHIBÉ

4 porções
20 minutos
Fácil

- 1 PIMENTA-MURUPI
- 2 PIMENTAS-DE-CHEIRO-DO-PARÁ
- 1 XÍCARA (CHÁ) DE FARINHA D'ÁGUA
- 1 DENTE DE ALHO BEM PICADO
- ½ CEBOLA MÉDIA BEM PICADA
- 2 COLHERES (SOPA) DE COENTRO BEM PICADO
- 2 COLHERES (SOPA) DE SALSINHA BEM PICADA
- 4 FOLHAS DE CHICÓRIA-DO--PARÁ BEM PICADAS
- SUCO DE 1 LIMÃO-ROSA OU TAITI
- 1 PITADA DE SAL

Distribua os dois tipos de pimenta amassadas e a farinha d'água entre quatro cuias. Junte o alho, a cebola, o coentro, a salsinha, a chicória, o suco de limão e o sal a 8 xícaras (chá) de água bem gelada. Misture e distribua entre as cuias, mantendo a farinha no fundo. Espere hidratar por 5 minutos e sirva.

ESMIUÇANDO

Em sua versão mais básica, é uma comida de subsistência indígena feita

CHIBÉ

apenas com água gelada e farinha, misturadas em um recipiente grande que vai sendo passado pela roda de pessoas para que cada um pegue a cuia e se sirva de um pouquinho da mistura. A farinha d'água nada mais é do que a farinha de mandioca usada no Norte: bem amarela e grossa.

EFÓ

6 porções
1 hora
Médio

- 4 XÍCARAS (CHÁ) DE FOLHAS DE LÍNGUA-DE-VACA (OU MOSTARDA, ESPINAFRE, BERTALHA, TAIOBA)
- 2 CEBOLAS GRANDES PICADAS
- 3 DENTES DE ALHO
- 2 XÍCARAS (CHÁ) DE CAMARÃO DEFUMADO DESCASCADO
- 1 XÍCARA (CHÁ) DE AMENDOIM (OU CASTANHA-DE-CAJU)
- 2 COLHERES (SOPA) DE AZEITE DE DENDÊ
- SAL E PIMENTA-MALAGUETA SECA A GOSTO

Corte a língua-de-vaca em pedaços e leve ao fogo com água, para aferventar. No liquidificador, bata 1 xícara (chá) de água, a cebola, o alho, o camarão e o amendoim. Aqueça o azeite de dendê e refogue essa pasta junto com a língua-de-vaca. Tempere com sal e pimenta-malagueta e cozinhe, mexendo, até secar.

ESMIUÇANDO

O efó se prepara com a mesma técnica do caruru. A diferença: no lugar do quiabo entram as folhas conhecidas como língua-de-vaca. É um prato que se oferece a Oxum nos rituais religiosos do candomblé, normalmente servido com angu feito de farinha de arroz.

FRIGIDEIRA DE MATURI

8 porções
20 minutos
Médio

- 1 KG DE MATURI (OU CASTANHA-
-DE-CAJU MANTIDA DE MOLHO DE
UM DIA PARA O OUTRO)
- 4 COLHERES (SOPA) DE CAMARÃO
SECO MOÍDO
- 1 CEBOLA PICADA
- 1 TOMATE PICADO
- 1 PIMENTÃO PICADO
- ½ XÍCARA (CHÁ) DE LEITE DE COCO
- 5 COLHERES (SOPA) DE AZEITE
DE OLIVA
- 5 OVOS

Pique o maturi e misture com 1 xícara (café) de água e os outros ingredientes, exceto os ovos. Leve ao fogo e cozinhe, fervendo, até secar; transfira para um refratário. Bata os ovos e despeje por cima do refogado. Leve ao forno 180 °C por 10 minutos, até dourar.

MOQUECA DE OVO

5 porções
30 minutos
Médio

- 1 CEBOLA PICADA
- 1 DENTE DE ALHO AMASSADO
- ¼ XÍCARA (CHÁ) DE AZEITE
DE DENDÊ
- ½ PIMENTA-DEDO-DE-MOÇA
SEM SEMENTES
- 1 TOMATE PICADO
SEM PELE E SEM SEMENTES
- 1 COLHER (SOBREMESA) DE COENTRO
- SUCO DE ½ LIMÃO
- 5 OVOS
- 1 COLHER (SOBREMESA)
DE CEBOLINHA-VERDE PICADA
- SAL A GOSTO

Refogue a cebola e o alho no azeite de dendê, até ficarem macios. Junte a pimenta, o tomate, o coentro e o suco de limão. Acrescente 2½ xícaras (chá) de água, tempere com sal e cozinhe em fogo baixo, até o tomate começar a se desfazer. Adicione os ovos inteiros, tampe e cozinhe – os ovos devem ficar cozidos, mas com as gemas ainda moles. Polvilhe a cebolinha e sirva imediatamente.

NHOQUE DE MANDIOCA

4 porções
40 minutos
Médio

- ½ KG DE MANDIOCA COZIDA
SEM O FIO CENTRAL
- 1 OVO
- 1 XÍCARA (CHÁ) DE FARINHA
DE TRIGO
- 1 COLHER (SOBREMESA) DE MANTEIGA
- ¼ XÍCARA (CHÁ) DE QUEIJO RALADO
- SAL A GOSTO

Passe a mandioca pelo espremedor e misture com o ovo, a farinha, a manteiga, o queijo e sal, até ficar homogêneo. Em uma superfície enfarinhada, forme rolinhos e corte os nhoques. Cozinhe aos poucos, em água fervendo, até os nhoques subirem à superfície. Escorra e sirva com molho de tomate (p. 61).

OMELETE

1 porção
10 minutos
Fácil

- 2 OVOS
- ½ COLHER (SOPA) DE MANTEIGA
- SAL E PIMENTA-DO-REINO A GOSTO

Quebre os ovos, tempere com sal e pimenta-do-reino e bata com um garfo ou batedor de arame. Em uma frigideira, aqueça a manteiga em fogo médio e junte os ovos, movimentando para espalhar. Quando estiver cozido, solte a omelete com uma espátula. Acrescente o recheio (opcional), dobre e pressione levemente as bordas, para aderir. Sirva imediatamente.

OVO FRITO

1 porção
5 minutos
Fácil

- 1 COLHER (SOBREMESA) RASA
DE MANTEIGA OU 1 FIO DE ÓLEO
- 1 OVO
- 1 PITADA DE SAL

Em uma frigideira, derreta a manteiga em fogo médio. Desligue e deixe esfriar. Junte o ovo, volte para o fogo baixo e, quando começar a firmar, tempere com sal. Com uma colher, espalhe a manteiga derretida por cima do ovo. Se preferir bem passado, vire o cozinhe do outro lado, até a gema endurecer. Sirva quente.

SOPA DE ABÓBORA

8 porções
35 minutos
Fácil

- 2 COLHERES (SOPA) DE
AZEITE DE OLIVA
- ½ CEBOLA PICADA
- 1 DENTE DE ALHO PICADO
- 1 KG DE ABÓBORA-MORANGA
DESCASCADA E CORTADA EM CUBOS
- 1 LITRO DE CALDO DE LEGUMES
(P. 126)
- SAL E PIMENTA-DO-REINO A GOSTO

Aqueça o azeite em fogo baixo e refogue a cebola até ficar translúcida. Junte o alho, refogue por 1 minuto e acrescente a abóbora. Cubra com o caldo de legumes quente, tampe e cozinhe por cerca de 20 minutos, ou até a abóbora ficar macia. Espere esfriar um pouco e bata no liquidificador. Volte para a panela, tempere com sal e pimenta-do-reino e reaqueça em fogo baixo.

SOPA DE CEBOLA

2 porções
1h30
Fácil

- 80 G DE MANTEIGA
- 4 CEBOLAS CORTADAS
EM FATIAS FINAS
- 1 COLHER (SOPA) DE FARINHA
DE TRIGO
- FOLHAS DE 3 RAMOS DE TOMILHO

- 1 COPO (AMERICANO) DE CONHAQUE DE MAÇÃ
- 3 COPOS (AMERICANOS) DE CALDO DE CARNE (P. 53) OU FRANGO
- SAL E PIMENTA-DO-REINO A GOSTO

Em uma panela de fundo grosso, derreta a manteiga em fogo baixo. Junte a cebola e cozinhe, mexendo, até ficar marrom bem escuro, mas sem deixar queimar. Acrescente a farinha e o tomilho; mexa por alguns minutos. Adicione o conhaque e raspe os pedaços do fundo da panela. Espere reduzir um pouco e junte o caldo. Cozinhe por cerca de 1 hora, em fogo baixo. Acerte o tempero, cozinhe por mais 10 minutos e sirva imediatamente.

SOPA DE ERVILHA

4 porções
40 minutos
Fácil

- 1 COLHER (SOPA) DE AZEITE DE OLIVA
- 1 CEBOLA PEQUENA PICADA
- 2 DENTES DE ALHO PICADOS
- 600 G DE ERVILHA FRESCA
- 1,5 LITROS DE CALDO DE LEGUMES (P. 126)
- 1 XÍCARA (CHÁ) DE LEITE
- SAL E PIMENTA-DO-REINO A GOSTO

Aqueça o azeite e refogue a cebola e o alho. Junte a ervilha e o caldo e tempere com sal e pimenta-do-reino. Espere ferver, tampe e cozinhe em fogo baixo por cerca de 30 minutos. Quando a ervilha estiver bem macia, bata no liquidificador até obter um creme liso e uniforme. Volte à panela, acrescente o leite e

SOPA DE FEIJÃO COM MACARRÃO

SOPA DE MILHO-VERDE COM CAMBUQUIRA

cozinhe por 5 minutos. Acerte os temperos e sirva quente.

SOPA DE FEIJÃO COM MACARRÃO

6 porções
50 minutos
Fácil

- 2 COLHERES (SOPA) DE ÓLEO DE MILHO
- ½ CEBOLA PICADA
- 2 DENTES DE ALHO PICADOS
- 3 XÍCARAS (CHÁ) DE FEIJÃO COZIDO COM CALDO
- 2 BATATAS EM CUBOS
- ½ PACOTE DE ESPAGUETE
- ½ MAÇO DE SALSINHA PICADO
- SAL A GOSTO

Aqueça o óleo e refogue a cebola e o alho. Junte o feijão com 3 xícaras (chá) de água e espere ferver. Enquanto isso, cozinhe a batata por 5 minutos e reserve. Bata o feijão no liquidificador e passe por uma peneira, para retirar as cascas. Volte à panela, acrescente a batata e mais 1 xícara (chá) de água. Quando ferver, adicione o macarrão partido ao meio e cozinhe até ficar macio. Acerte o sal e sirva com a salsinha.

SOPA DE MILHO-VERDE COM CAMBUQUIRA

6 porções
40 minutos
Fácil

- 10 ESPIGAS DE MILHO
- 6 XÍCARAS (CHÁ) DE LEITE
- 1 COLHER (SOPA) DE ÓLEO DE MILHO
- ¼ CEBOLA PICADA
- 2 DENTES DE ALHO PICADOS
- 1 MAÇO DE CAMBUQUIRA
- SAL A GOSTO

No liquidificador, bata os grãos de milho e o leite. Leve ao fogo brando e deixe encorpar – se quiser, passe o milho pela peneira e junte 1 colher (chá) de maisena ao leite. Aqueça o óleo, refogue a cebola e o alho e junte a cambuquira fatiada. Tempere com sal. Adicione a cambuquira ao creme de milho, acerte o tempero e sirva.

SOPA DE PINHÃO

4 porções
1h20
Fácil

- 2 COLHERES (SOPA) DE ÓLEO DE MILHO
- 300 G DE PEITO DE FRANGO EM CUBINHOS
- ½ CEBOLA PICADA
- 1 DENTE DE ALHO PICADO
- 1 LINGUIÇA CALABRESA EM CUBINHOS
- 1 FOLHA DE LOURO
- 1 COLHER (CAFÉ) DE MOLHO DE PIMENTA
- 2 BATATAS GRANDES
- 200 G DE ERVILHA
- 1 KG DE PINHÃO COZIDO E PICADO
- 100 G DE BACON FRITO EM CUBINHOS
- SAL A GOSTO

Aqueça o óleo e frite o peito de frango até dourar. Junte a cebola, o alho, a linguiça e o louro. Refogue e tempere com sal e o molho de pimenta. No liquidificador, bata a batata e a ervilha com 1 litro de água. Acrescente à panela, misture e adicione o pinhão e o bacon. Cozinhe por cerca de 50 minutos e sirva quente.

TORTEI DE MORANGA

SUFLÊ DE QUEIJO

8 porções
50 minutos
Médio

- 3 COLHERES (SOPA) DE MANTEIGA
- 2 COLHERES (SOPA) DE FARINHA DE TRIGO
- 1 XÍCARA (CHÁ) DE LEITE
- 4 OVOS
- 2 XÍCARAS (CHÁ) DE CREME DE LEITE FRESCO
- 1 XÍCARA (CHÁ) DE QUEIJO PARMESÃO RALADO
- 1 XÍCARA (CHÁ) DE QUEIJO PRATO RALADO
- SAL, PIMENTA-DO-REINO E NOZ-MOSCADA A GOSTO

Prepare o molho branco: aqueça a manteiga e junte a farinha de trigo, mexendo para incorporar. Adicione o leite, sem parar de mexer, para não formar grumos. Deixe esfriar. Bata as gemas e misture ao creme de leite. Acrescente ao molho branco com os queijos; tempere com sal, pimenta-do-reino e noz-moscada. Bata as claras em neve e junte à mistura de queijo. Transfira para uma forma grande de suflê (ou forminhas individuais) e asse a 180 °C por cerca de 30 minutos – não abra a porta do forno. Sirva imediatamente.

TORTEI DE MORANGA

6 a 8 porções
2 horas
Difícil

MASSA
- 1 KG DE FARINHA DE TRIGO, MAIS UM POUCO PARA POLVILHAR
- 6 OVOS SEPARADOS
- ½ COLHER (SOPA) DE SAL

PARA O RECHEIO
- 1 ABÓBORA-JAPONESA MÉDIA
- ½ CEBOLA PICADA
- 3 DENTES DE ALHO PICADOS
- 2 COLHERES (SOPA) DE MANTEIGA
- ¼ MAÇO DE CHEIRO-VERDE PICADO
- SAL E PIMENTA-DO-REINO A GOSTO
- 1 XÍCARA (CHÁ) DE QUEIJO COLONIAL OU PARMESÃO RALADO

PARA FINALIZAR
- 6 COLHERES (SOPA) DE MANTEIGA
- ½ XÍCARA (CHÁ) DE FOLHAS DE SÁLVIA
- QUEIJO COLONIAL OU PARMESÃO RALADO, PARA POLVILHAR

Para a massa, coloque a farinha na superfície de trabalho, abra um buraco no meio e junte as gemas e o sal. Acrescente ½ xícara (chá) de água, aos poucos, misturando até ficar macia, elástica e desgrudar das mãos (talvez não seja preciso adicionar todo o líquido). Cubra com um pano e deixe descansar por 30 minutos, fora da geladeira.

Para o recheio, asse a abóbora inteira no forno a 200 °C por 35 a 40 minutos, até ficar bem macia. Abra, descarte as sementes e retire a polpa. Refogue a cebola e o alho na manteiga, junte a polpa de abóbora e tempere com um pouco de sal e pimenta-do-reino. Acrescente o cheiro verde e o queijo, misture e deixe esfriar.

Com um rolo de macarrão, abra a massa com 2 a 3 mm de espessura e corte em quadrados do mesmo tamanho. Coloque uma colherada da abóbora sobre metade dos quadrados e cubra com os outros pedaços de massa. Passe água nas bordas e aperte bem, para fechar.

Cozinhe os torteis em bastante água com sal. Em outra panela, aqueça a manteiga e junte a sálvia. Quando a massa subir à superfície da água, cozinhe por 1 minuto, retire e transfira para a panela com a manteiga. Faça isso com toda a massa enquanto acrescenta conchas da água do cozimento, mexendo até o molho ficar cremoso. Sirva com queijo ralado.

ESMIUÇANDO

Variação dos "tortelli" italianos, essa massa fresca em forma de pastel é presença quase obrigatória nas festas italianas da Serra Gaúcha e nos almoços de domingo da região.

ARROZ BRANCO, P. 146
FEIJÃO CASEIRO, P. 149
FAROFA DE OVO, P. 164
COUVE REFOGADA

SUSTÂNCIA

PAÇOCA DE
CARNE DE SOL, P. 165

Uma das declarações de afeto que mais me emocionam é ser convidada para ficar para o almoço ou o jantar sem que isso signifique qualquer tipo de constrangimento. Na minha infância, esse era um gesto que eu entendia como um carinho. Rapidamente, os anfitriões cuidavam para que houvesse comida para todos: mais um, mais dois, não importava quantos. E de que maneira se fazia isso? A imagem mais clássica que temos dessa cena é o famoso "botar água no feijão". Ou seja: aumentando a sustância!

"Sustância", expressão popular cristalizada em dicionário, significa comida forte, comida boa, quase sempre de alto valor energético e com um quê de agrado ao estômago. Conhecemos o termo também como "sustança", especialmente quando enchemos a boca para dizer que precisamos de algo rápido para recuperar as energias e nos "sustentar" por uma longa jornada. Pode ser só arroz e feijão? Pode. Mas eles passam a ser o suprassumo da sustância quando associados a receitas de farofas e paçocas, aos acompanhamentos deliciosos e nutritivos como os que se encontram neste capítulo.

Até o Brasil colonial, quem cumpria essa função na comida habitual, basicamente formada de peixe, era a farinha (de mandioca ou milho), que dava sustância à alimentação. Engrossar, espessar, aumentar são verbos que andam de mãos dadas com a sustância. Aos poucos, na nossa história, a dieta mais frugal foi se diversificando. O máximo da sustância? O tutano extraído dos ossos do boi indo direto para cima do pirão de farinha de mandioca, como relata Câmara Cascudo em "História da Alimentação no Brasil".

Seja nas diversas preparações de feijão (à moda caseira para o cotidiano ou como o tutu mineiro para acompanhamento, dentre outras tantas receitas), seja nos vários tipos de arroz (como o suculento biro-biro ou o tradicional arroz de cuxá), a sustância também toma formas a partir de tudo o que vem da horta, como a abobrinha e o chuchu refogados, presenças constantes no meu cardápio familiar, ou as clássicas batata e mandioca fritas, amadas por todos. Vem, sustância, vem, que está chegando mais gente! Porque, como sempre diz a minha mãe: "Festa boa é festa cheia!"

ARROZ

ARROZ BIRO-BIRO

10 porções
10 minutos
Fácil

- 250 G DE BACON EM CUBINHOS
- 1 CEBOLA PICADA
- 4 OVOS
- 4 XÍCARAS (CHÁ) DE ARROZ COZIDO
- 1 XÍCARA (CHÁ) DE BATATA PALHA (P. 153)
- 2 COLHERES (SOPA) DE SALSINHA PICADA

Frite o bacon até ficar tostado; reserve. Descarte metade da gordura, aqueça a restante e refogue a cebola. Junte os ovos e desmanche, mexendo para ficarem cremosos. Acrescente o arroz e misture. Adicione a batata palha e mexa delicadamente. Junte a salsinha e misture mais uma vez. Sirva imediatamente.

ESMIUÇANDO

A receita foi criada coletivamente nos anos 1980, na churrascaria Rodeio de São Paulo, durante uma reunião de amigos como o publicitário Washington Olivetto e o jornalista Thomaz Souto Corrêa. O maître aceitou o pedido incomum e pronto: estava criado o arroz que recebeu o nome do então carismático meio-campista do Corinthians.

ARROZ BRANCO

6 porções
30 minutos
Fácil

- ½ CEBOLA PICADA
- 2 DENTES DE ALHO PICADOS
- 2 COLHERES (SOPA) DE ÓLEO DE MILHO
- 2 XÍCARAS (CHÁ) DE ARROZ BRANCO
- SAL A GOSTO

Refogue a cebola e o alho no óleo aquecido, até murchar. Junte o arroz e frite, mexendo para envolver os grãos na gordura. Cubra com 4 xícaras (chá) de água quente, tempere com sal a gosto e cozinhe em fogo médio-alto, com a panela tampada. Quando a água reduzir pela metade, diminua o fogo e espere secar, até os grãos ficarem macios. Desligue e deixe tampado por 5 minutos antes de servir.

ESMIUÇANDO

Muitos indícios apontam para a existência de variedades selvagens de arroz no Brasil – mas elas não eram utilizadas na alimentação. Em tupi, segundo registra Câmara Cascudo, o grão era conhecido como auati-i, ou "milho d'água". Aqui, o cultivo e o uso só começaram mesmo no século XVIII, depois que o ingrediente se popularizou em Portugal e em outros países da Europa graças à influência dos árabes. Duas espécies foram trazidas ao Brasil: Oriza sativa (de origem asiática) e Oriza glaberrima Steud (de origem africana). Os tipos de arroz que mais notei na mesa brasileira durante minhas andanças pelo país foram o agulhinha, o cateto e o vermelho.

ARROZ COM AÇAFRÃO-DA-TERRA

4 porções
20 minutos
Fácil

- 1 COLHER (SOPA) DE ÓLEO
- 1 DENTE DE ALHO PICADO
- 1 XÍCARA (CHÁ) DE ARROZ
- 1 COLHER (SOPA) DE AÇAFRÃO-DA-TERRA FRESCO RALADO (OU EM PÓ)
- SAL A GOSTO

Aqueça o óleo e doure o alho. Junte o arroz e refogue por 2 minutos. Cubra com 2½ xícaras (chá) de água, acrescente o açafrão-da-terra, tempere com sal e cozinhe até secar e os grãos de arroz ficarem macios. Sirva quente.

ARROZ COM BRÓCOLIS

10 porções
25 minutos
Fácil

- BUQUÊS DE 1 MAÇO DE BRÓCOLIS FRESCO
- 1 COLHER (SOPA) DE AZEITE DE OLIVA
- 1 COLHER (SOPA) DE MANTEIGA
- 1 COLHER (SOPA) DE ALHO
- 1¼ XÍC. DE ARROZ BRANCO COZIDO
- SAL A GOSTO

Cozinhe os brócolis no vapor por cerca de 7 minutos, até ficar al dente. Corte em pedacinhos. Aqueça o azeite com a manteiga e doure o alho. Junte os brócolis, refogue e acrescente o arroz. Tempere com sal a gosto e sirva quente.

ARROZ COM PEQUI

6 porções
50 minutos
Fácil

- 3 COLHERES (SOPA) DE ÓLEO DE MILHO
- ½ CEBOLA PICADA
- 1½ DENTE DE ALHO PICADO
- 18 PEQUIS INTEIROS E DESCASCADOS
- 2½ XÍCARAS (CHÁ) DE ARROZ
- SAL A GOSTO

Aqueça o óleo e refogue a cebola e o alho. Junte o pequi, refogue um pouco e cubra com água. Cozinhe em fogo baixo até restar um dedo de líquido. Acrescente o arroz, junte 4 xícaras (chá) de água quente, tempere com sal e cozinhe até ficar macio. Sirva quente.

ESMIUÇANDO

Fruto típico de um dos biomas mais ricos do Brasil, o cerrado, o pequi fresco confere um aroma único e a cor amarela a essa receita emblemático de Goiás e Mato Grosso, onde também se prepara o licor de pequi. Atenção: quem não tomar cuidado com o pequi – que, em tupi, significa "pele espinhenta" – e quiser abocanhar a fruta pode ficar com a boca cheia de espinhos.

ARROZ COM TUCUMÃ

6 porções
30 minutos
Fácil

- 2 COLHERES (SOPA) DE ÓLEO DE MILHO
- 3 DENTES DE ALHO AMASSADOS
- 2¾ XÍCARAS (CHÁ) DE ARROZ
- 60 G DE TUCUMÃ EM LASCAS
- CEBOLINHA-VERDE PICADA
- SAL A GOSTO

Aqueça o óleo e refogue o alho. Junte o arroz, tempere com sal e cubra com água fervente. Acrescente o tucumã e cozinhe até ficar macio. Misture a cebolinha e sirva.

ARROZ COM PEQUI

ARROZ DE COCO

6 porções
30 minutos
Fácil

- ½ CEBOLA PICADA
- 2 DENTES DE ALHO PICADOS
- 2 COLHERES (SOPA) DE ÓLEO DE MILHO
- 2 XÍCARAS (CHÁ) DE ARROZ BRANCO
- 2 XÍCARAS (CHÁ) DE LEITE DE COCO
- LASCAS DE COCO FRESCO A GOSTO
- SAL A GOSTO

Refogue a cebola e o alho no óleo, até murchar. Junte o arroz e frite, mexendo para envolver os grãos na gordura. Cubra com 4 xícaras (chá) de água quente, tempere com sal a gosto e cozinhe em fogo médio-alto na panela tampada. Quando os grãos estiverem cozidos, acrescente o leite de coco e misture. Sirva com lascas de coco fresco.

ARROZ DE COCO

ARROZ DE CUXÁ

6 porções
2h10
Fácil

- 2 MAÇOS DE VINAGREIRA
- 3 XICARAS (CHÁ) DE CAMARÃO SECO
- 2 COLHERES (SOPA) DE ÓLEO DE MILHO
- ½ CEBOLA PICADA

- ½ PIMENTÃO AMARELO PICADO
- 3 PIMENTAS-DE-CHEIRO PICADAS
- 2½ XÍCARAS (CHÁ) DE ARROZ BRANCO

Cozinhe a vinagreira por 1h30, ou até ficar macia. Pique bem e reserve. Tire as cabeças e as patas do camarão seco e dessalgue, passando três vezes por água quente – reserve o último líquido. Aqueça o óleo e refogue a cebola até ficar transparente. Junte o pimentão, a pimenta-de-cheiro e 2 xícaras (chá) de camarão seco. Acrescente o arroz, refogue um pouco e cubra com a água reservada (verifique se não está muito salgada). Se necessário, complete com água morna. Cozinhe até ficar macio e finalize com o camarão restante.

ESMIUÇANDO

Também conhecida como caruru--azedo, quiabo-azedo, azedinha, rosélia ou rosela, a vinagreira é a alma desse prato. Verdura originária da Guiné, ela dá a cor e o sabor ao arroz de "cuchá, cuxá, cuxã, orgulho do Maranhão", como nota Câmara Cascudo.

ARROZ DE CUXÁ

ARROZ DE LEITE

6 porções
40 minutos
Fácil

- 1 XÍCARA (CHÁ) ARROZ
- 5 XÍCARAS (CHÁ) DE LEITE
- ¾ XÍCARA (CHÁ) DE NATA (CREME DE LEITE FRESCO)
- SAL A GOSTO

Misture o arroz, o leite, 1 xícara (chá) de água e sal a gosto. Cozinhe em fogo médio por 25 minutos. Quando estiver quase pronto, diminua o fogo, junte a nata e cozinhe por mais 2 minutos. Sirva quente.

CUSCUZ DE ARROZ

4-6 porções
40 minutos
Fácil

- 500 G DE FLOCÃO DE ARROZ
- 1 COLHER (SOPA) DE MANTEIGA
- 2 COLHERES (SOPA) DE ÓLEO DE MILHO
- 1 COCO RALADO
- 1 PITADA DE SAL
- 5 COLHERES (SOPA) DE LEITE
- 2 XÍCARAS (CHÁ) DE LEITE DE COCO (P. 56)

Misture o flocão de arroz, a manteiga, o óleo, o coco e o sal. Junte o leite, aos poucos, até obter uma farofa bem úmida. Reserve por 30 minutos. Transfira para o cuscuzeiro e cozinhe até que um garfo enfiado na massa saia limpo. Regue com o leite de coco e sirva.

FEIJÃO

FEIJÃO CASEIRO

16 porções
2 horas
Fácil

- 1 KG DE FEIJÃO
- 1 CEBOLA GRANDE CORTADA AO MEIO
- 2 FOLHAS DE LOURO
- 4 DENTES DE ALHO
- 4 COLHERES (SOPA) DE ÓLEO DE MILHO
- SAL A GOSTO

Calcule duas partes de água para o volume de feijão e cozinhe em fogo médio com a cebola e o louro. Quando ficar macio e o caldo encorpar, diminua o fogo. Retire a cebola e bata com o alho no liquidificador, para obter uma pasta. Refogue a pasta no óleo de milho e junte ao feijão. Tempere com sal e, se quiser o caldo mais grosso, deixe encorpar um pouco mais.

ESMIUÇANDO

Talvez exista apenas uma coisa em comum entre todas as receitas de feijão caseiro do cotidiano nacional: o ritual de catar os grãos, que até dá nome a um poema de João Cabral de Melo Neto. De resto, há muitas diferenças. O tipo de feijão, por exemplo. Em São Paulo, usa-se o carioquinha há mais de três décadas; o Rio de Janeiro segue o costume de comer o feijão-preto, ainda semelhante aos hábitos do século XIX. Outras variações de ingredientes e temperos, Brasil afora, incluem louro, verdura, toucinho, carne-seca, lombo e demais carnes.

FEIJÃO COM PEQUI

5 porções
30 minutos
Fácil

- 1¼ XÍCARA (CHÁ) DE FEIJÃO
- 3 COLHERES (SOPA) DE BANHA DE PORCO
- 2 DENTES DE ALHO PICADOS
- 3 PEQUIS INTEIROS LAVADOS E DESCASCADOS
- SAL A GOSTO

Cozinhe o feijão temperado com sal na panela de pressão. Em outra panela, aqueça a banha e refogue os dentes de alho picados. Junte o feijão cozido e o pequi; ferva por 10 minutos, ou até o fruto ficar cozido. Acerte o tempero e sirva quente.

FEIJÃO CASEIRO, ARROZ BRANCO E FAROFA DE OVO

FEIJÃO TROPEIRO

16 porções
2 horas
Fácil

- 1 KG DE FEIJÃO CARIOCA OU ROXINHO
- 4 COLHERES (SOPA) DE BANHA DE PORCO
- 2 XÍCARAS (CHÁ) DE TOUCINHO DEFUMADO EM CUBINHOS
- 2 LINGUIÇAS FRESCAS SEM A PELE
- 1 CEBOLA PICADA
- 3 DENTES DE ALHO PICADOS
- 4 XÍCARAS (CHÁ) DE FARINHA DE MANDIOCA TORRADA FINA
- 8 OVOS COZIDOS EM RODELAS
- 1 MAÇO DE CEBOLINHA-VERDE EM RODELAS FINAS
- SAL A GOSTO

Cozinhe o feijão com um pouco de sal, até ficar al dente; descarte o caldo e reserve os grãos. Aqueça a banha e frite o toucinho até dourar; junte a linguiça, frite até ficar cozida e, por fim, acrescente e refogue a cebola e o alho. Coloque o feijão, adicione a farinha de mandioca, misture bem e deixe dourar levemente. Acerte o tempero e finalize com os ovos e a cebolinha. Se quiser, sirva com torresmos (p. 47).

ESMIUÇANDO

O nome remete aos comerciantes que viajavam por todo o país, especialmente entre os estados de São Paulo, Minas Gerais e Goiás, a partir do século XVII. A receita nada mais é do que uma refeição completa feita a partir de ingredientes que poderiam ser carregados por eles ou facilmente encontrados pelo caminho.

FEIJÃO TROPEIRO

FEIJÃO-PRETO COM LEITE DE COCO

8 porções
50 minutos
Fácil

- 1½ XÍCARA (CHÁ) DE FEIJÃO-PRETO
- 150 ML DE LEITE DE COCO
- 1 COLHER (SOPA) DE AÇÚCAR
- SAL A GOSTO

Cozinhe o feijão até ficar macio e bata em um pilão com um pouco de caldo, mantendo a consistência firme. Passe pela peneira e leve ao fogo com o leite de coco. Espere ferver, junte o açúcar e tempere com sal. Sirva imediatamente.

RUBACÃO

8 porções
1 hora
Fácil

- 750 G DE CARNE DE SOL DESSALGADA EM CUBOS
- 3 COLHERES (SOPA) DE ÓLEO DE MILHO
- 2½ XÍC. DE FEIJÃO-DE-CORDA COZIDO
- 2½ XÍC. DE ARROZ BRANCO COZIDO
- 2 CEBOLAS PICADAS
- 1 XÍCARA (CHÁ) DE COENTRO PICADO
- 1,5 LITRO DE LEITE
- 200 G DE QUEIJO DE COALHO EM CUBOS
- 3 COLHERES (SOPA) DE NATA

Frite a carne de sol no óleo de milho. Junte o feijão, o arroz, a cebola e o coentro. Misture com cuidado e acrescente o leite. Mexa, espere ferver e adicione o queijo de coalho. Quando derreter, junte a nata, misture e sirva.

ESMIUÇANDO

Considerado um sinônimo do baião de dois, o rubacão era, no início, feito com a ave chamada rubacão ou avoante, cuja caça hoje é proibida pelo Ibama (Instituto Brasileiro do Meio Ambiente e dos Recursos Naturais Renováveis). A receita evoluiu com o tempo e, diferentemente do baião de dois, leva nata e leite.

TUTU DE FEIJÃO

SALADA DE FEIJÃO-FRADINHO

12 porções
2 horas
Fácil

- 1½ XÍCARA (CHÁ) DE FEIJÃO-FRADINHO
- 3 TOMATES EM CUBOS
- 1 CEBOLA ROXA EM CUBINHOS
- 2 COLHERES (SOPA) DE SALSINHA PICADA
- 2 COLHERES (SOPA) DE SUCO DE LIMÃO
- ½ XÍCARA (CHÁ) DE AZEITE DE OLIVA EXTRAVIRGEM
- SAL E PIMENTA-DO-REINO MOÍDA NA HORA

Ferva 1 litro de água e deixe os feijões de molho por 30 minutos. Escorra, cubra novamente com água e cozinhe por 30 minutos, ou até os grãos estarem macios, mas sem desmanchar. Misture os outros ingredientes ao feijão morno. Tempere com sal e pimenta-do-reino e deixe na geladeira por no mínimo 1 hora antes de servir.

SALADA DE FEIJÃO-MANTEIGUINHA

10 porções
1h30
Fácil

- 2½ XÍC. DE FEIJÃO-MANTEIGUINHA
- 1 FOLHA DE LOURO
- 8 TOMATES SEM PELE E SEM SEMENTES EM CUBINHOS
- 1 CEBOLA EM CUBINHOS
- ¼ MAÇO DE COENTRO PICADO
- ¼ MAÇO DE CEBOLINHA-VERDE EM RODELAS FINAS
- ¼ MAÇO DE SALSINHA PICADA
- ¾ XÍCARA (CHÁ) DE AZEITE DE OLIVA
- ¼ XÍCARA (CHÁ) DE SUCO DE LIMÃO OU VINAGRE
- SAL E PIMENTA-DO-REINO A GOSTO

Cozinhe o feijão em bastante água com o louro e sal. Quando estiver macio, escorra e espere esfriar. Junte o feijão, o tomate, a cebola e as ervas picadas. Tempere com o azeite, o suco de limão, sal e pimenta-do-reino. Misture bem e sirva.

TUTU DE FEIJÃO

6 porções
30 minutos
Fácil

- ½ XÍCARA (CHÁ) DE TOUCINHO DEFUMADO PICADO
- 2 COLHERES (SOPA) DE BANHA OU MANTEIGA DE GARRAFA
- ½ CEBOLA PICADA
- 3 DENTES DE ALHO PICADOS
- 2½ XÍC. DE FEIJÃO COZIDO COM CALDO
- ¾ DE XÍCARA (CHÁ) DE FARINHA DE MANDIOCA FINA
- ½ MAÇO DE CEBOLINHA-VERDE EM RODELAS FINAS
- TORRESMO, PARA ACOMPANHAR
- SAL E PIMENTA-DO-REINO A GOSTO

Doure o toucinho na banha. Junte a cebola e o alho e refogue mais um pouco. Acrescente o feijão com o caldo e aqueça. Com uma colher, amasse os grãos. Tempere com sal e pimenta-do-reino e acrescente a farinha de mandioca aos poucos, mexendo sempre. Cozinhe por alguns minutos e finalize com a cebolinha. Sirva com os pedaços de torresmo por cima.

HORTA

ABÓBORA CARAMELADA

12 fatias grandes
40 minutos
Fácil

- 1 ABÓBORA-JAPONESA (CABOTIÁ)
- 1 XÍCARA (CHÁ) DE AÇÚCAR
- 2 COLHERES (SOPA) DE MELADO DE CANA
- SAL A GOSTO

Lave bem a abóbora e asse inteira em forno preaquecido a 180 °C, por 20 minutos, ou até ficar macia – tome cuidado para não assar demais e desmanchar. Corte em fatias longitudinais, tire as sementes e tempere com sal. Faça um caramelo com o açúcar, ½ xícara (chá) de água e o melado. Junte a abóbora e envolva no caramelo.

ABÓBORA CARAMELADA

ABOBRINHA REFOGADA

3 porções
10 minutos
Fácil

- 1 COLHER (SOPA) DE AZEITE DE OLIVA
- ½ CEBOLA PICADA
- 1 COLHER (SOPA) DE ALHO PICADO
- 2 ABOBRINHAS EM TIRAS LONGAS OU EM CUBOS
- 1 COLHER (SOPA) DE SALSINHA
- SAL A GOSTO

Aqueça o azeite e refogue a cebola com o alho até murchar. Junte a abobrinha e refogue por alguns minutos. Tempere com sal, diminua o fogo, tampe a panela e cozinhe até ficar macio, mexendo de vez em quando.

ESMIUÇANDO

Legumes mais crocantes ou quase derretendo, de tão macios? Não importa: de qualquer jeito, o refogado de abobrinha caipira, assim como o de chuchu, é um clássico das casas brasileiras e sempre foi presença obrigatória no meu cotidiano, tanto quanto o arroz e o feijão.

BATATA FRITA

5 porções
30 minutos
Fácil

- 1 KG DE BATATA
- ÓLEO DE MILHO, PARA FRITAR
- SAL A GOSTO

Corte a batata em palitos da mesma espessura e comprimento, para fritar de modo homogêneo, e vá mergulhando em uma tigela com água, cubos de gelo e 1 colher (sopa) de sal (para ficar crocante, a batata deve ir fria para a panela). Escorra e seque com um pano de prato. Frite em pequenas quantidades no óleo em fogo médio, até dourar. Escorra em papel-toalha, tempere com sal e sirva imediatamente.

BATATA GRATINADA

4 porções
2 horas
Fácil

- 1 DENTE DE ALHO
- 6 BATATAS DESCASCADAS E CORTADAS EM RODELAS
- 3½ XÍCARAS (CHÁ) DE CREME DE LEITE
- 2 COLHERES (SOPA) DE MANTEIGA
- SAL E PIMENTA-DO-REINO A GOSTO

Esfregue um refratário com o alho, esmagando um pouco. Disponha a batata, formando camadas temperadas com sal e pimenta-do-reino. Cubra com o creme de leite e chacoalhe um pouco a vasilha, para distribuir bem. Espalhe a manteiga por cima e tempere com mais sal e pimenta-do-reino. Asse por cerca de 1h30 em forno bem baixo (140 °C). A batata vai absorver o creme de leite, que deve ficar levemente dourado. Para obter uma crosta dourada, aumente o forno para 200 °C nos 5 minutos finais.

BATATA PALHA

5 porções
20 minutos
Fácil

- 5 BATATAS MÉDIAS
- ÓLEO DE MILHO, PARA FRITAR
- SAL A GOSTO

Descasque a batata, lave bem e seque com um pano de prato. Corte em rodelas bem finas, sobreponha algumas delas e, em seguida, corte na vertical, para obter palitinhos finíssimos. Frite em óleo bem quente, dourando dos dois lados. Escorra em papel-toalha, tempere com sal e sirva.

BATATA RÚSTICA

4 porções
1 hora
Fácil

- 4 BATATAS COM CASCA CORTADAS EM GOMOS
- 3 COLHERES (SOPA) DE AZEITE DE OLIVA
- 3 DENTES DE ALHO COM CASCA
- ALECRIM, SÁLVIA E TOMILHO A GOSTO
- SAL E PIMENTA-DO-REINO A GOSTO

Cozinhe a batata em água com sal até ficar al dente. Escorra e regue com o azeite. Tempere com as ervas, sal e pimenta-do-reino. Junte o alho, espalhe em uma assadeira e asse em forno preaquecido a 200 °C por cerca de 40 minutos, ou até dourar.

BATATA SAUTÉE

4 porções
30 minutos
Fácil

- 500 G DE BATATA DESCASCADA CORTADA EM QUARTOS
- 2 COLHERES (SOPA) DE MANTEIGA OU AZEITE
- SALSINHA PICADA E SAL A GOSTO

Cozinhe a batata em água e sal, até ficar macia; escorra. Aqueça a manteiga, junte a batata e frite até dourar. Tempere com salsinha e sal a gosto. Sirva quente.

CARURU

10 porções
1h30
Médio

- 2 KG DE QUIABO
- 2 CEBOLAS GRANDES
- 3 XÍCARAS (CHÁ) DE CAMARÃO SECO
- 1 COLHER (SOPA) DE GENGIBRE BEM RALADO
- 2 XÍCARAS (CHÁ) DE CASTANHA-DE-CAJU
- 2 XÍCARAS (CHÁ) DE AMENDOIM
- 1 XÍCARA (CHÁ) DE AZEITE DE DENDÊ

Lave e seque os quiabos – para saber se estão bons, quebre a ponta de alguns; se quebrarem com facilidade, estão no ponto. Corte em quatro, no sentido do comprimento, e depois em rodelas. Bata no liquidificador a cebola e metade do camarão seco. Refogue essa pasta no azeite de dendê, junte o quiabo e espere amolecer. Acrescente o camarão inteiro e misture. Bata a castanha-de-caju e o amendoim no liquidificador. Junte ao cozido e acerte o sal. Retire do fogo quando o quiabo estiver completamente cozido e o caruru engrossar. Sirva quente.

ESMIUÇANDO

Dos africanos e indígenas, veio a receita presente nos rituais religiosos do candomblé. Dos índios, o nome caá-riru, que batiza uma planta comestível. É possível, portanto, fazer "caruru de carurus", embora o quiabo seja o fruto mais utilizado na combinação com castanhas de caju e camarões secos. Outras variações: carne moída, galinha, peixes e crustáceos. Em Salvador, é comum celebrar com caruru o dia da festa de Cosme e Damião, em setembro.

CHUCHU REFOGADO

3 porções
10 minutos
Fácil

- 1 COLHER (SOPA) DE AZEITE DE OLIVA
- ½ CEBOLA PICADA
- 1 COLHER (SOPA) DE ALHO PICADO
- 2 CHUCHUS SEM O MIOLO, EM TIRAS LONGAS OU EM CUBOS
- 1 COLHER (SOPA) DE SALSINHA
- SAL A GOSTO

Aqueça o azeite e refogue a cebola com o alho até murchar. Junte o chuchu e refogue por alguns minutos. Tempere com sal, diminua o fogo, tampe a panela e cozinhe até ficar macio, mexendo de vez em quando.

CARURU

CHUCRUTE

8-10 porções
1h30 mais o tempo de fermentação
Média

- 1 REPOLHO BRANCO
- SAL

Corte o repolho em quatro, tire o talo e fatie finamente. Coloque em uma bacia ou travessa redonda grande. Polvilhe sal e mexa para espalhar por toda a verdura, tomando cuidado para não salgar demais – calcule cerca de 2 colheres (sopa) para 1,5 kg de repolho. Reserve por 1 hora; deve soltar bastante líquido. Esprema com as mãos, para soltar todo o líquido e deixar as tirinhas submersas (se necessário, junte um pouco de água e uma pitada de sal). Coloque um prato sobre o repolho submerso e cubra com um peso. Envolva em filme de PVC, para proteger bem. Deixe fermentar fora da geladeira, em lugar arejado e na sombra, por pelo menos 10 dias. Em 4 semanas, o chucrute atinge o ponto ideal.

ESMIUÇANDO

A conserva de repolho que acompanha pratos típicos nas colônias alemãs do Sul do país tem uma origem mais antiga: a China, ainda à época da construção da Grande Muralha. De lá foi para a Grécia e Roma antigas e, na Idade Média, era consumido como remédio em vários países da Europa. O nome em português vem do francês "choucroute".

COUVE-FLOR GRATINADA

4-6 porções
40 minutos
Fácil

- 2 MAÇOS DE COUVE-FLOR EM BUQUÊS
- 3 XÍCARAS (CHÁ) DE LEITE
- ½ CEBOLA
- 1 FOLHA DE LOURO
- 2 CRAVOS-DA-ÍNDIA
- 2 COLHERES (SOPA) DE MANTEIGA SEM SAL
- 3 COLHERES (SOPA) DE FARINHA DE TRIGO
- 1 PITADA DE NOZ-MOSCADA
- 2 XÍCARAS (CHÁ) DE QUEIJO MEIA-CURA OU PARMESÃO RALADO
- SAL A GOSTO

Cozinhe a couve-flor em água salgada até ficar al dente; reserve. Aqueça o leite com a cebola, o louro e o cravo-da-índia; quando ferver, desligue e reserve. Derreta a manteiga e junte a farinha de trigo, mexendo sempre para não empelotar. Quando desprender um aroma de biscoito, junte o leite coado aos poucos, sem parar de mexer, para obter o molho branco. Tempere com sal e a noz-moscada.

COUVE-FLOR GRATINADA

Transfira a couve-flor para um refratário, cubra com o molho branco, distribua o queijo por cima e leve ao forno 180 °C por 15 a 20 minutos, ou até dourar.

PIEROGI

4 porções
50 minutos
Médio

- 300 G DE FARINHA DE TRIGO
- 3 OVOS LEVEMENTE BATIDOS
- 500 G DE BATATA DESCASCADA
- 1 KG DE CEBOLA EM FATIAS FINAS
- ÓLEO DE MILHO
- AZEITE DE OLIVA A GOSTO
- SAL E PIMENTA-DO-REINO A GOSTO

Prepare a massa: faça uma cova no centro da farinha de trigo, junte os ovos e 50 ml de água e misture aos poucos, sovando até obter uma massa lisa e uniforme. Cubra com filme de PVC e reserve por 30 minutos. Enquanto isso, cozinhe a batata até ficar macia. Passe pelo espremedor e tempere com sal e pimenta-do-reino. Frite a cebola em uma frigideira quente, sem óleo, por cerca de 5 minutos. Assim que dourar, regue com um fio de óleo, abaixe o fogo e frite sem parar de mexer, até ficar bem escura. Reserve metade e junte a batata à cebola que ficou na frigideira. Misture e acerte o tempero. Abra a massa bem fina e corte em círculos com cerca de 6 cm de diâmetro. Recheie com colheradas da mistura de cebola e batata, passe água nas bordas e aperte para fechar. Ferva bastante água com um pouco de sal e cozinhe os pierogis aos poucos. Escorra, regue com azeite e cubra com a cebola frita restante.

ESMIUÇANDO

O pastelzinho cozido chegou até nós pelos poloneses e ucranianos – ainda hoje, é muito comum em cidades de Santa Catarina, Rio Grande do Sul e Paraná, onde pode ser facilmente encontrado em barracas de rua de Curitiba. Na cozinha judaica, a mesma especialidade aparece com outro nome: varenike.

PUPUNHA COZIDA

6-8 porções
1h10
Fácil

- 1 KG DE PUPUNHA (FRUTO)

Lave a pupunha, mantendo os cabinhos. Coloque na panela de pressão. Cubra com água e, quando a pressão começar, diminua o fogo e cozinhe por 1 hora. Escorra e descasque.

PURÊ DE ABÓBORA

4 porções
40 minutos
Fácil/médio

- ¼ ABÓBORA-JAPONESA (CABOTIÁ) SEM CASCA EM CUBOS
- 1 PRATO FUNDO DE ABÓBORA-DE--PESCOÇO SECA EM CUBOS
- 2 COLHERES (SOPA) DE MANTEIGA GELADA
- SAL E PIMENTA-DO-REINO A GOSTO

Cozinhe os dois tipos de abóbora em fogo médio, com dois dedos de água (elas soltam líquido durante o cozimento). Escorra, guarde o líquido que sobrar e bata a abóbora no liquidificador, processador ou mixer. Leve ao fogo com um pouco da água do cozimento, a manteiga, sal e pimenta-do-reino. Mexa até a manteiga derreter. Tire do fogo e sirva imediatamente.

PURÊ DE BATATA

4 porções
40 minutos
Fácil

- 6 BATATAS GRANDES DESCASCADAS E CORTADAS EM CUBOS
- 1 XÍCARA (CHÁ) DE LEITE
- 2 COLHERES (SOPA) DE MANTEIGA SEM SAL GELADA
- SAL E PIMENTA-DO-REINO A GOSTO

Cozinhe a batata até ficar bem macia. Escorra, amasse bem e junte o leite aos poucos, batendo com um batedor de arame. Leve ao fogo baixo e cozinhe até começar a borbulhar. Desligue, junte a manteiga e bata para incorporar. Tempere com sal e pimenta-do-reino. Sirva quente.

PURÊ DE BATATA-DOCE

15 porções
30 minutos
Fácil

- 800 G DE BATATA-DOCE DESCASCADA EM PEDAÇOS MÉDIOS
- 1 XÍCARA (CHÁ) DE LEITE
- 1 COLHER (SOPA) CHEIA DE MANTEIGA
- SAL A GOSTO

Cozinhe a batata-doce em bastante água com uma pitada de sal, com a panela semi-tampada, até ficar bem macia. Escorra, amasse, descarte o líquido e volte à panela. Junte o leite e a manteiga. Tempere com sal e cozinhe em fogo baixo, até começar a ferver, sem parar de mexer. Sirva quente.

PURÊ DE COUVE-FLOR

4 porções
25 minutos
Fácil

- 1 COUVE-FLOR MÉDIA EM PEDAÇOS (INCLUINDO O TALO)
- 1½ XÍCARA (CHÁ) DE LEITE
- 1 FOLHA DE LOURO
- 1 COLHER (CHÁ) DE SAL

Cozinhe a couve-flor com 1 xícara (chá) de água, o leite, o louro e sal a gosto até ficar macia. Desligue e reserve o líquido do cozimento. Escorra a couve-flor e bata no liquidificador, até obter um purê liso e cremoso (se necessário, adicione aos poucos o líquido do cozimento). Acerte o tempero e sirva quente.

QUIBEBE

8 porções
40 minutos
Fácil

- 1 CEBOLA PICADA
- 6 COLHERES (SOPA) DE MANTEIGA
- 1 COLHER (CHÁ) DE AÇÚCAR
- 1 KG DE ABÓBORA-DE-PESCOÇO DESCASCADA EM CUBOS GRANDES
- ½ MAÇO DE CEBOLINHA PICADA
- SAL A GOSTO

Refogue a cebola na manteiga, até ficar transparente. Junte o açúcar, misture e acrescente a abóbora. Adicione 1 xícara (chá) de água e cozinhe com a panela tampada, sem deixar grudar. Quando estiver macia, amasse a abóbora com uma colher, tempere com sal, junte a cebolinha e sirva.

ESMIUÇANDO

O nome vem da palavra kibebe, do kimbundu, língua falada em Angola. A receita é feita com abóbora, chamada de jerimum no Nordeste, e chega à consistência ideal de um tipo de pirão grosso, às vezes reforçado com farinha de milho. Em Goiás, o nome corresponde à mandioca cozida, picadinha e refogada.

QUIBEBE

SALADA DE BATATA

SALADA DE BATATA

6 porções
50 minutos
Fácil

- 6 BATATAS DESCASCADAS EM CUBOS
- 1 GEMA
- 1 COLHER (SOPA) DE MOSTARDA AMARELA
- ½ GARRAFA DE ÓLEO DE MILHO
- SUCO DE ½ LIMÃO
- ½ MAÇO DE SALSINHA PICADA
- ¼ CEBOLA EM TIRAS
- SAL E PIMENTA-DO-REINO A GOSTO

Cozinhe a batata em água com um pouco de sal. Enquanto isso, prepare a maionese: bata a gema com a mostarda e despeje o óleo em um fio contínuo, batendo sem parar até engrossar. Tempere com o limão, sal e pimenta. Misture a batata cozida e fria com a maionese, a salsinha picada e a cebola.

SALADA DE BETERRABA

5 porções
30 minutos
Fácil

- 5 BETERRABAS MÉDIAS
- 3 COLHERES (SOPA) DE AÇÚCAR
- SAL E PIMENTA-DO-REINO A GOSTO
- 40 ML DE ÓLEO DE MILHO
- 60 ML DE VINAGRE

Cozinhe a beterraba inteira na panela de pressão, até ficar macia. Descasque e corte em cubos grandes. Tempere com os ingredientes restantes e sirva fria ou morna.

ESMIUÇANDO

Conhecidas em Portugal como "comida de hortaliça", normalmente feitas com um ingrediente só, as saladas ganharam lugar nas mesas europeias no século XIX, especialmente em Paris. O hábito de comer saladas, aproveitando elementos locais, só começou a se difundir no Brasil a partir da vinda da corte de D. João VI, em 1808.

SALADA DE ESCAROLA (CHICÓRIA)

6 porções
20 minutos
Fácil

- 2 MAÇOS DE ESCAROLA (CHICÓRIA) EM TIRAS
- 3 COLHERES (SOPA) DE VINAGRE
- 3 COLHERES (SOPA) DE AZEITE DE OLIVA
- 1 DENTE DE ALHO PICADO
- 100 G DE TORRESMO (P. 47) OU BACON FRITO
- SAL A GOSTO

Bata o vinagre, o azeite, o alho e sal a gosto, até emulsionar. Regue a escarola com esse molho e distribua o torresmo por cima. Misture e sirva.

SALADA DE MACARRÃO COM ATUM

6 porções
15 minutos
Fácil

- 1 PACOTE DE MACARRÃO GRAVATINHA (FARFALLE)
- 1 LATA DE ATUM EM CONSERVA NA ÁGUA
- 10 COLHERES (SOPA) DE MAIONESE (RECEITA ABAIXO)
- 1 CEBOLA EM TIRAS FINAS
- 1 CENOURA RALADA
- 2 TOMATES SEM SEMENTES PICADOS
- CHEIRO-VERDE PICADO A GOSTO
- SAL A GOSTO

Cozinhe o macarrão em água salgada, escorra e resfrie em água corrente. Misture com o atum, a maionese, a cebola, a cenoura, o tomate e cheiro-verde. Sirva gelada.

MAIONESE

16 porções
10 minutos
Médio

- 1 OVO
- 3/4 XÍCARA DE ÓLEO DE MILHO
- SAL E PIMENTA-DO-REINO A GOSTO

Bata o ovo em velocidade baixa no liquidificador ou processador enquanto acrescenta o óleo, em fio, até obter um molho homogêneo e espesso. Tempere com sal e pimenta-do-reino e mantenha na geladeira por, no máximo, dois dias.

SALADA DE MAIONESE

12 porções
1 hora
Fácil

SALADA DE MAIONESE

SALADA DE
RADICCHIO
COM BACON

- 4 BATATAS EM CUBOS MÉDIOS
- 3 CENOURAS EM CUBOS MÉDIOS
- 3 CHUCHUS EM CUBOS MÉDIOS
- 1½ XÍCARA (CHÁ) DE ERVILHA FRESCA
- 1 GEMA
- 1 COLHER (SOPA) DE MOSTARDA AMARELA
- ½ GARRAFA DE ÓLEO DE MILHO
- SUCO DE ½ LIMÃO
- SALSINHA PICADA
- SAL E PIMENTA-DO-REINO A GOSTO

Cozinhe os legumes separadamente em água com um pouco de sal até ficarem al dente; retire e coloque em uma vasilha com água e gelo, para interromper o cozimento.

Para a maionese, bata a gema com a mostarda e despeje o óleo em um fio contínuo, batendo sem parar até engrossar. Tempere com o limão, salsinha, sal e pimenta. Junte os legumes e misture com cuidado, para não amassar. Sirva fria ou gelada.

SALADA DE PALMITO PUPUNHA

2 porções
10 minutos
Fácil

- 2 TOLETES DE PALMITO PUPUNHA
- SUCO DE LIMÃO
- AZEITE DE OLIVA
- SAL E PIMENTA-DO-REINO A GOSTO

Corte o palmito em rodelas e tempere com suco de limão, azeite, sal e pimenta-do-reino a gosto. Leve à geladeira antes de servir, para ficar mais refrescante.

SALADA DE PEPINO

2 porções
10 minutos
Fácil

- 2 PEPINOS EM TIRAS PEQUENAS
- SUCO DE LIMÃO
- AZEITE DE OLIVA
- SAL E PIMENTA-DO-REINO A GOSTO

Tempere o pepino com suco de limão, azeite, sal e pimenta-do-reino a gosto. Leve à geladeira antes de servir.

SALADA DE PUPUNHA

8 porções
1 hora
Fácil

- 1 KG DE PUPUNHA (FRUTO DA PUPUNHEIRA)
- AZEITE DE OLIVA
- SAL E PIMENTA-DO-REINO A GOSTO

Lave a pupunha, mantendo os cabinhos. Coloque na panela de pressão. Cubra com água e, quando a pressão começar, diminua o fogo e cozinhe por 1 hora. Escorra, descasque e tempere com azeite, sal e pimenta-do-reino a gosto.

ESMIUÇANDO

É o fruto da pupunheira, árvore de origem amazônica da qual também se extrai o palmito. Cozida, ela pode substituir o pão em muitas casas da região Norte. Amassada, a polpa serve como ingrediente de bolos, biscoitos e musses. Inteiro e sem sementes, o fruto ainda pode ser recheado com doce de cupuaçu ou preparado em calda.

SALADA DE RADICCHIO COM BACON

10 porções
10 minutos
Fácil

- 1 MAÇO DE RADICCHIO VERDE
- ½ MAÇO DE RADICCHIO ROXO
- 1½ XÍCARA (CHÁ) DE BACON DEFUMADO EM CUBINHOS
- 150 G DE QUEIJO COLONIAL OU PARMESÃO
- VINAGRE

Separe as folhas dos dois tipos de radicchio e deixe de molho em água e vinagre por alguns minutos. Enquanto isso, frite o bacon sem gordura, até ficar crocante. Escorra em papel-toalha. Seque as folhas de radicchio, arrume em uma travessa e espalhe o bacon crocante. Rale o queijo por cima e sirva.

ESMIUÇANDO

Por influência da imigração italiana, costuma fazer parte dos rodízios (ou "sequências") de galeto e massas da Serra Gaúcha. Até hoje, descendentes de italianos cantam uma musiquinha que incentiva a criançada a comer radicchio: "ai como sou felice, comendo polenta com radicche!"

SALPICÃO DE FRANGO

8 porções
1h30
Fácil

- 1 PEITO DE FRANGO COM CERCA DE 500 G
- 1 CENOURA GRANDE RALADA
- 1 XÍCARA (CHÁ) DE ERVILHA FRESCA COZIDA
- 2 MAÇÃS VERDES EM CUBINHOS (COLOQUE EM ÁGUA COM LIMÃO, PARA NÃO ESCURECER)
- 2 TALOS DE SALSÃO EM CUBINHOS
- ¾ DE XÍCARA (CHÁ) DE UVA-PASSA
- 1 GEMA
- 1 COLHER (SOPA) DE MOSTARDA AMARELA
- ½ GARRAFA DE ÓLEO DE MILHO
- SUCO DE ½ LIMÃO
- SALSINHA PICADA A GOSTO
- SAL E PIMENTA-DO-REINO A GOSTO

Tempere o peito de frango com sal e pimenta-do-reino; cozinhe até ficar macio, desfie e deixe esfriar. Misture o frango com a cenoura, a ervilha, a maçã, o salsão e a uva-passa.

Prepare a maionese: misture a gema e a mostarda; acrescente o óleo em um fio constante enquanto bate sem parar com um batedor de arame. Quando o óleo terminar, a maionese deve estar sólida. Tempere com suco de limão, sal e pimenta-do--reino. Misture ao frango, junte a salsinha e sirva.

SUFLÊ DE ABOBRINHA

6 porções
30 minutos
Médio

- 2 ABOBRINHAS GRANDES EM CUBINHOS
- 1 COLHER (SOPA) DE AZEITE DE OLIVA
- 100 G DE MANTEIGA, MAIS UM POUCO PARA UNTAR
- 1 CEBOLA PICADA
- 2 DENTES DE ALHO AMASSADOS
- 3 COLHERES (SOPA) DE FARINHA DE TRIGO
- 2 XÍCARAS (CHÁ) DE LEITE
- 3 GEMAS
- 1 XÍCARA (CHÁ) DE QUEIJO PARMESÃO RALADO
- 4 CLARAS BATIDAS EM NEVE
- SAL E PIMENTA-DO-REINO A GOSTO

Doure a abobrinha no azeite, tempere com sal e reserve. Derreta a manteiga e refogue a cebola com o alho. Dissolva a farinha no leite e junte à panela. Sem parar de mexer, acrescente as gemas, a abobrinha, sal e pimenta-do-reino; cozinhe até obter um creme. Desligue e espere esfriar. Acrescente o queijo ralado e, com delicadeza, as claras em neve. Unte seis forminhas individuais com manteiga e distribua a massa do suflê entre elas. Asse em forno preaquecido a 180 °C por cerca de 25 minutos, ou até dourar.

ESMIUÇANDO

A palavra suflê vem de "assoprado" (soufflé), em francês – essa forma de preparo surgiu justamente na França, há mais de 200 anos, onde a versão de queijo é uma das mais tradicionais. No Brasil, ganharam fama as variações com hortaliças suaves, como o chuchu e a abobrinha.

SUFLÊ DE CENOURA

6 porções
30 minutos
Médio

- 100 G DE MANTEIGA, MAIS UM POUCO PARA UNTAR
- 1 CEBOLA PICADA
- 2 DENTES DE ALHO AMASSADOS
- 2 XÍCARAS (CHÁ) DE LEITE
- 3 COLHERES (SOPA) DE FARINHA DE TRIGO
- 3 GEMAS
- 2 CENOURAS GRANDES RALADAS
- 1 XÍCARA (CHÁ) DE QUEIJO RALADO
- 4 CLARAS EM NEVE
- SAL E PIMENTA-DO-REINO A GOSTO

Derreta a manteiga e refogue a cebola com o alho. Dissolva a farinha no leite e junte à panela.

SALPICÃO DE FRANGO

Sem parar de mexer, acrescente as gemas, a cenoura, sal e pimenta-do--reino; cozinhe até obter um creme. Desligue e espere esfriar. Acrescente o queijo ralado e, com delicadeza, as claras em neve. Unte seis forminhas individuais com manteiga e distribua a massa do suflê entre elas. Asse em forno preaquecido a 180 °C por cerca de 25 minutos, ou até dourar.

SUFLÊ DE CHUCHU

4 porções
1 hora
Médio

- 3 CHUCHUS DESCASCADOS EM CUBOS MÉDIOS
- 2 COLHERES (SOPA) DE MANTEIGA SEM SAL
- 2 COLHERES (SOPA) DE FARINHA DE TRIGO
- 2 XÍCARAS (CHÁ) DE LEITE
- 4 OVOS (SEPARAR AS GEMAS DAS CLARAS)
- MANTEIGA, PARA UNTAR
- SAL E PIMENTA-DO-REINO A GOSTO

Cozinhe o chuchu em água com sal até ficar al dente; reserve. Derreta a manteiga e junte a farinha de trigo, mexendo sempre para não empelotar. Quando desprender um aroma de biscoito, junte o leite aos poucos, sem parar de mexer, para obter o molho branco. Tempere com sal e pimenta-do-reino. Quando esfriar um pouco, acrescente as gemas e misture. Adicione o chuchu, acerte o tempero e misture delicadamente as claras batidas em neve. Transfira para um refratário untado e asse em forno preaquecido a 160 °C por 30 a 35 minutos, até crescer e dourar. Não abra o forno durante o cozimento, ou o suflê pode murchar.

SUFLÊ DE ESPINAFRE

6 porções
30 minutos
Médio

- 150 G DE ESPINAFRE
- 2 COLHERES (SOPA) DE MANTEIGA, MAIS UM POUCO PARA UNTAR
- 2 COLHERES (SOPA) DE FARINHA DE TRIGO
- 1½ XÍCARA (CHÁ) DE LEITE
- 3 GEMAS
- ½ XÍCARA (CHÁ) DE QUEIJO PARMESÃO RALADO
- 5 CLARAS
- NOZ-MOSCADA RALADA NA HORA
- SAL E PIMENTA-DO-REINO A GOSTO

Mergulhe o espinafre por 2 minutos em água fervente; escorra e esfrie em água corrente. Esprema para tirar o excesso de líquido e pique. Derreta a manteiga e junte a farinha de trigo, mexendo sempre para não empelotar. Adicione o leite aos poucos, sem parar de mexer, para obter o molho branco. Tempere com noz-moscada, sal e pimenta. Acrescente o espinafre e cozinhe em fogo médio por cerca de 10 minutos. Espere esfriar e adicione as gemas, o queijo e, com cuidado, as claras em neve. Coloque em um refratário untado e leve ao forno preaquecido a 180 °C por cerca de 30 minutos, até dourar. Sirva imediatamente.

MANDIOCA

FAROFA CLÁSSICA

6 porções
10 minutos
Fácil

- 5 COLHERES (SOPA) DE MANTEIGA SEM SAL
- 1 CEBOLA PICADA
- 2 DENTES DE ALHO PICADOS
- 2 XÍCARAS (CHÁ) DE FARINHA DE MANDIOCA (OU DE MILHO) FINA
- SAL E PIMENTA-DO-REINO A GOSTO

Derreta a manteiga e refogue a cebola com o alho, até murchar e dourar levemente. Adicione a farinha de mandioca e misture bem. Tempere com sal e pimenta-do-reino.

ESMIUÇANDO

A origem desse acompanhamento tipicamente brasileiro é controversa. Antônio Houaiss aceita que exista relação com a palavra "falofa", termo usado em Angola para identificar a mistura de farinha, azeite ou água. Mas os índios já consumiam a farinha de mandioca de diversos modos. Fato é que escaldar ou torrar as farinhas de mandioca ou de milho na gordura é um hábito que aparece já no período colonial e que foi mantido e amplificado até hoje. Pode ser enriquecida com outros ingredientes (como ovos, carne, linguiça, bacon, couve) e acompanhar ou rechear carnes, aves e peixes. Em cada receita de farofa deste livro, indiquei a farinha que vi sendo usada com maior frequência pelo país. Você, porém, pode usar a de sua preferência ou a que tiver em casa.

FAROFA DE BANANA

6 porções
15 minutos
Fácil

- ¾ BARRA DE MANTEIGA SEM SAL
- ¼ CEBOLA PICADA
- 1 DENTE DE ALHO PICADO
- 2 BANANAS-DA-TERRA CORTADAS EM RODELAS OU EM CUBOS
- 2 XÍCARAS (CHÁ) DE FARINHA DE CRUZEIRO
- SAL A GOSTO

Numa frigideira em fogo médio, derreta a manteiga e refogue a cebola e o alho, até ficar transparente. Junte a banana e refogue até ficar macia, mas sem desmanchar. Acrescente a farinha, misture, tempere com sal e sirva em seguida.

FAROFA DE BANANA

FAROFA DE COUVE

6 porções
20 minutos
Fácil

- 1 MAÇO PEQUENO DE COUVE
- 4 COLHERES (SOPA) DE MANTEIGA
- 500 G DE FARINHA DE MANDIOCA CRUA
- SAL E PIMENTA-DO-REINO A GOSTO

Mergulhe a couve por 30 segundos em água quente. Escorra e resfrie sob água corrente, espremendo para tirar o líquido. Derreta a manteiga e toste a farinha de mandioca até ficar crocante. Espere esfriar e bata com a couve no liquidificador ou processador.

FAROFA DE DENDÊ

6 porções
10 minutos
Fácil

- 4 COLHERES (SOPA) DE AZEITE DE DENDÊ
- ½ CEBOLA PICADA
- 1 ALHO PICADO
- 2 XÍCARAS (CHÁ) DE FARINHA DE MANDIOCA FINA
- SAL A GOSTO

Aqueça o azeite de dendê e refogue a cebola com o alho, até ficarem macios. Junte a farinha de mandioca e misture muito bem. Tempere com sal e sirva.

FAROFA DE IÇÁ

3 porções
15 minutos
Fácil

- 1 XÍCARA (CHÁ) DE FORMIGA IÇÁ
- ½ XÍCARA (CHÁ) DE ÓLEO DE MILHO
- ½ XÍCARA (CHÁ) DE FARINHA DE MANDIOCA
- SAL A GOSTO

Retire as asas, as pernas e a cabeça das formigas – utilize apenas o abdômen e a parte traseira. Aqueça o óleo e frite os içás até "estourar" e ficarem crocantes. Junte a farinha de mandioca aos poucos, mexendo bem, e tempere com sal.

FAROFA DE DENDÊ

ESMIUÇANDO

Da barriga da tanajura, a fêmea da formiga saúva, faz-se a iguaria de origem indígena que ganhou adeptos no país desde o período colonial. Os capixabas já foram até conhecidos por outro nome: papa-tanajura. O içá era consumido também pelos colonizadores, incialmente surpresos com o tipo de petisco frito mas finalmente entregues ao sabor salgadinho. "O içá torrado é o que no Olimpo grego tinha o nome de ambrosia", escreveu Monteiro Lobato, um grande admirador.

FAROFA DE MIÚDOS DE GALINHA

10 porções
50 minutos
Fácil

- 400 G DE MOELA PICADA
- 200 G DE FÍGADO DE GALINHA PICADO
- 3 COLHERES (SOPA) DE MANTEIGA
- 1 CEBOLA MÉDIA PICADA
- 2 DENTES DE ALHO PICADOS
- ½ XÍCARA (CHÁ) DE AZEITONA PICADA
- 2 XÍCARAS (CHÁ) DE FARINHA DE MANDIOCA
- ½ XÍCARA (CHÁ) DE FARINHA DE MILHO
- ¼ MAÇO DE SALSINHA PICADA
- SAL E PIMENTA-DO-REINO A GOSTO

Tempere a moela e o fígado com sal e pimenta-do-reino. Aqueça

1 colher (sopa) de manteiga e refogue a cebola com o alho. Junte a moela, refogue um pouco e cubra com água. Quando estiver cozido, espere a água reduzir, acrescente 1 colher (sopa) de manteiga e refogue o fígado. Quando estiver no ponto, adicione a azeitona, a manteiga restante e os dois tipos de farinha. Misture, tempere com sal e pimenta-do-reino, junte a salsinha e sirva.

FAROFA DE OVO

4-6 porções
15 minutos
Fácil

- 4 COLHERES (SOPA) CHEIAS DE MANTEIGA SEM SAL
- ½ CEBOLA PICADA
- 2 DENTES DE ALHO PICADOS
- 2 XÍCARAS (CHÁ) DE FARINHA DE MANDIOCA TORRADA (OU FARINHA DE MILHO)
- 6 OVOS
- ½ XÍCARA (CHÁ) DE SALSINHA PICADA
- SAL E PIMENTA-DO-REINO A GOSTO

Aqueça a manteiga e refogue a cebola com o alho, até murchar. Em fogo baixo, junte os ovos, tempere com sal e pimenta-do-reino e mexa, deixando os ovos ainda moles. Acrescente a farinha de mandioca e misture bem, para dar uma torrada. Adicione a salsinha picada e sirva imediatamente.

FAROFA DE PINHÃO

4 porções
40 minutos
Fácil

- 1½ XÍCARA (CHÁ) DE PINHÃO COZIDO E DESCASCADO
- 1 CEBOLA PICADA
- 2 COLHERES (SOPA) DE MANTEIGA
- 1 XÍCARA (CHÁ) DE FARINHA DE MANDIOCA (OU FARINHA DE MILHO)
- SAL A GOSTO

Corte o pinhão em pedacinhos. Refogue a cebola na manteiga derretida, até dourar. Junte o pinhão e a farinha de mandioca, misture bem e deixe tostar um pouco. Tempere com sal e sirva imediatamente.

MANDIOCA FRITA

4-6 porções
40 minutos
Fácil

- 1 KG DE MANDIOCA
- 1 COLHER (SOPA) DE MANTEIGA
- ÓLEO DE MILHO, PARA FRITAR
- SAL A GOSTO

Corte a mandioca ao meio no sentido do comprimento e remova

MANDIOCA FRITA

a fibra central. Cozinhe em água com um pouco de sal e a manteiga. Quando estiver macia, retire e escorra. Frite em óleo quente, até dourar levemente. Escorra em papel-toalha e, se quiser, tempere com mais sal.

PAÇOCA DE CARNE DE SOL

6 porções
30 minutos
Fácil

- 300 G DE CARNE DE SOL DESSALGADA
- 5 COLHERES (SOPA) DE CEBOLA BEM PICADA
- 1 COLHER (CHÁ) DE ALHO PICADO
- 2 COLHERES (SOPA) DE MANTEIGA DE GARRAFA
- 1 COLHER (CAFÉ) DE URUCUM
- 1 XÍCARA (CHÁ) DE FARINHA DE MANDIOCA
- ½ XÍCARA (CHÁ) DE FARINHA DE MILHO
- SALSINHA PICADA A GOSTO
- SAL E PIMENTA-DO-REINO A GOSTO

Corte a carne de sol em tiras compridas. Refogue a cebola e o alho na manteiga de garrafa com o urucum. Junte a carne e deixe dourar um pouco. Acrescente os dois tipos de farinha, tempere com sal e pimenta-do-reino e tire do fogo. Transfira aos poucos para um pilão e vá batendo até que a carne desfie e fique bem misturada à farinha.

ESMIUÇANDO

O pilão tritura as carnes assadas ou secas ao sol, curtidas ou não em molhos ou sal, até que virem pequenos fragmentos que depois se misturam à farinha. É um alimento tradicional do sertão nordestino. Uma cena que nunca vou esquecer é a da minha avó paterna passando a carne, a farinha e a cebola bem refogada no moedor de carne. Dessa maneira, o preparo se assemelhava ao do pilão.

PIRÃO DE PEIXE

PIRÃO DE CARNE

6 porções
10 minutos
Fácil

- 10 XÍCARAS (CHÁ) DE CALDO DE CARNE (P. 53)
- 3 XÍCARAS (CHÁ) DE FARINHA DE MANDIOCA
- SAL A GOSTO

Reserve ¼ xícara (chá) de caldo de carne e aqueça o restante em fogo baixo. Acrescente a farinha de mandioca sem parar de mexer. Acrescente o restante do caldo e mexa mais um pouco, até obter a consistência de pirão. Quando esfria, o pirão endurece – para que isso não ocorra, deixe-o mais mole e sirva imediatamente.

PIRÃO DE PEIXE

4 porções
30 minutos
Fácil

- ½ CEBOLA PICADA
- 2 DENTES DE ALHO PICADO
- 2 COLHERES (SOPA) DE AZEITE DE OLIVA
- 3 XÍCARAS (CHÁ) DE CALDO DE PEIXE
- ¾ XÍCARA (CHÁ) DE FARINHA DE MANDIOCA
- SAL A GOSTO

Refogue a cebola e o alho no azeite. Adicione o caldo e espere ferver. Tempere com sal e acrescente aos poucos a farinha de mandioca, sem parar de mexer para não empelotar. Cozinhe por alguns minutos e sirva.

PURÊ DE AIPIM

15 porções
40 minutos
Fácil

- 800 G DE AIPIM (MANDIOCA) DESCASCADO EM PEDAÇOS MÉDIOS
- 1 XÍCARA (CHÁ) DE LEITE
- 1 COLHER (SOPA) CHEIA DE MANTEIGA
- SAL A GOSTO

Cozinhe o aipim em bastante água com uma pitada de sal, até ficar macio. Escorra e despreze o líquido. Corte ao meio e retire a fibra central. Ainda quente, amasse com um garfo ou passe pelo espremedor de batata. Volte à panela com o leite e a manteiga. Tempere com sal a gosto e aqueça em fogo baixo até começar a ferver, mexendo sempre para não grudar no fundo. Sirva imediatamente.

MILHO

ANGU DE MILHO-VERDE

6 porções
1 hora
Fácil

- 10 ESPIGAS DE MILHO-VERDE
- 2 XÍCARAS (CHÁ) DE LEITE
- 1 COLHER (SOPA) DE MANTEIGA SEM SAL
- SAL A GOSTO

Bata os grãos de milho no liquidificador, até ficar bem moído. Passe por uma peneira, para retirar o bagaço, e leve ao fogo baixo com o leite e a manteiga. Cozinhe, mexendo sem parar, até encorpar e ficar cremoso. Tempere com sal a gosto e sirva quente.

ESMIUÇANDO

O angu, espécie de mingau espesso, é uma das iguarias da culinária mineira que acompanha o tradicional frango com quiabo. Se no princípio os portugueses plantavam o milho para usar como alimento de cavalos, galinhas, cabras e porcos, um século depois da colonização o ingrediente já aparecia de formas variadas nas mesas brasileiras.

CREME DE MILHO-VERDE

6 porções
30 minutos
Fácil

- 6 ESPIGAS DE MILHO-VERDE
- 3 XÍCARAS (CHÁ) DE LEITE
- ½ CEBOLA
- 1 FOLHA DE LOURO
- 2 CRAVOS-DA-ÍNDIA
- 2 COLHERES (SOPA) DE MANTEIGA SEM SAL
- 3 COLHERES (SOPA) DE FARINHA DE TRIGO
- 1 PITADA DE NOZ-MOSCADA

Cozinhe as espigas de milho. Leve ao fogo o leite com a cebola, o louro e o cravo. Quando ferver, retire do fogo e reserve com os ingredientes dentro. Derreta a manteiga e junte a farinha de trigo, mexendo sempre para não empelotar. Quando desprender um aroma de biscoito, acrescente o leite coado aos poucos, sem parar de mexer, até obter um molho branco. Tempere com sal e noz-moscada. Debulhe o milho e bata metade no liquidificador junto com o molho branco. Adicione os grãos de milho restantes, misture e sirva.

CUSCUZ DE MILHO NO VAPOR

4 porções
40 minutos
Fácil

- 3 XÍCARAS (CHÁ) DE FARINHA DE MILHO TIPO BEIJU OU FLOCÃO DE MILHO
- 1 XÍCARA (CHÁ) DE ÁGUA
- 1 COLHER (CHÁ) DE SAL

Misture todos os ingredientes e deixe hidratar por 25 minutos, coberto com pano. Transfira para uma cuscuzeira e cozinhe no vapor. Quando o vapor começar a sair pela parte de cima da cuscuzeira, tire do fogo e sirva.

CUSCUZ PAULISTA MODERNO

6-8 porções
50 minutos
Fácil

- 2 COLHERES (SOPA) DE ÓLEO DE MILHO
- ½ CEBOLA PICADA
- 1 DENTE DE ALHO PICADO
- 1 XÍCARA (CHÁ) DE MOLHO DE TOMATE (P. 61)
- 1 COLHER (SOPA) DE EXTRATO DE TOMATE
- 2 XÍCARAS (CHÁ) DE CALDO DE CAMARÃO
- 1 XÍCARA (CHÁ) DE ERVILHA FRESCA
- 1 XÍCARA (CHÁ) DE AZEITONA VERDE PICADA
- 10 CAMARÕES-ROSA
- 2 COLHERES (SOPA) DE AZEITE DE OLIVA
- 3½ XÍCARAS (CHÁ) DE FARINHA DE MILHO
- 2 OVOS COZIDOS
- 1 TOMATE SEM PELE E SEM SEMENTES
- SALSINHA PICADA
- SAL E PIMENTA-DO-REINO A GOSTO

Aqueça o óleo e refogue a cebola e o alho. Junte o molho, o extrato de tomate e o caldo de camarão. Misture bem e cozinhe a ervilha; acrescente a azeitona. Corte 6 camarões em cubos pequenos, frite no óleo e adicione ao caldo. Grelhe os 4 camarões restantes e reserve. Junte a farinha de milho e mexa bem, para deixar homogêneo. Tempere com sal e pimenta-do-reino e acrescente a salsinha. Verifique se a farinha está cozida, tire do fogo e deixe esfriar. Distribua a ervilha, azeitona e camarão reservados, o ovo e o tomate no fundo e nas laterais de uma fôrma. Encha com a massa e leve à geladeira. Ao desenformar, decore com mais ovo, tomate e camarão.

ESMIUÇANDO

O cuscuz paulista era cozido no vapor até a década de 1950, quando surgiu a versão enformada presente hoje nas casas e nos restaurantes. Diz-se que a receita nasceu nos farnéis dos bandeirantes, que teriam o costume de guardar os ingredientes misturados dentro de um pano amarrado. Ao longo da viagem, abriam o embrulho e se alimentavam do que teria sido o primeiro cuscuz paulista.

MILHO-VERDE NA BRASA

6 porções
40 minutos
Fácil

- 6 ESPIGAS DE MILHO-VERDE
- 4 COLHERES (SOPA) DE MANTEIGA
- SAL A GOSTO

Tire a palha, lave o milho e cozinhe em água com um pouco de sal. Enquanto isso, acenda a churrasqueira ou braseiro. Quando o milho estiver cozido, escorra e coloque as espigas na grelha. Doure bem de todos os lados, retire do braseiro e finalize com manteiga.

MUNGUNZÁ SALGADO

6 porções
50 minutos mais o preparo de véspera
Fácil

- 300 G DE MILHO AMARELO
- 120 G DE BACON
- 1 PÉ DE PORCO
- 2 FOLHAS DE LOURO
- 2 COLHERES (SOPA) DE MANTEIGA DE GARRAFA
- ½ CEBOLA PICADA
- 1 DENTE DE ALHO PICADO
- 1 PAIO EM CUBINHOS
- 1 TOMATE EM CUBOS
- 1 PIMENTA-DEDO-DE-MOÇA BEM PICADA
- 1 PIMENTA-DE-CHEIRO BEM PICADA
- COENTRO A GOSTO
- SAL A GOSTO

Deixe o milho de molho de um dia para o outro. Cozinhe na mesma água com o bacon, o pé de porco e o louro, por cerca de 30 minutos. Aqueça a manteiga de garrafa e refogue a cebola com o alho, até dourar. Junte o paio, o tomate e as pimentas. Refogue e adicione o milho cozido com as carnes. Tempere com coentro e sal a gosto. Sirva quente.

POLENTA FRITA

4 porções
2 horas
Fácil

- 3 COLHERES (SOPA) DE MANTEIGA
- 3 DENTES DE ALHO BEM PICADOS
- 2½ XÍCARAS (CHÁ) DE FUBÁ
- ÓLEO DE MILHO, PARA FRITAR
- SAL A GOSTO

Aqueça a manteiga e refogue o alho até murchar. Junte 5 xícaras (chá) de água, tempere com sal e espere ferver. Com um batedor na mão, acrescente o fubá aos poucos, mexendo sem parar para não empelotar. Cozinhe por 10 minutos, sem parar de mexer. Coloque em uma travessa e leve à geladeira. Quando estiver firme, corte em retângulos grandes e largos. Frite em óleo quente até formar uma crosta crocante e dourar levemente. Tempere com mais um pouco de sal e sirva.

CUSCUZ DE MILHO

CUSCUZ PAULISTA MODERNO

MILHO NA BRASA

SAGU, P. 202

FARTURA

GELATINA COLORIDA, P. 190

Eu comecei na cozinha pela sobremesa – como as crianças que querem partir logo para a parte "doce" da refeição. Ainda na infância, tive a sorte de conviver com uma cozinheira maravilhosa, a Lúcia, que dominava as panelas, mas me deixava ajudar... apenas nos doces.

Entre minhas tias do interior, os cadernos de receita de doces estavam sempre mais organizados. Eu mesma guardo até hoje meu caderno de capa de papel camurça vermelho: era onde minha mãe e minhas tias – e minha letra infantil – registravam de gelatina colorida a pudim de leite, tudo feito em casa.

Para minha alegria, então, comecei a preparar o arroz doce que aprendi com minha avó materna, o manjar de coco (eu sempre tirava a ameixa, mas depois aprendi a gostar dela), o pudim de leite, os pavês de vários tipos de chocolate, os sorvetões. Esses eram mais fáceis de repetir. Ah, sim, porque desde muito cedo eu aprendi que, mesmo seguindo os passos de uma receita, ela às vezes não dava certo. Faltava o pulo do gato, a magia que se dá por trás dos tachos de cobre quando se fazem as conservas e as compotas.

Curiosa sobre como tudo era feito, sempre gostei de ver os processos. A beleza de uma fruta em uma panela sendo transformada em algo diferente e maravilhoso! Isso sem falar nos doces que vinham da fazenda: a goiabada cascão, o doce de leite, o doce de coco ralado. E, para terminar, os doces trazidos por minhas tias das viagens que faziam: balas de café, de leite...

No Brasil, o doce pareceu ter juntado literalmente a fome com a vontade de comer. Desde o Descobrimento, sobremesas foram incorporadas e adaptadas aos cardápios. Frutas se prestaram a todo tipo de experimentação: viraram compota, cristalizaram-se, deram sabor a doces de colher, pudins, recheios. As receitas conventuais encontraram simpatizantes e praticantes. O leite e o açúcar se amaram para sempre na forma de doce de leite e outros quitutes. O coco e o milho entraram nas versões adocicadas de alimentos. E o chocolate dá o ar doce de sua graça a partir do século XIX.

Assim foi se montando nossa mesa de doces, farta, abundante, indicando prazer e diversidade – e, com ela, nossa total vocação para sermos felizes aos pedacinhos, mas em grande variedade.

Este conjunto de receitas vai aguçar a memória afetiva da sua infância. São coisas que fazem o olho brilhar logo que são mencionadas. Quer ver? Pu-dim de lei-te. Quer se transportar no tempo? Pa-vê de cho-co-la-te. Bom, melhor do que falar é ver. E melhor do que ver é experimentar. Vamos à fartura da nossa mesa, ou melhor, da nossa sobremesa.

AÇAÍ COM TAPIOCA FLOCADA

ACAÇÁ

30 unidades pequenas
1 hora mais o preparo antecipado
Fácil

- 1 KG DE MILHO BRANCO
- 2 COCOS SECOS GRANDES
- FOLHAS DE BANANEIRA, PARA EMBRULHAR

Deixe o milho de molho por 3 a 4 dias, mantendo na geladeira e trocando a água com frequência. Bata no liquidificador e leve ao fogo em uma panela alta. Bata o coco no liquidificador, com água quente, para extrair o leite. Misture ao milho e cozinhe sem parar de mexer. Está pronto se a massa não escorrer da colher quando for mergulhada em um copo de água. Passe as folhas de bananeira pela chama do fogão, para amolecer. Modele os bolinhos e embrulhe.

ESMIUÇANDO

No candomblé, o acaçá é uma iguaria oferecida aos orixás antes do início dos demais rituais religiosos. O ato de retirar o bolinho de dentro da palha de bananeira representa o "grande mistério da vida" e torna sagrado o restante da comida que está sendo ofertada. Feito especialmente para essa ocasião, é conhecido como "comida de santo" e leva milho branco no preparo – antigamente, era moído na pedra. Conheci essa história jantando na casa do artista plástico Antonio Miranda, em São Paulo, com acaçá oferecido pelo anfitrião e preparado por Junior e Ieda.

AÇAÍ COM TAPIOCA FLOCADA

4 porções
40 minutos
Fácil

- 1 KG DE POLPA PURA DE AÇAÍ CONGELADA
- 1½ XÍCARA (CHÁ) DE TAPIOCA FLOCADA
- AÇÚCAR A GOSTO

Tire a polpa de açaí do freezer e reserve por 30 minutos, até descongelar parcialmente. Bata no liquidificador, até virar um creme. Tempere com açúcar a gosto e sirva a tapioca sobre o açaí.

ESMIUÇANDO

Tamanha é a versatilidade que esse fruto típico da Amazônia pode ser consumido tanto em pratos salgados quanto em receitas doces. No Norte, sobretudo no Pará, o açaí é preparado em forma de creme e servido como acompanhamento para peixes frescos. No Sudeste, a polpa batida é servida fria, com xarope de guaraná, granola e frutas como morango e banana. Também serve como matéria-prima de sucos, sorvetes, licores e geleias.

AMBROSIA

ALETRIA

4 porções
25 minutos
Fácil

- CASCA DE 1 LIMÃO
- 2 PEDAÇOS DE CANELA EM PAU
- 2 COLHERES (SOPA) DE MANTEIGA
- 2 XÍCARAS (CHÁ) DE AÇÚCAR
- 6 GEMAS
- 200 G DE MACARRÃO CABELO DE ANJO
- SAL

Aqueça 1½ litro de água com a casca de limão, a canela, a manteiga, o açúcar e uma pitada de sal; ferva por 5 minutos. Retire uma concha da água e bata com as gemas; reserve. Descarte a casca de limão e a canela. Quebre o macarrão em pedacinhos e cozinhe por cerca de 5 minutos. Diminua o fogo e junte as gemas, sem parar de mexer. Cozinhe por mais 2 minutos. Sirva quente ou fria e, se desejar, polvilhe canela.

ESMIUÇANDO

Quem trouxe a aletria para o Brasil foram os portugueses, que costumam até hoje servir o doce como sobremesa no Natal, muitas vezes em substituição ao arroz-doce. Variam as consistências: pode ser mais cremosa ou cortada em fatias. A origem é árabe; o nome vem de al-iṭriyah, que significa massa. Em minha viagem mais recente a Portugal, vi a aletria muito presente em vários lugares do Algarve.

AMBROSIA

4 porções
1h20
Médio

- 500 G DE AÇÚCAR
- 2 PEDAÇOS DE CANELA EM PAU
- 3 CRAVOS-DA-ÍNDIA
- 4 OVOS
- 1 LITRO DE LEITE
- 1 COLHER (SOPA) DE VINAGRE
- SUCO DE ½ LIMÃO ESPREMIDO

Faça uma calda rala com o açúcar, 2 xícaras (chá) de água, a canela e os cravos-da-índia. Bata as claras em neve até ficarem firmes. Junte as gemas, uma de cada vez, e bata apenas para misturar. Acrescente o leite, misture e coloque na panela com a calda. Em fogo baixo, sem parar de mexer, adicione o vinagre e o suco de limão. Quando o leite talhar, aumente um pouco o fogo e cozinhe, mexendo, até quase todo o líquido reduzir. Deixe dourar levemente e tire do fogo. Espere esfriar e sirva.

ESMIUÇANDO

Vinda de Portugal, tornou-se uma das receitas mais apreciadas nas regiões Sul e Sudeste do Brasil. O grande segredo de uma boa ambrosia, palavra que em grego se refere a um tipo de âmbar cconsumido pelos deuses da mitologia, é o ponto: precisa ficar um craquelado perfeito.

ARROZ DOCE

ARROZ DOCE

6 porções
1h20
Fácil

- 2 XÍCARAS (CHÁ) DE ARROZ BRANCO
- 1 LITRO DE LEITE INTEGRAL
- ½ XÍCARA (CHÁ) DE AÇÚCAR
- 1 COLHER (SOPA) DE MANTEIGA
- 4 GEMAS
- CANELA EM PÓ A GOSTO

Cozinhe o arroz em 2 xícaras de água. Enquanto isso, aqueça o leite, sem deixar ferver. Quando a água do arroz secar, junte o leite aos grãos – reserve 1 xícara (chá). Quando ficar macio, acrescente o açúcar e a manteiga. Cozinhe sem parar de mexer, para não grudar no fundo da panela. Misture as gemas ao leite reservado e adicione ao arroz. Cozinhe até ficar bem cremoso e encorpado. Polvilhe a canela e sirva. Se quiser, junte também casca de laranja e cravos-da-índia no momento de acrescentar a manteiga.

BABA DE MOÇA

6 porções
1 hora
Médio

- 12 GEMAS
- 1½ XÍCARA (CHÁ) DE AÇÚCAR
- 1 XÍCARA (CHÁ) DE LEITE DE COCO (P. 56)

Separe as gemas das claras e passe-as em uma peneira, sem apertar com a colher; reserve. Cozinhe o açúcar e ½ xícara de chá de água até formar uma calda em ponto de fio. Tire do fogo e espere amornar. Acrescente o leite de coco e as gemas. Leve ao fogo baixo mexendo sempre e para não deixar grudar no fundo da panela. Quando atingir a consistência desejada, retire do fogo, deixe esfriar e sirva. Dica: pode-se utilizar água de flor de laranjeira ou ½ fava de baunilha para aromatizar a baba de moça.

BABA DE MOÇA

BANANADA

ESMIUÇANDO

Era a sobremesa que a Princesa Isabel fazia para o marido, o francês Conde d'Eu, e o doce preferido de José de Alencar. Um dos símbolos do Segundo Império, percorre gerações de mesas, ganhando água de flor de laranjeira, fava de baunilha ou canela para aromatizar. Sou uma fã ardorosa da baba de moça e me ressentia de não ter sempre o doce em casa, na minha infância. Por isso criei minha versão, uma das mais apreciadas do restaurante Brasil a Gosto.

BANANA FLAMBADA

8 porções
10 minutos
Fácil

- 2 COLHERES (SOPA) DE MANTEIGA
- 8 BANANAS MADURAS MÉDIAS CORTADAS AO MEIO NA VERTICAL
- 1 COLHER (SOPA) DE SUCO DE LIMÃO
- ½ XÍCARA DE AÇÚCAR CRISTAL
- ½ COLHER (CHÁ) DE CANELA EM PÓ
- 4 COLHERES (SOPA) DE CONHAQUE

Derreta a manteiga em fogo médio e junte a banana. Regue com o suco de limão e cozinhe até ficar macia. Misture o açúcar com a canela e polvilhe sobre a banana. Quando o açúcar derreter, coloque o conhaque em uma concha, acenda na chama do fogão e flambe a banana. Sirva quente.

BANANADA

500 g
4 horas
Fácil

- 1½ DÚZIA DE BANANAS-PRATA BEM MADURAS
- 1½ XÍCARAS (CHÁ) DE AÇÚCAR

- 1 PEDAÇO DE CANELA EM PAU
- 3 CRAVOS-DA-ÍNDIA

Descasque a banana e amasse com as mãos. Em uma panela, aqueça o açúcar, a canela e o cravo, até derreter. Junte a pasta de banana e cozinhe por cerca de 4 horas, ou até ficar bem escuro e soltar do fundo da panela.

ESMIUÇANDO

Aproveitar frutas muito maduras, que seriam descartadas, é uma das qualidades dessa sobremesa querida e preparada em todo o país.

BRIGADEIRÃO

6-8 porções
1h10
Fácil

- 6 OVOS
- 400 ML DE LEITE
- 1 XÍCARA (CHÁ) DE AÇÚCAR
- 1 XÍCARA (CHÁ) DE CHOCOLATE EM PÓ SOLÚVEL
- 1 COLHER (CHÁ) DE EXTRATO DE BAUNILHA
- 1 PITADA DE SAL
- CHOCOLATE GRANULADO

Peneire as gemas e bata todos os ingredientes no liquidificador. Transfira para uma forma e asse por 1 hora, em banho-maria, no forno preaquecido a 180°C. Desenforme, decore com chocolate granulado e leve à geladeira antes de servir.

BRIGADEIRÃO

CAÇAROLA ITALIANA

10 porções
40 minutos
Fácil

- 2 XÍCARAS (CHÁ) DE AÇÚCAR
- 5 OVOS
- 3 XÍCARAS (CHÁ) DE LEITE
- 5 COLHERES (SOPA) DE FARINHA DE TRIGO
- 4 COLHERES (SOPA) DE COCO SECO RALADO
- 8 COLHERES (SOPA) DE QUEIJO PARMESÃO RALADO

Coloque 1 xícara de açúcar na fôrma e derreta sobre a chama do fogão, para obter um caramelo; espalhe bem. Bata o restante dos ingredientes no liquidificador e transfira para a fôrma. Cubra com papel-alumínio e asse por 30 minutos, em banho-maria, no forno preaquecido a 180°C. Retire o papel e asse até dourar. Espere esfriar antes de desenformar. Se o caramelo estiver duro, aqueça a base da fôrma sobre a chama do fogão.

CANJICA

16 porções
1 hora mais o tempo de molho
Fácil

- 500 G DE CANJICA (MILHO BRANCO SECO)
- 2 XÍCARAS (CHÁ) DE AÇÚCAR
- 3 PEDAÇOS DE CANELA EM PAU
- 5 CRAVOS-DA-ÍNDIA

- 3 XÍCARAS (CHÁ) DE LEITE DE COCO (P. 56)
- CANELA EM PÓ, PARA POLVILHAR

Cubra a canjica com água e deixe de molho por pelo menos 6 horas. Em uma panela, leve ao fogo com a mesma água e cozinhe até os grãos absorverem todo o líquido. Junte mais 3 xícaras (chá) de água, o açúcar, a canela e o cravo-da-índia. Cozinhe até ficar al dente, acrescente o leite de coco e deixe no fogo por mais 15 a 20 minutos, até o milho terminar de cozinhar. Sirva morno ou frio, polvilhado de canela.

CARTOLA

4 porções
10 minutos
Fácil

- 2 COLHERES (SOPA) CHEIAS DE MANTEIGA
- 6 BANANAS-PRATA MADURAS CORTADAS AO MEIO NA VERTICAL
- 4 FATIAS DE QUEIJO-MANTEIGA COM 0,5 CM DE ESPESSURA
- AÇÚCAR E CANELA, PARA POLVILHAR

Aqueça a manteiga e grelhe a banana dos dois lados. Coloque em uma travessa e reserve. Na mesma frigideira, grelhe as fatias de queijo dos dois lados, até ficar bem dourado. Coloque sobre a banana e polvilhe açúcar misturado com canela, a gosto.

ESMIUÇANDO

Outra forma de aproveitamento das bananas maduras fez surgir esse doce tipicamente pernambucano, reconhecido como patrimônio imaterial do estado. É preparada até hoje em um dos restaurantes mais antigos do Recife, o Leite, aberto em 1882. Há quem prepare com queijo de coalho, mas a receita tradicional leva queijo-manteiga.

CANJICA

CARTOLA

CHURROS

CHURROS

16 unidades
40-50 minutos
Médio/difícil

- 4 COLHERES (SOPA) CHEIAS DE MANTEIGA SEM SAL
- 1 PITADA DE SAL
- 2 XÍCARAS (CHÁ) DE FARINHA DE TRIGO
- 2 OVOS GRANDES
- ÓLEO DE MILHO, PARA FRITAR
- 2 XÍCARAS (CHÁ) DE DOCE DE LEITE CREMOSO (P. 187)
- AÇÚCAR E CANELA, PARA POLVILHAR

Aqueça 2 ½ xícaras (chá) de água. Junte a manteiga e o sal; espere ferver. Coloque toda a farinha de uma só vez na panela e mexa sem parar, até desgrudar do fundo. Transfira para a batedeira e bata. Quando a massa amornar, acrescente os ovos, um de cada vez. Coloque a massa em um saco de confeitar com bico grosso estriado. Aqueça o óleo e faça os churros sobre a panela, com o saco de confeitar, cortando a massa com uma tesoura quando atingir o tamanho desejado. Retire do óleo quando dourar; escorra em papel-toalha. Fure com um palito ou canudo firme e recheie com uma seringa culinária. Passe no açúcar misturado com canela e sirva.

COCADA

4 porções
1 hora
Médio

- 1 COCO GRANDE FRESCO RALADO
- 1 KG DE AÇÚCAR

Misture o coco, o açúcar e 2 xícaras (chá) de água; leve ao fogo médio, até o açúcar derreter. Cozinhe sem parar de mexer e, quando começar a soltar do fundo da panela, espalhe na superfície de trabalho untada ou em um tapete de silicone. Espere esfriar um pouco e molde com as mãos - tome cuidado para não se queimar. Se quiser a cocada mais escura, junte mais 1 xícara de água ao doce na panela e deixe no fogo até caramelizar e atingir a cor desejada.

ESMIUÇANDO

Quem detinha a técnica de fazer doce de coco com açúcar – para as sobremesas dos senhores de engenho ou para vender nas ruas, nos tabuleiros – eram as negras doceiras.

COCADA DE FORNO

10 porções
1 hora mais o tempo de gelar
Médio

- 4½ XÍCARAS (CHÁ) DE AÇÚCAR
- 2 XÍCARAS (CHÁ) DE COCO SECO RALADO FINO
- 2½ XÍCARAS (CHÁ) DE LEITE
- ⅓ BARRA DE MANTEIGA, MAIS UM POUCO PARA UNTAR A FORMA
- 18 GEMAS
- ¾ XÍCARA (CHÁ) DE FARINHA DE TRIGO, MAIS UM POUCO PARA POLVILHAR

Faça uma calda com o açúcar e 1¾ xícara (chá) de água, até atingir o ponto de fio. Junte o coco, o leite e a manteiga; cozinhe alguns minutos, tire do fogo e deixe esfriar. Enquanto isso, passe as gemas pela peneira e bata na batedeira até dobrar de volume; aos poucos, acrescente a farinha de trigo e bata para incorporar. Misture as gemas e a calda e mantenha na geladeira por pelo menos 3 horas. Transfira para uma fôrma untada com manteiga e levemente polvilhada de farinha. Cubra com papel-alumínio e asse por 30 a 40 minutos, em banho--maria, no forno a 180°C. Retire o papel e deixe dourar um pouco.

COCADA

CREME DE ABACATE

4 porções
10 minutos
Fácil

- 2 ABACATES MADUROS
- SUCO DE 2 LIMÕES
- 6 COLHERES (SOPA) DE AÇÚCAR

Corte os abacates ao meio, retire os caroços e descasque. Retire a polpa das frutas e bata no liquidificador com o suco de limão e o açúcar, até obter um creme homogêneo. Sirva frio.

CREME DE CUPUAÇU

12 porções
50 minutos mais o tempo para gelar
Fácil

- 1 XÍCARA (CHÁ) MAIS 4 COLHERES (SOPA) DE AÇÚCAR
- 7 GEMAS
- 2 OVOS
- 700 ML DE CREME DE LEITE FRESCO
- 100 G DE POLPA DE CUPUAÇU
- 12 G DE GELATINA EM PÓ (OU 6 FOLHAS DE GELATINA)

Faça uma calda com 1 xícara (chá) de açúcar e ½ xícara de água (em um termômetro de cozinha, deve marcar 110°C). Na batedeira, bata as gemas e os ovos até quadruplicar o volume. Junte a calda e bata até esfriar; reserve. Bata o creme de leite em ponto de chantili; reserve. Aqueça a polpa de cupuaçu com 4 colheres (sopa) de açúcar. Dissolva a gelatina em pó em 4 colheres (sopa) de água morna e acrescente ao cupuaçu; misture e reserve (caso use gelatina em folha, mergulhe em água gelada; quando ficar mole e transparente, esprema, misture ao cupuaçu e mexa para dissolver). Junte o creme de ovos, o chantili e o cupuaçu ainda morno; misture delicadamente, de baixo para cima. Leve à geladeira de um dia para o outro antes de servir.

CREME DE PAPAIA

CREME DE ABACATE

CURAU DE MILHO-VERDE

CREME DE PAPAIA

6 porções
10 minutos
Fácil

- 3 MAMÕES PAPAIA
- 12 COLHERES (SOPA) CHEIAS DE SORVETE DE CREME
- LICOR DE CASSIS A GOSTO

Retire a polpa do mamão e bata com o sorvete no liquidificador até obter um creme uniforme. Sirva com algumas gotas de licor de cassis.

ESMIUÇANDO

A mistura do sorvete com o mamão papaia foi muito popular em São Paulo nos anos 1990. Acrescida de licor de cassis, era uma das sobremesas preferidas nas casas e nos rodízios de carne. Quem reivindica a autoria é o Rodeio, mas várias churrascarias a adotaram como clássico.

CURAU DE MILHO-VERDE

8 porções
1h30
Médio

- 6 ESPIGAS DE MILHO VERDE
- 1½ LITRO DE LEITE
- 2 XÍCARAS (CHÁ) DE AÇÚCAR
- 1 COLHER (CHÁ) DE SAL
- 1 COLHER (SOPA) DE AMIDO DE MILHO
- CANELA EM PÓ, PARA POLVILHAR

No liquidificador, bata os grãos de milho com o leite. Passe por uma peneira e leve ao fogo médio com os outros ingredientes. Cozinhe por 30 minutos, mexendo de vez em quando. Espere esfriar e sirva polvilhado de canela.

ESMIUÇANDO

Na época do milho, quando se faziam as pamonhadas, o curau era um dos doces mais gostosos que eu comia quando ia para o sítio, no interior de São Paulo. Nos estados do Nordeste, recebe o nome de canjica.

CUSCUZ DE TAPIOCA

4-6 porções
2h30
Fácil

- 2 XÍCARAS (CHÁ) DE TAPIOCA GRANULADA
- 1 COPO (AMERICANO) DE LEITE DE COCO (P. 56)
- 1 COPO (AMERICANO) DE LEITE
- ½ XÍCARA (CHÁ) DE AÇÚCAR
- 1 XÍCARA (CHÁ) DE COCO FRESCO RALADO
- COCO FRESCO RALADO, PARA FINALIZAR

Hidrate a tapioca no leite de coco por 1 hora. Misture os outros ingredientes e leve ao fogo baixo por 30 minutos. Transfira para uma fôrma com furo no meio, espere esfriar, desenforme e sirva com coco ralado por cima.

DOCE DE ABÓBORA EM PASTA

8 porções
1 hora
Fácil

- 1 KG DE ABÓBORA-DE-PESCOÇO SECA DESCASCADA E EM CUBOS
- 2 XÍCARAS (CHÁ) DE AÇÚCAR
- 5 CRAVOS-DA-ÍNDIA
- 2 PEDAÇOS DE CANELA EM PAU

Misture todos os ingredientes em uma panela e aqueça em fogo baixo, mexendo até o açúcar derreter e a abóbora começar a soltar líquido. Cozinhe até a fruta começar a se desfazer, mexendo de vez em quando. Retire do fogo e espere esfriar para servir.

ESMIUÇANDO

O doce de abóbora é tão antigo no Brasil que existem registros de receitas desde o Descobrimento. Naquela época, o preparo levava mais de duas semanas: primeiro os pedaços mergulhados em salmoura por um dia inteiro, logo outro dia em infusão, depois trocando a água várias vezes, então clarificando a calda com clara de ovo... Hoje, existe de várias formas: como compota, na cal, bem durinho; com pedaços grandes, ao jeito mineiro; ralado com coco e cravo-da-índia, como minha avó paterna fazia.

DOCE DE ABÓBORA EM CUBOS

8 porções
4 horas
Fácil/médio

- 1 KG DE ABÓBORA-DE-PESCOÇO SECA DESCASCADA E EM CUBOS
- 1 COLHER (SOPA) DE CAL CULINÁRIO
- 2 XÍCARAS (CHÁ) DE AÇÚCAR
- 5 CRAVOS-DA-ÍNDIA
- 2 PEDAÇOS DE CANELA EM PAU

Deixe a abóbora de molho em água com cal por 2 horas. Faça

DOCE DE ABÓBORA

DOCE DE CAJU

uma calda com o açúcar, 2 xícaras (chá) de água, o cravo e a canela. Escorra e lave a abóbora. Junte à calda e cozinhe até que o miolo esteja macio. Espere esfriar antes de servir.

DOCE DE AÇAÍ

10 porções
40 minutos mais o tempo para gelar
Fácil

- 1 KG DE POLPA DE AÇAÍ
- 2 XÍCARAS (CHÁ) DE AÇÚCAR
- 1 XÍCARA (CHÁ) DE COCO RALADO

Cozinhe o açaí e o açúcar em fogo baixo, por 30 minutos, sem parar de mexer. Junte o coco ralado e cozinhe por mais 5 minutos. Leve à geladeira por 3 horas e sirva gelado.

DOCE DE BATATA-DOCE CREMOSO

10 porções
40 minutos
Fácil

- 4 BATATAS-DOCES ROXAS DESCASCADAS
- 200 G DE AÇÚCAR CRISTAL
- 2 CRAVOS-DA-ÍNDIA
- 1 PEDAÇO DE CANELA EM PAU

Cozinhe a batata em água; escorra (reserve o líquido) e amasse ainda quente. Faça uma calda com 1½ xícara da água do cozimento da batata, o açúcar, o cravo e a canela. Quando engrossar um pouco, junte a batata, misture e cozinhe em fogo baixo até ficar cremoso. Espere esfriar antes de servir.

DOCE DE BATATA-DOCE DE CORTE

6 porções
30 minutos
Fácil

- 5 BATATAS-DOCES DESCASCADAS
- 2 XÍCARAS (CHÁ) LEITE MORNO
- 1 XÍCARA (CHÁ) DE AÇÚCAR

Cozinhe a batata em água, escorra e amasse. No liquidificador, bata a batata ainda quente com o leite morno. Leve ao fogo por 12 minutos, para secar. Diminua o fogo, junte o açúcar e cozinhe sem parar de mexer por cerca de 15 minutos, até desprender do fundo da panela. Coloque em uma vasilha de vidro ou plástico molhada. Espere esfriar e desenforme. Mantenha na geladeira.

DOCE DE CAJU

6-8 porções
1 hora
Fácil

- 20 CAJUS
- 3½ XÍCARAS (CHÁ) DE AÇÚCAR
- 1 PEDAÇO DE CANELA EM PAU
- 3 CRAVOS-DA-ÍNDIA

Retire as castanhas e descasque os cajus. Faça uma calda com o açúcar e 2½ xícaras (chá) de água. Quando ficar com tom de caramelo, junte a canela, o cravo, os cajus e o suco que devem soltar. Cozinhe até a fruta ficar bem macia e reduzir de tamanho. Espere esfriar e sirva.

DOCE DE CIDRA

30 porções
45 minutos mais o preparo de véspera
Médio

- 3 CIDRAS (CERCA DE 700 G CADA)
- 7 XÍCARAS (CHÁ) DE AÇÚCAR
- 3 PEDAÇOS DE CANELA EM PAU
- 6 CRAVOS-DA-ÍNDIA
- 1 COLHER (SOPA) DE SEMENTES DE ERVA-DOCE
- SAL

Rale a casca das cidras, tomando cuidado para não atingir a polpa. Coloque em uma bacia de cozinha e polvilhe bastante sal. Lave sob água corrente, esfregando bem, até sair todo o sabor amargo; escorra. Repita o processo durante três dias. Transfira a cidra para uma panela, junte o açúcar e espere ferver em fogo alto, mexendo de vez em quando. Cozinhe até adquirir uma calda densa; se necessário, acrescente um pouco de água. Adicione a canela, o cravo e a erva-doce; ferva por mais 5 minutos. Tire do fogo e espere esfriar antes de servir.

DOCE DE COCO

8 porções
30 minutos
Médio

- 3 XÍCARAS (CHÁ) DE COCO RALADO GROSSO
- 2 XÍCARAS (CHÁ) DE AÇÚCAR
- 2 XÍCARAS (CHÁ) DE FARINHA DE TRIGO
- 5 COLHERES (SOPA) DE ÓLEO DE MILHO
- ½ COLHER (CHÁ) DE SAL

Cozinhe o coco, o açúcar e 1 xícara (chá) de água, em fogo alto, sem parar de mexer. Quando estiver bem cremoso, transfira para uma assadeira untada com manteiga e espere esfriar. Prepare a massa: junte a farinha de trigo com o óleo, o sal e ½ xícara (chá) de água. Misture até ficar homogêneo. Polvilhe a superfície de trabalho e abra a massa com um rolo, até ficar bem fina. Use a boca de um copo para cortar em discos; transfira para uma assadeira polvilhada de farinha de trigo. No meio de cada disco, coloque 1 colher (sopa) generosa da cocada fria. Decore cada docinho com tiras finas da massa, fazendo um laço. Asse em forno quente por cerca de 20 minutos.

DOCE DE COCO

DOCE DE FIGO VERDE

DOCE DE COCO VERDE

2 porções
15 minutos
Fácil

- 1½ XÍCARA (CHÁ) DE AÇÚCAR
- 1 COCO VERDE GRANDE EM PEDAÇOS (POLPA)

Faça uma calda clara com o açúcar e 1 xícara (chá) de água. Quando começar a ferver, junte a polpa de coco e deixe apurar, tomando cuidado para não queimar nem caramelizar. Espere esfriar e guarde na geladeira em recipiente tampado.

DOCE DE FIGO VERDE

6-8 porções
2h30
Médio

- 1,5 KG DE FIGO VERDE
- 1,5 KG DE AÇÚCAR
- 1 PEDAÇO DE CANELA EM PAU
- 2 CRAVOS-DA-ÍNDIA

Lave os figos e fure com uma agulha ou com um garfo, para absorver a calda. Afervente duas vezes, trocando de água, para tirar o amargor de fruta verde. O figo deve cozinhar com o mesmo peso de açúcar – se tiver uma balança, é bom conferir. Coloque a fruta e o açúcar em uma panela com a canela e o cravo. Cubra de água e cozinhe em fogo baixo por cerca de 2 horas; se necessário, adicione mais água para diluir a calda. Espere esfriar antes de servir.

DOCE DE GERGELIM

6 porções
30 minutos
Fácil

- ½ XÍCARA (CHÁ) DE SEMENTES DE GERGELIM PRETO OU BRANCO
- ½ XÍCARA (CHÁ) DE FARINHA DE MANDIOCA

DOCE DE LARANJA-DA-TERRA

- 12 CASTANHAS-DE-CAJU
- 3 CRAVOS-DA-ÍNDIA
- ½ COLHER (SOPA) DE MANTEIGA
- 1 XÍCARA (CHÁ) DE MEL

Toste o gergelim em uma frigideira. Quando esfriar, bata no liquidificador com a farinha, a castanha e o cravo. Coloque em uma panela com a manteiga e o mel; cozinhe em fogo baixo, sem parar de mexer, até desgrudar do fundo. Deixe esfriar antes de servir.

DOCE DE JACA

6 porções
25 minutos
Fácil

- 250 G DE AÇÚCAR
- ½ KG DE JACA DURA COM OS GOMOS CORTADOS

Em uma panela, aqueça 1 xícara (chá) de água e dissolva o açúcar. Junte os gomos de jaca sem sementes, mexa e cozinhe por 20 minutos, até a calda ficar consistente. Sirva gelado.

DOCE DE JENIPAPO CRISTALIZADO

30 porções
30 minutos
Fácil

- 4 JENIPAPOS GRANDES SEM CAROÇO E SEM CASCA
- 3 XÍCARAS (CHÁ) DE AÇÚCAR
- AÇÚCAR CRISTAL, PARA DECORAR

Bata o jenipapo no liquidificador, até obter uma massa. Junte o açúcar e leve ao fogo médio até ferver. Diminua o fogo e cozinhe sem parar de mexer, até desgrudar do fundo da panela. Espere esfriar, faça bolinhas e passe no açúcar cristal. Guarde em potes fechados ou mantenha na geladeira.

DOCE DE CASCA DE JABUTICABA

6-8 porções
1 hora
Fácil

- 1 KG DE JABUTICABA
- 4 XÍCARAS (CHÁ) DE AÇÚCAR
- 1 DOSE DE CACHAÇA BRANCA

Lave bem e esprema as jabuticabas em uma peneira, guardando as cascas e espremendo a polpa para aproveitar o sumo. Coloque as cascas em uma panela e cubra com água. Quando ferver, junte o açúcar e o sumo da jabuticaba. Cozinhe até obter uma calda leve, com a cor da fruta. Finalize com a cachaça e desligue o fogo. Espere esfriar e armazene em um vidro de conserva higienizado em água fervente.

DOCE DE LARANJA-DA-TERRA

6-8 porções
4 dias
Difícil

- 12 LARANJAS-DA-TERRA
- 1 COLHER (SOPA) DE BICARBONATO DE SÓDIO
- 1,5 KG DE AÇÚCAR
- 1,5 LITRO DE ÁGUA

Lave bem e corte a laranja em quatro pedaços. Retire a polpa, incluindo a película branca, e reserve apenas as cascas. Afervente e coloque em água fria com o bicarbonato. Deixe na geladeira de um dia para o outro. Faça uma calda em ponto de fio com 500 g de açúcar e 500 ml de água; cozinhe a laranja por 30 minutos. Espere esfriar e mantenha na geladeira até o dia seguinte. Jogue a calda fora e repita o procedimento com mais 500 g de açúcar e 500 ml de água. No último dia, faça a calda com o açúcar restante e 500 ml de água; deixe encorpar um pouco mais. Junte as cascas de laranja e cozinhe até ficarem bem macias.

DOCE DE LIMÃO

DOCE DE LEITE CREMOSO

1 kg
3-4 horas
Fácil/médio

- 5 LITROS DE LEITE
- 5 PEDAÇOS DE CANELA EM PAU
- 1 KG DE AÇÚCAR

Aqueça o leite com a canela. Assim que ferver, junte o açúcar e misture bem. Cozinhe em fogo médio, mexendo de vez em quando. O líquido deve reduzir a um quinto do volume original, até chegar a um ponto cremoso. Se quiser um doce mais espesso, deixe reduzir um pouco mais.

ESMIUÇANDO

Há registros antigos de doce de leite por toda a América Latina – Argentina, Uruguai, Chile, México, Peru e Colômbia também são países que se gabam de seus deliciosos doces feitos a partir da "leche". Fato é que quem desembarcou com a técnica no continente foram os espanhóis e os portugueses, que também trouxeram a cana-de-açúcar para o continente. Há, no Brasil, diversas formas de preparo do doce de leite: vão do mais cremoso ao mais consistente, também conhecido como "de corte".

DOCE DE LEITE DE CORTE

1 barra
3-4 horas
Fácil

- 1 LITRO DE LEITE
- 2 XÍCARAS (CHÁ) DE AÇÚCAR

Cozinhe o leite até começar a reduzir e ficar amarelado. Junte o açúcar e misture; cozinhe, mexendo de vez em quando, até a borbulhar e soltar do fundo da panela. Mexa sem parar até começar a açucarar. Retire do fogo, transfira para uma fôrma forrada com filme de PVC e alise a superfície. Espere esfriar, desenforme e sirva.

DOCE DE LIMÃO

6-8 porções
6 dias
Difícil

- 20 LIMÕES
- 3 COLHERES (SOPA) DE BICARBONATO DE SÓDIO
- 1 KG DE AÇÚCAR

Lave bem os limões, corte a tampa e ferva por 10 minutos. Troque a água e ferva novamente. Retire o miolo dos limões com muito cuidado, para não furar a casca. Mantenha a casca em uma vasilha com água e 1 colher (sopa) de bicarbonato de sódio. Repita a operação nos dois dias seguintes. No quarto dia, faça uma calda rala com o açúcar e 1 litro de água. Junte as cascas do limão e reserve. No último dia, leve a calda ao fogo; cozinhe até reduzir e as frutas ficarem cozidas. Espere esfriar e sirva puro ou recheado com doce de leite.

DOCE DE LEITE

DOCE DE MOCOTÓ

DOCE DE MAMÃO VERDE

1 kg
1 hora e preparo de véspera
Fácil

- 1 MAMÃO FORMOSA VERDE (1 KG)
- 2 COLHERES (SOPA) DE BICARBONATO DE SÓDIO
- 2 XÍCARAS (CHÁ) DE AÇÚCAR

Descasque o mamão e corte em cubos ou fatias finas na vertical - ou então rale a polpa. Ferva em água com bicarbonato e reserve de um dia para o outro. Faça uma calda com o açúcar e 2 xícaras (chá) de água. Quando o açúcar dissolver, junte o mamão e cozinhe até ficar macio. Espere esfriar para servir.

DOCE DE MANGABA

20 porções
25 minutos
Fácil

- 2 KG DE MANGABA
- 700 G DE AÇÚCAR
- 3 CRAVOS-DA-ÍNDIA
- 2 PEDAÇOS DE CANELA EM PAU

Lave e descasque a mangaba. Esprema sobre uma peneira com um pouco de água, para retirar os caroços. Coloque a polpa, o açúcar e ½ litro de água em uma panela grande, em fogo médio. Quando ferver, junte o cravo e a canela. Cozinhe, mexendo de vez em quando, até começar a soltar da panela. Espere esfriar e mantenha na geladeira, em um recipiente tampado.

DOCE DE MARACUJÁ

10 porções
50 minutos
Fácil

- 7 MARACUJÁS AZEDOS
- 1 COPO (AMERICANO) DE AÇÚCAR

Corte os maracujás e reserve a polpa. Retire a casca e leve ao fogo até ferver; escorra e repita o processo de três a cinco vezes, sempre trocando a água, até que a casca não esteja mais amarga. Faça um suco com a polpa e 2 copos (americano) de água. Leve ao fogo com o açúcar e a casca de maracujá; cozinhe até reduzir pela metade. Espere esfriar e sirva gelado.

DOCE DE MOCOTÓ

6-8 porções
4 horas
Médio

- 1 KG DE MOCOTÓ EM PEDAÇOS
- SUCO DE 1 LIMÃO
- 1 LITRO DE LEITE
- 3½ XÍCARAS (CHÁ) DE AÇÚCAR
- CANELA EM PÓ A GOSTO
- 4 OVOS

Lave bem o mocotó sob água corrente com o suco de limão. Afervente, troque a água e cozinhe até que a geleia solte do osso (para agilizar o processo, cozinhe na panela de pressão). Solte a geleia e bata com o leite no liquidificador. Leve ao fogo com o açúcar e a canela; cozinhe até encorpar e ficar quase firme. Retire do fogo, espere esfriar um pouco e junte os ovos peneirados, mexendo bem para ficar uniforme. Transfira para uma fôrma forrada com filme de PVC e deixe esfriar na geladeira até firmar. Dica: para fazer geleia de mocotó, reserve a água do cozimento, junte 2 xícaras (chá) de açúcar e reduza até dar o ponto. Espere esfriar e sirva.

FAROFA DOCE DE CASTANHAS

2 porções
20 minutos
Fácil

- 4 COLHERES (SOPA) DE AÇÚCAR MASCAVO
- 2 COLHERES (SOPA) DE CASTANHA-DE-CAJU PICADA (OU XERÉM PICADO)
- MANTEIGA, PARA UNTAR

Cozinhe o açúcar e a castanha em fogo baixo, até que o açúcar derreta. Transfira para uma superfície de mármore untada com manteiga. Espere esfriar por 5 minutos e quebre com um martelo, até obter uma farofa bem fina e delicada - se preferir, use o liquidificador. Sirva sobre doces e sorvetes.

DOCE DE MAMÃO VERDE

FIOS DE OVOS

100 g
40 minutos
Difícil

- 7 GEMAS
- 5 OVOS
- 4 XÍCARAS (CHÁ) DE AÇÚCAR
- 1 COLHER (CHÁ) DE VINAGRE
- 1 COLHER (CHÁ) DE ESSÊNCIA DE BAUNILHA

Bata levemente as gemas com os ovos; passe por uma peneira fina. Aqueça o açúcar com 4 xícaras (chá) de água até obter uma calda rala. Junte o vinagre e a essência de baunilha. Coloque os ovos em um funil para fios de ovos (ou em uma bisnaga) e despeje na calda, fazendo movimentos circulares; mantenha o fogo na temperatura mínima. Cozinhe por 1 minuto, retire com um garfo e transfira para uma peneira. Mergulhe a peneira em uma vasilha de água com gelo, para esfriar rapidamente. Se a calda engrossar, acrescente água fria.

GELATINA COLORIDA

6-8 porções
3-4 horas
Médio

- 4 CAIXAS DE GELATINA (SABORES A GOSTO)
- 1 COLHER (SOPA) DE GELATINA EM PÓ SEM SABOR
- ½ XÍCARA DE LEITE
- 2 XÍCARAS DE CREME DE LEITE FRESCO
- 5 COLHERES (SOPA) RASAS DE AÇÚCAR

Prepare as quatro caixas de gelatina separadamente, seguindo as instruções da embalagem. Quando endurecer, corte em cubinhos e mantenha na geladeira. Coloque 2 colheres (sopa) de água em uma vasilha pequena, polvilhe a gelatina em pó e misture bem. Deixe hidratar por 2 a 3 minutos. Aqueça o leite, acrescente a gelatina hidratada e mexa para incorporar. Junte o creme de leite e o açúcar e misture delicadamente à gelatina colorida. Leve à geladeira até firmar.

GELATINA DE PINGA

GELATINA DE PINGA

6-8 porções
4-5 horas
Médio

- 1 PACOTE DE GELATINA DE MORANGO (OU DE SEU SABOR PREFERIDO)
- 3 PACOTES DE GELATINA EM PÓ SEM SABOR
- 2½ XÍCARAS (CHÁ) DE AÇÚCAR
- 2 DOSES DE CACHAÇA BRANCA
- AÇÚCAR CRISTAL, PARA POLVILHAR

Em uma panela, misture todos os ingredientes (exceto o açúcar cristal) com 2 xícaras (chá) de água. Leve ao fogo baixo, sem mexer, e cozinhe por 20 minutos depois de levantar fervura. Transfira para forminhas de gelo (ou para uma única forma retangular) e leve à geladeira para firmar. Retire das forminhas (ou corte a gelatina em cubinhos) e passe no açúcar cristal.

GOIABADA CASCÃO

1 barra de doce
5-6 horas
Médio

- 1,5 KG DE GOIABA VERMELHA MADURA
- 5 XÍCARAS (CHÁ) DE AÇÚCAR

Corte as goiabas ao meio (retire e reserve as sementes), afervente e reserve. Esprema bem as sementes, para retirar o máximo possível de polpa. Faça uma calda com o açúcar e 2 xícaras (chá) de água e cozinhe ⅔ das frutas, incluindo a polpa, até desmanchar e formar um doce cremoso (cerca de 3 horas em fogo baixo). Junte a goiaba restante e cozinhe por 1 hora, quebrando as frutas, mas deixando alguns pedaços aparentes. Tire do fogo e transfira para uma forma retangular forrada com filme de PVC. Espere esfriar e leve à geladeira, para firmar. Desenforme e sirva. Para fazer goiabada cremosa, use apenas 3 xícaras (chá) de açúcar e cozinhe todas as frutas juntas desde o começo.

LELÊ

4 porções
20 minutos
Fácil

- 3 XÍCARAS QUIRERA DE MILHO
- 2½ XÍCARA DE LEITE DE COCO (P. 56)
- 1½ XÍCARA DE LEITE
- 2 PEDAÇOS DE CANELA EM PAU
- 3 CRAVOS-DA-ÍNDIA

GOIABADA CASCÃO

MAÇÃ DO AMOR

- 1 COLHER (CAFÉ) RASA DE SAL
- 5 COLHERES (SOPA) DE AÇÚCAR
- 3 COLHERES (SOPA) DE MANTEIGA

Deixe a quirera de molho em água fria por 30 minutos. Escorra e misture com o leite de coco, o leite, a canela, o cravo, o sal e o açúcar. Cozinhe, sem parar de mexer, até começar a engrossar. Diminua o fogo, junte a manteiga e mexa até começar a desgrudar do fundo da panela.

ESMIUÇANDO

Também conhecido como muxá, esse doce é feito a partir da quirera, o milho quebrado. Encontra-se em festas juninas da Bahia e do Espírito Santo.

MAÇÃ DO AMOR

6 unidades
1h10
Médio

- 6 MAÇÃS GRANDES E BEM VERMELHAS
- 500 G DE AÇÚCAR
- 4 COLHERES (SOPA) DE XAROPE DE GLUCOSE
- 4 GOTAS DE CORANTE VERMELHO

Enfie um palito de sorvete na parte de baixo das maçãs e reserve. Misture o açúcar, a glucose e 1 xícara (chá) de água; mexa um pouco até dissolver. Leve ao fogo médio, sem mexer, até iniciar fervura. Diminua o fogo e cozinhe por 15 minutos. Adicione o corante, cozinhe por 1 minuto e tire do fogo. Coloque as maçãs sobre um tapete de silicone ou uma forma untada e despeje a calda sobre elas. Espere endurecer e esfriar.

ESMIUÇANDO

A maçã bem vermelha caramelizada e espetada no palito, presente em toda festa junina, quermesse ou ao redor das praças, foi criada em 1959 pela família Farre, de catalães imigrantes estabelecidos na Zona Leste de São Paulo. Os doceiros espanhóis se inspiraram nas frutas caramelizadas chinesas.

MANJAR DE COCO

1 forma redonda com furo no meio
1h30
Fácil

- 1 LITRO DE LEITE INTEGRAL
- 1 COPO (AMERICANO) DE LEITE DE COCO (P. 56)
- ⅔ XÍCARA (CHÁ) DE AÇÚCAR
- 1 XÍCARA (CHÁ) DE AMIDO DE MILHO

CALDA
- 1 XÍCARA (CHÁ) DE AÇÚCAR
- 2 XÍCARAS (CHÁ) DE AMEIXA SECA DE MOLHO EM ÁGUA

Coloque o leite, o leite de coco e o açúcar em uma panela. Misture para dissolver o açúcar e leve ao fogo até ferver. Junte o amido e continue mexendo, para não empelotar. Cozinhe por 10 minutos em fogo baixo e transfira para uma forma molhada por dentro, para o manjar não grudar. Espere esfriar e leve à geladeira. Para a calda, cozinhe o açúcar, a ameixa e 1 xícara (chá) da água em que a fruta ficou de molho; desligue um pouco depois que chegar ao ponto de fio. Quando o manjar estiver firme e frio, desenforme e jogue a calda fria por cima.

ESMIUÇANDO

Na origem, em Portugal, o manjar branco era uma família de pratos salgados ou doces que usavam peito de frango como "gelatina". Foi aqui, apenas, que a receita portuguesa incorporou o leite de coco e o amido de milho, tornando-se uma sobremesa clássica até hoje por todo o Brasil.

MANJAR DE COCO

MARIA MOLE COM COCO

20 porções
50 minutos
Médio

- 3 ENVELOPES DE GELATINA EM PÓ SEM SABOR (36 G)
- 2 XÍCARAS DE AÇÚCAR
- 6 COLHERES (SOPA) DE LEITE DE COCO
- ½ XÍCARA (CHÁ) DE COCO SECO RALADO
- ÓLEO DE MILHO, PARA UNTAR

Dissolva a gelatina em 9 colheres (sopa) de água morna e derreta em banho-maria. Misture a gelatina derretida em 1 ¼ de xícara (chá) de água, o açúcar e o leite de coco e leve à batedeira, em velocidade média, por 15 minutos. Cubra o fundo de uma assadeira com filme de PVC e um fio de óleo de milho para não grudar. Espalhe a maria mole na assadeira e mantenha na geladeira por pelo menos 2 horas, para ganhar consistência. Retire da geladeira, corte em quadradinhos e desenforme. Passe os quadradinhos rapidamente por um recipiente com água e envolva no coco ralado de todos os lados.

ESMIUÇANDO

Maria mole é brasileira de nascimento. Versão nacional do marshmallow, tem uma consistência esponjosa que faz com que aceite tanto coco quanto caldas na cobertura.

MARMELADA

1 barra de doce
1-2 horas
Fácil

- 1 KG DE MARMELO COM CASCA
- 1 KG DE AÇÚCAR

Cozinhe o marmelo até ficar bem macio. Passe pela peneira, apertando bem para virar pasta.

MARIA MOLE COM COCO

MERENGUE DE MORANGO

Faça uma calda grossa com o açúcar e 500 ml de água. Junte a pasta de marmelo e cozinhe, mexendo sempre, até o doce soltar do fundo da panela e ficar bem encorpado. Espere esfriar um pouco e coloque em uma forma forrada com filme de PVC, para ficar fácil de desenformar quando firmar.

MERENGUE DE MORANGO

4 porções
20 minutos
Fácil

- 1 CAIXINHA DE MORANGO
- 500 ML DE CREME DE LEITE FRESCO
- ½ XÍCARA (CHÁ) DE AÇÚCAR
- 1½ XÍCARA (CHÁ) DE SUSPIROS (P. 224)
- VINAGRE, PARA LAVAR

Lave bem os morangos com vinagre e água. Tire as folhas e corte ao meio ou em quatro partes; reserve. Misture o creme de leite com o açúcar e bata até obter um chantili. Monte as taças com camadas de suspiro, chantili e morango, cobrindo com chantili no final.

MINGAU DE BANANA PACOVA

3 porções
10 minutos
Fácil

- 2 BANANAS-PACOVAS MADURAS
- 1 XÍCARA (CHÁ) DE AÇÚCAR
- 1 XÍCARA (CHÁ) DE LEITE
- 1 XÍCARA (CHÁ) DE FARINHA DE TAPIOCA
- 1 PITADA DE SAL
- CANELA A GOSTO

Corte a banana em pedaços grandes, cubra de água e cozinhe. Quando ferver, acrescente o açúcar. Desligue o fogo, retire metade da banana e bata no liquidificador com o leite. Junte a farinha de tapioca à panela com os pedaços de banana. Acenda o fogo e acrescente a mistura do liquidificador. Cozinhe sem parar de mexer; se achar que está muito grosso, adicione um pouco de água. Junte o sal e cozinhe por cerca de 10 minutos, até a tapioca ficar macia.

MUSSE DE MARACUJÁ

MINGAU DE TAPIOCA

6 porções
1h30
Fácil

- 10 COLHERES (SOPA) DE TAPIOCA GRANULADA
- 3 XÍCARAS (CHÁ) DE LEITE
- 1 COPO (AMERICANO) DE LEITE DE COCO (P. 56)
- ½ XÍCARA (CHÁ) DE AÇÚCAR
- 1 PEDAÇO DE CANELA EM PAU
- 2 CRAVOS-DA-ÍNDIA
- 2 COLHERES (SOPA) DE COCO FRESCO RALADO

Hidrate a tapioca no leite por 40 minutos. Leve todos os ingredientes, exceto o coco ralado, ao fogo baixo; mexa constantemente, para a tapioca liberar o amido e engrossar o mingau. Cozinhe por 30 minutos, ou até a tapioca ficar quase macia. Adicione o coco ralado e cozinhe um pouco mais. Sirva quente, puro ou com canela em pó.

MUSSE DE CHOCOLATE

15 porções
30 minutos mais o tempo para gelar
Fácil

- 1¼ XÍCARA (CHÁ) DE AÇÚCAR
- 7 GEMAS
- 2 OVOS
- 700 G DE CHOCOLATE MEIO AMARGO
- 700 ML DE CREME DE LEITE FRESCO
- RASPAS DE CHOCOLATE PARA DECORAR

Faça uma calda com ¾ xícara (chá) de água e o açúcar. Bata as gemas e os ovos na batedeira até quadriplicar de volume. Acrescente a calda e bata até o merengue esfriar. Derreta o chocolate em banho-maria e junte ao merengue. Bata o creme de leite fresco em ponto de chantili e adicione à musse. Leve à geladeira para resfriar de um dia para o outro. Sirva decorado com raspas de chocolate.

MUSSE DE MARACUJÁ

4 porções
1 hora
Fácil

- 2 XÍCARAS (CHÁ) DE LEITE
- 1 XÍCARA (CHÁ) DE AÇÚCAR
- 2 MARACUJÁS
- 8 GEMAS
- 2 COLHERES (SOPA) DE AMIDO DE MILHO
- 2 XÍCARAS (CHÁ) DE CREME DE LEITE FRESCO

Ferva o leite com metade do açúcar e o suco dos maracujás sem sementes, passado na peneira. Enquanto isso, bata as gemas e o restante do açúcar por 3 minutos, com um batedor de arame, até ficar claro. Acrescente o amido e mexa bem. Quando o leite ferver, junte aos poucos à mistura de gemas, sem parar de mexer. Volte tudo para a panela e cozinhe em fogo baixo, mexendo sempre, até engrossar. Cozinhe por mais 3 minutos e desligue. Transfira o creme para uma tigela, cubra com filme de PVC e, quando esfriar, leve à geladeira. Bata o creme de leite em ponto de chantili. Misture delicadamente ao creme de maracujá, deixando homogêneo e aerado. Sirva gelado.

PAMONHA DOCE

6 unidades pequenas
1-2 horas
Difícil

- 10 ESPIGAS DE MILHO-VERDE COM A PALHA
- 500 ML DE LEITE
- 2 XÍCARAS (CHÁ) DE AÇÚCAR
- 1 COLHER (CHÁ) DE SAL
- CANELA EM PÓ A GOSTO

Tire a palha do milho, reservando para usar depois. Rale o milho ou tire da espiga com uma faca e bata no liquidificador com o leite. Passe por uma peneira para tirar os bagaços e junte o açúcar, a canela e o sal; misture. Junte duas palhas e faça um saquinho. Coloque a base de milho dentro do saquinho, feche e amarre com barbante (se quiser, pode costurar o saquinho para ficar mais firme). Cozinhe a pamonha em água fervente até que fique bem firme (ou cozinhe no vapor). Sirva quente.

ESMIUÇANDO

O mais bonito no preparo da pamonha é o envolvimento coletivo: alguns ralam, outros cozinham, outros enrolam. Família, tios e vizinhos se reúnem no ritual da pamonhada, promovendo um esforço comum em torno das receitas que podem ser feitas com o milho-verde. Eu me lembro de aguardar ansiosa para comer o doce quentinho. Nas serras de Minas Gerais, a pamonha é doce ou salgada, com queijo no meio da massa. E nos arredores de Goiânia descobri a pamonha salgada com torresmo e pimenta-biquinho.

PAMONHA DOCE

MINGAU DE TAPIOCA

PAPO DE ANJO

22 unidades
30 minutos
Médio

- 3 COPOS (AMERICANO) DE AÇÚCAR
- 1 GOTA DE ESSÊNCIA DE BAUNILHA
- 12 GEMAS PENEIRADAS
- 1 COLHER (SOPA) DE FARINHA DE TRIGO
- 5 CRAVOS-DA-ÍNDIA

Prepare uma calda com o açúcar e 3 copos (americanos) de água; cozinhe em fogo baixo até reduzir ⅓ e acrescente a baunilha. Mantenha a calda morna enquanto prepara os papos de anjo. Bata as gemas por cerca de 10 minutos, até ficar bem branquinho. Adicione a farinha de trigo e volte a bater bem. Enquanto isso, preaqueça o forno em temperatura média (180°C), unte formas de empadinha, coloque em uma assadeira e aqueça a água para o banho-maria. Despeje as gemas batidas nas forminhas, preenchendo de um terço a metade da capacidade. Coloque a água quente no fundo da assadeira até alcançar um dedo de altura. Leve imediatamente ao forno e asse por 4 a 5 minutos, ou até que os docinhos cresçam, fiquem firmes e levemente dourados por cima. Quando estiverem assados, desligue o forno e mantenha a porta aberta por cerca de 5 minutos antes de tirar a assadeira. Retire ainda quentes das forminhas, usando uma espátula ou faca sem ponta para soltar. Ponha os papos de anjo na calda, adicione os cravos e conserve em uma compoteira.

PAVÊ DE CHOCOLATE

PAVÊ DE ABACAXI

8 porções
2 horas mais o tempo de gelar
Médio

ABACAXI EM CALDA
- 1 ABACAXI EM RODELAS NÃO MUITO GROSSAS
- 500 G DE AÇÚCAR

RECHEIO
- 2 XÍCARAS (CHÁ) DE LEITE
- 1 XÍCARA (CHÁ) DE AÇÚCAR
- 8 GEMAS
- 2 COLHERES (SOPA) DE AMIDO DE MILHO
- 1½ XÍCARA (CHÁ) DE CREME DE LEITE SEM SORO

COBERTURA E MONTAGEM
- 3 CLARAS
- 4 COLHERES (SOPA) DE AÇÚCAR
- 1½ XÍCARA (CHÁ) DE CREME DE LEITE SEM SORO
- 200 G DE BISCOITO CHAMPANHE (P. 218)
- RASPAS DE CHOCOLATE BRANCO OU COCO RALADO, PARA DECORAR

Tire a parte central das rodelas de abacaxi, deixando com um buraco no meio. Aqueça 1 litro de água com o açúcar por cerca de 5 minutos, sem parar de mexer; caso fique muito espesso, adicione um pouco mais de água (se quiser, junte canela em pau para aromatizar a calda). Cozinhe o abacaxi na calda e apague o fogo quando ferver. Deixe esfriar um pouco e leve à geladeira por 1 hora. Pique as fatias de abacaxi e reserve.

Para o creme do recheio, ferva o leite com metade do açúcar. Enquanto isso, bata as gemas e o restante do açúcar por 3 minutos, com um batedor de arame, até ficar claro. Acrescente o amido e mexa bem. Quando o leite ferver, junte aos poucos à mistura de gemas, sem parar de mexer. Volte tudo para a panela e cozinhe em fogo baixo, mexendo sempre, até engrossar. Cozinhe por mais 3 minutos e desligue. Transfira o creme para uma tigela, cubra com filme de PVC e, quando esfriar, misture o creme de leite e o abacaxi (reserve a calda e alguns pedaços da fruta, para decorar o pavê); leve à geladeira.

Para a cobertura, bata as claras em neve com o açúcar, até ficar bem firme; misture o creme de leite. Em um refratário, alterne camadas de biscoito umedecidos na calda de abacaxi e camadas de creme. Espalhe a cobertura e leve à geladeira por, no mínimo, 6 horas antes de servir. Decore com raspas de chocolate branco ou coco.

ESMIUÇANDO

Algumas décadas atrás, o pavê virou moda. Em toda festa e celebração, lá estava a sobremesa, cujo nome vem do francês "pavage", ou seja, pavimento. Os ingredientes colocados em camadas em travessas transparentes prestam-se a muitas variações. E, sempre, à inevitável piadinha: "é pavê ou pra comê?" Os ingredientes clássicos são abacaxi, chocolate ou bolachas e bombons.

PAVÊ DE CHOCOLATE COM BISCOITO CHAMPANHE

8 porções
4 horas
Médio

- 5 XÍCARAS (CHÁ) DE LEITE, MAIS UM POUCO PARA UMEDECER OS BISCOITOS
- 1 XÍCARA (CHÁ) DE AÇÚCAR
- 2 OVOS
- ½ XÍCARA (CHÁ) DE AMIDO DE MILHO
- 1 COLHER (SOPA) DE MANTEIGA
- 3 PACOTES DE BISCOITO CHAMPANHE (P. 218)
- 4 COLHERES (SOPA) DE CHOCOLATE EM PÓ
- 1½ XÍCARAS (CHÁ) DE CHOCOLATE MEIO AMARGO PICADO
- 1 XÍCARA (CHÁ) DE CHOCOLATE AO LEITE PICADO
- ½ XÍCARA (CHÁ) DE CREME DE LEITE FRESCO

Para o creme, leve o leite e o açúcar ao fogo. Bata os ovos na batedeira até dobrar de tamanho. Dilua o amido no leite quente e adicione aos ovos, aos poucos, para não coagular. Volte ao fogo brando até engrossar. Tire do fogo e adicione a manteiga. (Se desejar, adicione 4 gotas de essência de baunilha ou 1 fava de baunilha.) Espere esfriar.

Umedeça os biscoitos em um pouco de leite misturado ao chocolate em pó. Em um refratário, monte uma camada de biscoitos e uma de creme; repita. Derreta o chocolate meio amargo e ao leite em banho-maria e misture ao creme de leite fresco, até formar uma calda densa. Cubra o pavê com a calda e leve ao freezer para gelar.

PAVÊ DE SONHO DE VALSA

12 porções
50 minutos mais o tempo para gelar
Médio

CREME DE CHOCOLATE
- 250 G DE CHOCOLATE AO LEITE
- 120 G DE CREME DE LEITE FRESCO
- 1 COLHER (SOPA) DE MEL
- 1 COLHER (CHÁ) DE ESSÊNCIA DE BAUNILHA
- ½ COLHER (SOPA) DE MANTEIGA

BOLO
- 4 OVOS GRANDES
- 120 G DE AÇÚCAR
- 120 G DE FARINHA
- 20 G DE AMIDO DE MILHO

CREME DE SONHO DE VALSA
- 600 G DE CREME DE LEITE FRESCO
- 16 BOMBONS TIPO SONHO DE VALSA, MAIS 6 BOMBONS PARA FINALIZAR

Coloque o chocolate em uma tigela e leve ao banho-maria até derreter ⅓ da quantidade. Ferva o creme de leite e misture ao chocolate. Acrescente o mel e a essência de baunilha; misture bem. Junte a manteiga e misture até ficar homogêneo. Deixe esfriar em temperatura ambiente.

Para o bolo, unte e enfarinhe uma forma de 40 cm x 25 cm. Bata os ovos com o açúcar até dobrar de volume e ficar claro. Peneire a farinha com o amido de milho e junte aos ovos, misturando delicadamente. Asse em forno a 220°C por 10 a 15 minutos, ou até dourar. Tire do forno e deixe esfriar.

Para o creme de Sonho de Valsa, bata 16 miolos do bombom e 140 g do creme de leite no processador; reserve (guarde as casquinhas dos bombons para a montagem). Bata o restante do creme de leite na batedeira até virar chantili. Misture ao creme de bombom.

Em uma travessa grande ou em taças individuais, faça uma camada de bolo (corte do tamanho adequado). Cubra com uma camada fina do creme de chocolate. Acrescente as casquinhas picadas. Agora faça uma camada generosa do creme de Sonho de Valsa. Continue o processo até que todos os ingredientes tenham acabado. Finalize com os bombons picados por cima de tudo. Leve à geladeira por 5 horas e sirva gelado.

PAVÊ DE SORVETE

8 porções
1 hora mais o tempo de gelar
Fácil

- 200 G DE CHOCOLATE MEIO AMARGO DERRETIDO
- ¾ XÍCARA (CHÁ) DE CREME DE LEITE FRESCO
- 2 XÍCARAS (CHÁ) DE LEITE
- 1 XÍCARA (CHÁ) DE AÇÚCAR
- 8 GEMAS
- 2 COLHERES (SOPA) DE AMIDO DE MILHO
- 200 G DE BISCOITO CHAMPANHE (P. 218)

Misture bem o chocolate meio amargo derretido com ½ xícara (chá) de creme de leite; reserve. Ferva o leite com metade do açúcar. Enquanto isso, bata as gemas e o restante do açúcar por 3 minutos, com um batedor de arame, até ficar claro. Acrescente o amido e mexa bem. Quando o leite ferver, junte aos poucos à mistura de gemas, sem parar de mexer. Volte tudo para a panela e cozinhe em fogo baixo, mexendo sempre, até engrossar. Cozinhe por mais 3 minutos e desligue. Transfira o creme para uma tigela, cubra com filme de PVC e leve à geladeira até gelar completamente.

Bata o restante do creme de leite em ponto de chantili. Junte ao creme gelado e misture delicadamente. Em um refratário de 28 cm x 17 cm x 4,5 cm, coloque metade do creme gelado e, com a ajuda de uma colher, espalhe por cima ⅓ do creme de chocolate, para ficar com aparência mesclada. Distribua metade do biscoito quebrado e faça outras camadas com o restante do creme branco, mais ⅓ do creme de chocolate e os biscoitos restantes. Decore com o creme de chocolate restante e leve ao freezer por 6 horas.

PESSEGADA

12 porções
30 minutos mais o tempo para macerar
Fácil

- 10 PÊSSEGOS BEM MADUROS
- 500 G DE AÇÚCAR

Lave os pêssegos, esfregue com um pano, tire os caroços e corte em pedacinhos. Arrume em camadas entremeadas com açúcar e reserve por umas 3 horas. Depois, leve ao fogo baixo, mexendo sempre, até aparecer o fundo da panela. Guarde em potes esterilizados.

PÊSSEGO EM CALDA

12 porções
30 minutos
Fácil

PICOLÉS DE COCO, LIMÃO E UVA

PUDIM DE CAFÉ

- 3 COPOS (AMERICANOS) DE AÇÚCAR
- 12 PÊSSEGOS GELADOS AMARELOS E FIRMES

Coloque o açúcar na panela e espere queimar um pouquinho, para dar uma cor mais caramelada à calda. Adicione 4 copos (americanos) de água. Assim que você jogar a água, o açúcar vai virar uma pedra. Abaixe o fogo e ferva até dissolver. Descasque os pêssegos e retire os cabinhos. Corte ao meio e coloque na calda, em fogo baixo. Assim que levantar fervura, cozinhe por 20 minutos. Coloque num recipiente e leve à geladeira.

PICOLÉS DE COCO, LIMÃO E UVA

4 unidades (cada)
20 minutos mais o tempo para congelar
Fácil

COCO
- 1 COPO (AMERICANO) DE ÁGUA DE COCO
- 200 ML DE LEITE DE COCO (P. 56)
- 1 COLHER (SOPA) DE COCO RALADO
- 1 XÍCARA (CHÁ) DE LEITE
- 1 COLHER (SOPA) DE AMIDO DE MILHO
- 2 COLHERES (SOPA) DE AÇÚCAR

Cozinhe todos os ingredientes em fogo baixo e espere engrossar. Quando estiver frio, bata no liquidificador e distribua em uma forma de gelo. Espete palitos de madeira ou minicolheres para que, ao congelar, seja fácil de servir.

LIMÃO
- ⅓ DE COPO (AMERICANO) DE SUCO DE LIMÃO
- 7 COLHERES (SOPA) DE AÇÚCAR
- 1 COLHER (SOPA) DE XAROPE DE GLUCOSE

Bata tudo no liquidificador com 2 xícaras (chá) de água, até dissolver o açúcar e a glucose. Coloque nas forminhas e congele por 2 horas. Encaixe os palitos de madeira e congele por mais 6 horas, pelo menos.

UVA
- 3 XÍCARAS (CHÁ) DE SUCO INTEGRAL DE UVA
- 7 COLHERES (SOPA) DE AÇÚCAR
- 1 COLHER (SOPA) DE XAROPE DE GLUCOSE

Bata tudo no liquidificador até dissolver o açúcar e a glucose. Coloque nas forminhas e congele por 2 horas. Encaixe os palitos de madeira e congele por mais 6 horas, pelo menos.

PUDIM DE AÇAÍ

8 porções
1h30
Fácil

- 3 XÍCARAS (CHÁ) DE LEITE
- 50 G DE POLPA DE AÇAÍ CONGELADA
- 1 COLHER (SOPA) DE AMIDO DE MILHO
- 5 OVOS
- 1 XÍCARA (CHÁ) DE AÇÚCAR

CALDA
- 1 XÍCARA (CHÁ) DE AÇÚCAR

Prepare a calda: cozinhe o açúcar e ¼ xícara (chá) de água, em fogo baixo, até ficar cor de caramelo. Despeje sobre uma forma retangular de 10 cm x 20 cm; deixe esfriar. Para o pudim, bata todos os ingredientes no liquidificador. Transfira para a forma caramelada e asse em banho-maria por 1h20 no forno a 180°C. Para saber se está pronto, mexa com a forma e veja se o pudim está firme. Retire do forno e passe uma faca sem corte nas laterais. Desenforme imediatamente. (Ou deixe esfriar, leve à geladeira e, na hora de servir, coloque o pudim sobre a chama do fogão para soltar o caramelo.)

PUDIM DE CAFÉ

8 porções
1h20
Fácil

- 3 XÍCARAS (CHÁ) DE LEITE
- 2 XÍCARAS (CHÁ) DE CAFÉ BEM FORTE
- 1 XÍCARA (CHÁ) DE AÇÚCAR
- 6 OVOS

CALDA
- 1 XÍCARA (CHÁ) DE AÇÚCAR

Bata o leite, o café, o açúcar e os ovos no liquidificador. Faça uma calda com o açúcar e ¼ xícara (chá) de água na forma de pudim. Transfira a massa para a forma e asse em banho-maria no forno a 180°C, por 1 hora. Desenforme e cubra com grãos de café para finalizar.

PUDIM DE COCO

10 porções
35 minutos mais o tempo para gelar
Fácil

- 1 COPO (AMERICANO) DE LEITE DE COCO (P. 56)
- 1½ COPO (AMERICANO) DE LEITE
- 1 COPO (AMERICANO) DE AÇÚCAR
- 5 OVOS
- 2 COLHERES (SOPA) DE AMIDO DE MILHO
- ½ COPO (AMERICANO) DE CREME DE LEITE FRESCO
- 5 COLHERES (SOPA) DE COCO RALADO SECO
- 3 COLHERES (SOPA) DE COCO RALADO SECO PARA DECORAR
- MANTEIGA, PARA UNTAR

Unte com manteiga uma forma de pudim com furo no meio. Bata todos os ingredientes no liquidificador. Despeje na forma e asse em banho-maria no forno a 170°C por 25 minutos. Leve à geladeira por 3 horas, desenforme e decore com coco ralado por cima. Sirva gelado.

PUDIM DE COCO QUEIMADO

10 porções
1 hora mais o tempo de gelar
Fácil

- 5 OVOS
- 1 XÍCARA (CHÁ) DE AÇÚCAR
- 1½ XÍCARAS (CHÁ) DE LEITE
- 2 COLHERES (SOPA) DE AMIDO DE MILHO

CALDA

- 2 XÍCARAS (CHÁ) DE AÇÚCAR
- 200 G DE COCO FRESCO

Para a calda, faça um caramelo com o açúcar diretamente na forma de pudim; reserve. Em uma panela, aqueça em fogo alto o açúcar restante, o coco e 2 colheres (sopa) de água. Quando a calda começar a ficar em ponto de fio, retire metade do coco e reserve. Cozinhe o restante do coco, sem parar de mexer, até ficar bem dourado. Desligue o fogo e mexa bastante, para esfriar e ficar soltinho. No liquidificador, bata bem os ovos, o açúcar, o leite e o amido de milho. Acrescente o coco reservado e apenas misture, sem bater. Despeje na forma e cozinhe em banho-maria por cerca de 40 minutos. Espere esfriar e mantenha na geladeira por pelo menos 6 horas. Desenforme e cubra o pudim com o coco queimado. Sirva gelado.

PUDIM DE CUPUAÇU

8 porções
1h30
Fácil

- 5 OVOS
- 50 G DE CUPUAÇU
- 3 XÍCARAS (CHÁ) DE LEITE
- 1 XÍCARA (CHÁ) DE AÇÚCAR
- 1 COLHER (SOPA) DE AMIDO DE MILHO

CALDA

- 1 XÍCARA (CHÁ) DE AÇÚCAR

Prepare a calda: cozinhe o açúcar e ¼ xícara (chá) de água, em fogo baixo, até ficar cor de caramelo. Despeje sobre uma forma retangular de 10 cm x 20 cm; deixe esfriar. Bata todos os ingredientes no liquidificador e transfira para a forma caramelada. Asse em banho-maria no forno a 180°C por 1h20. Para saber se está pronto, mexa a forma e veja se o pudim está firme. Retire do forno e passe uma faca sem corte nas laterais. Desenforme imediatamente. (Ou deixe esfriar, leve à geladeira e, na hora de servir, coloque o pudim sobre a chama do fogão para soltar o caramelo.)

PUDIM DE LEITE

8 porções
3 horas
Fácil

- 1 XÍCARA (CHÁ) DE AÇÚCAR (PARA A CALDA)
- 8 GEMAS E 4 OVOS
- 1¼ XÍCARA DE AÇÚCAR
- 1 LITRO DE LEITE
- 1 COLHER (CAFÉ) DE ESSÊNCIA DE BAUNILHA

PUDIM DE MANDIOCA

PUDIM DE LEITE

Prepare a calda: cozinhe o açúcar e 1/4 xícara (chá) de água, em fogo baixo, até ficar cor de caramelo. Despeje sobre uma forma retangular de 10 cm x 20 cm; deixe esfriar. Em uma tigela, misture as gemas com os ovos e o açúcar. Adicione o leite e a essência de baunilha. Transfira para a forma caramelada. Asse em banho-maria no forno a 180°C por cerca de 2h30. Para saber se está pronto, mexa a forma e veja se o pudim está firme. Retire do forno e passe uma faca sem corte nas laterais. Leve à geladeira por pelo menos 2h e, na hora de desenformar, coloque o pudim sobre a chama do fogão para soltar o caramelo.

ESMIUÇANDO

Imbatível em todas as casas, o pudim de leite é a mais clássica de todas as sobremesas clássicas. Antigamente, a cobertura era feita com açúcar queimado com ferro quente – e, muitas vezes, o doce vinha acompanhado por fios de ovos. Sabemos que o pudim feito com leite condensado – aquele cuja receita aparecia nas latinhas do produto – tornou-se muito mais popular do que a versão clássica. Mas mantivemos ambas neste livro para que cada um faça de acordo com sua preferência!

PUDIM DE LEITE CONDENSADO

1 pudim grande
1h40
Fácil

- 1 XÍCARA (CHÁ) DE AÇÚCAR
- 1½ XÍCARA (CHÁ) DE LEITE CONDENSADO
- 3 XÍCARAS (CHÁ) DE LEITE
- 3 OVOS

Para a calda, faça um caramelo com o açúcar e ¼ xícara (chá) de água diretamente na forma de pudim; reserve. Bata os outros ingredientes no liquidificador e despeje sobre a calda. Cubra com papel-alumínio e asse em banho-maria no forno preaquecido a 180°C por cerca de 1h30. Desenforme com cuidado e sirva frio.

LEITE CONDENSADO

500 g
1 hora
Médio

- 1¼ XÍCARA (CHÁ) DE AÇÚCAR CRISTAL
- 1 LITRO DE LEITE

Deixe um pires no freezer até ficar bem gelado. Misture o açúcar e o leite e leve ao fogo baixo por cerca de 45 minutos, até encorpar e ficar com cor de caramelo bem claro. Retire do fogo e bata com a batedeira até esfriar, por cerca de 15 minutos. Para saber o ponto correto, coloque uma gota do leite condensado no pires gelado: está pronto quando ela não escorre rapidamente. Utilize em seguida.

PUDIM DE MANDIOCA

10 porções
50 minutos
Fácil

- 300 G DE MANDIOCA CRUA
- 1½ XÍCARA (CHÁ) DE LEITE
- ½ XÍCARA (CHÁ) DE LEITE DE COCO (P. 56)
- 4 OVOS
- 1 XÍCARA (CHÁ) DE AÇÚCAR
- 1 XÍCARA (CHÁ) DE QUEIJO PARMESÃO RALADO
- 1 XÍCARA (CHÁ) DE COCO FRESCO RALADO
- CANELA EM PÓ

CALDA
- 1 XÍCARA (CHÁ) DE AÇÚCAR

Para a calda, dissolva o açúcar em ½ xícara (chá) de água. Sem mexer, leve ao fogo e deixe engrossar até atingir a cor de caramelo. Despeje em uma forma de furo no meio com 20 cm de diâmetro. Rale a mandioca e coloque em uma vasilha. Junte os ingredientes restantes, batendo sempre. Transfira para a forma, asse em banho-maria por 40 minutos e desenforme ainda morno.

PUDIM DE PÃO

8 porções
1h30
Fácil

- 3 PÃES FRANCESES AMANHECIDOS
- 2½ XÍCARAS (CHÁ) DE LEITE
- 3 OVOS
- 1 COLHER (SOPA) DE MANTEIGA
- 1 XÍCARA (CHÁ) DE AÇÚCAR
- 1 COLHER (CHÁ) DE CANELA EM PÓ

CALDA
- 1 XÍCARA (CHÁ) DE AÇÚCAR

Corte 1 dos pães em fatias finas e reserve. Umedeça os outros com um pouco de leite e bata no liquidificador com o leite restante, os ovos, a manteiga, o açúcar e canela. Faça uma calda com o açúcar e ¼ xícara (chá) de água diretamente na forma. Umedeça as fatias de pão reservadas e encaixe na calda. Despeje a massa na forma, cubra com papel-alumínio e asse em banho-maria no forno a 180°C por 40 a 45 minutos, ou até firmar. Quando desenformar, aqueça o fundo para soltar a calda.

SACOLÉS DE GROSELHA, CAJÁ E TAPIOCA COM COCO

4 unidades cada
10 minutos mais o tempo para congelar
Fácil

- GROSELHA
- ½ XÍCARA (CHÁ) DE GROSELHA
- 2 XÍCARAS (CHÁ) DE AÇÚCAR

Misture os ingredientes com 1 litro de água, coloque no saquinho com a ajuda de um cone e leve ao freezer por 6 horas.

CAJÁ
- 200 G DE POLPA DE CAJÁ
- 2 XÍCARAS (CHÁ) DE AÇÚCAR

Bata os ingredientes com 1 litro de água, coloque nos saquinhos e congele por pelo menos 6 horas.

TAPIOCA COM COCO
- 4 COLHERES (SOPA) DE TAPIOCA GRANULADA
- ½ COPO (AMERICANO) DE LEITE DE COCO (P. 56)
- 1 LITRO DE LEITE
- 2 XÍCARAS (CHÁ) DE AÇÚCAR

Hidrate a tapioca no leite de coco por 30 minutos. Misture com os outros ingredientes, encha os saquinhos e congele por 6 horas.

ESMIUÇANDO

No interior de São Paulo, havia picolé e sacolé. Sorvete de massa, quase nunca. Tenho, portanto, uma profunda conexão afetiva com esses geladinhos. Meus sabores preferidos sempre foram coco queimado, limão e groselha. Típico também das praias, pode ainda ser chamado de chupe-chupe, picolé-de-saco ou gelinho, conforme a região.

SAGU

6 porções
1 hora
Fácil

- 1 XÍCARA (CHÁ) DE SAGU
- 1 GARRAFA DE VINHO TINTO DE MESA (OU SUCO DE UVA)
- 1 PEDAÇO DE CANELA EM PAU

PUDIM DE PÃO

SACOLÉ

- 3 CRAVOS-DA-ÍNDIA
- 1 XÍCARA (CHÁ) MAIS 2 COLHERES (SOPA) DE AÇÚCAR
- 1 XÍCARA (CHÁ) DE CREME DE LEITE FRESCO

Aqueça 4 xícaras (chá) de água até ferver, junte o sagu e, quando levantar fervura novamente, diminua o fogo e cozinhe por 15 minutos. Escorra e descarte a água. Coloque mais água para ferver e volte o sagu ao fogo; cozinhe até as bolinhas ficarem transparentes. Enquanto isso, em outra panela, aqueça o vinho com a canela, o cravo-da-índia e 1 xícara (chá) de açúcar. Quando ferver, retire a canela e o cravo e junte o sagu. Bata 2 colheres (sopa) de açúcar com o creme de leite, até firmar. Sirva sobre o sagu.

ESMIUÇANDO

O sagu com vinho tinto traz em sua fórmula uma combinação suave e adocicada. As bolinhas brancas que se tornam transparentes durante o cozimento começaram a ser produzidas a partir da fécula de mandioca no começo do século XX. Trata-se de uma sobremesa brasileira, mas que está muito presente nas regiões de imigração italiana da Serra Gaúcha.

SALAME DE CHOCOLATE

4 porções
30 minutos mais o tempo para gelar
Fácil

- 230 G DE CHOCOLATE MEIO AMARGO PICADO
- 150 G DE MANTEIGA SEM SAL
- 2 OVOS
- ¾ XÍCARA (CHÁ) DE AÇÚCAR
- 1 COLHER (CHÁ) DE ESSÊNCIA DE BAUNILHA OU 1 COLHER (SOPA) DE RUM
- 2 COLHERES (SOPA) DE CHOCOLATE EM PÓ
- 1 XÍCARA (CHÁ) DE NOZES PICADAS
- 300 G DE BISCOITOS CASEIROS QUEBRADOS (P. 218)

Derreta o chocolate com a manteiga em banho-maria; mexa bem, para ficar homogêneo. Na batedeira, bata os ovos com o açúcar até ficar bem claro e dobrar de volume. Junte a baunilha e bata mais um pouco. Acrescente o chocolate em pó ao chocolate derretido. Junte a mistura de chocolate aos ovos batidos e misture bem. Adicione as nozes e os biscoitos picados. Mexa bem; a massa ainda estará cremosa. Abra um pedaço de filme de PVC sobre uma superfície lisa e, às colheradas, distribua a massa em uma forma comprida. Enrole o filme plástico ao redor da massa e torça as pontas, apertando bem, para formar o salame. Repita até acabar a massa. Coloque os salames em uma assadeira e leve à geladeira até o dia seguinte, para ficar firme. Corte em fatias e sirva gelado.

ESMIUÇANDO

Portugueses e italianos já estavam habituados a essa sobremesa em forma cilíndrica, semelhante à de um salame. Bolachas despedaçadas, chocolate, manteiga e ovos estão sempre presentes na receita, que pode receber também castanhas, amêndoas e avelãs.

SAGU

TORTA DE LIMÃO

TORTA DE BANANA COM SUSPIRO

8 porções
40 minutos
Fácil

CREME
- 1 LITRO DE LEITE
- 2 XÍCARAS (CHÁ) DE AÇÚCAR
- ½ XÍCARA (CHÁ) DE AMIDO DE MILHO
- 6 GEMAS PENEIRADAS
- 1 COLHER (CHÁ) DE ESSÊNCIA DE BAUNILHA

BANANA EM CALDA
- 2 XÍCARAS (CHÁ) DE AÇÚCAR
- 6 BANANAS-NANICAS EM RODELAS

SUSPIRO
- 6 CLARAS
- 1½ COLHER (SOPA) DE AÇÚCAR

Para o suspiro, bata as claras e o açúcar na batedeira, até ficar bem firme; reserve. Para o creme, coloque todos os ingredientes em uma panela, misture bem e cozinhe em fogo baixo, mexendo sempre; reserve. Em outra panela, derreta o açúcar até ficar levemente dourado. Junte 1 xícara (chá) de água, espere dissolver, acrescente a banana e cozinhe por cerca de 5 minutos. Escorra o excesso de calda e transfira para um refratário. Espalhe o creme por cima e cubra com o suspiro. Leve ao forno quente (200°C) por cerca de 10 minutos, ou até dourar bem. Retire e sirva quente ou fria.

TORTA DE LIMÃO

6-8 porções
1-2 horas
Médio

MASSA
- ½ XÍCARA (CHÁ) DE MANTEIGA
- 1 XÍCARA (CHÁ) DE FARINHA DE TRIGO
- 1½ COLHER (SOPA) DE AÇÚCAR

RECHEIO
- 2 XÍCARAS (CHÁ) DE LEITE
- 1 XÍCARA (CHÁ) DE AÇÚCAR
- 8 GEMAS
- 2 LIMÕES
- 2 COLHERES (SOPA) DE AMIDO DE MILHO

COBERTURA
- 1 XÍCARA (CHÁ) DE AÇÚCAR
- 3 CLARAS

Para a massa, misture a farinha, a manteiga e o açúcar, até obter uma farofa. Aos poucos, adicione ½ copo (americano) de água, até a massa ficar homogênea e macia. Forre uma forma com fundo removível, faça alguns furos com um garfo e asse por 25 minutos em forno a 160°C. Retire do forno e reserve.

Para o recheio, ferva o leite com metade do açúcar. Enquanto isso, bata as gemas e o restante do açúcar por 3 minutos, com um batedor de arame, até ficar claro. Acrescente o amido e mexa bem. Quando o leite ferver, junte aos poucos à mistura de gemas, sem parar de mexer. Volte tudo para a panela e cozinhe em fogo baixo, mexendo sempre, até engrossar. Cozinhe por mais 3 minutos e desligue. Transfira o creme para uma tigela e cubra com filme de PVC. Leve à geladeira e espere gelar completamente antes de usar. Acrescente o suco de limão, incorpore bem e recheie a torta.

Para a cobertura, faça uma calda com o açúcar e ½ xícara (chá) de água até o ponto de fio. Bata as claras em neve e acrescente a calda aos poucos, enquanto termina de bater. Coloque em um saco de confeitar e aplique a cobertura sobre torta. Queime com um maçarico ou leve ao forno a 180°C por 15 minutos, para firmar o merengue e dourar.

TORTA DE MORANGO

1 torta grande
1-2 horas
Médio

MASSA
- 1 XÍCARA (CHÁ) DE FARINHA DE TRIGO
- ½ XÍCARA (CHÁ) DE MANTEIGA
- 1½ COLHER (SOPA) DE AÇÚCAR

RECHEIO
- 5 XÍCARAS (CHÁ) DE LEITE
- 1 XÍCARA (CHÁ) DE AÇÚCAR
- 2 OVOS
- ½ XÍCARA (CHÁ) DE AMIDO DE MILHO
- 1 COLHER (SOPA) DE MANTEIGA

TORTA DE MORANGO

COBERTURA

- 3 CAIXINHAS DE MORANGO
- 1 XÍCARA (CHÁ) DE AÇÚCAR
- 2 COLHERES (SOPA) DE AMIDO DE MILHO

Para a massa, faça uma farofa com a farinha, a manteiga e o açúcar. Aos poucos, adicione ½ copo americano de água, até a massa ficar homogênea e macia. Forre uma forma com fundo removível, fure com um garfo e asse por 25 minutos em forno a 160°C. Retire do forno e reserve.

Para o recheio, leve o leite e o açúcar ao fogo. Bata os ovos na batedeira até dobrar de volume. Dilua o amido no leite quente e adicione aos ovos, aos poucos, para não coagular. Volte ao fogo brando até engrossar. Tire do fogo e adicione a manteiga. (Se desejar, adicione 4 gotas de essência de baunilha ou 1 fava de baunilha.) Espere esfriar e recheie a base da torta. Corte os morangos ao meio e cubra toda a superfície do creme. Cozinhe o açúcar e o amido com 1 xícara (chá) de água. Espere esfriar e cubra a torta.

TORTA PAULISTA

8 porções
30 minutos mais o tempo para gelar
Fácil

- 2 XÍCARAS (CHÁ) DE CREME DE LEITE
- 2 GEMAS
- 1 XÍCARA (CHÁ) DE AÇÚCAR
- 100 G DE MANTEIGA
- 250 G DE NOZES PICADAS
- 200 G DE BISCOITOS CASEIROS (P. 218)
- 2 XÍCARAS (CHÁ) DE LEITE
- 2 XÍCARAS (CHÁ) DE DOCE DE LEITE

Coloque o creme de leite no congelador por 30 minutos. Bata as gemas com o açúcar na batedeira até formar um creme. Acrescente a manteiga e em seguida misture o creme de leite gelado. Junte ¾ das nozes (reserve um pouco para cobrir a torta) e misture bem; reserve. Molhe os biscoitos no leite, apenas para umedecer. Em um refratário, alterne camadas de biscoitos e creme, finalizando com biscoitos. Espalhe o doce de leite sobre a torta e decore com nozes picadas. Deixe na geladeira por 1 hora antes de servir.

UMBUZADA

10 porções
30 minutos
Fácil

- 1 KG DE UMBU FRESCO
- 1,5 LITRO DE LEITE
- 2 XÍCARAS (CHÁ) DE AÇÚCAR

Lave bem o umbu, cubra com água e leve ao fogo. Quando ferver, espere 5 minutos e verifique se já está cozido. Retire da água e elimine os caroços, deixando apenas a polpa. Aqueça o leite com o açúcar, junte o umbu e cozinhe por cerca de 10 minutos em fogo baixo. Bata no liquidificador e sirva.

UMBUZADA

BALAS E DOCES DE FESTA

AMENDOIM CARAMELADO

10 porções
20 minutos
Fácil

- 500 G DE AMENDOIM CRU INTEIRO E SEM CASCA
- 2 XÍCARAS (CHÁ) DE AÇÚCAR
- 1 COLHER (SOPA) DE CANELA EM PÓ

Em uma panela funda, misture o amendoim, o açúcar e 2 copos (americanos) de água. Mexa sempre, em fogo médio, até secar a calda. Quando estiver no ponto de farofa, mexa até começar a adquirir o ponto de caramelo. Espalhe rapidamente a canela sobre o amendoim, mexendo bastante, até o amendoim ficar bem solto. Espalhe sobre uma superfície de mármore ou transfira para uma assadeira untada. O doce ficará crocante e soltinho somente depois de esfriar completamente.

BALA DE COCO

BALA DE CAFÉ

50 unidades
1h30
Difícil

- 1 XÍCARA (CHÁ) DE LEITE
- 2 XÍCARAS (CHÁ) DE AÇÚCAR
- 1 COLHER (SOPA) DE MANTEIGA SEM SAL
- 1 PITADA DE SAL
- ½ XÍCARA (CHÁ) DE CAFÉ FORTE COADO
- ¼ XÍCARA (CHÁ) DE CREME DE LEITE FRESCO
- MANTEIGA, PARA UNTAR

Ferva o leite com o açúcar. Ainda no fogo, acrescente a manteiga e o sal e, com um termômetro, controle a temperatura até atingir 160°C. Adicione o café e o creme de leite e cozinhe até formar ponto de bala (vai começar a soltar do fundo da panela). Derrame em uma mesa de mármore untada com manteiga. Quando estiver morno, molde as balas.

BALA DE COCO

900 g
1h20
Difícil

- 1 KG DE AÇÚCAR
- 1 COPO (AMERICANO) DE LEITE DE COCO
- 1 COPO (AMERICANO) DE ÁGUA
- 1½ XÍCARA (CHÁ) DE COCO SECO RALADO FINO

Coloque todos os ingredientes em uma tigela e misture bastante para dissolver o açúcar. Transfira para uma panela e leve ao fogo baixo sem mexer. Deixe cozinhar por volta de 40 minutos. Faça um teste para saber se já está no ponto, colocando uma colher de chá da calda em uma tigela com água fria e mexendo nela com a ponta dos dedos. Se conseguir formar uma bolinha uniforme, está no ponto; se não, deixe mais alguns minutos. Quando a calda estiver no ponto, tire do fogo e espalhe em uma bancada de mármore untada com óleo ou manteiga. Depois de esfriar um pouco, será possível manipular essa calda, pois ela estará maleável. Pegue com as duas mãos, untadas com óleo, e estique a bala, dobrando e voltando a esticar. A massa deve começar a mudar de cor após 5 minutos, atingindo uma cor pérola. Nesse ponto, a massa deve começar a enrijecer, por isso deixe uma tesoura ao lado. Inicie o corte das balas. Passe as balas no coco ralado para finalizar.

BALA DE LEITE

50 porções
20 minutos
Fácil

- 3 XÍCARAS (CHÁ) DE AÇÚCAR
- 4 XÍCARAS (CHÁ) DE LEITE
- 8 COLHERES (SOPA) DE MEL
- 1 PITADA DE BICARBONATO

Misture todos os ingredientes, até ficar homogêneo. Leve ao fogo médio até formar ponto de bala. Derrame em uma mesa de mármore untada com manteiga, deixe esfriar, corte as balas e embrulhe.

BALA DE OVO

24 unidades
2 horas
Difícil

- 15 GEMAS
- 3 XÍCARAS (CHÁ) DE AÇÚCAR
- ⅓ XÍCARA (CHÁ) DE LEITE DE COCO
- 2 XÍCARAS (CHÁ) DE AÇÚCAR (PARA A COBERTURA)
- ½ XÍCARA (CHÁ) DE COCO RALADO
- MANTEIGA, PARA UNTAR

BALA DE OVO

Passe as gemas em uma peneira. Faça uma calda em ponto de fio com o açúcar e 1 copo (americano) de água. Vá despejando sobre as gemas, mexendo sem parar para que não coagulem. Adicione o leite de coco e cozinhe em panela antiaderente, em fogo baixo, mexendo sem parar até engrossar e desgrudar do fundo. Coloque em uma travessa e espere esfriar. Leve à geladeira por 2 horas, para firmar. Forme bolinhas com a massa e volte para a geladeira, para firmar. Para a cobertura, faça uma calda com o açúcar e 1 xícara (chá) de água. Quando reduzir pela metade, cozinhe por mais 5 minutos, adicione o coco ralado e tire do fogo. Rapidamente, envolva as balas enroladas na calda e coloque em uma bancada ou mesa de mármore, untada, para firmar. Deixe esfriar e sirva.

BEIJINHO

BEIJINHO

50 unidades
20 minutos
Fácil

- 1 COCO MÉDIO RASPADO OU RALADO
- 1½ XÍCARA (CHÁ) DE AÇÚCAR CRISTAL
- 1 XÍCARA (CHÁ) DE LEITE
- 2 COLHERES (SOPA) DE AMIDO DE MILHO
- 1 COLHER (SOPA) DE MANTEIGA

Faça um furo no coco e retire a água (use em outra receita). Raspe o coco, coloque em uma panela e adicione todos os outros ingredientes. Leve ao fogo mexendo continuadamente. Quando o doce começar a desgrudar do fundo da panela, retire do fogo e despeje em um prato. Espere amornar. Pegue pequenas porções e faça bolinhas. Passe em açúcar cristal e arrume em forminhas para doces.

ESMIUÇANDO

Na antiga doçaria do Nordeste existiam os beijos, feitos a partir de leite, baunilha, açúcar, coco e gemas, enrolados e passados em açúcar cristal. O beijinho é uma criação posterior, do século XX. Nas variações, entram gemas ou não, açúcar cristal ou coco na cobertura, raspas de limão ou suco de laranja. Muitos são espetados com um cravo-da-índia.

BOMBOM DE CUPUAÇU

20 unidades
1h40
Difícil

- 2 XÍCARAS (CHÁ) DE AÇÚCAR
- 400 G DE POLPA DE CUPUAÇU
- 3 XÍCARAS (CHÁ) DE CHOCOLATE MEIO AMARGO RALADO

Em fogo médio, derreta o açúcar e a polpa de cupuaçu. Deixe reduzir à metade e retire do fogo. Derreta o chocolate em banho-maria e derrame em uma pedra de mármore. Com duas espátulas, mexa o chocolate para que ele esfrie. Quando esfriar e ainda estiver cremoso, preencha forminhas e deixe solidificar. Preencha os bombons com recheio de cupuaçu e cubra com o chocolate restante. Leve à geladeira para firmar e desenforme os bombons.

BRIGADEIRO

20-30 unidades
40 minutos
Fácil

- 4 COLHERES (SOPA) DE CHOCOLATE SOLÚVEL EM PÓ
- 3 COLHERES (SOPA) AÇÚCAR
- 2 COLHERES (SOPA) DE MANTEIGA
- 1 COPO (AMERICANO) DE LEITE
- 2 GEMAS
- CHOCOLATE GRANULADO

Coloque numa panela o chocolate solúvel, açúcar e a manteiga, misture rapidamente e acrescente o leite e as gemas. Mexa com uma colher de pau em fogo médio, até engrossar em ponto de brigadeiro, desligue o fogo e espere esfriar. Faça bolinhas e passe no chocolate granulado.

ESMIUÇANDO

Já é conhecida a história do docinho, unanimidade nacional: foi símbolo de campanha política do Brigadeiro Eduardo Gomes nos anos 1940. Presente em toda festa de aniversário ou mesmo nas mesas de comemoração dos adultos, ele ganha versões novas ano a ano: são comuns em brigaderias, que diversificam a receita original com sabores ou ingredientes especiais, como nozes, pistache, coco e laranja, entre outros. Além da versão clássica, em bolinhas, pode ser consumido em copinhos ou às colheradas.

BRIGADEIRO TRADICIONAL

30 unidades
40 minutos
Fácil

- 1⅔ XÍCARA (CHÁ) DE LEITE CONDENSADO
- 1 COLHER (SOPA) DE MANTEIGA SEM SAL
- 2 COLHERES (SOPA) DE CHOCOLATE EM PÓ
- 1½ XÍCARA (CHÁ) DE CHOCOLATE GRANULADO

Misture o leite condensado com a manteiga e o chocolate em pó e leve ao fogo médio/baixo, mexendo sempre até desgrudar do fundo da panela. Transfira para um prato untado com manteiga e deixe esfriar. Enrole em bolinhas e passe no chocolate granulado.

BOMBOM DE CUPUAÇU

BRIGADEIRO

CAJUZINHO

60 unidades
40 minutos
Fácil

- 500 G DE AMENDOIM TORRADO E MOÍDO
- 1 XÍCARA (CHÁ) DE AÇÚCAR
- 2 COLHERES (SOPA) DE CHOCOLATE EM PÓ
- 2 CLARAS
- 1 XÍCARA (CHÁ) DE AÇÚCAR
- ½ XÍCARA (CHÁ) DE AMENDOIM TORRADO E SEM PELE

Em uma vasilha grande, misture o amendoim, o açúcar e o chocolate. Adicione as claras e amasse bem, até incorporar. Com a mão, modele pequenas "coxinhas", passe no açúcar e finalize com metades de amendoim.

OLHO DE SOGRA

CAMAFEU DE NOZES

60 unidades
50 minutos
Médio

- 500 G DE NOZES MOÍDAS
- 4 COLHERES (SOPA) DE AÇÚCAR
- 2 OVOS
- ¼ XÍCARA (CHÁ) DE LEITE

FONDANT

- 2 XÍCARAS (CHÁ) DE AÇÚCAR DE CONFEITEIRO
- ¼ XÍCARA (CHÁ) DE LEITE
- GOTAS DE LIMÃO

Misture a farinha de nozes, o açúcar, os ovos e o leite e leve ao fogo, mexendo sempre, até aparecer o fundo da panela. Deixe esfriar. Modele os docinhos no formato oval.

Para o fondant: em um recipiente, coloque o açúcar de confeiteiro e o leite aos poucos, misture e leve ao fogo em banho-maria, pingando 3 gotinhas de limão. Mantenha em banho-maria enquanto modela os docinhos. Unte as mãos com manteiga e enrole bolinhas com porções da massa. Pressione levemente com a palma da mão para achatá-las dando um formato levemente retangular.

Banhe no fondant ainda quente. Decore com um pedaço de nozes em cada docinho. Acomode em uma assadeira untada com manteiga e deixe secar.

ESMIUÇANDO

O formato requintado desse docinho presente até hoje em muitas festas de casamento lembra o de um... camafeu, joia talhada em pedra usada por nobres desde a Antiguidade.

COQUINHO QUEIMADO

10 porções
1 hora
Médio

- 1 COCO SECO SEM CASCA
- 2 XÍCARAS (CHÁ) DE AÇÚCAR

Corte o coco em quadradinhos do mesmo tamanho. Leve ao fogo alto com o açúcar e ½ xícara (chá) de água, mexendo sempre até o açúcar começar a derreter – nesse momento, ele deve envolver os pedacinhos de coco. Continue mexendo, até o açúcar voltar a ficar sólido. Retire da panela e espalhe em uma bancada untada ou em um

PAÇOCA DE AMENDOIM

tapete de silicone, separando os coquinhos que ficarem grudados e tomando cuidado para não se queimar.

OLHO DE SOGRA

30 unidades
40 minutos
Fácil

- 2 XÍCARAS (CHÁ) DE AÇÚCAR
- ¾ XÍCARA (CHÁ) DE LEITE
- ½ COCO SECO RALADO FINO
- 4 GEMAS
- 30 AMEIXAS SECAS
- AÇÚCAR CRISTAL

Misture o açúcar e o leite. Leve ao fogo e deixe o leite dissolver o açúcar. Quando começar a ferver, tire a panela do fogo e adicione o coco ralado, misturando bem. Adicione as gemas sem parar de mexer para que não coagulem e encorpem a massa. Volte ao fogo baixo por mais 5 minutos e deixe esfriar fora da geladeira. Enrole as bolinhas e encaixe as ameixas, passando no açúcar cristal para finalizar.

PAÇOCA DE AMENDOIM

20 unidades
20 minutos
Fácil

- 2 XÍCARAS (CHÁ) DE AMENDOIM SEM CASCA TORRADO
- 1 XÍCARA (CHÁ) DE AÇÚCAR
- ½ XÍCARA (CHÁ) DE FARINHA DE MANDIOCA TORRADA OU FARINHA DE MILHO BEIJU
- 1 PITADA DE SAL

Junte os ingredientes (se por acaso não tiver amendoim torrado, torre por 10 minutos em forno a 160°C) e leve ao processador para extrair o óleo do amendoim e dar liga à paçoca. Depois amasse com as mãos e coloque em moldes para que fiquem todas iguais.

ESMIUÇANDO

Típico docinho da cultura caipira, presente em festas juninas de Pernambuco, Minas Gerais e São Paulo, a paçoca de amendoim virou guloseima clássica em todo o país, tanto no formato de quadradinhos quanto no cilíndrico.

PÉ DE MOLEQUE

10 porções
40 minutos
Médio

- 1 KG DE AÇÚCAR MASCAVO
- 1 KG DE AMENDOIM TORRADO SEM PELE

Faça uma calda com o açúcar e 1½ xícara (chá) de água em fogo médio, até o ponto de bala (110°C). Enquanto isso, bata metade do amendoim no liquidificador e misture aos grãos inteiros. Misture à calda; mexa bem e com força, para colocar um pouco de ar. Vire em um tapete de silicone, mármore ou bancada untada e molde ou corte no formato desejado. Para dar sabor de chocolate, adicione 1 xícara (chá) de chocolate em pó à calda.

ESMIUÇANDO

Em cidades históricas como Paraty e Ouro Preto conta-se que o nome dos quadradinhos feitos originalmente de rapadura e amendoim têm relação com as calçadas irregulares de pedra. Outra lenda diz que as quituteiras de rua gritavam para os meninos que roubavam docinhos: "Pede, moleque!"

PÉ DE MOLEQUE

PÉ DE MOLEQUE DE MANDIOCA COM CASTANHA-DE-CAJU

6 porções
1h30
Fácil

- 2 KG DE MANDIOCA COZIDA E BATIDA
- 2 COLHERES (SOPA) DE MANTEIGA
- 6 GEMAS
- 1 KG DE AÇÚCAR CRISTAL
- 1 PITADA DE SAL
- 900 ML DE LEITE DE COCO (P. 56)
- 150 G DE CASTANHA-DE-CAJU
- 80 G DE AMENDOIM
- 3 PAUS DE CANELA
- 5 CRAVOS-DA-ÍNDIA
- 1 COLHER (CHÁ) DE SEMENTES DE ERVA-DOCE

Cozinhe e mandioca, retire os fiapos e bata no liquidificador com um pouco da água do cozimento para que fique um creme homogêneo. Em uma bacia adicione a massa de mandioca mole, a manteiga, as gemas, o açúcar, o sal, um pouco de leite de coco e mexa até formar uma massa homogênea. Acrescente a castanha-de-caju, o amendoim, a canela, o cravo, a erva-doce e o restante do leite de coco até ficar uma massa parecida com massa de bolo mais grossa. Coloque pequenas porções em folhas de bananeira (pode ser papel-alumínio ou papel-manteiga) e leve ao forno por 45 minutos. Espere esfriar e sirva em pedaços.

PELEZINHO

10 porções
20 minutos
Fácil

QUINDIM

- 2 XÍCARAS (CHÁ) DE LEITE CONDENSADO (P. 201)
- 1 XÍCARA (CHÁ) DE CHOCOLATE EM PÓ
- 5 COLHERES (SOPA) DE MANTEIGA
- 200 G DE BISCOITO MAISENA
- ¾ XÍCARA (CHÁ) DE AÇÚCAR CRISTAL

Cozinhe o leite condensado, o chocolate em pó e a manteiga em fogo baixo, mexendo sempre até soltar da panela. Desligue e misture o biscoito quebrado. Despeje em uma assadeira untada com manteiga e espere esfriar. Corte em quadradinhos de aproximadamente 4 cm e envolva em açúcar cristal.

QUEBRA-QUEIXO

8 porções
30 minutos
Médio

- 1¼ COPOS (AMERICANO) DE AÇÚCAR
- 2½ COPOS (AMERICANOS) DE COCO FRESCO GROSSEIRAMENTE RALADO
- ½ COPO (AMERICANO) DA ÁGUA DO COCO
- 1 PAU DE CANELA
- 2 CRAVOS-DA-ÍNDIA
- 1 COLHER (CHÁ) DE GENGIBRE GROSSEIRAMENTE CORTADO

Em uma panela coloque o açúcar e aqueça até obter um caramelo escuro. Acrescente o restante dos ingredientes e deixe cozinhar até que esteja em ponto de fio. Retire do fogo e despeje em uma assadeira untada com manteiga. Deixe resfriar e corte em pedaços para servir.

ESMIUÇANDO

Muito comum na região Nordeste e no interior de São Paulo, especialmente durante as festas juninas, é de preparo simples. Quanto mais açúcar, mais molinho fica.

QUINDIM

12 porções
8 horas
Difícil

- 4 XÍCARAS (CHÁ) DE COCO FRESCO RALADO
- 4 XÍCARAS (CHÁ) DE AÇÚCAR, PENEIRADO
- 6 COLHERES (SOPA) DE MANTEIGA SEM SAL, DERRETIDA
- 24 GEMAS, PENEIRADAS DUAS VEZES SEM APERTAR
- MANTEIGA, PARA UNTAR
- AÇÚCAR, PARA POLVILHAR

Misture o coco ralado e o açúcar. Esprema bastante com as mãos, para que o açúcar derreta. Adicione a manteiga derretida, em temperatura ambiente, e deixe descansar na geladeira por 6 horas. Adicione as gemas. Reserve por 20 minutos e coloque em uma forma untada com manteiga e polvilhada com açúcar. Asse em banho-maria no forno preaquecido a 150°C por cerca de 30 minutos, até que o quindim esteja firme e o coco fique dourado.

ESMIUÇANDO

O quindim como se conhece no Brasil resulta de uma adaptação da receita portuguesa do brisas do lis, um doce conventual feito com ovos, açúcar e amêndoas. No Nordeste, no entanto, passou a ser feito com coco e conquistou o paladar de todo o país. Pode ser feito tanto em formas pequenas quanto grandes, de pudim (quindão).

PÃO DE QUEIJO, P. 248

PÃES E QUITANDAS

PÃO DE MILHO, P. 248

Meus filhos já sabem o que é quitanda. É que os olhos deles se enchem de alegria quando veem aqueles potes de biscoitos, sejam eles doces ou salgados, de polvilho, suspiros, goiabinhas, tudo o que é servido no lanche da tarde ou que acompanha o cafezinho (eles ainda não tomam cafezinho, mas sabem bem de todo o resto).

Esse conjunto de iguarias feitas com massa de farinha, seja ela de trigo, mandioca, milho ou araruta, recebe o nome dessa palavra muito usada em Minas Gerais – na minha casa, dizíamos sempre no plural: "Fui lá comprar umas quitandas pra gente tomar o café!" Tem hora mais afetuosa do que essa?

Podem ser compradas na venda da esquina, mas ganham ainda mais sabor quando feitas em casa. E aí entram os cadernos de receita da nossa família. Reconhecemos na letra da avó ou da madrinha o carinho que ainda recebemos delas. Da mesma maneira, vamos dando a tudo o que sai do forno, ao que é servido no pote ou na travessa bonita, um sentido especial. Nossas receitas dialogam com as índias, as sinhás, as escravas, as freiras – das mãos das quituteiras que souberam fazer biscoitos, bolachas, bolos, bolinhos, pães e roscas para alegrar a vida.

Se Portugal já tinha a tradição dos bolos para sacramentar uma ocasião especial, fosse ela batizado, noivado ou condolências, por aqui o costume se esparramou com gosto. Encontrou-se com as frutas, com as farinhas da mandioca e do milho, com o açúcar e a rapadura. Não se ofendeu com nenhuma influência, fosse dos imigrantes europeus ou dos vizinhos de fronteira. Na nossa mesa de pães e quitandas tudo coube, tudo cabe. Não rechaçamos a confeitaria requintada com pedigree, mas fazemos muito ao nosso jeito. E com um cafezinho, porque gostamos assim.

BISCOITOS E BOLACHAS

AMOR-PERFEITO (SEQUILHO DO TOCANTINS)

40 porções
25 minutos
Fácil

- 1 KG DE POLVILHO DOCE
- 2 XÍCARAS (CHÁ) DE AÇÚCAR
- 1¼ XÍCARA (CHÁ) DE MANTEIGA
- 1 PITADA DE SAL
- 1 XÍCARA (CHÁ) DE LEITE DE COCO (P. 56)

Adicione os ingredientes um por um e misture bem. Deixe o leite de coco por último para que a massa não grude nas mãos e chegue ao ponto certo. Para cada sequilho, faça uma bolinha, achate e faça um corte em forma de cruz. Esse corte é que vai dar o formato do amor-perfeito. Leve os biscoitos ao forno preaquecido a 220 °C por 15 minutos. Quando começar a dourar por cima, tire do forno.

ESMIUÇANDO

Esse tipo específico de sequilho vem de Natividade, município no Tocantins, onde a comunidade mantém a receita viva há mais de 100 anos. Mas de onde surgiu o biscoitinho? Foram os portugueses que trouxeram o amor-perfeito quando passaram pela região, ainda no século XVIII.

BISCOITO CASEIRO

10 a 15 porções
30 minutos mais o tempo do descanso
Fácil

- 1¼ XÍCARA (CHÁ) DE FARINHA DE TRIGO
- ½ XÍCARA (CHÁ) DE AÇÚCAR DE CONFEITEIRO
- ¾ XÍCARA (CHÁ) DE MANTEIGA GELADA CORTADA EM CUBOS
- 1 OVO
- 1 PITADA DE SAL

Peneire a farinha, o sal e o açúcar juntos. Corte a manteiga gelada em cubos pequenos e volte para a geladeira por 10 minutos. Acrescente a manteiga sobre a mistura de farinha cuidando para que os pedacinhos de manteiga não grudem uns nos outros. Incorpore com as pontas dos dedos o mais rápido que conseguir, até formar um farelo. Acrescente o ovo e amasse com delicadeza até formar a massa. Se a massa ainda não tiver se juntado, acrescente um pouco de água gelada. Faça uma bola com a massa, embrulhe em filme de PVC e achate para facilitar na hora de abrir. Deixe descansar na geladeira por no mínimo 1 hora ou até 48 horas. Quando for usar, abra em superfície ligeiramente enfarinhada na espessura de 1 cm e corte em retângulos ou outro formato. Asse em forno preaquecido a 180 °C por 12 minutos ou até dourar levemente.

BISCOITO CHAMPANHE

48 unidades
40 minutos
Médio

- 4 OVOS
- 135 G DE AÇÚCAR
- 110 G DE FARINHA DE TRIGO
- ½ COLHER (CHÁ) DE FERMENTO QUÍMICO

Preaqueça o forno a 200 °C. Forre dois tabuleiros de aproximadamente 30 cm x 45 cm com papel vegetal. Bata as claras em neve até formar picos moles. Aos poucos, acrescente 2 colheres (sopa) de açúcar e continue batendo até formar picos firmes. Em outra vasilha, bata o restante do açúcar com as gemas até obter um creme de cor clara. Peneire a farinha de trigo e o fermento. Coloque a metade da quantidade da clara em neve na vasilha com o creme de ovo e o açúcar. Misture. Acrescente a farinha de trigo e a outra metade das claras em neve. Misture novamente. Coloque o creme em um saco de confeiteiro de bico redondo e liso. Aperte e disponha os biscoitos champanhe sobre o papel vegetal. Asse por 14 minutos.

ESMIUÇANDO

Base do pavê, a popular sobremesa de Natal, o biscoito champanhe vem da região do norte da Itália então conhecida como Ducado de Savoy, no século XV. Foi preparado para a recepção oficial de um rei francês e recebeu, em italiano, o nome "savoiardi". Espalhou-se pela Europa e, em Portugal, foi batizado "palito da Reine" ou "biscoito de champanhe", tal como o conhecemos aqui.

BISCOITO DE ARARUTA

40 unidades
1h10
Fácil

- 1 XÍCARA (CHÁ) DE ARARUTA OU FÉCULA DE MANDIOCA
- 1 XÍCARA (CHÁ) DE FARINHA DE TRIGO
- 1 CLARA
- 3 GEMAS
- 1 XÍCARA (CHÁ) DE AÇÚCAR
- 1 XÍCARA (CHÁ) DE MANTEIGA

Peneire a araruta (ou a fécula de mandioca) e a farinha. Reserve. Bata a clara em neve. Misture bem as gemas com o açúcar. Junte a clara em neve e a manteiga à mistura de gemas e açúcar. Bata bem para incorporar os ingredientes. Adicione as farinhas e misture. Se ficar muito mole, acrescente um pouco mais de araruta. Abra a massa numa superfície enfarinhada e corte os biscoitos com cortadores, no formato que desejar. Leve ao forno médio preaquecido, numa assadeira untada e enfarinhada, e asse por 20 minutos.

BISCOITO DE GOMA

1 kg
20 minutos
Fácil

BISCOITO DE NATA

- 4½ XÍCARAS (CHÁ) DE POLVILHO
- 4 GEMAS
- 2 COLHERES (SOPA) DE MANTEIGA
- 1 XÍCARA (CHÁ) DE AÇÚCAR
- 1 PITADA DE SAL

Misture bem todos os ingredientes. Tire pedacinhos pequenos da massa, enrole na palma da mão e amasse com o garfo. Coloque os biscoitinhos em uma assadeira untada e asse em forno a 170 °C por 12 minutos. Cuide para não dourar.

BISCOITO DE NATA

30 unidades
1 hora
Médio

- 3 COLHERES (SOPA) DE AÇÚCAR
- 1 COLHER (SOPA) DE MANTEIGA
- 2 GEMAS
- 1 COPO (AMERICANO) DE NATA
- 1 COLHER (CAFÉ) DE SAL
- AMIDO DE MILHO O QUANTO BASTE

Bata o açúcar e a manteiga, até obter um creme. Adicione as gemas sem parar de bater. Acrescente a nata e o sal; misture bem, até ficar uniforme. Vá adicionando o amido aos poucos, trabalhando a massa até desgrudar das mãos. Abra com um rolo e corte nos formatos desejados (ou modele como rosquinhas). Asse em uma forma untada em forno preaquecido a 160 °C, até firmar, sem deixar dourar. Espere esfriar e sirva.

BISCOITO DE POLVILHO

50 unidades
30 minutos
Fácil

- 2¼ XÍCARAS (CHÁ) DE POLVILHO AZEDO
- ½ XÍCARA (CHÁ) DE LEITE
- ½ XÍCARA (CHÁ) DE ÓLEO DE MILHO
- 1 COLHER (CAFÉ) DE SAL
- 1 OVO
- ÓLEO DE MILHO, PARA UNTAR

Ferva ¼ xícara (chá) de água. Coloque o polvilho em uma vasilha e vá adicionando a água, aos poucos, misturando bem com uma colher até formar uma farofa. Adicione o leite, o óleo e o sal. Bata o ovo e adicione aos poucos, observando a consistência (a massa deve ficar mole, mas firme o suficiente para modelar no saco de confeitar). Coloque em um saco de confeitar e faça riscos em uma forma untada. Leve ao forno a 180 °C por aproximadamente 15 minutos, até firmar e dourar. Espere esfriar e sirva.

BISCOITO DE POLVILHO

BOLACHA AMANTEIGADA (MANTECAL)

8 porções
1h20
Fácil

- 100 G DE MANTEIGA SEM SAL EM TEMPERATURA AMBIENTE
- ½ XÍCARA (CHÁ) DE AÇÚCAR
- 1 OVO
- 1 PITADA DE SAL
- RASPAS DE ½ LIMÃO-SICILIANO OU TAITI
- ½ XÍCARA (CHÁ) DE FARINHA DE TRIGO
- 1½ XÍCARA (CHÁ) DE AMIDO DE MILHO
- 250 G DE GOIABADA CREMOSA
- MANTEIGA DERRETIDA, PARA PINCELAR
- AÇÚCAR REFINADO OU CRISTAL

Com uma espátula, misture a manteiga com o açúcar até ficar homogêneo. Acrescente o ovo, o sal e as raspas de limão. Mexa até ficar uniforme. Junte a farinha e o amido de milho peneirados juntos. Disponha a massa entre duas folhas de papel-manteiga e abra com

um rolo até ficar com cerca de 0,5 cm de espessura. Leve à geladeira por 2 horas. Com um cortador redondo, corte várias rodelas de massa. Coloque em uma assadeira forrada com papel-manteiga e leve ao congelador por 20 a 30 minutos. Preaqueça o forno a 160°C e asse os biscoitinhos por 10 ou 15 minutos. Não devem dourar; retire ainda branquinhos do forno. Assim que esfriar, monte os casadinhos com a goiabada cremosa, pincele com manteiga derretida e passe no açúcar.

BEIJO-DE-FREIRA

40 unidades
40 minutos
Fácil

- 3 GEMAS PASSADAS PELA PENEIRA
- 6 COLHERES (SOPA) DE AÇÚCAR
- 500 G DE MANTEIGA
- 1 COLHER (SOPA) DE FERMENTO QUÍMICO
- 10 GOTAS DE ESSÊNCIA DE BAUNILHA
- 500 G DE AMIDO DE MILHO
- 1 XÍCARA (CHÁ) DE FARINHA DE TRIGO
- ½ XÍCARA (CHÁ) DE AÇÚCAR CRISTAL PARA DECORAR

RECHEIO
- 500 G DE GOIABADA AMOLECIDA

Misture bem as gemas, o açúcar e a manteiga. Acrescente os outros ingredientes, amassando bem até o ponto de enrolar. Unte uma assadeira com manteiga a e polvilhe com farinha de trigo. Faça pequenas bolinhas e asse em forno preaquecido a 180 °C por cerca de 20 minutos, ou até dourar por baixo. Após esfriarem, una os biscoitinhos com goiabada ou outra geleia de sua preferência e, para finalizar, polvilhe açúcar cristal.

ESMIUÇANDO

O docinho de nome provocativo surgiu no Convento de Santa Clara do Porto e chegou ao Brasil no século XVII, possivelmente trazido pelas monjas clarissas. A receita original, que levava amêndoas, passou por adaptações até chegar a essa.

BEM-CASADO

CHIPA

BEM-CASADO

16 unidades
2h30
Médio

- 6 OVOS GRANDES
- ½ XÍCARA (CHÁ) MAIS ¾ XÍCARA (CHÁ) DE AÇÚCAR
- ½ XÍCARA (CHÁ) DE FARINHA DE TRIGO
- 1 COLHER (SOPA) RASA DE FERMENTO QUÍMICO
- 1½ XÍCARA (CHÁ) DE DOCE DE LEITE CREMOSO

Na batedeira, bata os ovos e ½ xícara (chá) de açúcar até obter um creme leve e amarelado. Adicione a farinha peneirada e o fermento, misturando com delicadeza. Transfira para uma forma untada e asse em forno preaquecido a 160 °C por cerca de 25 minutos, ou até dourar. Retire do forno e deixe esfriar. Desenforme e corte as porções do bem-casado com um cortador redondo ou quadrado. Abra ao meio e recheie com doce de leite. Para a cobertura, faça uma calda com ¾ xícara (chá) de açúcar e ½ xícara (chá) de água. Com cuidado, cubra os bem-casados. Outra opção é assar individualmente, colocando a massa em um saco de confeitar e fazendo porções sobre papel--manteiga ou tapete de silicone.

ESMIUÇANDO

Na época da colonização, eram comuns, no norte de Portugal, os quitutes "casadinhos" – ou seja, em duas partes –, unidos por uma camada de doce pastoso (vêm do árabe alfajor, ou al-hasú: recheio). Mas o bem-casado das festas de casamento é tradição brasileira, mesmo. O costume de embalar em papel-crepom, tule e fitas parece ter surgido em brincadeiras de batizados de bonecas, no interior de Minas Gerais e São Paulo.

CHIPA

20 unidades
45 minutos
Médio

- 3⅓ XÍCARAS (CHÁ) DE POLVILHO DOCE
- 3 XÍCARAS (CHÁ) DE QUEIJO MEIA-CURA
- ½ BARRA DE MANTEIGA EM TEMPERATURA AMBIENTE
- 3 OVOS
- 1 XÍCARA (CHÁ) DE LEITE INTEGRAL
- ½ COLHER (SOPA) DE SAL

Misture o polvilho doce, o queijo meia-cura, a manteiga, o sal e os ovos, um a um. Depois de misturar, adicione o leite aos poucos e vá mexendo até a massa desgrudar das mãos e ficar homogênea, fácil de manipular. Unte uma forma com manteiga, faça os pãezinhos em formato de ferradura e asse em forno preaquecido a 180 °C por cerca de 12 minutos, ou até dourar.

GOIABINHA

4 porções
1 hora
Médio

- 2 XÍCARAS (CHÁ) DE FARINHA DE TRIGO
- 1 XÍCARA (CHÁ) DE AÇÚCAR
- ¾ DE BARRA DE MANTEIGA
- 1 PITADA DE SAL
- GOIABADA CASCÃO CORTADA EM TIRAS, PARA RECHEAR

Misture a farinha de trigo, o açúcar e a manteiga e faça uma farofa. Vá acrescentando água aos poucos e misturando até a massa ficar macia e uniforme. Abra a massa com um rolo de macarrão, corte em círculos de 5 a 6 cm de diâmetro e coloque uma tira de goiabada no meio. Dobre e asse em forno preaquecido a 160 °C, por 20 minutos, ou até ficar levemente dourado. Se quiser, polvilhe açúcar cristal e sirva.

SEQUILHO

40 porções
25 minutos
Fácil

- 500 G DE AMIDO DE MILHO
- 1 XÍCARA (CHÁ) DE AÇÚCAR
- 250 G DE MANTEIGA
- 2 GEMAS

Coloque metade do amido de milho em uma tigela. Acrescente o açúcar, a manteiga e as gemas e misture. Vá dando o ponto com o restante do amido de milho até ficar uma massa homogênea e que solte das mãos. Pegue pequenas porções de massa e forme bolinhas. Coloque em uma assadeira untada com manteiga ou forrada com papel-manteiga. Marque as bolinhas, apertando com um garfo. Asse em forno a 180 °C por 10 a 15 minutos. Retire assim que dourar embaixo (devem permanecer clarinhos por cima). Deixe esfriar e retire da assadeira.

GOIABINHA

SUSPIRO

20 porções
20 minutos
Médio

- 2 CLARAS
- ½ XÍCARA (CHÁ) DE AÇÚCAR
- ½ COLHER (CHÁ) DE RASPAS DE LIMÃO
- 2 GOTAS DE SUCO DE LIMÃO

Misture as claras com o açúcar e aqueça em banho-maria até dissolver totalmente. Junte as raspas e as gotas de suco de limão. Bata em velocidade média, na batedeira, até obter picos firmes. Transfira para um saco de confeitar e modele os suspiros em uma assadeira forrada com papel--manteiga. Leve ao forno preaquecido a 100 °C e asse por 1 hora, ou até ficar firme. Desligue o forno e deixe o suspiro esfriar lá dentro. Guarde em recipiente de fecho hermético.

TARECO

20 porções
15 minutos
Fácil

- ½ XÍCARA (CHÁ) DE LEITE
- 1 COPO (AMERICANO) DE AÇÚCAR
- 1 OVO
- 1 COLHER (SOPA) RASA DE FERMENTO QUÍMICO
- 4 COLHERES (SOPA) DE MANTEIGA
- ½ XÍCARA (CHÁ) DE FARINHA DE TRIGO
- 1 PITADA DE SAL

Misture os ingredientes com uma colher, até obter uma massa homogênea. Com a ajuda da colher, modele disquinhos finos em uma assadeira untada. Asse em forno preaquecido a 170 °C por 8 minutos, ou até dourar.

BOLOS E BOLINHOS

BELÉU

1 forma retangular
40 minutos
Fácil

- 1½ XÍCARA (CHÁ) DE MANDIOCA CRUA E SEM CASCA RALADA
- ½ XÍCARA (CHÁ) DE AÇÚCAR MASCAVO OU GRAMIXÓ
- 1 XÍCARA (CHÁ) DE LEITE DE COCO (P. 56)
- ½ XÍCARA (CHÁ) DE LEITE INTEGRAL
- 3 OVOS
- 3 COLHERES (SOPA) DE MANTEIGA
- 1 COLHER (SOPA) DE FERMENTO QUÍMICO
- FARINHA DE ARROZ, PARA UNTAR A FORMA

Misture todos os ingredientes, com exceção do fermento e bata no liquidificador até ficar uniforme. Adicione o fermento, incorporando bem à massa batida. Unte uma forma com manteiga e farinha de trigo ou de arroz, coloque a massa e leve ao forno preaquecido a 180 °C por cerca de 30 minutos, ou até dourar.

ESMIUÇANDO

O biscoitinho popular das mesas e feiras do Acre leva gramixó – expressão do caboclo amazonense para o açúcar mascavo. Na região, esse açúcar se assemelha à rapadura, mas não tem a consistência tão firme. Eu assisti ao processo de feitura do gramixó em uma comunidade do Juruá, afluente do Rio Amazonas. Na ponta da enxada, o açúcar vai ganhando uma textura única, rústica, que lembra a de uma rapadura prensada ou ralada.

BOLINHO DE CHUVA

BELÉU

BOLINHO DE CHUVA

30 unidades
35 minutos
Fácil

- 3 XÍCARAS (CHÁ) DE FARINHA DE TRIGO
- 2 COLHERES (SOPA) DE AÇÚCAR
- 1 COLHER (SOPA) DE FERMENTO QUÍMICO
- 2 COLHERES (SOPA) DE MANTEIGA
- 1 XÍCARA (CHÁ) DE LEITE
- 1 OVO
- ½ COLHER (CAFÉ) DE SAL
- ÓLEO DE MILHO, PARA FRITAR
- AÇÚCAR E CANELA PARA EMPANAR

Misture todos os ingredientes, exceto o leite e o ovo. Quando formar uma farofa, adicione o leite e o ovo. Deixe a massa descansar por 15 minutos.

Aqueça o óleo e vá colocando colheradas da massa para fritar. Quando dourar, tire e deixe secar em papel-toalha. Empane no açúcar e na canela e sirva.

ESMIUÇANDO

Uma mistura muito simples resulta nesse bolinho que traz para diversas pessoas aquela sensação doce da infância. Encontra-se facilmente em padarias e ainda é preparado em muitas casas.

BOLINHO DE ESTUDANTE

20 unidades
40 minutos
Fácil/médio

- 2 XÍCARAS (CHÁ) DE TAPIOCA GRANULADA, MAIS UM POUCO PARA ENROLAR OS BOLINHOS
- ¾ XÍCARA (CHÁ) DE AÇÚCAR
- 1 PITADA DE SAL
- 2 XÍCARAS (CHÁ) DE LEITE DE COCO (P. 56)
- ÓLEO DE MILHO, PARA FRITAR
- AÇÚCAR E CANELA, PARA POLVILHAR

Misture a tapioca com o açúcar e o sal; hidrate com o leite de coco e misture bem. Deixe descansar por 20 minutos, ou até a tapioca absorver o líquido. Enrole os bolinhos em formato de croquete, com biquinhos nas pontas. Passe por um pouco de tapioca granulada e frite em óleo quente, até dourar. Espere esfriar um pouco e polvilhe açúcar e canela antes de servir.

ESMIUÇANDO

Um dos doces preferidos de Jorge Amado, que preferia chamá-lo pelo nome popular na Bahia: "punhetinha". Pode ser encontrado nas casas ou nos tabuleiros das baianas, ao lado de outros clássicos baianos.

BOLO BAETA

8 porções
1h40
Fácil

- 1 LITRO DE LEITE
- 2 COLHERES (SOPA) DE MANTEIGA
- 2½ XÍCARAS (CHÁ) DE FARINHA DE TRIGO
- 2 XÍCARAS (CHÁ) DE AÇÚCAR
- 2 OVOS

Preaqueça o forno a 180 °C. Bata todos os ingredientes no liquidificador. Unte uma forma de pudim de tamanho médio com manteiga e farinha de trigo. Despeje a massa liquida na forma e leve ao forno por 1h30.

BOLO COMUM

BOLINHO DE ESTUDANTE

Retire do forno e espere esfriar por completo para desenformar.

ESMIUÇANDO

Tem a peculiaridade de não levar fermento e, por isso, ficar semelhante a um pudim. Conhecido também como "bolo de leite".

BOLO COMUM

1 forma redonda com furo no meio
40 minutos
Fácil

- 2 XÍCARAS (CHÁ) DE AÇÚCAR
- 2 COLHERES (SOPA) DE MANTEIGA SEM SAL
- 1 XÍCARA (CHÁ) DE LEITE
- 2½ XÍCARAS (CHÁ) DE FARINHA DE TRIGO
- 1 COLHER (SOPA) DE FERMENTO QUÍMICO
- 5 CLARAS EM NEVE

Bata o açúcar com a manteiga. Adicione, ainda batendo, o leite, a farinha de trigo e, por último, o fermento. Incorpore as claras em neve à massa, coloque em uma forma untada com manteiga e farinha de trigo e leve ao forno preaquecido a 160 °C por cerca de 30 minutos.

ESMIUÇANDO

Bolo comum, bolo simples, bolo de nada: todos esses termos batizam aquele bolinho bom para comer com café – pode não ter sabor de nada, mas tem gosto de lembrança. A minha me leva à minha infância. Como nossa cozinheira não era muito "de bolo", era eu que entrava na cozinha para preparar o bolo que meu pai comia com leite toda manhã.

BOLO CREMOSO DE MILHO-VERDE

BOLO CREMOSO DE MILHO-VERDE

1 forma retangular
40 minutos
Fácil

- 2 XÍCARAS (CHÁ) DE LEITE
- 2 XÍCARAS (CHÁ) DE AÇÚCAR
- 3 COLHERES (SOPA) DE FARINHA DE TRIGO PENEIRADA
- 3 OVOS
- 2 XÍCARAS (CHÁ) DE MILHO-VERDE COZIDO E DEBULHADO
- 2 COLHERES (SOPA) DE MANTEIGA
- 1 COLHER (SOPA) DE FERMENTO QUÍMICO

Bata todos os ingredientes com exceção do fermento. Adicione o fermento e coloque em uma forma untada com manteiga e farinha de trigo. Asse em forno preaquecido a 170 °C, por 30 minutos, ou até dourar. O centro deve ficar cremoso e a superfície, dourada.

BOLO CREMOSO DE PUPUNHA

8 porções
1h45
Fácil

- 6 OVOS
- 2 XÍCARAS (CHÁ) DE POLPA DE PUPUNHA SEM CAROÇO COZIDA E AMASSADA
- 200 ML DE LEITE DE COCO (P. 56)
- 200 ML DE LEITE
- 1 COLHER (SOPA) DE MANTEIGA
- 250 G DE AÇÚCAR
- 2 COLHERES (SOPA) DE FARINHA DE TRIGO
- 1 COLHER (SOPA) DE FERMENTO QUÍMICO
- 1 PITADA DE SAL

Bata as claras em neve e reserve. Bata a pupunha no liquidificador, para obter um purê, e misture com os dois tipos de leite. Em outra tigela, misture a manteiga e o açúcar. Acrescente as gemas, uma de cada vez, e mexa para incorporar. Junte o purê de pupunha, o sal, a farinha e o fermento, misturando bem. Com cuidado, acrescente as claras em neve. Transfira para uma forma untada e enfarinhada e asse em forno a 180 °C por 30 minutos.

BOLO DE CENOURA COM COBERTURA DE CHOCOLATE

BOLO DE ABACAXI

1 forma redonda
50 minutos
Médio

- 2 OVOS
- 1 XÍCARA (CHÁ) DE AÇÚCAR
- ½ XÍCARA (CHÁ) DE LEITE
- 1 XÍCARA (CHÁ) DE FARINHA DE TRIGO
- 2 COLHERES (CHÁ) DE FERMENTO QUÍMICO
- ½ ABACAXI CORTADO EM FATIAS SEM O MIOLO
- MANTEIGA E AÇÚCAR PARA UNTAR A FORMA

Separe os ovos e bata as gemas com o açúcar até formar um creme claro e leve. Adicione o leite e bata mais um pouco. Bata as claras em neve e misture delicadamente às gemas. Peneire a farinha de trigo e adicione o fermento, misturando delicadamente. Unte a forma com a manteiga e o açúcar e arrume as fatias de abacaxi de forma a que cubram todo o fundo da forma. Cubra com a massa do bolo e asse em forno preaquecido a 160 °C por cerca de 35 minutos, ou até dourar. Desenforme o bolo de forma com que as fatias de abacaxi fiquem viradas para cima.

BOLO DE AIPIM

6-8 porções
1 hora
Fácil

- 1 COCO INTEIRO RALADO
- 4 XÍCARAS (CHÁ) DE AÇÚCAR
- 4 OVOS
- 4 COLHERES (SOPA) DE MANTEIGA
- 1,5 LITRO DE LEITE
- 2 KG DE MANDIOCA RALADA

Bata o coco, o açúcar, os ovos, a manteiga e o leite no liquidificador até ficar homogêneo. Despeje em uma vasilha e acrescente a mandioca ralada. Misture tudo muito bem e coloque em uma assadeira untada. Leve ao forno, preaquecido, por 40 minutos ou até dourar.

BOLO DE ARARUTA

8 porções
1 hora
Fácil

- 4 OVOS
- 2 XÍCARAS (CHÁ) DE AÇÚCAR
- 250 G DE ARARUTA
- 1 COLHER (CHÁ) DE FERMENTO QUÍMICO
- 3 GOTAS DE ESSÊNCIA DE BAUNILHA

Primeiro bata as claras até chegar ao ponto de neve. Junte as gemas, o açúcar e a araruta. Bata novamente. Acrescente o fermento e a essência de baunilha. Unte uma forma com manteiga. Despeje a massa na forma e leve ao forno (que já deve estar preaquecido) por 45 minutos a temperatura média.

BOLO DE ARROZ

12 porções
30 minutos
Fácil

- 1 COPO (AMERICANO) DE ARROZ CRU
- 1 COPO (AMERICANO) DE LEITE
- 1 XÍCARA (CHÁ) DE ÓLEO
- 3 OVOS
- 1½ XÍCARA (CHÁ) DE AÇÚCAR
- ½ XÍCARA (CHÁ) DE COCO RALADO
- ½ XÍCARA (CHÁ) DE QUEIJO PARMESÃO RALADO
- 1 COLHER (SOPA) FERMENTO

Misture o arroz e o leite em um recipiente e coloque na geladeira por 3 horas. Bata no liquidificador o arroz com o leite, o óleo e os ovos. Bata bastante até virar um creme. Em seguida, bata rapidamente com o pulsar do liquidificador o açúcar, o coco e o queijo ralado e, no final, o fermento. Coloque para assar por 20 minutos a 180 °C em forno preaquecido, em forma untada com manteiga e polvilhada com açúcar.

BOLO DE BANANA

BOLO DE BANANA

1 forma redonda
50 minutos
Médio

- 2 OVOS
- 1 XÍCARA (CHÁ) DE AÇÚCAR
- ½ XÍCARA (CHÁ) DE LEITE
- 6 BANANAS NANICAS MADURAS
- 1 XÍCARA (CHÁ) DE FARINHA DE TRIGO
- 2 COLHERES (CHÁ) DE FERMENTO QUÍMICO
- CANELA EM PÓ PARA POLVILHAR

PARA UNTAR
- ½ XÍCARA (CHÁ) DE AÇÚCAR

Separe os ovos e bata as gemas com o açúcar até formar um creme claro e leve. Adicione o leite e bata mais um pouco. Bata as claras em neve e misture delicadamente às gemas. Amasse bem, com as mãos, duas bananas e misture aos ovos batidos. Corte as outras bananas na horizontal e reserve. Peneire a farinha de trigo e adicione o fermento, misturando delicadamente à massa. Faça uma calda com o açúcar e a ½ xícara (chá) de água e unte o fundo da assadeira, montando as bananas de forma a que forrem todo o fundo. Cubra com a massa do bolo e asse em forno preaquecido a 160 °C por cerca de 35 minutos, ou até dourar. Desenforme o bolo de modo a que as fatias de banana fiquem viradas para cima. Polvilhe canela e sirva.

BOLO DE ABACAXI

BOLO DE CENOURA COM COBERTURA DE CHOCOLATE

1 forma retangular
50 minutos
Médio

- 3 CENOURAS SEM CASCA
- 3 OVOS
- 1 XÍCARA (CHÁ) DE ÓLEO DE MILHO
- 3 XÍCARAS (CHÁ) DE FARINHA DE TRIGO
- 2 XÍCARAS (CHÁ) DE AÇÚCAR
- 1 COLHER (SOPA) DE FERMENTO QUÍMICO

COBERTURA
- 1 COLHER (SOPA) DE MANTEIGA SEM SAL
- 4 COLHERES (SOPA) DE CHOCOLATE EM PÓ
- 4 COLHERES (SOPA) DE AÇÚCAR

Bata a cenoura, os ovos e o óleo no liquidificador. Quando a mistura estiver homogênea, adicione a farinha de trigo, aos poucos, e o açúcar. Continue batendo. Ao final, pare de bater e adicione o fermento, incorporando com uma colher. Unte uma forma com manteiga e farinha

BOLO DE FUBÁ

de trigo e asse em forno preaquecido a 170 °C por cerca de 30 minutos. Quando o bolo estiver quase pronto, leve ao fogo médio todos os ingredientes da cobertura com ½ xícara (chá) de água até atingirem o ponto de fio. Derrame sobre o bolo e deixe esfriar para servir.

BOLO DE CHOCOLATE COM COBERTURA "QUE QUEBRA"

6-8 porções
1 hora
Fácil

BOLO
- 1 XÍCARA (CHÁ) DE LEITE MORNO
- 3 OVOS
- 4 COLHERES (SOPA) DE MANTEIGA DERRETIDA
- 2 XÍCARAS (CHÁ) DE AÇÚCAR
- 1 XÍCARA (CHÁ) DE CHOCOLATE EM PÓ
- 2 XÍCARAS (CHÁ) DE FARINHA DE TRIGO
- 1 COLHER (SOPA) DE FERMENTO QUÍMICO

COBERTURA
- 8 COLHERES (SOPA) DE CHOCOLATE EM PÓ
- 8 COLHERES (SOPA) DE AÇÚCAR
- 2 COLHERES (SOPA) DE MANTEIGA
- 4 COLHERES (SOPA) DE LEITE

Bata bem todos os ingredientes da massa no liquidificador. Coloque em uma forma redonda, untada com manteiga e polvilhada com farinha de trigo. Asse por cerca de 40 minutos em forno médio (180 °C), preaquecido.

Para a cobertura, junte todos os ingredientes e leve ao fogo. Deixe no fogo até ferver e soltar do fundo da panela, mexendo durante todo o tempo. Quando ferver, deixe por mais 30 segundos e desligue o fogo.

BOLO DE FÉCULA DE BATATA

8 porções
50 minutos
Fácil

- 6 OVOS SEPARADOS
- 8 COLHERES (SOPA) DE AÇÚCAR
- 1 COLHER (SOPA) DE ESSÊNCIA DE BAUNILHA
- 4 COLHERES (SOPA) DE FÉCULA DE BATATA
- 1 COLHER (SOPA) DE FERMENTO QUÍMICO

Misture as gemas, o açúcar, a essência de baunilha e a fécula de batata. Em seguida, acrescente as claras em neve. Por último, incorpore delicadamente o fermento químico. Asse em forno preaquecido e forma untada com manteiga.

BOLO DE FUBÁ

1 forma com furo no meio
40 minutos
Fácil

- 9 COLHERES (SOPA) FARINHA DE TRIGO
- 1⅓ XÍCARA (CHÁ) DE FUBÁ AMARELO
- 1½ XÍCARA (CHÁ) DE AÇÚCAR
- 6 OVOS
- ½ XÍCARA (CHÁ) DE LEITE INTEGRAL
- ⅓ DE XÍCARA (CHÁ) DE ÓLEO DE MILHO
- 2 COLHERES (SOPA) DE FERMENTO QUÍMICO

Misture todos os ingredientes secos, exceto o fermento. Adicione as gemas, o leite e o óleo de milho, misturando tudo com uma espátula. Incorpore as claras, batidas em neve e, por fim, o fermento. Misture bem e coloque em uma forma untada. Leve ao forno a 150 °C por 30 minutos ou até que esteja assado por inteiro.

BOLO DE INHAME

6-8 porções
1h
Fácil

- 1 OVO
- ½ XÍCARA (CHÁ) DE AÇÚCAR
- 1 XÍCARA (CHÁ) DE INHAME CRU RALADO FINO
- 2 XÍCARAS (CHÁ) DE FUBÁ
- 2 COLHERES (CHÁ) DE FERMENTO QUÍMICO
- 1 COLHER (CHÁ) DE ERVA-DOCE
- 1 XÍCARA (CHÁ) DE LEITE

Bata o ovo com o açúcar até espumar. Junte os ingredientes restantes e misture bem. Ponha a massa em uma forma de furo no meio untada e polvilhada com fubá. Asse em forno médio por cerca de 30 minutos, ou até dourar. Desenforme depois de morno.

BOLO DE LARANJA

1 forma redonda com furo no meio
40 minutos
Fácil

- ½ XÍCARA (CHÁ) DE MANTEIGA
- 1 XÍCARA (CHÁ) DE AÇÚCAR
- 4 OVOS
- RASPAS DE LARANJA A GOSTO
- 1 XÍCARA (CHÁ) DE SUCO DE LARANJA
- 2 XÍCARAS (CHÁ) DE FARINHA DE TRIGO
- 1 COLHER (CHÁ) DE FERMENTO QUÍMICO

Bata a manteiga com o açúcar até formar um creme esbranquiçado. Adicione as gemas, as raspas e o suco de laranja. Diminua a velocidade da batedeira e junte a farinha aos poucos; por fim, acrescente o fermento. Bata as claras em neve e misture à massa delicadamente. Coloque em forma untada e leve ao forno a 170 °C por cerca de 30 minutos, até dourar.

BOLO DE NOIVA

1 forma redonda grande
1h30 mais o tempo para hidratar
Médio/difícil

BOLO
- 1½ XÍCARA (CHÁ) DE UVA-PASSA SEM SEMENTES
- 1 XÍCARA (CHÁ) DE VINHO DO PORTO OU MOSCATEL
- 2 XÍCARAS (CHÁ) DE AMEIXA SECA SEM CAROÇO
- 1¾ XÍCARA DE AÇÚCAR
- 1¼ BARRA DE MANTEIGA
- 5 OVOS
- 2 XÍCARAS (CHÁ) DE FARINHA DE TRIGO
- 1 XÍCARA (CHÁ) DE LEITE
- ½ XÍCARA (CHÁ) DE CACAU EM PÓ
- 1 COLHER (SOPA) DE BICABORNATO DE SÓDIO
- 1 XÍCARA (CHÁ) DE FRUTAS CRISTALIZADAS
- 1½ COLHER (SOPA) DE FERMENTO QUÍMICO

COBERTURA
- 2 CLARAS
- 3 XÍCARAS (CHÁ) DE AÇÚCAR DE CONFEITEIRO
- SUCO E RASPAS DE 1 LIMÃO

Coloque as uvas-passas de molho no vinho do porto e deixe por pelo menos 24 horas. Leve ao fogo as ameixas secas com ½ xícara de açúcar e ½ xícara de água e cozinhe em fogo baixo até formar um doce espesso, mexendo de vez em quando. Bata no liquidificador e reserve. Bata a manteiga com o restante do açúcar até formar um creme esbranquiçado. Adicione as gemas, uma a uma, guardando as claras para bater em neve na sequência. Sem parar de bater, acrescente a farinha de trigo e o leite aos poucos. Em seguida, o cacau em pó, o bicarbonato, as frutas cristalizadas, o doce de ameixas e as passas que estavam de molho (sem o vinho). Retire da batedeira, bata as claras em neve e acrescente com delicadeza à massa. Adicione o fermento e coloque em uma forma untada com manteiga e farinha de trigo. Leve ao forno preaquecido a 170 °C e asse por cerca de 40 minutos ou até que, ao furar com um palito, ele saia limpo. Retire do forno e deixe esfriar para aplicar a cobertura.

Para a cobertura, bata as claras com o açúcar de confeiteiro e as raspas de limão. Vá adicionando o suco aos poucos e bata até ficar esponjoso. Cubra o bolo e sirva.

ESMIUÇANDO

Chocolate, vinho e frutas compõem o interior molhadinho do bolo, que é coberto com merengue e todo decorado para casamentos – daí seu nome. Também é usado em outras celebrações e muitos conhecem como "bolo pernambucano". Cada família costuma ter sua própria receita, guardada a sete chaves e passada de geração em geração.

BOLO DE NOIVA

BOLO DE QUEIJO

8 porções
1 hora
Fácil

- 4 OVOS
- 2 XÍCARAS (CHÁ) DE AÇÚCAR
- ½ XÍCARA (CHÁ) DE MANTEIGA
- 3 XÍCARAS (CHÁ) DE FARINHA DE TRIGO
- 1 COLHER (SOPA) DE FERMENTO QUÍMICO
- 1½ XÍCARA (CHÁ) DE LEITE
- 1 XÍCARA (CHÁ) DE QUEIJO PARMESÃO RALADO
- 1 PITADA DE SAL

Unte uma forma de buraco no meio com manteiga e enfarinhe. Bata as claras em neve com sal. Reserve. Na tigela da batedeira, coloque as gemas, o açúcar e a manteiga. Bata bem. Peneire a farinha de trigo e o fermento na batedeira ainda ligada, adicionando o leite alternadamente. Com a batedeira já desligada, acrescente o queijo ralado e, suavemente, as claras. Coloque na forma e leve ao forno preaquecido a 180 °C por 50 minutos.

BOLO DE REIS

8 porções
1 hora
Fácil/médio

- 1 XÍCARA (CHÁ) DE UVAS-PASSAS PRETAS
- ½ XÍCARA (CHÁ) DE AMEIXAS PRETAS SECAS
- ½ XÍCARA (CHÁ) DE DAMASCO
- RASPAS DE 2 LARANJAS
- 3 COLHERES (SOPA) DE CONHAQUE
- 200 G DE MANTEIGA
- 1 XÍCARA (CHÁ) DE AÇÚCAR MASCAVO
- 4 OVOS
- 1 XÍCARA (CHÁ) DE LEITE
- 2 XÍCARAS (CHÁ) DE FARINHA DE TRIGO
- 1 COLHER (SOPA) DE FERMENTO QUÍMICO
- ½ COLHER (CHÁ) DE CANELA EM PÓ
- ⅓ XÍCARA (CHÁ) DE NOZES PICADAS
- FRUTAS CRISTALIZADAS PARA DECORAR

GLACÊ
- 2½ XÍCARAS (CHÁ) DE AÇÚCAR DE CONFEITEIRO
- 4 COLHERES (SOPA) DE SUCO DE LARANJA

Coloque a uva-passa, a ameixa, o damasco e as raspas de laranja de molho no conhaque. Na batedeira, bata a manteiga até formar um creme. Continue batendo e junte o açúcar mascavo e as gemas, uma a uma. Desligue a batedeira, adicione o leite, mexendo com a ajuda de um batedor. Misture a farinha de trigo, o fermento, as frutas picadas no conhaque, a canela em pó, as nozes e as claras em neve. Coloque a massa em uma forma com furo no meio e 24 cm de diâmetro, untada e enfarinhada. Asse no forno, preaquecido, a 200 °C, durante 40 minutos ou até dourar. Deixe esfriar e desenforme. Para o glacê, misture o açúcar com o suco de laranja. Cubra o bolo e decore com frutas cristalizadas.

ESMIUÇANDO

Receita de bolo especial para celebrar o Dia de Reis, em 6 de janeiro, preparada em Portugal desde o século XIX. Desde a origem, costuma trazer uma surpresinha misturada à massa: uma moeda de ouro, um brinde de metal. Quem acha garante a boa sorte no ano que começa.

BOLO DE ROLO

6 bolos médios
1 hora
Difícil

- 250 G DE MANTEIGA SEM SAL
- 1½ XÍCARA (CHÁ) DE AÇÚCAR (200 G)
- 6 OVOS
- 2 XÍCARAS (CHÁ) DE FARINHA DE TRIGO (250 G), PENEIRADA
- 3 XÍCARAS (CHÁ) DE GOIABADA CREMOSA
- AÇÚCAR, PARA POLVILHAR

Bata a manteiga com o açúcar na batedeira até formar um creme

BOLO FORMIGUEIRO

esbranquiçado. Coloque os ovos um a um e continue batendo em velocidade média. Adicione a farinha peneirada, aos poucos, e bata até a massa ficar lisa. Despeje a massa em uma forma rasa, forrada com papel-manteiga untado ou com tapete de silicone e asse no forno preaquecido a 160 °C por cerca de 6 minutos. Deixe amornar. Desenforme sobre um pano úmido polvilhado com açúcar. Espalhe bem a goiabada cremosa e enrole bem apertadinho com ajuda do pano. Deixe descansar por pelo menos 15 minutos antes de servir.

ESMIUÇANDO

Com grande tradição no preparo de bolos, Pernambuco deu ao restante do país essa famosa receita de rocambole com camadas muito finas de massa e recheio de goiabada. Curiosidade: as fatias devem ser tão finas quanto as camadas. Hoje já existem versões, nada ortodoxas, com recheio de chocolate e doce de leite.

BOLO FORMIGUEIRO

2 formas de bolo inglês
40 minutos
Fácil

- 1 XÍCARA (CHÁ) DE MANTEIGA SEM SAL
- 1¼ XÍCARA (CHÁ) DE AÇÚCAR
- 5 OVOS
- ½ XÍCARA (CHÁ) DE COCO EM FLOCOS
- 1 XÍCARA (CHÁ) DE LEITE INTEGRAL
- 1¾ XÍCARAS (CHÁ) DE FARINHA DE TRIGO
- 1¼ XÍCARAS (CHÁ) DE CHOCOLATE GRANULADO
- 2 COLHERES (SOPA) DE FERMENTO QUÍMICO

Bata a manteiga e o açúcar na batedeira até que vire um creme. Acrescente as gemas, reservando as claras, e bata até que fique esbranquiçado. Adicione o coco, o leite e polvilhe a farinha de trigo misturando delicadamente. Adicione o granulado e o fermento químico e misture bem. Junte então as claras, batidas em neve, e misture até ficar homogêneo. Coloque em uma forma untada e leve ao forno preaquecido a 140 °C por 30 minutos ou até que esteja assado por completo.

BOLO GELADO DE COCO

1 forma retangular
1h30
Fácil

- 2 XÍCARAS (CHÁ) DE AÇÚCAR
- 4 OVOS
- 2 COLHERES (SOPA) DE MANTEIGA SEM SAL
- 1 XÍCARA (CHÁ) DE LEITE
- 2 XÍCARAS (CHÁ) DE FARINHA DE TRIGO
- 3 COLHERES (SOPA) DE COCO FRESCO RALADO FINO
- 1 COLHER (SOPA) DE FERMENTO QUÍMICO

COBERTURA

- 1 XÍCARA (CHÁ) DE AÇÚCAR
- 1½ COPO (AMERICANO) DE LEITE DE COCO (P. 56)
- 1 XÍCARA (CHÁ) DE COCO RALADO FRESCO

Bata no liquidificador o açúcar, os ovos, a manteiga e o leite. Adicione a farinha de trigo e o coco ralado; misture. Incorpore o fermento e transfira para uma forma quadrada ou retangular untada e enfarinhada. Asse em forno preaquecido a 160 °C por cerca de 35 minutos. Misture os ingredientes da cobertura. Retire o bolo do forno, deixe esfriar e corte em quadrados. Mergulhe os pedaços na cobertura e esprema delicadamente, para tirar o excesso de líquido; se desejar, embrulhe em papel-alumínio. Leve à geladeira antes de servir.

ESMIUÇANDO

As fatias desse bolo embrulhadas em papel-alumínio foram um clássico das festas infantis na década de 1980. Eu mesma me lembro de ter participado de vários aniversários no interior em que o "bolo" era uma grande estrutura de isopor, decorada com o motivo da festa. Dentro estavam os pedaços de bolo gelado de coco, embrulhados no alumínio para manter a temperatura e a umidade. No Sul, é conhecido como "toalha felpuda".

BOLO INGLÊS

8 porções
40 minutos
Fácil/médio

- 50 G DE PASSAS SEM SEMENTES
- ½ COPO (AMERICANO) DE RUM
- 150 G DE FRUTAS CRISTALIZADAS
- 1 LIMÃO
- 150 G DE MANTEIGA
- 1½ XÍCARA (CHÁ) DE AÇÚCAR
- 4 OVOS
- 2½ XÍCARAS (CHÁ) DE FARINHA DE TRIGO
- 1½ COLHER (SOPA) DE FERMENTO
- 100 G DE AMÊNDOAS TORRADAS E SEM PELE

Misture as passas e o rum; leve ao fogo bem baixo, sem deixar ferver. Incline a panela sobre a chama, para que o rum se inflame e flambe as passas. Passe as frutas cristalizadas pela água fervente e pique em pedaços. Retire as raspas do limão e junte tudo às passas. Passe água fervente numa tigela funda para aquecer. Bata a manteiga com o açúcar até obter um creme homogêneo. Acrescente os ovos um a um, batendo bem após cada adição. Junte as frutas cristalizadas e a farinha peneirada com o fermento. Unte uma forma de bolo inglês e forre com papel-manteiga também untado. Coloque a massa até quase ¾ da altura da forma. Disponha por cima as amêndoas e leve ao forno quente (20) por 20 minutos. Diminua bem a chama e deixe assar por cerca de 30 minutos ou até que, ao enfiar um palito, ele saia seco. Retire o papel quando o bolo estiver frio.

ESMIUÇANDO

Além da composição compacta, recheada de frutas secas e cristalizadas, o bolo inglês se caracteriza pela forma retangular e pela consistência amanteigada. Presença garantida nas mesas de chá da Europa e para acompanhar o cafezinho no Brasil.

BOLO PUBA

BOMBOCADO

BOLO PUBA

1 forma redonda com furo no meio
50 minutos
Fácil

- 2 COLHERES (SOPA) DE MANTEIGA SEM SAL
- 3 XÍCARAS (CHÁ) DE AÇÚCAR
- 4 OVOS
- 500 G DE MASSA PUBA
- 1 COPO (AMERICANO) DE LEITE DE COCO (P. 56)
- 1 COLHER (SOPA) DE FERMENTO QUÍMICO
- 1 PITADA DE SAL

Bata a manteiga com o açúcar até formar um creme esbranquiçado. Adicione as gemas e bata mais um pouco. Adicione então a massa puba e o leite de coco, sem parar de bater. Bata as claras em neve e misture delicadamente. Incorpore à massa o fermento e o sal. Asse em forma untada no forno preaquecido a 180 °C por cerca de 35 minutos, ou até dourar.

BOLO SOUZA LEÃO

1 bolo redondo grande
1h30
Difícil

- 2 XÍCARAS (CHÁ) DE AÇÚCAR
- 2 CRAVOS-DA-ÍNDIA
- 3 CANELAS EM PAU
- 1½ XÍCARA (CHÁ) DE MANTEIGA SEM SAL
- 1 COLHER (CAFÉ) DE SAL
- 1 KG DE MASSA PUBA
- 16 GEMAS
- 3 XÍCARAS (CHÁ) DE LEITE DE COCO (P. 56)
- MANTEIGA, PARA UNTAR

Faça uma calda com o açúcar, 2 xícaras (chá) de água, o cravo e a canela até atingir ponto de fio. Tire do fogo, adicione a manteiga e o sal e deixe esfriar. Reserve. Misture a massa puba com as gemas peneiradas, o leite de coco. Adicione a calda e misture até homogeneizar. Passe a massa em uma peneira fina por três vezes. Coloque em uma forma untada e asse em banho-maria por cerca de 40 minutos, até dourar um pouco.

ESMIUÇANDO

No livro Açúcar, o sociólogo Gilberto Freyre conta uma passagem curiosa sobre um dos bolos mais famosos do país. "Consegui várias receitas desse manjar, mas todas se contradizem, a ponto de me fazerem duvidar da existência de um bolo Souza Leão ortodoxo. Consegui-as quase como quem violasse segredos maçônicos." De fato, a receita do bolo que surgiu entre a família Souza Leão no Pernambuco da cana-de-açúcar variava em detalhes conforme o engenho onde era preparada.

BOMBOCADO

12 porções
40 minutos
Fácil

- 2 XÍCARAS (CHÁ) DE AÇÚCAR
- 2 XÍCARAS (CHÁ) DE LEITE INTEGRAL
- 200 ML DE LEITE DE COCO (P. 56)
- 1 COLHER (SOBREMESA) DE MANTEIGA SEM SAL
- 3 COLHERES (SOPA) DE FUBÁ
- 3 COLHERES (SOPA) DE FARINHA DE TRIGO
- 4 OVOS
- 1⅓ XÍCARA (CHÁ) DE COCO RALADO
- 1 COLHER (SOPA) DE FERMENTO QUÍMICO

Bata todos os ingredientes no liquidificador, exceto o fermento. Quando a mistura estiver homogênea, adicione o fermento e misture com uma espátula. Unte uma forma com manteiga e farinha de trigo e leve passar assar em forno preaquecido a 170 °C por 25 minutos ou até que esteja dourado. Deixe esfriar e sirva.

ESMIUÇANDO

Costumava-se encontrar o bombocado em grandes cestas de palha sendo vendido por ambulantes em cidades turísticas do litoral do país. Hoje, é item frequente das padarias por todo o Brasil. O quitute assemelha-se bastante à queijadinha e pode ou não incluir o coco ralado entre os ingredientes.

BOLO SOUZA LEÃO

BREVIDADE

12 unidades
40 minutos
Fácil

- 2 XÍCARAS (CHÁ) DE AÇÚCAR
- 5 GEMAS
- 2 CLARAS
- 2 XÍCARAS (CHÁ) DE POLVILHO AZEDO
- 1 PITADA DE CANELA EM PÓ

Misture todos os ingredientes e bata bem até que se formem bolhas. Coloque em forminhas untadas com manteiga e um pouquinho de polvilho. Asse em forno preaquecido a 170 °C até firmar e dourar levemente.

CUECA VIRADA

CUECA VIRADA

20 unidades
1 hora
Médio

- 3⅓ XÍCARAS (CHÁ) DE FARINHA DE TRIGO
- ½ XÍCARA (CHÁ) DE AÇÚCAR
- 2 COLHERES (SOPA) DE MANTEIGA SEM SAL EM TEMPERATURA AMBIENTE
- 1 COPO (AMERICANO) DE LEITE MORNO
- 2 OVOS
- 1 COLHER (SOPA) DE FERMENTO QUÍMICO
- ÓLEO DE MILHO, PARA FRITAR
- AÇÚCAR E CANELA PARA POLVILHAR

Coloque a farinha em uma tigela e abra um buraco no meio. Ponha o açúcar, a manteiga e o leite e vá misturando até esfriar um pouco. Coloque os ovos e o fermento e misture até a massa soltar dos dedos. Abra a massa e corte em tiras largas. Faça um corte no meio, no sentido longitudinal, e passe uma ponta da massa para o outro lado, formando a "cueca". Frite em óleo preaquecido até dourar e passe no açúcar com a canela.

ESMIUÇANDO

Esse tipo de filhó está associado às festas de Natal e Ano Novo na Europa. Provavelmente chegou até nós pelos italianos, que o preparam para festividades de carnaval. Por aqui,

BREVIDADE

recebeu o nome jocoso pela semelhança que o biscoitinho teria com a peça de roupa depois de ter sido tirada do corpo. Em Santa Catarina, recebe o nome de "orelha de gato". Em outros lugares também se conhece como "cueca rasgada".

ESPERA-MARIDO

25 unidades
2 horas
Médio

- ½ COPO (AMERICANO) DE LEITE MORNO
- 2 OVOS
- ¼ COPO DE ÓLEO DE MILHO
- 2½ COLHERES (SOPA) DE AÇÚCAR
- 1 COLHER (SOPA) DE FERMENTO QUÍMICO
- 4 XÍCARAS (CHÁ) DE FARINHA DE TRIGO
- ÓLEO DE MILHO, PARA FRITAR

CALDA

- 3 XÍCARAS (CHÁ) DE AÇÚCAR
- 2 COLHERES (SOPA) DE ESSÊNCIA DE BAUNILHA
- 1 COPO (AMERICANO) DE COCO RALADO

Bata no liquidificador o leite, os ovos, o óleo e o açúcar até que fiquem bem homogêneos. Em uma tigela, adicione o fermento à mistura e vá colocando a farinha os poucos, até a massa ficar elástica e lisa. Deixe a massa descansar por 20 minutos. Separe em bolinhas iguais. Depois abra a massa em rolos e dê um nó, deixando descansar por 30 minutos. Frite os nozinhos em óleo quente até que fiquem dourados.

Para a calda, leve ao fogo o açúcar, 1 xícara (chá) de água e a essência de baunilha. Quando estiver em ponto de fio, desligue e jogue sobre os bolinhos fritos, polvilhando o coco ao final. Deixe esfriar um pouco e sirva.

ESMIUÇANDO

O pãozinho frito é um clássico cujo nome desperta curiosidade e que tem diferentes versões. Em Portugal já se chamava de espera-marido a um creme feito com ovos, açúcar e canela. Outro nome brasileiro: "sonho de pobre".

ESPERA-MARIDO

FILHÓS

30 porções
30 minutos
Fácil

- 1½ XÍCARA (CHÁ) DE LEITE
- ¼ XÍCARA (CHÁ) DE MANTEIGA DE GARRAFA
- 3 OVOS
- 3 XÍCARAS (CHÁ) DE FARINHA DE TRIGO PENEIRADA
- 1½ COLHER (CHÁ) DE FERMENTO QUÍMICO
- 2 LITROS DE ÓLEO PARA FRITAR
- 2 XÍCARAS (CHÁ) DE MEL
- 1 COLHER (CHÁ) DE SAL

Leve ao fogo o leite, a manteiga e 1½ xícara (chá) de água até ferver. Enquanto espera a fervura, bata as claras em neve, depois acrescente as gemas (peneiradas) e continue a bater. Reserve. Em uma tigela, misture a farinha peneirada, o fermento e o sal. Adicione o líquido fervido na mistura da farinha e vá incorporando com uma colher até amornar. Depois amasse com as mãos. Acrescente os ovos batidos e incorpore totalmente a massa, que deve ficar úmida e lisa. Aqueça o óleo e, com duas colherinhas, vá fazendo bolinhas e soltando no óleo. Mexa para que fritem por igual. O ideal é cobrir toda a superfície. Coloque as bolinhas no papel absorvente para enxugar o óleo da fritura. Em outra panela aqueça o mel com ½ xícara (chá) de água. Ferva até ganhar ponto de calda grossa. Banhe os bolinhos na calda de mel. Sirva ainda quentes ou frios.

ESMIUÇANDO

Em algumas cidades de Portugal, costuma-se fazer fornadas de filhoses na véspera do Natal. Por aqui, ganharam fama outros formatos além dos discos, como corações e flores.

MÃE BENTA

8 porções
1 hora
Fácil

- 1 XÍCARA (CHÁ) DE AÇÚCAR
- 3 COLHERES (SOPA) DE MANTEIGA
- 2 GEMAS
- 3 COLHERES (SOPA) DE COCO RALADO
- 1 XÍCARA (CHÁ) DE CREME DE ARROZ
- 2 COLHERES (CHÁ) DE FERMENTO QUÍMICO
- 1 COLHER (CHÁ) DE ESSÊNCIA DE BAUNILHA
- ½ XÍCARA (CHÁ) DE LEITE DE COCO (P. 56)
- 2 CLARAS EM NEVE
- 1 PITADA DE SAL

Unte e polvilhe forminhas pequenas para bolinhos. Reserve. Preaqueça o forno a 180 °C. Em uma batedeira, coloque o açúcar e a manteiga e bata até obter um creme claro. Adicione as gemas e bata mais um pouco, misturando bem. Acrescente o coco ralado, o creme de arroz, o fermento, a baunilha, o leite de coco, o sal e bata bem até obter uma massa homogênea. Adicione as claras em neve à massa, misturando levemente com uma espátula até obter uma massa homogênea. Despeje a massa nas forminhas. Leve ao forno para assar por cerca de 20 minutos. Para saber se os bolinhos estão prontos, enfie um palito no meio e, se sair limpo, podem retirá-los do forno.

ESMIUÇANDO

Segundo o livro "Culinária Brasileira", de Mariza Lira, a Mãe Benta realmente existiu: era Benta Maria da Conceição Torres, uma famosa doceira que morava no Rio de Janeiro no período regencial. "Foi ela quem criou a receita de uns bolos gostosíssimos, muito apreciados pelo regente Feijó, que ia toda tarde à sua casa comê-los com café; e não era só ele", diz a obra.

MANÉ PELADO

14 porções
40 minutos
Fácil

- 3 XÍCARAS (CHÁ) DE MANDIOCA CRUA RALADA
- 1 XÍCARA (CHÁ) DE QUEIJO MEIA-CURA RALADO
- 1 COPO (AMERICANO) DE COCO FRESCO RALADO
- 2 COLHERES (SOPA) DE MANTEIGA
- 2½ XÍCARAS (CHÁ) DE LEITE INTEGRAL
- 2 XÍCARAS (CHÁ) DE AÇÚCAR
- 6 OVOS BATIDOS
- 1 COLHER (SOPA) DE FERMENTO QUÍMICO

Coloque todos os ingredientes, exceto o fermento, em uma tigela grande e misture tudo até que fique uniforme. Adicione o fermento e mexa mais um pouco.

Unte uma forma com manteiga e farinha de arroz e coloque a massa. Leve ao forno preaquecido a 180 °C por cerca de 30 minutos, ou até dourar por cima.

ESMIUÇANDO

Também conhecido como bolo de mandioca e queijo, muito comum nas festas juninas de Goiás e de Minas Gerais. O nome aparentemente presta homenagem a um agricultor que tinha o hábito de colher mandioca... pelado.

MANUÊ (BOLO DE MILHO)

6 porções
1 hora
Médio

- 5 ESPIGAS GRANDES DE MILHO-VERDE
- 2 XÍCARAS (CHÁ) DE LEITE DE COCO (P. 56)
- 1 COCO MÉDIO RALADO
- 1 XÍCARA (CHÁ) DE AÇÚCAR
- 1 COLHER (SOPA) DE MANTEIGA, PARA UNTAR

MANÉ PELADO

PÃO DE LÓ

- CANELA EM PÓ A GOSTO
- 1 PITADA DE SAL

Rale o milho no ralador ou corte os grãos com uma faca. Reserve. Bata no liquidificador 1 xícara do leite de coco e o coco fresco ralado com o milho ralado. Em uma panela, em fogo médio, coloque a mistura de milho e leite de coco batida, adicione o açúcar e 1 pitada de sal e mexa até ficar um mingau bem grosso. Depois coloque na forma untada com manteiga. Por cima, coloque a canela e o resto do leite de coco. Leve ao forno médio preaquecido por 30 a 40 minutos. Quando estiver com as bordas douradas, já está pronto.

ESMIUÇANDO

Nos cardápios de Salvador do século XIX já se encontrava esse bolo de mandioca, que ganha modos típicos de feitura hoje na Paraíba e em Pernambuco.

ORELHAS DE BURRO (BOLO DE GOMA)

5 porções
35 minutos
Fácil

- 3 OVOS
- 1 XÍCARA (CHÁ) DE ÓLEO
- 3 XÍCARAS (CHÁ) DE POLVILHO

Bata todos os ingredientes no liquidificador. Unte uma assadeira e asse em forno preaquecido a 180 °C por 30 minutos, ou até que um palito enfiado na massa saia seco.

PÃO DE LÓ

6-8 porções
1 hora
Fácil/médio

- 8 COLHERES (SOPA) DE AÇÚCAR
- 8 COLHERES (SOPA) DE FARINHA DE TRIGO PENEIRADA
- 2 COLHERES (CHÁ) DE FERMENTO QUÍMICO EM PÓ
- 8 OVOS
- AÇÚCAR DE CONFEITEIRO, PARA POLVILHAR

Na batedeira, bata os ovos e o açúcar até que formem um creme leve. Adicione a farinha peneirada e o fermento, misturando com delicadeza. Coloque a massa em uma forma de fundo removível, com o fundo untado com manteiga e farinha. Asse em preaquecido a 160 °C por cerca de 35 minutos, ou até dourar. Retire do forno e deixe esfriar. Polvilhe açúcar de confeiteiro e sirva.

ESMIUÇANDO

Presente na nossa culinária desde a colonização portuguesa, parece que o pão de ló nunca sai de moda: acompanha bem o chá, o café, o chocolate – e, de tão leve, virou expressão popular: "tratado a pão de ló", usada para dizer que alguém está sendo muito bem tratado. Pode ganhar recheios como doce de leite e coberturas como canela polvilhada.

PÃO
DE MEL

PÃO DE MEL

12 unidades
1 hora
Médio

- 2 XÍCARAS (CHÁ) DE FARINHA
- ½ XÍCARA (CHÁ) DE CHOCOLATE EM PÓ
- 2 COLHERES (CHÁ) DE BICARBONATO DE SÓDIO
- 2 COLHERES (CHÁ) DE CANELA EM PÓ
- 1 COLHER (CAFÉ) DE CRAVO EM PÓ
- 1 XÍCARA (CHÁ) DE LEITE
- ½ XÍCARA (CHÁ) DE MEL
- 1 XÍCARA (CHÁ) DE AÇÚCAR MASCAVO
- 2 XÍCARAS (CHÁ) DE DOCE DE LEITE CREMOSO
- 3 XÍCARAS (CHÁ) DE CHOCOLATE MEIO AMARGO PICADO

Misture os ingredientes secos, com exceção do açúcar mascavo, e passe pela peneira. Reserve. Misture o leite, o mel e o açúcar mascavo e incorpore aos ingredientes secos, batendo com um batedor ou colher. Asse em forminhas de pão de mel ou em uma forma retangular untada em forno preaquecido a 180 °C por cerca de 30 minutos. Tire do forno e deixe esfriar. Para a cobertura, derreta o chocolate no banho-maria e reserve. No caso de ter assado em forma retangular, pegue um cortador e corte os pães de mel em forma redonda ou quadrada. Depois corte cada um ao meio e recheie com o doce de leite. Coloque em uma grade e despeje o chocolate por cima. Espere solidificar e sirva.

QUEQUE

10 porções
30 minutos
Fácil

- ¾ XÍCARA (CHÁ) DE MANTEIGA
- ¾ XÍCARA (CHÁ) DE AÇÚCAR
- 2 OVOS
- ¾ XÍCARA (CHÁ) DE FARINHA DE TRIGO PENEIRADA
- 1 COLHER (CHÁ) DE FERMENTO QUÍMICO

Na batedeira, bata a manteiga e o açúcar. Junte os ovos, a farinha de trigo e o fermento. Despeje em forminhas individuais de papel ou silicone. Asse em forno preaquecido a 180 °C por cerca de 13 minutos.

SONHO

ESMIUÇANDO

Portugal tem tantos queques que é possível passar uma temporada por lá sem repetir nenhuma receita. O nome vem da palavra inglesa "cake". Apresenta-se geralmente em forminhas de papel.

ROCAMBOLE DE DOCE DE LEITE E COCO

10 porções
30 minutos
Médio

- 9 OVOS
- 9 COLHERES (SOPA) DE AÇÚCAR
- 8 COLHERES (SOPA) DE FARINHA DE TRIGO PENEIRADA
- 1 XÍCARA (CHÁ) DE DOCE DE LEITE
- 1 XÍCARA (CHÁ) DE COCO FRESCO
- AÇÚCAR CRISTAL PARA POLVILHAR

Bata bem as claras em neve, na velocidade máxima da batedeira. Quando estiverem bem firmes, adicione as gemas. Acrescente o açúcar e desligue a batedeira. Com a ajuda de uma colher, adicione a farinha peneirada fazendo movimentos de baixo para cima. Transfira para uma assadeira de 20 cm x 25 cm, untada com manteiga e forrada com papel-manteiga também untado. Asse no forno, preaquecido, em temperatura média (170 °C a 190 °C) por 10 minutos. Desenforme sobre um pano úmido polvilhado com açúcar cristal. Para o recheio, misture o coco fresco com o doce de leite. Espalhe bem o recheio e enrole o rocambole com ajuda de um pano de prato. Deixe descansar por 15 minutos antes de servir.

SONHO

10 unidades
1h30
Médio

- ½ COPO DE LEITE LEVEMENTE AQUECIDO
- 2 OVOS
- ¼ COPO DE ÓLEO DE MILHO
- 2½ COLHERES (SOPA) DE AÇÚCAR
- 1 COLHER (SOPA) DE FERMENTO QUÍMICO

- 4 XÍCARAS (CHÁ) DE FARINHA DE TRIGO
- 1 LITRO DE ÓLEO DE MILHO, PARA FRITAR

RECHEIO
- 5 XÍCARAS (CHÁ) DE LEITE
- 1 XÍCARA (CHÁ) DE AÇÚCAR
- 2 OVOS
- ½ XÍCARA (CHÁ) DE AMIDO DE MILHO
- 1 COLHER (SOPA) DE MANTEIGA
- 1 FAVA DE BAUNILHA OU 5 GOTAS DE ESSÊNCIA DE BAUNILHA

Bata no liquidificador o leite, os ovos, o óleo e o açúcar até que fiquem bem homogêneos. Em uma tigela, adicione o fermento à mistura e vá colocando a farinha aos poucos, até a massa ficar elástica e lisa. Deixe a massa descansar 20 minutos. Separe em 10 bolas de mesmo tamanho, boleie deixando a massa completamente lisa e deixe descansar por mais 30 minutos ou até que dobre de tamanho. Frite em óleo quente até que os sonhos fiquem dourados.

Para o creme, leve o leite e o açúcar ao fogo. Bata os ovos na batedeira até dobrarem de tamanho. Dilua o amido no leite quente e vá adicionando, aos poucos para não coagular, o leite nos ovos e volte ao fogo brando até engrossar. Tire do fogo, adicione a manteiga e a baunilha. Corte os sonhos e recheie com o creme.

ESMIUÇANDO

Adaptação do doce português chamado Bola de Berlim, vendido nas praias, tal como ainda ocorre hoje em Pernambuco.

SOPA PARAGUAIA

SOPA PARAGUAIA

1 torta grande
40 minutos
Fácil

- 2 CEBOLAS MÉDIAS RALADAS
- 4 COLHERES (SOPA) DE ÓLEO DE MILHO
- 4 XÍCARAS (CHÁ) DE LEITE
- 2½ XÍCARAS (CHÁ) DE QUEIJO MEIA-CURA RALADO
- 2 XÍCARAS (CHÁ) DE FARINHA DE MILHO AMARELA FLOCADA
- 4 OVOS
- ¼ MAÇO DE CEBOLINHA VERDE PICADA
- ¼ MAÇO DE SALSINHA PICADA
- 1 COLHER (SOPA) DE FERMENTO
- SAL A GOSTO

Refogue a cebola ralada em óleo de milho até murchar um pouco. Cubra com o leite e deixe em fogo médio. Desligue quando iniciar a fervura e reserve. Misture o queijo meia-cura, a farinha de milho, os ovos batidos e o leite previamente fervido, mexendo até que fique uma massa uniforme. Tempere com sal e as ervas picadas e adicione o fermento. Leve ao forno a 180 °C, em assadeira untada, por 30 minutos ou até que a torta fique firme e dourada.

ESMIUÇANDO

Esse bolo salgado é outro exemplo da influência dos países vizinhos. Como o nome indica, a receita, que leva nome de sopa mas não é uma sopa, é muito popular no café da manhã no Paraguai, em um hábito que se estendeu às cidades fronteiriças do Centro-Oeste.

PÃES E ROSCAS

BIJAJICA

16 unidades
30 minutos
Fácil

- 3 OVOS GRANDES
- 6 COLHERES (SOPA) DE AÇÚCAR
- 500 G DE POLVILHO AZEDO
- 1 PITADA DE SAL
- ÓLEO DE MILHO, PARA FRITAR

Misture os ovos e o açúcar e bata bem. Coloque o sal e adicione o polvilho aos poucos e misture até que a massa desgrude das mãos e fique possível moldá-la. Faça as rosquinhas e frite óleo quente até dourar.

ESMIUÇANDO

Típico da região serrana de Santa Catarina, originalmente as rosquinhas eram fritadas em banha. O nome também é dado a uma outra receita catarinense, um bolo cozido que também leva farinha de mandioca, acrescida de açúcar mascavo e amendoim moído.

BROA DE AMENDOIM

21 unidades
50 min
Fácil

- 2 XÍCARAS (CHÁ) DE FARINHA DE TRIGO
- 2 XÍCARAS (CHÁ) DE FUBÁ
- 2 XÍCARAS (CHÁ) DE AÇÚCAR
- 2 XÍCARAS (CHÁ) DE AMENDOIM TORRADO, SEM CASCA E MOÍDO
- 2 XÍCARAS (CHÁ) DE LEITE
- 1 XÍCARA (CHÁ) DE ÓLEO
- 3 OVOS
- 1 COLHER (SOPA) DE FERMENTO

Bata no liquidificador os ovos, o óleo, o leite e o açúcar. Em um recipiente despeje a farinha de trigo, o fubá e o amendoim triturado, misture bem, colocando aos poucos a mistura batida no liquidificador, batendo bem com uma colher (a massa tem que ficar mais mole do que a de bolo). Por fim misture o fermento, unte o tabuleiro retangular e colocar para assar a 170 °C, em forno preaquecido por 35 minutos ou até que um palito saia limpo. Corte em quadrados e sirva com café.

BROA DE MILHO

BROA DE FUBÁ

20 unidades
1h20
Médio/difícil

- 2 XÍCARAS (CHÁ) DE FUBÁ
- 1¾ XÍCARA (CHÁ) DE POLVILHO DOCE
- ¾ XÍCARA (CHÁ) DE AÇÚCAR
- 3½ XÍCARAS (CHÁ) DE LEITE
- ½ COPO (AMERICANO) DE ÓLEO DE MILHO
- 4 OVOS
- 1 COLHER (SOPA) DE FERMENTO QUÍMICO
- 1 COLHER (CAFÉ) DE SAL
- FUBÁ, PARA POLVILHAR
- MANTEIGA, PARA UNTAR

Misture o fubá, o polvilho e o açúcar. Reserve. Coloque o leite e óleo em uma panela e leve ao fogo. Quando iniciar a fervura, baixe o fogo e jogue de uma vez a mistura seca. Mexa sem parar, até que desgrude do fundo da panela. Tire da panela e reserve. Quando a massa esfriar, coloque os ovos um a um (até a massa ficar macia, mas firme o suficiente para modelar), adicione o fermento e o sal e sove, com as mãos, até que a massa fique homogênea. Pegue uma caneca com fundo redondo e coloque um pouco do fubá para polvilhar. Pegue uma colherada da massa e coloque na caneca, girando-a até que fique em formato arredondado. Vire em forma untada com manteiga e fubá. Asse em forno preaquecido a 180 °C por cerca de 12 minutos, até dourar.

BIJAJICA

CUCA

1 unidade grande
3 horas
Médio/difícil

- 2 OVOS
- ½ XÍCARA (CHÁ) DE AÇÚCAR
- 1 COLHER (CHÁ) DE SAL
- 3 COLHERES (SOPA) DE MANTEIGA OU BANHA
- 2 XÍCARAS (CHÁ) DE FARINHA DE TRIGO
- 2½ COLHERES (SOPA) DE FERMENTO QUÍMICO
- 1½ XÍCARAS (CHÁ) DE LEITE INTEGRAL
- 1 GEMA PARA PINCELAR

PARA A FAROFA
- ¼ XÍCARA (CHÁ) DE AÇÚCAR
- 1¼ XÍCARAS (CHÁ) DE FARINHA DE TRIGO
- 2 COLHERES (SOPA) DE NATA
- RASPAS DE ½ LIMÃO

Bata os ovos com o açúcar e o sal. Acrescente a manteiga e coloque aos poucos a farinha de trigo até a massa ficar homogênea. Adicione o fermento e sove a massa até que ela desgrude das mãos. Deixe descansar por 3 horas em temperatura ambiente. Faça a farofa misturando todos os ingredientes; reserve. Unte uma forma com manteiga e farinha e coloque a massa. Pincele com a gema e cubra com a farofa. Leve ao forno preaquecido a 180 °C por 20 minutos ou até que esteja dourada e assada no interior.

ESMIUÇANDO

Por aqui encontrou ingredientes locais, como a banana, mas em princípio pode ser feita com qualquer fruta ou geleia. O nome é a forma aportuguesada de "küche", tradicional bolo alemão incorporado à doçaria das colônias de imigrantes na região Sul. O maior diferencial que a cuca tem em relação a outros pães ou bolos é a farofa crocante que vai por cima da massa.

PÃO CASEIRO

1 unidade grande
3 horas
Médio

- 2 OVOS
- 5 COLHERES (SOPA) DE AÇÚCAR
- 1 COLHER RASA (SOPA) DE FERMENTO SECO
- ¾ XÍCARA (CHÁ) DE LEITE
- 1½ COLHERES (SOPA) DE MANTEIGA
- ½ COLHER (CHÁ) DE SAL
- 500 G DE FARINHA DE TRIGO

Separe as claras e as gemas dos ovos. Bata as claras em neve, adicione as gemas uma a uma e depois as 3 colheres de açúcar. Reserve. Aqueça ¼ xícara (chá) de água por 1 minuto, apenas para acelerar a ação do fermento, coloque o fermento e o restante do açúcar e deixe repousar por 5 minutos. Enquanto isso, aqueça, também rapidamente, o leite, a manteiga e o sal. Coloque a farinha em uma bancada ou tigela e abra um buraco no meio. Coloque os líquidos e vá misturando enquanto despeja. Coloque os ovos batido por último e misture a massa até ficar homogênea e desgrudar das mãos. Deixe descansar por 30 minutos em bandeja untada com um pouco de óleo. Modele o pão e deixe descansar por mais 1h30. Leve ao forno a 180 °C por 20 a 25 minutos para assar. Espere esfriar para cortar. Se quiser que o pão tenha a casca mais crocante, coloque uma bandeja com água na parte de baixo do forno, deixe que esquente, para só depois colocar o pão para assar.

CUCA

PÃO DE BATATA

20 unidades
1h30
Médio

- 2 BATATAS GRANDES DESCASCADAS
- 500 G DE FARINHA DE TRIGO, MAIS UM POUCO PARA POLVILHAR
- 2 OVOS
- ½ COLHER (SOBREMESA) DE SAL
- 50 G DE FERMENTO BIOLÓGICO FRESCO
- 1 COLHER (SOPA) DE MANTEIGA
- 2 COLHERES (SOPA) DE AÇÚCAR
- ½ XÍCARA (CHÁ) DE ÓLEO
- 2 GEMAS PARA PINCELAR

Cozinhe as batatas em água, escorra e amasse ainda bem quentes em uma bacia. No centro, adicione 300 g da farinha de trigo, os ovos, o sal e o fermento. Nas laterais, acrescente a manteiga e o açúcar. Cuidado para, no primeiro momento, não misturar o fermento com o açúcar. Coloque o óleo no centro e vá mexendo, começando pelo conteúdo central. Misture bem e siga para as laterais, até incorporar todo o conteúdo da bacia. Acrescente o restante da farinha e sove bem, polvilhando um

PÃO CASEIRO

pouco de farinha para não grudar. O ponto da massa é um pouco mole, lisa e sem grudar nas mãos. Deixe descansar por cerca de 30 minutos. Divida a massa em vinte bolinhas, transfira para uma forma untada e enfarinhada, pincele a gema e deixe crescer por mais 30 minutos. Preaqueça o forno a 180 °C e asse por 40 minutos, ou até dourar.

PÃO DELÍCIA

PÃO DELÍCIA

50 unidades
3 horas
Médio

- 4 COLHERES (SOPA) DE AÇÚCAR
- 1 COLHER (CHÁ) DE SAL
- 1½ COLHER (SOPA) DE FERMENTO SECO
- 2 OVOS
- 1 XÍCARA (CHÁ) DE LEITE MORNO
- ½ XÍCARA (CHÁ) DE ÓLEO
- 500 G DE FARINHA DE TRIGO, PENEIRADA
- MANTEIGA, PARA UNTAR
- FARINHA, PARA POLVILHAR

RECHEIO
- 2 COLHERES (SOPA) DE MANTEIGA SEM SAL
- 4 COLHERES (SOPA) DE FARINHA DE TRIGO
- 3 XÍCARAS (CHÁ) DE LEITE
- 1 PITADA DE SAL
- ½ XÍCARA (CHÁ) DE QUEIJO PARMESÃO RALADO BEM FINO
- 1½ XÍCARA (CHÁ) DE QUEIJO PARMESÃO RALADO BEM FINO, PARA POLVILHAR

Bata todos os ingredientes no liquidificador, exceto a farinha de trigo. Coloque o líquido em uma tigela e vá agregando a farinha aos poucos, até formar uma massa firme. Cubra com um pano e espere crescer, por cerca de 30 minutos, até dobrar de tamanho. Unte uma forma com manteiga e farinha de trigo. Passe manteiga nas mãos e boleie os pães do tamanho de coquetel (eles dobram de tamanho). Deixe fermentar mais 30 minutos. Enquanto isso, faça o recheio, derretendo a manteiga e adicionando a farinha, mexendo sem parar até que desperte um aroma de biscoito. Adicione o leite, sempre mexendo, até ficar um creme espesso. Tempere com o sal o parmesão e reserve. Asse em forno preaquecido a 180 °C, com uma forma de água embaixo, por cerca de 10 minutos. Deixe os pães esfriarem cobertos com um pano. Abra no meio sem separar, passe uma colherada de recheio e polvilhe com queijo parmesão.

ESMIUÇANDO

Típico de Salvador, o pãozinho é presente tanto em celebrações quanto no dia a dia. O segredo da receita está no ponto da massa, que deve deixar o quitute sempre branquinho e o recheio, cremoso. Padarias e supermercados dos estados do Sul já começam a vender o pão delícia.

PÃO DE MANDIOCA

20 unidades
1h30
Médio

- 300 G DE MANDIOCA
- 500 G DE FARINHA DE TRIGO
- 2 OVOS INTEIROS, MAIS 2 GEMAS PARA PINCELAR
- ½ COLHER (SOBREMESA) DE SAL
- 50 G DE FERMENTO BIOLÓGICO FRESCO
- 1 COLHER (SOPA) DE MANTEIGA
- 1 COLHER (SOPA) DE AÇÚCAR
- ½ XÍCARA (CHÁ) DE ÓLEO DE MILHO

Cozinhe as mandiocas em água; escorra e amasse ainda bem quentes dentro de uma bacia, tirando a fibra do meio. No centro da bacia, adicione 300 g da farinha de trigo, os ovos, o sal e o fermento. Nas laterais, acrescente a manteiga e o açúcar. Cuidado para, no primeiro momento, não misturar o fermento com o açúcar. Adicione o óleo no centro e vá mexendo, começando pelo conteúdo central. Misture bem e siga para as laterais, até misturar tudo. Acrescente o restante da farinha e sove bem, polvilhando um pouco de farinha para não grudar. O ponto da massa é um pouco mole, lisa e sem grudar nas mãos. Deixe descansar por cerca de 30 minutos. Divida a massa em vinte bolinhas, transfira para uma forma untada e enfarinhada, pincele a gema e deixe crescer por mais 30 minutos. Preaqueça o forno a 180 °C e asse por 40 minutos, ou até dourar.

PÃO DE MILHO

1 pão em forma de bolo inglês
1h30
Fácil/médio

- 1¼ XÍCARA (CHÁ) DE FARINHA DE TRIGO
- ¾ XÍCARA (CHÁ) DE FUBÁ MIMOSO
- 2 COLHERES (CHÁ) DE FERMENTO QUÍMICO
- ⅓ XÍCARA (CHÁ) DE AÇÚCAR
- 1¼ XÍCARAS (CHÁ) DE LEITE
- 4 COLHERES (SOPA) DE MANTEIGA
- 1 OVO
- 1 PITADA DE SAL

Misture os ingredientes secos: farinha, fubá, açúcar, sal e fermento. Em outro misture o leite, a manteiga derretida e o ovo. Despeje os líquidos sobre os sólidos e misture tudo muito bem. Coloque em uma forma de bolo inglês untada. Leve ao forno preaquecido a 190 °C e asse por 10 minutos. Baixe para 160 °C e asse por mais de 15 a 20 minutos. Espere esfriar e sirva.

PÃO DE QUEIJO

30 unidades
1 hora
Médio

- 1 KG DE POLVILHO AZEDO, DOCE OU MISTURADO
- 1½ XÍCARAS (CHÁ) DE QUEIJO MEIA-CURA RALADO
- 2 XÍCARAS (CHÁ) DE LEITE
- 1 XÍCARA (CHÁ) DE ÓLEO
- 6 OVOS
- 2 COLHERES (SOPA) DE SAL

Misture o polvilho azedo e o queijo meia-cura; reserve. Misture 2 xícaras (chá) de água, o leite e o óleo e leve ao fogo até iniciar fervura. Tire do fogo e jogue aos poucos sobre o polvilho para escaldar, mexendo sempre até formar uma farofa rústica. Quando esfriar, adicione o queijo ralado e os ovos e misture novamente, até ficar homogêneo. Boleie e asse em forno preaquecido a 180 °C por cerca de 20 minutos.

ESMIUÇANDO

Em cada família mineira haverá um segredinho na receita do seu pão de queijo. Mas fato é que esse clássico há muitas décadas conquistou o país inteiro. Tradicionalmente, queijo curado e polvilho artesanal entram no preparo.

PÃO DE TORRESMO

15 unidades
2 horas
Médio

- 1 COLHER (SOPA) DE AÇÚCAR
- 15 G DE FERMENTO BIOLÓGICO FRESCO OU 5 G DE FERMENTO QUÍMICO
- 3 COLHERES (SOPA) DE AZEITE DE OLIVA
- 1 COLHER (SOPA) DE SAL
- 3½ XÍCARAS (CHÁ) DE FARINHA DE TRIGO
- 4 XÍCARAS (CHÁ) DE TORRESMO FRITO E TRITURADO

Para a massa, coloque em uma vasilha o açúcar, o fermento, o azeite, o sal e 250 ml de água. Junte a farinha e misture até obter uma massa enxuta e homogênea. Deixe fermentar, coberta com um pano, por cerca de 40 minutos. Abra a massa, acrescente 2 xícaras de pedaços de torresmo e misture com as mãos, para incorporar bem. Deixe crescer por mais 40 minutos. Abra com um rolo, espalhe 1 xícara de pedaços de torresmo e modele em bolinhas (ou no formato que desejar). Cubra com mais 1 xícara de torresmo, apertando bem para não desprender, e deixe crescer por mais 40 minutos. Asse em forno preaquecido a 180 °C até ficar bem dourado.

PÃO DE TORRESMO

RABANADA

PÃO DOCE

🍰 **12 unidades**
⏰ **3 horas**
👨‍🍳 **Fácil/médio**

- 160 ML DE LEITE
- 1 ½ COLHER (CHÁ) DE FERMENTO BIOLÓGICO SECO
- 5 GEMAS EM TEMPERATURA AMBIENTE
- 3½ XÍCARAS (CHÁ) DE FARINHA DE TRIGO
- 2 COLHERES (SOPA) DE AÇÚCAR
- 4 COLHERES (SOPA) DE AÇÚCAR CRISTAL PARA POLVILHAR
- ¾ XÍCARA (CHÁ) DE MANTEIGA CORTADA EM CUBINHOS AMOLECIDA
- 1 OVO PARA PINCELAR
- 1 PITADA DE SAL

Em uma tigela, misture metade do leite e o fermento e dissolva. Deixe em um lugar morno por 15 minutos até começar a formar bolhas. Em outra tigela, misture o leite restante com as gemas ligeiramente batidas, junte a farinha, o açúcar e 1 pitada de sal e mexa somente para misturar. Abra um buraco no meio e junte o fermento. Espalhe em uma bancada e sove até formar uma massa macia. Aos poucos, acrescente ⅓ de manteiga de cada vez e sove rapidamente até que a manteiga incorpore na massa. Assegure-se de estar em local arejado, pois a manteiga derrete com o calor das mãos e a massa se torna pegajosa. Transfira a massa para uma tigela untada com manteiga, cubra e deixe crescer por 1h30 a 2h, ou até dobrar de volume. Abra a massa com a mão fechada e coloque sobre uma superfície polvilhada, formando um rolo que caiba em uma forma de bolo inglês de 11 cm x 24 cm, untada com manteiga. Cubra com um pano e deixe crescer por mais 30 minutos. Preaqueça o forno a 170 °C (moderado) e pincele a superfície da massa com o ovo ligeiramente batido. Peneire açúcar por cima e asse por 30 minutos, ou até crescer e dourar.

RABANADA

🍰 **6 porções**
⏰ **20 minutos**
👨‍🍳 **Fácil**

- 3 PÃES DE SAL
- 2 XÍCARAS (CHÁ) DE LEITE
- 2 XÍCARAS (CHÁ) DE AÇÚCAR
- 3 OVOS
- 4 COLHERES (SOPA) DE MANTEIGA
- ½ XÍCARA (CHÁ) DE CANELA EM PÓ

Corte os pães em fatias. Misture o leite, metade do açúcar e os ovos bem batidos. Passe os pães no leite, dos dois lados, e frite em manteiga. Depois passe no açúcar e na canela e sirva.

ESMIUÇANDO

Presente até hoje nas ceias de Natal em Portugal, a rabanada também se conhece como fatia de parida ou fatia dourada. Na Bahia, comia-se com café do mesmo modo que banana frita com canela e açúcar ou fruta-pão cozida e assada.

ROSCA

🍰 **1 rosca grande**
⏰ **3 horas**
👨‍🍳 **Médio/difícil**

- 1 XÍCARA (CHÁ) DE LEITE
- ½ XÍCARA (CHÁ) DE AÇÚCAR
- 1 COLHER (SOPA) CHEIA DE FERMENTO SECO

ROSQUINHA DE CASTANHA-DO-BRASIL

ROSCA

- 4 XÍCARAS (CHÁ) DE FARINHA DE TRIGO
- 3 OVOS BATIDOS
- ¾ DE BARRA DE MANTEIGA SEM SAL
- 1 PITADA DE SAL
- 2 GEMAS
- AÇÚCAR CRISTAL PARA POLVILHAR

Misture o leite, o açúcar, o fermento e ½ xícara de farinha de trigo e faça uma esponja; cubra e deixe descansar por 45 minutos. Quando ela tiver dobrado de tamanho, coloque a farinha em uma bancada, abra um buraco no meio e coloque os ovos, a manteiga e o sal. Misture com a esponja e sove a massa até ficar uniforme. Abra a massa com um rolo de macarrão até virar um retângulo. Corte a massa em 3, faça uma trança com as 3 partes e deixe descansar por 30 a 40 minutos ou até dobrar de tamanho. Pincele gema e jogue um pouco de açúcar cristal. Leve ao forno preaquecido a 170 °C por 30 minutos ou até dourar. Assim que tirar do forno, coloque mais um pouco de açúcar cristal. Deixe esfriar e sirva.

ROSQUINHA DE CASTANHA-DO-BRASIL

40 unidades
40 minutos
Fácil

- 1 BARRA DE MANTEIGA
- 1 XÍCARA (CHÁ) DE AÇÚCAR
- 2 XÍCARAS (CHÁ) DE CASTANHAS-DO--BRASIL TRITURADAS
- ½ XÍCARA (CHÁ) DE FARINHA DE TRIGO
- 1½ XÍCARAS (CHÁ) DE AMIDO DE MILHO
- 1 PITADA DE SAL

Bata a manteiga com o açúcar até formar um creme esbranquiçado. Adicione o restante dos ingredientes e misture bem, formando uma massa firme e uniforme. Molde os biscoitos em formato de castanha e coloque em uma forma untada. Leve ao forno preaquecido a 160 °C por 20 minutos ou até que estejam levemente dourados e firmes. Deixe esfriar e sirva.

ROSQUINHA DE PINGA

40 unidades
30 minutos
Fácil

- 1 XÍCARA (CHÁ) DE PINGA
- ¾ XÍCARA (CHÁ) DE BANHA DE PORCO DERRETIDA
- 1 COLHER (SOPA) DE AÇÚCAR
- 1 COLHER (SOPA) DE ERVA-DOCE
- 3½ XÍCARAS (CHÁ) DE FARINHA DE TRIGO
- PINGA, PARA PINCELAR
- AÇÚCAR, PARA POLVILHAR

Aqueça a banha e despeje a erva--doce para que libere sabor. Reserve. Misture a pinga, a banha, o açúcar e a farinha de trigo até que se forme uma massa homogênea. Modele as rosquinhas, fazendo um cordão e juntando as partes como anéis. Asse em forma untada e enfarinhada no forno preaquecido a 180 °C por 20 minutos ou até que dourem levemente. Não deixe escurecerem. Ainda quente pincele cachaça e envolva no açúcar. Deixe esfriar e sirva com café.

CHIMIA E GELEIAS

O princípio básico não poderia ser mais simples: frutas e açúcar cozidos lentamente, até atingir o ponto de espalhar. Típica das mesas da região Sul, a chimia – que também aparece grafada como "schmier" ou "chimíer", entre outras variações – é mais densa e pastosa. A geleia, para obter sua consistência característica, precisa de açúcar, água, algo ácido e pectina, substância presente nas frutas capaz de encorpar a mistura que está na panela.

CHIMIA DE AMORA

4-6 porções
1 hora
Fácil

- 500 G DE AMORAS FRESCAS
- 2 XÍCARAS (CHÁ) DE AÇÚCAR
- 2 XÍCARAS (CHÁ) DE ÁGUA

Leve todos os ingredientes ao fogo médio, mexendo até o açúcar se dissolver. Baixe o fogo e cozinhe até atingir a consistência de geleia, mexendo de vez em quando. Se quiser mais rústica, deixe as amoras inteiras. Se preferir mais lisa, amasse as amoras durante o cozimento.

ESMIUÇANDO

Difere das geleias por conter não apenas o caldo, mas a polpa e não raro as cascas da fruta, e por levar geralmente mais tempo no preparo. O termo é uma adaptação do alemão schmier, palavra que significa "algo pastoso". É típica das mesas gaúchas.

GELEIA DE BACURI

12 porções
20 minutos
Fácil

- 3 XÍCARAS (CHÁ) DE POLPA DE BACURI
- 3 XÍCARAS (CHÁ) DE AÇÚCAR
- CASCA DE 1 LIMÃO

Cubra o bacuri com água, leve ao fogo e cozinhe até ficar macio. Escorra e, na mesma panela, cubra as frutas com açúcar. Junte 2 xícaras (chá) de água e a casca de limão. Cozinhe até obter uma calda bem densa. Deixe esfriar e leve à geladeira. Sirva gelada.

GELEIA DE JABUTICABA

1 pote grande
1 hora
Fácil

- 1 KG DE JABUTICABAS FRESCAS
- 500 G DE AÇÚCAR

Esprema as jabuticabas em uma peneira, reservando as cascas, e aperte bem os caroços antes de descartá-los para obter o máximo de polpa possível. Leve esse sumo ao fogo com o açúcar, 2 xícaras (chá) de água e metade das cascas de jabuticaba. (O restante das cascas pode ser guardado e usado em outra receita.) Cozinhe até a geleia encorpar. Bata no liquidificador e espere esfriar antes de servir.

CHIMIA DE AMORA

GELEIA DE JABUTICABA

LANCHES

BAURU

6 porções
20 minutos
Fácil

- 6 PÃES FRANCESES (PÃO DE SAL)
- 1 GEMA
- 1 COLHER (SOPA) DE MOSTARDA
- 1½ XÍCARA (CHÁ) DE ÓLEO DE MILHO
- SUCO DE ½ LIMÃO
- 720 G DE ROSBIFE EM FATIAS FINAS
- 300 G DE QUEIJO PRATO
- 2 TOMATES CORTADOS EM RODELAS
- ½ XÍCARA (CHÁ) DE PICLES DE PEPINO
- SAL A GOSTO

Corte os pães na horizontal e reserve. Faça uma maionese, colocando a gema em uma tigela com a mostarda, com um batedor, vá batendo a gema enquanto derrama o óleo em fio até emulsionar e virar um creme mais claro. Adicione o suco do limão e tempere com sal. Aqueça o pão por 2 minutos, passe a maionese e monte o rosbife. Grelhe o queijo, apenas para derreter, e coloque por cima do rosbife. Coloque o tomate em cima do queijo e o picles por cima do tomate.

BAURU

BEIRUTE

6 porções
30 minutos
Fácil

- 6 PÃES SÍRIOS GRANDES
- 900 G DE ROSBIFE FATIADO FINO
- 300 G DE QUEIJO MUÇARELA FATIADO
- 1 COLHER (SOPA) DE ORÉGANO SECO
- 1 GEMA
- 1 COLHER (SOPA) DE MOSTARDA
- 1½ XÍCARA (CHÁ) DE ÓLEO DE MILHO
- SUCO DE ½ LIMÃO
- 12 FOLHAS GRANDES DE ALFACE LISA
- 4 TOMATES CORTADOS EM RODELAS FINAS
- SAL GOSTO

Corte o pão sírio, separando as duas bandas. Sobre a parte de baixo, distribua o rosbife e o queijo muçarela. Polvilhe orégano e leve ao forno por 5 minutos, até que o queijo derreta e a carne esteja aquecida. Para a maionese, misture a gema e a mostarda e bata com um batedor de arame enquanto acrescenta o óleo, em fio, até emulsionar e obter um creme claro. Adicione o suco de limão e tempere com sal. Tire o beirute do forno e espalhe a maionese sobre o queijo. Complete com a alface e o tomate, cubra com a outra fatia de pão, também aquecida, e sirva. Em outras versões do sanduíche, o rosbife é substituído por filé-mignon, filé de frango ou outro tipo de carne – e há quem complemente a receita com o acréscimo de um ovo frito.

ESMIUÇANDO

Quem reivindica a criação do sanduíche é a família do imigrante libanês Fares Sader, um dos fundadores do restaurante Bambi, em São Paulo. Lá teria sido criada, nos anos 1950, a receita de pão sírio, queijo, zátar, rosbife e tomate que rememorava seu país de origem. Presunto, ovo, alface e maionese foram variações de recheio que surgiram por lanchonetes não só da capital paulista, mas de todo o país.

BURACO QUENTE

6 porções
50 minutos
Fácil

- 700 G DE CARNE MOÍDA (PATINHO OU COXÃO MOLE)
- 2 COLHERES (SOPA) DE ÓLEO DE MILHO
- 1 CEBOLA PICADA
- 2 DENTES DE ALHO PICADOS
- 8 TOMATES SEM PELE E SEM SEMENTES PICADOS
- ½ MAÇO DE CHEIRO-VERDE PICADO
- 6 PÃES FRANCESES
- MOLHO DE PIMENTA A GOSTO
- SAL A GOSTO

Refogue a carne moída no óleo. Quando estiver sequinha, acrescente a cebola e o alho; refogue mais um pouco. Adicione o tomate e deixe cozinhar bastante, até desmanchar e se transformar em um molho. Tempere com sal e gotinhas de molho de pimenta. Desligue o fogo e junte metade do cheiro-verde picado. Empurre o miolo do pão para dentro e recheie com a carne. Salpique cheiro-verde e sirva.

ESMIUÇANDO

No buraco quente, o pão francês crocante e sem miolo serve como envoltório para recheios que variam conforme a região. Os estados de São Paulo e Rio de Janeiro são o berço das versões mais comuns, principalmente em festinhas infantis e em restaurantes à beira de estradas. Em Santos, no litoral paulista, é conhecido como "mexicano". Em Minas Gerais, "pão de sal com molho".

BURACO QUENTE

BEIRUTE

EMPADÃO DE FRANGO

8 porções
1h30
Fácil

- 250 G DE MANTEIGA EM TEMPERATURA AMBIENTE
- 500 G DE FARINHA DE TRIGO
- 1 GEMA PARA PINCELAR
- SAL A GOSTO

RECHEIO
- 2 PEITOS DE FRANGO COZIDOS E DESFIADOS
- 2 COLHERES (SOPA) DE AZEITE DE OLIVA
- 1 CEBOLA PICADA
- 2 TOMATES PICADOS
- 3 COLHERES (SOPA) DE MOLHO DE TOMATE
- ½ XÍCARA (CHÁ) DE CALDO DE GALINHA CASEIRO
- ½ XÍCARA (CHÁ) DE AZEITONAS PICADAS
- 200 G DE MILHO-VERDE COZIDO
- 1 COPO DE REQUEIJÃO CREMOSO
- ½ MAÇO DE CHEIRO-VERDE

Junte a manteiga com a farinha de trigo numa vasilha e mexa com a ponta dos dedos até formar uma massa que esfarele, porém úmida. Monte com pedaços o fundo da forma apertando com os dedos e modelando até que fique com 1 cm de altura. Reserve a massa que para a tampa do empadão. Para o recheio, cozinhe os peitos de frango em água com sal, desfie e reserve. Numa panela com azeite, doure a cebola, acrescente o tomate, o molho de tomate e o caldo de galinha. Depois acrescente o frango desfiado e todos os outros ingredientes do recheio. Mexa bem, coloque sobre a massa e reserve. Para fazer a tampa do empadão, acrescente ¼ da xícara de água e mexa a massa até que fique lisa. Estique a massa com um rolo e modele o quadrado do tamanho da boca da forma. Coloque sobre o recheio e prenda as bordas da massa com os dedos. Pincele uma gema em cima da tampa. Coloque para assar em forno preaquecido a 180 °C, de 35 a 40 minutos, ou até que doure.

MISTO QUENTE

EMPADÃO DE PALMITO

8 porções
1h30
Fácil

- 250 G DE MANTEIGA EM TEMPERATURA AMBIENTE
- 500 G DE FARINHA DE TRIGO
- 1 GEMA PARA PINCELAR
- SAL A GOSTO

RECHEIO
- ½ CEBOLA BEM PICADINHA
- 2 COLHERES (SOPA) DE AZEITE DE OLIVA
- 1 DENTE DE ALHO
- 1½ XÍCARA (CHÁ) DE CALDO DE LEGUMES CASEIRO
- 1 VIDRO DE PALMITO (GRANDE)
- 2 COLHERES (CHÁ) DE FARINHA DE TRIGO
- ½ MAÇO DE CHEIRO-VERDE
- 1 PITADA DE NOZ-MOSCADA
- SAL A GOSTO

Junte a manteiga e a farinha de trigo numa vasilha e mexa com a ponta dos dedos até formar uma massa que esfarele, porém úmida. Monte com pedaços o fundo da forma apertando com os dedos e modelando até que fique com 1 cm de altura. Reserve a massa que sobrar para a tampa do empadão. Refogue a cebola e o alho com azeite, acrescente o palmito picado, a farinha de trigo, a noz-moscada e, por fim, acrescente o caldo de legumes. Deixe em fogo médio por 15 minutos. Corrija o sal caso necessário, coloque sobre a massa e reserve. Para fazer a tampa do empadão, acrescente ¼ xícara

PIZZA DE PANELA

(chá) de água e mexa até que a massa fique lisa. Estique a massa com um rolo e modele o quadrado do tamanho da boca da forma. Coloque sobre o recheio e prenda as bordas da massa com os dedos. Pincele uma gema em cima da tampa. Coloque para assar em forno preaquecido a 180 °C, de 35 a 40 minutos, ou até que doure.

ENROLADINHO DE PRESUNTO E QUEIJO

15 porções
1h20
Médio

- 1 XÍCARA (CHÁ) DE LEITE MORNO
- 30 G DE FERMENTO BIOLÓGICO FRESCO
- 1 COLHER (SOPA) DE AÇÚCAR
- ½ XÍCARA (CHÁ) DE ÓLEO
- 3 OVOS
- 2½ XÍCARA (CHÁ) DE FARINHA DE TRIGO
- 300 G DE MUÇARELA (OU QUEIJO PRATO OU QUEIJO FRESCO) PARA RECHEAR
- 300 G DE PRESUNTO PARA RECHEAR
- RODELAS DE 2 TOMATES PARA RECHEAR
- 1 COLHER (CHÁ) DE SAL
- ORÉGANO A GOSTO

Misture o fermento o leite e o óleo até que dissolva. Acrescente os ovos, a farinha, aos poucos, o açúcar e, por último, o sal. Sove bem até que a massa fique lisa. Deixe crescer coberto com filme de PVC até dobrar de volume. Divida a massa em pedaços, em torno de 50 g cada, e abra com a ajuda de um rolo, em formato de retângulo, com a espessura fina. Arrume uma fatia de presunto, uma de queijo, duas rodelas finas de tomate e orégano. Mantendo o recheio dentro da massa, dobre formando um travesseiro, com as pontas bem fechadas. Deixe crescer por mais quinze minutos coberto com filme de PVC. Asse em forno preaquecido a 170 °C por cerca de 25 minutos, ou até dourar.

MISTO QUENTE

4 sanduíches
10 minutos
Fácil

- 8 PÃES DE FORMA
- 16 FATIAS DE PRESUNTO COZIDO
- 16 FATIAS DE QUEIJO PRATO
- 4 COLHERES (SOPA) DE MANTEIGA COM SAL EM TEMPERATURA AMBIENTE

Separe 2 pães de forma para cada sanduíche, passando manteiga na parte de dentro e deixando um pouco para passar na parte externa também. Coloque duas fatias de presunto em cada sanduíche e cubra com duas de queijo prato. Coloque na sanduicheira de fogão e leve ao fogo, virando quando dourar. Sirva assim que tirar do fogo.

ESMIUÇANDO

Um clássico dos lanches e das lanchonetes do Brasil inteiro, faz-se no pão francês ou no pão de forma, quente ou frio. Variação do croque monsieur francês, que pode ser molhado em ovo antes de ser grelhado, ou coberto de molho bechamel.

PIZZA DE PANELA

6 porções
2h30
Médio/difícil

- 500 G DE FARINHA DE TRIGO
- ½ XÍCARA (CHÁ) DE AÇÚCAR
- 1 COLHER (CHÁ) DE SAL
- 1½ COLHER (SOPA) DE FERMENTO SECO
- ¼ XÍCARA (CHÁ) DE AZEITE DE OLIVA
- 1 XÍCARA (CHÁ) DE MOLHO DE TOMATE
- 2 XÍCARAS (CHÁ) DE MUÇARELA RALADA
- 2 TOMATES CORTADOS EM RODELAS
- MANJERICÃO

Coloque a farinha em uma bancada limpa e abra um buraco no meio. Disponha os ingredientes secos no centro e misture um pouco. Acrescente então 1 xícara (chá) de água e o azeite e misture bem a massa até que fique uniforme, sovando por 30 minutos para deixar a massa bem elástica (se quiser, bata a massa na batedeira). Boleie a massa e deixe descansar por 30 minutos coberta por um pano úmido. Divida a massa em 6 porções iguais, boleie e deixe descansar mais 45 minutos ou até que dobrem de tamanho, também cobertas por um pano. Espalhe farinha na bancada e abra a massa no tamanho da frigideira que for utilizar. Aqueça a frigideira, coloque a massa, passe o molho, jogue a muçarela e tampe. Deixe a pizza assar e o queijo derreter, tomando cuidado para não queimar no fundo. Quando a massa da pizza estiver assada por cima e o queijo derretido, coloque o tomate e as folhas de manjericão. Sirva na sequência. Varie o recheio como quiser, utilizando o seu sabor preferido.

SANDUÍCHE DE CALABRESA COM VINAGRETE

4 porções
20 minutos
Fácil

- 1 LINGUIÇA CALABRESA DE 500 G
- 2 COLHERES (SOPA) DE ÓLEO DE MILHO
- ¼ CEBOLA EM CUBINHOS
- 4 TOMATES SEM PELE E SEM SEMENTES EM CUBINHOS
- 1 COLHER (SOPA) DE COENTRO PICADO
- 1 COLHER (SOPA) DE CEBOLINHA-VERDE EM RODELAS FINAS
- 1 COLHER (SOPA) DE SALSINHA PICADA
- ⅓ XÍCARA (CHÁ) DE AZEITE DE OLIVA
- 1 COLHER (SOPA) DE SUCO DE LIMÃO OU VINAGRE
- 4 PÃES FRANCESES (DE SAL)
- SAL E PIMENTA-DO-REINO A GOSTO

Corte a calabresa em quatro partes e sele de todos os lados no óleo quente. Enquanto isso, prepare um vinagrete: misture o tomate, a cebola, as ervas, o azeite, o suco de limão, sal e pimenta-do-reino. Abra os pedaços de linguiça ao meio e frite a parte central até cozinhar por completo. Corte o pão ao meio, aqueça um pouco e recheie com a linguiça e o vinagrete. Se quiser, complete com maionese caseira.

SANDUÍCHE DE CALABRESA COM VINAGRETE

SANDUÍCHE DE CHURRASQUINHO COM QUEIJO

4 porções
15 minutos
Fácil

- 4 BIFES DE FILÉ-MIGNON OU CONTRAFILÉ COM 150 G CADA
- 4 TOMATES SEM PELE E SEM SEMENTES CORTADOS EM CUBINHOS
- ¼ CEBOLA CORTADA EM CUBINHOS
- 1 COLHER (SOPA) DE COENTRO PICADO
- 1 COLHER (SOPA) DE CEBOLINHA CORTADA EM RODELAS FINAS
- 1 COLHER (SOPA) DE SALSINHA PICADA
- ⅓ XÍCARA (CHÁ) DE AZEITE DE OLIVA
- 1 COLHER (SOPA) DE SUCO DE LIMÃO OU VINAGRE
- 1 COLHER (SOPA) DE ÓLEO DE MILHO
- 12 FATIAS DE QUEIJO PRATO
- 4 PÃES FRANCESES (DE SAL)
- SAL E PIMENTA-DO-REINO A GOSTO

Bata os bifes, para que fiquem um pouco mais finos, e tempere com sal e pimenta-do-reino. Faça um vinagrete: misture o tomate, a cebola, as ervas, o azeite, o suco de limão, sal e pimenta-do-reino. Aqueça o óleo e doure a

SANDUÍCHE DE MORTADELA

SANDUÍCHE DE PERNIL

carne dos dois lados. Cubra com o queijo prato, tampe e espere derreter. Aqueça os pães, recheie com os filés e finalize com o vinagrete.

SANDUÍCHE DE MORTADELA

1 sanduíche
5 minutos
Fácil

- 1 PÃO FRANCÊS
- FATIAS DE MORTADELA A GOSTO

Abra o pão e disponha as fatias de mortadela. Se desejar, aqueça em uma chapa e sirva quente.

SANDUÍCHE DE PERNIL

8 porções
2h30 mais o tempo para marinar
Médio

- 500 G DE PERNIL DESOSSADO

PARA A MARINADA
- ¼ CEBOLA GRANDE
- ¼ CENOURA GRANDE
- 1 TALO DE SALSÃO
- ¼ TALO DE ALHO-PORÓ
- 1 DENTE DE ALHO
- ½ PIMENTA DEDO DE MOÇA SEM SEMENTES
- 1 XÍCARA (CHÁ) DE VINHO BRANCO
- 1 FOLHA DE LOURO

PARA O MOLHO
- ¼ CEBOLA CORTADA EM TIRAS
- ¼ PIMENTÃO VERMELHO SEM PELE E CORTADO EM TIRAS
- 8 PÃES FRANCESES (DE SAL)
- SAL E PIMENTA-DO-REINO A GOSTO

Com os ingredientes da marinada, prepare o pernil seguindo a receita da p. 93 – deixe marinar por 3 horas e asse por 2 horas. Com o caldo do assado que ficou no fundo da assadeira, refogue a cebola e o pimentão, até ficar macio. Corte o pernil em fatias finas, recheie o pão aquecido e finalize com o molho.

TAPIOCA (BEIJU)

6 unidades
30 minutos
Médio

- 500 G DE POLVILHO DOCE
- SAL A GOSTO

Coloque o polvilho em uma vasilha, tempere com sal e vá colocando 1¾ copo (americano) de água aos poucos enquanto mexe com as mãos. O polvilho vai ficar opaco e aumentar um pouquinho de volume. Pegue uma peneira, polvilhe diretamente na frigideira de ferro, criando uma camada não muito fina para não rachar. Leve ao fogo alto, deixando por 30 segundos. Vire e deixe por mais 15 segundos. Está pronta para passar manteiga e comer. Para o recheio, você também pode misturar leite de coco fresco com coco ralado e um pouco de leite condensado (p. 201) ou grelhar uma fatia de queijo de coalho.

ESMIUÇANDO

Esse tipo de crepe feito a partir da farinha de tapioca é também conhecida como beiju. Trata-se de item quase sagrado em cafés da manhã e lanches pelo Brasil afora, com recheios como queijo, presunto, leite condensado e coco ralado. A consistência e a espessura podem variar.

TORTA DE SARDINHA

1 torta em forma retangular
2 horas
Médio

- 2 COLHERES (SOPA) DE AZEITE DE OLIVA
- ½ CEBOLA MÉDIA PICADA
- 2 DENTES DE ALHO PICADOS
- 3 TOMATES SEM SEMENTES E PICADOS
- 500 G DE SARDINHA FRESCA E LIMPA
- ½ MAÇO DE SALSINHA PICADA
- SAL E PIMENTA-DO-REINO A GOSTO

MASSA
- 1 XÍCARA (CHÁ) DE LEITE
- 1 XÍCARA (CHÁ) DE ÓLEO DE MILHO
- 3 OVOS
- 2 XÍCARAS (CHÁ) DE FARINHA DE TRIGO, MAIS UM POUCO PARA POLVILHAR
- 1 COLHER (CHÁ) DE SAL
- 1 COLHER (CHÁ) DE FERMENTO QUÍMICO
- MANTEIGA, PARA UNTAR

Aqueça o azeite e refogue a cebola com o alho e o tomate. Adicione a sardinha, a salsinha e um dedo de água. Tampe e cozinhe até a sardinha quase desmanchar. Tempere com sal e pimenta-do-reino e reserve. Bata no liquidificador todos os ingredientes da massa, exceto o fermento, até ficar homogêneo. Adicione o fermento e misture. Unte uma forma com manteiga, polvilhe farinha e faça camadas com metade da massa, o recheio e a massa restante. Asse em forno preaquecido a 180 °C por 30 minutos, ou até dourar.

X-CABOQUINHO

1 porção
10 minutos
Fácil

- 1 PÃO FRANCÊS
- ½ COLHER (SOPA) DE MANTEIGA
- 4 FATIAS DE QUEIJO DE COALHO
- 1 TUCUMÃ EM LASCAS

Toste o pão untado com manteiga e aqueça o queijo de coalho para derreter um pouco. Monte o sanduíche com o tucumã e o queijo. Se quiser, inclua também 1 banana-pacova cortada em fatias, na vertical, e frita em um pouco de manteiga.

TAPIOCA

ESMIUÇANDO

O tucumã é um fruto amazônico que serve como recheio para esse típico quitute da região Norte. Servido no pão francês (ou brotinho) acompanhado por queijo de coalho – muitas vezes também com ovo e batata frita –, é um nutritivo sanduíche consumido como merenda.

X-GAÚCHO

4 porções
20 minutos
Fácil

- 2 XÍCARAS (CHÁ) DE CORAÇÃO DE FRANGO
- 1 COLHER (SOPA) DE ÓLEO DE MILHO
- 8 FATIAS DE QUEIJO PRATO
- 4 PÃES DE HAMBÚRGUER GRANDES
- 1 XÍCARA (CHÁ) DE MAIONESE
- 4 FOLHAS GRANDES DE ALFACE
- 1 XÍCARA (CHÁ) DE MILHO COZIDO
- 1 XÍCARA (CHÁ) DE ERVILHA FRESCA COZIDA
- 2 TOMATES SEM PELE E SEM SEMENTES PICADOS
- SAL E PIMENTA-DO-REINO A GOSTO

Tempere o coração de frango com sal e pimenta-do-reino. Aqueça o azeite e grelhe a carne rapidamente, para não ficar dura. Cubra com o queijo, tampe e espere derreter. Corte os pães ao meio, passe maionese e distribua a alface, o milho, a ervilha e o tomate sobre a metade de baixo. Recheie com o coração de frango e sirva.

ESMIUÇANDO

O xis, como é carinhosamente chamado pelos gaúchos, tem a versatilidade dos sanduíches feitos na chapa. A versão clássica leva corações de frango além do hambúrguer convencional. Foi ganhando sabores e espaço nos cardápios das lanchonetes, que investem em versões imensas para até quatro pessoas, acrescidas de bacon, filé mignon e linguiça, entre outros ingredientes.

INFORMAÇÕES ÚTEIS

As receitas estão divididas em cinco capítulos: Tira-gosto, Mistura, Sustância, Fartura e Pães & Quitandas. Nos índices, a partir da p. 400, aparecem também classificadas em ordem alfabética, por ingrediente principal e por tipo de prato, entre outros temas relevantes.

Os graus de dificuldade – fácil, médio e difícil – indicados nas receitas levam em consideração o tempo de execução e as técnicas necessárias para o preparo.

DICAS

* As caldas de açúcar e água podem adquirir diversos pontos. No **ponto de fio**, a calda forma fios finos quando puxada para cima com um garfo. Para o **ponto de bala mole**, pingue uma gota da calda dentro de um copo com água e aperte com o dedo: deve formar uma bola macia; no **ponto de bala dura**, a bola fica bem firme.

* Claras batidas em neve também atingem diversos pontos. Em **picos moles**, vertem para baixo quando levantadas com um garfo. Em **picos duros** ou **firmes**, mantêm-se na posição quando a tigela é invertida.

* Nas receitas empanadas, a farinha de trigo pode ser substituída por farinhas de **milho** ou **mandioca**.

* Nos fornos convencionais, a indicação de temperatura pode variar de acordo com os fabricantes dos aparelhos.

TEMPERATURA DOS FORNOS

1
MUITO ALTO
(MUITO QUENTE)
220 °C

2
ALTO
(QUENTE)
200 °C

3
MÉDIO
160 °C A 180 °C

4
BAIXO
150 °C A 160 °C

5
MUITO BAIXO
100 °C A 150 °C

TABELA DE EQUIVALÊNCIAS

AÇÚCAR	
1 xícara	180 g
½ xícara	90 g
¼ xícara	45 g
1 colher (sopa)	12 g
FARINHA DE TRIGO	
1 xícara	120 g
½ xícara	60 g
¼ xícara	30 g
1 colher (sopa)	7,5 g
MANTEIGA	
1 xícara	200 g
½ xícara	100 g
¼ xícara	65 g
1 colher (sopa)	100 g
LÍQUIDOS	
1 xícara	240 ml
½ xícara	120 ml
¼ xícara	60 ml
1 colher (sopa)	15 ml

TERMOS E TÉCNICAS

ASSAR Cozinhar em calor seco e direto, como no forno ou na grelha.

BANHO-MARIA Colocar a vasilha com o alimento dentro de outro recipiente com água, para deixar mais lento o processo de cozimento.

BRANQUEAR Mergulhar em água fervente por alguns minutos e, em seguida, interromper o cozimento passando os ingredientes por água fria.

COZIMENTO A VAPOR Cozinhar os alimentos em uma tigela de fundo vazado, sobre uma panela com água ou caldo fervente.

DEGLAÇAR Acrescentar um líquido – água, vinho ou caldo – a uma assadeira ou frigideira e aquecer, raspando, para desprender os alimentos grudados no fundo.

DESSALGAR Retirar o excesso de sal dos alimentos mergulhando em água e trocando o líquido várias vezes.

EMPANAR Passar o alimento por farinha e ovo (ou por uma massa fluida) antes de fritar ou assar.

ESCALDAR Imergir os alimentos em água fervente.

FLAMBAR Acrescentar bebida alcoólica a um alimento e, em seguida, acender o fogo; o álcool evapora e deixa seu sabor e aroma na receita.

FRITAR Cozinhar em gordura, como óleo, azeite ou manteiga. Quando há pouca quantidade de gordura, o processo é chamado de saltear. Grande quantidade caracteriza a fritura por imersão.

GRATINAR Levar um alimento ao forno coberto por creme, queijo ralado, manteiga ou farinha de rosca, para dourar e tostar.

GRELHAR Assar ou tostar em uma chapa ou grelha.

REDUZIR Cozinhar um líquido por mais tempo, até que o volume diminua e o sabor fique mais concentrado.

REFOGAR Cozinhar os alimentos em pouco líquido ou gordura aquecidos, até ficarem macios e dourados.

SELAR Dourar rapidamente a superfície dos alimentos em pouca gordura aquecida, para evitar a perda posterior de umidade e suculência.

UNTAR Passar algum tipo de gordura (manteiga, óleo, azeite) em uma superfície, para evitar que os alimentos grudem.

UTENSÍLIOS BÁSICOS

Tipos de apetrechos encontrados com frequência nas casas e mercados do país

BATEDORES
O batedor de arame, também chamado de "fouet", ajuda a bater claras em neve e a emulsionar molhos. O mixer elétrico tritura e deixa os alimentos cremosos.

DESCASCADORES
Para descascar frutas e legumes – e também para cortar em fatias bem finas.

ESCUMADEIRAS
Para retirar alimentos fritos ou cozidos das panelas.

ESPÁTULAS
Para mexer massas; furada, pode retirar resíduos e espuma de caldos.

ESPREMEDORES MANUAIS
De alho e de legumes, próprio para fazer purês e extrair o suco de alimentos como espinafre, por exemplo.

FACAS
Em diversos modelos, com funções próprias: para tarefas variadas; serrilhada, para pães; de frutas e legumes. Amole a cada 15 dias.

JOGOS DE MEDIDORES
De xícaras, colheres e líquidos (jarras medidoras), para padronizar as medidas utilizadas nas receitas.

PANELAS
Em tamanhos pequeno, médio e grande, além de uma frigideira antiaderente, um caldeirão, panela de pressão, panela de ferro e panela de barro.

PÃO DURO
Tipo de espátula com ponta maleável que serve para raspar as massas das vasilhas.

PENEIRAS
Para líquidos ou alimentos em pó, como açúcar, farinha e chocolate.

PINÇA OU PEGADOR
Para virar ou pegar os alimentos na grelha ou na frigideira.

PINCEL
Para untar alimentos, formas e assadeiras.

TÁBUAS DE COZINHA
De madeira ou polipropileno, para cortar alimentos como carnes, frutas e hortaliças.

NOMES COMUNS

Diversos ingredientes recebem nomes diferentes em várias partes do país. Confira alguns dos principais usados neste livro.

ABÓBORA-DE-LEITE
abóbora-do-nordeste, abóbora-sergipana

ABÓBORA-DE-PESCOÇO
abóbora-seca, abóbora-paulista

ABÓBORA-JAPONESA
cabochã, cabotiá, kabochá, tetsukabuto

ABÓBORA-MORANGA
jerimum

ABOBRINHA-BRASILEIRA
menina-brasileira

AÇAFRÃO-DA-TERRA
açafrão-da-índia, açafroa, cúrcuma

ACÉM
agulha, alcatrinha, lombo de acém, lombo de agulha, tirante

AIPO
salsão

AMIDO DE MILHO
maisena

ASA DE FRANGO
asinha

AZEITE DE DENDÊ
azeite de cheiro, azeite de palma, óleo de palma

BANANA-DA-TERRA
banana-comprida, pacova, pacovã

BATATA-DOCE
batata-cenoura

BUCHO BOVINO
tripa

CAPOTE
catirê, cocá, galinha d'angola, conquém, fraca, galinha-do-mato, guiné, pintada, sakué

CARNE DE SOL
carne de sertão, carne de vento

CARNE-SECA
jabá

CASTANHA-DO-BRASIL
castanha-da-amazônia, castanha-do-pará

CHAMBARIL
ossobuco

COLORAU
colorífico

COXÃO DURO
chã de fora

COXÃO MOLE
chã de dentro

FARINHA DE MANDIOCA UARINI
ovinha

FEIJÃO-FRADINHO
feijão-caupi

FILHOTE
piraíba, piranambu, pirapitinga

FRALDINHA
vacío, vazio

GENGIBRE
mangarataia, mangaratiá

GOMA
amido de mandioca

GOMA
fécula de mandioca, polvilho doce

GUARIROBA
gairoba, gairova, gariroba, garirova, gueiroba, jaguaroba, pati-amargosa

IÇÁ
saúva, tanajura

JAMBU
abecedária, agrião-do-brasil, agrião-do-norte

LAGARTO
tatu

MAMINHA
ponta de alcatra

MANDIOCA
aipim, macaxeira

MANJERICÃO
alfavaca-cheirosa, alfavacão, basilicão, basílico

MOCOTÓ BOVINO
mão de vaca

PÃO FRANCÊS
pão de sal

PATINHO BOVINO
bochecha, bola

PEQUI
pequiá, piqui, pitiá, saco-de-bode

PIRARUCU
bodeco, pirosca

PIRARUCU SECO
bacalhau da Amazônia

QUEIJO COLONIAL
queijo de colônia

QUEIJO PRATO
queijo bola, queijo cobocó, queijo do reino, queijo esférico, queijo lanche

UMBU
ambu, imbu

URUCUM
anato

VINAGREIRA
azedinha

INSTITUTO
BRASIL A GOSTO
PRESENTS

BÁSICO

ENGLISH VERSION

INTRODUCTION

#PELACOZINHABRASILEIRA

ANA LUIZA TRAJANO,
PRESIDENT OF INSTITUTO BRASIL A GOSTO

Addressing Brazilian cuisine is a great joy – and a great responsibility. Because, more than recipes that appear in reference books and menus of restaurants devoted to our culture, Brazilian cuisine is about what happens inside our homes. These are the dishes that nourish and bring joy to different Brazils scattered across our territory, with different knowledge and characteristics as we travel from the interior to the coast, from the backlands to the mountain regions.

Therefore, there are no rules and nothing is set in stone. Maybe, in your home, a *feijoada* includes other meats, or the *arroz de forno* is made with chicken, and not ground beef. And that's not a problem! There are different versions for the same dish and we cannot speak about a "right" way to eat or create Brazilian cuisine.

This book reflects what I've seen during the last fifteen years, as I conducted gastronomic research throughout the country. I believe that, more than knowing the origin of each of our recipes, we need to talk about how people eat. In the effort to organize part of our varied array of recipes, I chose to divide them in a way that refers to how the table is set in Brazil. Beginning with a **Tira-gosto**, a chapter for appetizers and snacks that welcome the reader the same way we welcome guests in our homes. Then, in comes the **Mistura**, the hearty dishes that are served during lunch or dinner, followed by rices, beans, and farofas, which are the cornerstones of a meal's **Sustância**. The desserts reveal the abundance of Brazilian confections, and there's enough room left for the **Breads and quitandas** treats, which are served with the traditional cup of coffee. Altogether, 512 recipes were collected and tested, among the more than a thousand that had been gathered during the initial selection – we had to leave some for the next book!

The main goal in recording these recipes is keeping Brazilian cuisine alive, inside our homes. We hope these dishes will once again be part of our daily life, and we'll speak about them as effortlessly and naturally as we speak about recipes from other countries. A lot of people who find it easy to prepare couscous and risotto Milanese are still daunted by the idea of making *arroz carreteiro* – or trying ingredients such as stomach, goat, and lime-beans.

This first book authored by Brasil a Gosto Institute sets out not only to recover our cuisine's self-esteem, but also to encourage and support our recipes, so they will be more frequently found in bibliographies and school curriculums. So that they are constantly being researched. So that ingredients such as the dendê oil, clarified butter, and good manioc flours will no longer be categorized as "regional" goods, but are treated like our daily rice and beans – as part of our identity.

We present this book to you with the same enthusiasm we poured into our Manifest, bursting with pride for every ingredient, directions, recipe notebooks, family secrets, the entire journey that brought us here.

MANIFEST

The Brazilian Cuisine Heritage isn't
only meant for restaurant tables.

We want to see it in markets, fairs, supermarkets, in the
tables of each and every Brazilian, back in our daily lives.

We want to foster the knowledge about our own cuisine,
frequently taken for granted and left aside.

We want to make our many years of research available to all
and, furthermore: create a network.

We believe that gastronomy is an important agent in changes that bring
together the preservation of a cultural identity and social impact.

Our role is to be a link in the chain connecting the research
development agencies, artisanal food producers, public and
governmental agencies, and also the industry and market.

We believe that the best way to preserve our culture is getting to know
our raw materials and artisanal processes, recording and revisiting
the traditional ways they are used, besides creating original approaches.

We'll create projects that highlight ingredients and
ensure they are available to the public.

We'll promote access to knowledge, create courses and events.
Come teach and learn with us.

We want to share stories. Celebrate our culture.
Create sustainable development and, of course, lots of flavour.

We welcome you into our movement
#pelacozinhabrasileira.
Welcome to the Brasil a Gosto Institute.

PREFACE

CUISINE ON PAPER

CARLOS ALBERTO DÓRIA, SOCIOLOGIST

This is Ana Luiza Trajano's 4th book. In it, she widens her travels researching "roots" Brazilian cuisine, as she sees it, to also devote herself to everyday home cooking. The first-person narrative refers to the universe that spawned the collected recipes. The author's taste is particularly highlighted by family life, her guide through countless recipes that come from the Brazilian domestic and urban tradition.

The reader could chalk it up as another book of recipes following the tradition of the old *Comer Bem Dona Benta*, which have been available since the 1940's. It wouldn't be terribly original had it not been for the author's particular vision on this list commonly found recipes. Thus, what grants the book its originality is the author's point of view, now added to the collection of works known as "cookbooks". This expression encompasses every written material about the art of cooking or/and relative to the different existing cuisines and cooking styles. An universe that includes various types of books: the old and the new, available in libraries and bookstores; the binders and notebooks filled with recipes that are found in homes, convents, hotels, castles, hospitals, institutions such as factories, businesses, schools, children's homes, and prisons; and, also, books relating to food critique.

We should also consider that "cookbooks" have been fundamental in stablishing a Western gastronomy. This means that the creation of a specific field that shaped and mediated culinary "preferences" greatly relied on the emergence of these publications. Although this type of cooking is closely linked to "real life cooking" (which is practiced daily in each and every society), cookbooks do not set out to reproduce it, purely and simply. In registering, recording, and publishing it in various platforms, cookbooks end up transforming what is real into a taste paradigm and, eventually, into a mark of the identity of a whole people – as it happens, for instance, in France, where a culture of writing about the art of cooking generate style of cuisine that is emblematic in the West.

In Brazil, the influence of French gastronomy began in the 19th century and is reinforced by the arrival of famed French chefs like Claude Troisgros and Laurent Suaudeau, among others, after the 70's. These chefs began to appreciate and make use of Brazilian ingredients, either native or acclimated, such as the jabuticaba, pitanga, mango, jackfruit, manioc flour, and mandioquinha, among many more, giving rise to what is currently defined as "Brazilian Cuisine", which is practiced by local professionals that constantly revisit and reinterpret the traditional aspects of Brazilian cooking.

Due to Trajano's efforts, this mark is also present as she approaches tradition with a modern gaze, holding on to the things that she believes to be worthy, seeking to project them into time. And so, many ingredients that were virtually forgotten – such as the prosaic lambari – reemerge; some "backwards steps" are taken in this search for a higher quality, such as the recipe for pudim de leite that doesn't make use of condensed milk.

Making these recipes available was the purpose of *Dona Benta*. Time went by and gastronomy developed along multiple directions until we lost sight of its domestic roots. Trajano's books seeks to bring us back to that place, while updating it. It's original in the fact that it no longer addresses the outdated "homemaker", a character that became undone in the last few decades. It wishes to dialog with those who practice home cooking, regardless of their gender, and who are not "supposed to" toil over the stove day in and day out. Nowadays, the majority of the middle class doesn't eat at home. It's only natural that, when cooking at home, we seek pleasure and not only "nourishment". If this book reaches this one goal, it will have fulfilled its worthy cause – and these are our wishes for it.

APPETIZERS

I find myself salivating just thinking about torresmo (pork crackling) or fried lambari. When I was a kid, in the São Paulo countryside, I had a little fishing case and I loved not only to catch lambaris, but also to, later, feast on a batch of crisply fried fishes – the spine, so crunchy, snapping as I chewed. What a wonderful appetizer!

The habit of eating snacks, nibbling on something or grabbing a quick bite is so Brazilian we even came up with a special word, which is essentially Brazilian, for this whole category of treats: tira-gosto ("taste remover" is the literal translation for the Portuguese word). And it makes us wonder: remove which taste? Originally, tira-gostos served the purpose of softening the strong and bitter taste of alcoholic beverages, usually spirits. Could it be that the first tira-gosto got its name in roadside bars? Or among groups of people who talked around fires in backwoods ranches? In my travels across the country, I've found tira-gostos in every kitchen. They not only made their way into homes and stuck around, but also found a new role: keeping at bay those who might try to raid the pots ahead of time. I've also heard good stories about the origins of these small and savory portions. After all, they are delicacies laden with quintessential Brazilian tales. Who among us never gazed at the pickled eggs found in joints and wondered how they came to be so colorful? And who never thought they were about to eat a feline species upon finding "carne de onça" on the menu? (This appetizer's name could be translated as "jaguar meat".)

Most typically Brazilian tira-gostos can be eaten with your fingers, without the need for silverware – paper napkins provide protection for the fingers and food. But they also can be served in shot glasses or bowls (in the case of broths), or with side dishes that become part of the snack (such as the breads that are served with meats and sausages).

There's another characteristic to the tira-gosto that, in my opinion, is among its most prominent features: keeping people busy and entertained around a table while they are waiting for their meal. They stretch out the time we spend together. In this unscheduled dance of flavors, the tira-gosto colors our Sunday afternoons, our family get-togethers. They are the small portions everyone loves – and we always feel like ordering just one more.

THE FOLLOWING RECIPES ARE SHOWN IN THE ORDER AS THEY APPEAR IN THE MAIN SECTION OF THE BOOK. THEY ARE ALSO PAIRED WITH THEIR ORIGINAL BRAZILIAN NAMES FOR FASTER AND EASIER REFERENCE.

ABARÁ

12 units | 40 minutes, plus time for hydrating | Difficult

- 3 TEACUPS OF BLACK-EYED PEAS, PEELED
- 3 LARGE ONIONS
- ½ TEACUP OF DRIED SHRIMPS, PEELED
- ½ TEACUP OF DENDÊ OIL
- SALT TO TASTE
- 6 BANANA LEAVES, FOR WRAPPING

Allow the peas to soak in cold water for at least 12 hours. Drain the peas and blend them in a food processor with the onion, dried shrimp, dendê, and salt, until obtaining a smooth paste. Cut the banana leaves in half and pass them through the stove's low flame, to make them more flexible. Hold out the leaf with your hand and, right at the center, arrange three spoonfuls of abará batter. Close carefully, making sure all the batter is wrapped, and steam for 5 minutes. When it is firm, remove the leaf and serve with vatapá, dried shrimp, vinaigrette (p. 290), and pepper sauce (p. 308).

IN DETAIL: *Along with the first slaves, in the 16th century, arrived the custom of wrapping pasty foods in banana leaves, common in countries such as Nigeria and Dahomey - present day Benin. The abará, an yoruba term, is an example of this sort of wrapped delicacy, which only was made possible in Brazil thanks to the dendê oil. Differently from its "cousin", the acarajé, it is cooked in steam (and not fried).*

ACARAJÉ

12 units | 1 hour, plus time for soaking | Medium

- 3 TEACUPS OF BLACK-EYED PEAS, PEELED
- 4 LARGE ONIONS
- 1 CUP DRIED SHRIMP, OR TO TASTE
- SALT AND BLACK PEPPER TO TASTE
- DENDÊ OIL, FOR FRYING

GREEN TOMATO VINAIGRETTE

- 6 PEELED, DESEEDED GREEN TOMATOES, CHOPPED
- ½ ONION, CHOPPED
- ½ CUP EXTRA VIRGIN OLIVE OIL
- 2 TABLESPOONS APPLE VINEGAR OR LIME JUICE
- ½ BUNCH OF CORIANDER LEAVES, CHOPPED
- ¼ BUNCH OF CORIANDER STEMS, CHOPPED
- SALT AND BLACK PEPPER TO TASTE

Allow the peas to soak in cold water for at least 12 hours. Drain them and blend them in a food processor with the onions and salt, until obtaining a smooth batter. Drain it with a sieve, removing the excess liquid. Meanwhile, prepare the vinaigrette: mix the tomatos, onion, olive oil and vinegar. Season with salt and pepper and add the herbs. Heat up the dendê oil in a deep pot and fry spoonfuls of the batter. When it is golden, remove and fill with the dried shrimp, vatapá (below), vinaigrette, and pepper sauce (p. 308).

VATAPÁ

6 servings | 1 hour | Easy/medium

- ½ KG STALE FRENCH ROLL OR SLICED BREAD
- ½ LITRE SHRIMP BROTH OR WATER
- ½ LITRE COCONUT MILK
- ¾ CUP DENDE OIL
- ½ ONION, CHOPPED
- 1 CLOVE OF GARLIC, CHOPPED
- 2 TABLESPOONS GINGER, CHOPPED
- 1 TOMATO, PEELED, SEEDED AND CHOPPED
- 1 RED HOT PEPPER, SEEDED AND CHOPPED
- 1 CUP DRIED SHRIMP, DESALTED
- 1 CUP ROASTED CASHEW NUTS
- SALT TO TASTE

Hydrate the bread with half the shrimp broth and half the coconut milk. Heat dende oil and stir-fry the onion, garlic, ginger, tomato and red hot pepper. Add dried shrimp, cashew nuts, softened bread and the remaining broth and coconut milk. Cook over low heat for 1 hour, or until pasty. Process in a blender and add some more milk to adjust texture, if necessary.

IN DETAIL: *The quintessential sacred offering food, it's offered to the Xangô and Iansã orixas during Candomblé rituals. From West Africa, acarajé migrated to Brazil during the 16th century, where it was combined with black-eyed peas and dendê oil, arriving at the shape it now holds, being sold as street food by traditionally dressed women. In the first versions, the peas were grated with a stone. It is a perfect match with vatapá, which has African roots as well, and with caruru (p. 340).*

FRIED BALLYHOO HALFBEAK
(AGULHINHA FRITA)
2 servings | 15 minutes | Easy

- 12 CLEANED BALLYHOO HALFBEAKS
- JUICE OF 2 LIMES
- SALT TO TASTE
- ALL-PURPOSE FLOUR, FOR COATING
- CORN OIL, FOR FRYING

Season the fish with lime and salt. Coat them in flour and fry in hot oil until golden on both sides. Drain on paper towel and serve immediately.

COOKED PEANUT
(AMENDOIM COZIDO)
8 servings | 2 hours | Easy

- 1 KG RAW PEANUTS, WITH THE SKIN
- SALT TO TASTE

Rinse carefully the peanuts and put on a large pot with 4 litres of water and salt. Cook for about 2 hours, or until tender – try one to check if it is properly cooked. Add more water, if necessary.

CHICKEN WINGS
(ASA DE FRANGO)
4 servings | 45 minutes | Easy

- 1 KG FRENCHED CHICKEN WINGS (TULIPINHAS)
- JUICE OF 1 LIME
- 2 CLOVES OF GARLIC, CRUSHED
- 1 TABLESPOON MUSTARD
- SALT AND GROUND PEPPER TO TASTE
- OLIVE OIL

Rub the chicken wings all over with lime juice, garlic, mustard, salt and pepper. Place them in a roasting tray and drizzle with olive oil. Cover with aluminium foil and put it in the oven at 180 °C for 30 minutes. Remove foil and let it brown for 10 minutes. Serve immediately.

IN DETAIL: *Chicken wings, which used to be considered kids food, are popular again in barbecues. Drummette (the fleshy part of the chicken wing) and tulipinha (literally "little tulip", drummettes and mid joints prepared using the technique of cutting and turning the meat inside out) are variations of this cut.*

CORNMEAL BEEF CROQUETTE
(BOLINHO CAIPIRA)
20 small croquettes | 1h20 | Medium

DOUGH
- 1 TABLESPOON UNSALTED BUTTER
- 1 TEASPOON SALT
- 3 ¾ CUPS CORNMEAL, PLUS A LITTLE EXTRA FOR COATING
- ½ CUP SOUR MANIOC STARCH
- CORN OIL, FOR FRYING

FILLING
- 500 GROUND BEEF
- 2 TABLESPOONS OLIVE OIL
- ½ ONION, CHOPPED
- 2 CLOVES OF GARLIC, CHOPPED
- ½ CUP BLACK OLIVES, CHOPPED
- SALT AND GROUND PEPPER TO TASTE

For the dough, heat 1 litre of water with butter and salt. When it starts boiling, add cornmeal gradually, stirring constantly to avoid lumps. Cook for 5-10 minutes and transfer the dough for a large bowl. Add manioc starch and knead until the dough gets smooth. If any lumps form, blend it with a hand blender to make it smooth. Roll out the dough with a rolling pin and cut it into circles – or divide it in small portions and make little balls with a hole in the middle for filling.

For the filling, season the ground beef with salt and pepper. Heat olive oil and stir-fry onion and garlic. Add meat and let it brown, until all the liquid is gone. Add olives, season to taste and fill the dough circles/balls. Coat the croquettes in the extra cornmeal, to get rid of any moisture, and fry them in hot oil until light golden brown.

IN DETAIL: *Some say this cornmeal beef croquette (bolinho caipira, literally, peasant little cake) is an all-Brazilian answer to the Portuguese codfish cake. The original recipe comes from Vale do Paraíba, that rescues the Tupi-Guarani heritage of maize-based food, and it has always been present in many local festivals. Jacareí city includes this snack among its cultural heritage.*

MANIOC AND CARNE-SECA CROQUETTE
(BOLINHO DE AIPIM COM CARNE-SECA)
50 croquettes | 1h20 | Medium

DOUGH
- 1 ½ KG MANIOC, COOKED IN SALTED WATER
- 1 EGG
- 1 EGG YOLK
- ½ TABLESPOON BUTTER

- ½ TEASPOON SALT
- ¼ CUP PARSLEY, CHOPPED
- ½ CUP SCALLION, CHOPPED
- 1 PINCH GROUND PEPPER
- 2 SCANT TABLESPOONS ALL-PURPOSE FLOUR
- DRIED BREADCRUMBS, FOR COATING THE CROQUETTES
- CORN OIL, FOR FRYING AND GREASING HANDS

FILLING

- 1 TABLESPOON CLARIFIED BUTTER
- ½ TABLESPOON GARLIC, CHOPPED
- ¼ ONION, CHOPPED
- 250 G CARNE-SECA (SALTED AND DEHYDRATED BEEF), DESALTED, SHREDDED AND CUT INTO SHORT STRIPS
- 2 TABLESPOONS WHIPPING CREAM

For the dough, pass the manioc through a sieve or mash it very well with a fork. Add egg, egg yolk, butter, salt, parsley, scallion, ground pepper and all-purpose flour. Mix well until you obtain smooth dough. Set aside while preparing the filling. Heat the clarified butter, add garlic and onion and cook until golden. Add carne-seca and stir-fry for about 3 minutes. Add whipping cream and mix for 1 minute. Put 2 tablespoons of dough in the palm of your hand (grease hands with oil). Flatten it out into a circle and fill with ½ tablespoon of carne-seca. Roll it into a ball and coat in breadcrumbs. Repeat it with the remaining dough and filling. Fry in hot oil (170 °C to 180 °C) until golden. It's also common serving these dough balls without any filling or stuffed with cheese.

FRIED RICE BALLS
(BOLINHO DE ARROZ)

30 balls | 20 minutes, plus cooling time | Easy

- 2 CUPS COOKED RICE
- ½ CUP MILK
- 2 EGGS
- 1 CUP ALL-PURPOSE FLOUR
- 4 TABLESPOONS GRATED PARMESAN CHEESE
- 1 CUP PARSLEY AND SCALLION, CHOPPED
- 1 TABLESPOON BAKING POWDER
- SALT TO TASTE
- CORN OIL, FOR FRYING

Combine all the ingredients, except the baking powder, and season with salt. Let it rest in the fridge for 30 minutes. Take it out and add the baking powder. Heat the oil. Spoon the mixture into the hot oil and fry until golden brown. Drain on paper towel and serve immediately.

IN DETAIL: *Italians have "arancini", best known among Brazilians as "bolinho de risoto". Typical of Sicily, the recipe turns risotto leftovers into a delicious treat.*

Just like the Italian cousin, our fried rice ball is also an alternative to use up leftovers. It is worth saying that the technique of making fried snacks is also popular among Portuguese people – and other ingredients, such as greens and vegetables, can be used as "filling". Two examples are spinach and scarlet eggplant.

SPINACH FRITTERS
(BOLINHO DE ESPINAFRE)

30 fritters | 20 minutes | Easy

- 2 CUPS SPINACH, COOKED AND CHOPPED
- ½ CUP MILK
- 2 EGGS
- 1 CUP ALL-PURPOSE FLOUR
- 4 TABLESPOONS GRATED PARMESAN CHEESE
- 1 CUP PARSLEY AND SCALLION, CHOPPED
- 1 TABLESPOON BAKING POWDER
- CORN OIL, FOR FRYING
- SALT TO TASTE

Combine all ingredients, except baking powder. Let it rest in the fridge for 30 minutes. Take it out, add baking powder, heat the oil and spoon the mixture into it. Fry until golden and drain on paper towel. Serve immediately.

SCARLET EGGPLANT FRITTERS
(BOLINHO DE JILÓ)

20 fritters | 30 minutes | Easy

- 6 SCARLET EGGPLANTS, DICED SMALL
- ½ ONION, CHOPPED
- 2 EGGS
- ¼ CUP MILK
- 1 CLOVE OF GARLIC, CRUSHED
- 1 CUP ALL-PURPOSE FLOUR
- 1 PINCH BAKING SODA
- 2 TABLESPOONS GRATED PARMESAN CHEESE
- PARSLEY AND SCALLION TO TASTE
- CORN OIL, FOR FRYING
- SALT TO TASTE

Mix scarlet eggplant, onion, parsley and scallion. In a bowl, beat the eggs and add milk, salt, garlic, flour and baking soda, stirring very well. Finally, add grated cheese. Heat about 3 cm of oil in a frying pan and fry spoonfuls of the mixture until golden. Serve immediately.

FISH AND PLANTAIN CROQUETTE

(BOLINHO DE PEIXE COM BANANA-DA-TERRA)

40 croquettes | 40 minutes, plus hydrating time, if salt-cured paiche is used | Easy

- 800 G PAICHE (FRESH OR SALT-CURED)
- 3 TABLESPOONS OLIVE OIL
- 3 CLOVES OF GARLIC, CHOPPED
- 8 PLANTAINS, COOKED UNPEELED
- 600 G MANIOC, PEELED AND COOKED
- 1 BUNCH CORIANDER, CHOPPED
- GROUND PEPPER TO TASTE
- CORN OIL, FOR FRYING
- SALT TO TASTE

Season the fish (if using salt-cured paiche, hydrate and desalt it beforehand) and sauté it with the garlic in olive oil, stirring now and then to break it into flakes. Peel the plantain, remove the woody fiber in the center of manioc and pass both, still hot, through a sieve. Combine plantain and manioc purées, warm paiche and chopped coriander. Season with salt and pepper, roll the mixture into little balls and fry. Serve with hot pepper sauce (p. 308) and lime.

PIRACUÍ BALLS

(BOLINHO DE PIRACUÍ)

20 little balls | 40 minutes | Easy

- 2 CUPS PIRACUÍ FLOUR
- 1 LARGE POTATO, COOKED
- 1 EGG
- ½ LARGE ONION, DICED SMALL
- PIMENTA-DE-CHEIRO, CHOPPED, TO TASTE
- ½ CUP PARSLEY AND SCALLION, CHOPPED
- 1 EGG, TO COATING
- 2 CUPS PIRACUÍ FLOUR, TO COATING
- CORN OIL, FOR FRYING
- SALT TO TASTE

Clean carefully the piracuí flour in order to remove possible fish bones. Mash the potato to make a purée. Add all other ingredients and mix until you have a smooth dough. Roll small balls. Dip them in the beaten egg, then coat in piracuí flour. Fry in hot oil until golden brown. Drain on paper towel and serve immediately.

IN DETAIL: *The distinguishing mark of these little balls is the type of flour, produced in artisanal way from dried fish of the rivers of Amazon Basin. They are either cooked and sun-dried or baked, have the bones removed, and then toasted and sifted.*

EGG BALL

(BOLOVO)

4 egg balls | 40 minutes | Medium

- 1 TABLESPOON APPLE CIDER VINEGAR
- 4 EGGS
- 400 G GROUND BEEF (BEEF KNUCKLE OR INSIDE ROUND GRINDED TWICE)
- ½ ONION, CHOPPED
- ½ CLOVE OF GARLIC
- 1 TABLESPOON YELLOW MUSTARD
- 200 G ALL-PURPOSE FLOUR
- 1 EGG, FOR COATING
- 250 G DRIED BREADCRUMBS
- 1 BOTTLE CORN OIL, FOR FRYING
- SALT AND GROUND PEPPER TO TASTE

Heat water and the vinager in a saucepan. When it boils, cook the eggs for 7 minutes. Soak the eggs in cold water, so the yolks remain runny. Shell it and set aside. Season the meat with onion, garlic, mustard, salt and ground pepper. Mix well. Divide the mixture into quarters and wrap the eggs with them. Cover the entire egg, being careful not to crack the meat layer. Coat in all-purpose flour, then in the beatten egg and then in breadcrumbs. Repeat the operation. Fry in heated oil, medium-high temperature, until meat is cooked and golden brown outside. Serve it hot.

IN DETAIL: *São Paulo's bars contribution, egg ball (bolovo) exists in other places of the world with different versions. Two examples are the lamb ball (nargisi kofta), in India, and the pork version, in UK. It was in London, by the way, that this snack first came out in the 18th century, under the name of "scotch egg". Yolk's texture varies according to the recipe.*

BEAN BROTH

(CALDO DE FEIJÃO)

6 servings | 1h30 | Easy

- 1 CUP BACON, DICED
- ½ ONION, CHOPPED
- 2 CLOVES OF GARLIC, CHOPPED
- 6 CUPS COOKED BEANS WITH PLENTY OF BROTH
- 300 G PORK BELLY WITH SKIN
- CORN OIL, FOR FRYING
- ¼ BUNCH PARSLEY AND SCALLION, CHOPPED
- SALT AND GROUND PEPPER TO TASTE

Fry the bacon in a heated pan. Add onion and garlic, stir-fry briefly and add the beans. Cook over low heat to intensify the flavours, for 40 minutes. Meanwhile, season pork belly with salt and ground pepper. Roast it in the oven at 180 °C for 30 minutes, or until the skin is crispy.

Blend beans in a food processor, pass them through a sieve and set aside. Cut pork belly into small cubes and fry in hot oil until it gets really crispy and crackling. Serve the soup with pork cracklings, sprinkled with chopped parsley and scallion.

IN DETAIL: *"Caldinhos" (soups and broths served in small portions) are quite something in Brazil. Unlike meat, fish or vegetable stocks, made to enrich stew and casserole recipes, these appetizers served in mugs or bowls have a special place in the menu. Made from beans, beef feet, piranha or charru mussel, they are believed to promote virility, cure hangover and make ones "stronger".*

BEEF FEET BROTH

(CALDO DE MOCOTÓ)

6 servings | 2 hours | Easy

- 1 ½ KG BEEF FEET
- JUICE OF 3 LIMES
- 2 BAY LEAVES
- 2 TABLESPOONS ANNATTO SEEDS OIL
- 1 MEDIUM ONION, CHOPPED
- 2 CLOVES OF GARLIC, CHOPPED
- 4 TOMATOES, PEELED AND SEEDED
- ¼ BUNCH SCALLION, CUT INTO FINE RINGS
- SALT AND GROUND PEPPER TO TASTE

Wash beef feet very well with lime juice. Cook it in a pressure cooker with bay leaves for about 50 minutes, counting down as soon as the cooker reaches pressure. Remove, set broth aside, and separate meat from bones and cartilage. Chop the meat. Heat annatto seeds oil and stir-fry the onion, garlic and tomato. Stir in two-thirds of the beef feet. Cover with half of the broth and let it cook for 30 minutes. Blend it in a blender until smooth. Return it to the pan with remaining meat and cook for a little longer. Season with salt, pepper and half of the scallion. Serve it sprinkled with remaining scallion.

PIRANHA BROTH

(CALDO DE PIRANHA)

6 servings | 2h30 | Easy/medium

- 3 WHOLE PIRANHAS, CLEANED
- JUICE OF 3 LIMES
- 2 TABLESPOONS CORN OIL
- 1 ½ MEDIUM ONION, CHOPPED
- 2 CLOVES OF GARLIC, CHOPPED
- ½ RED BELL PEPPER, PEELED AND CHOPPED
- 2 TOMATOES, PEELED AND SEEDED
- 1 RED HOT PEPPER, CHOPPED
- ½ BUNCH CORIANDER, CHOPPED
- SALT AND GROUND PEPPER TO TASTE

Season the piranhas with lime juice. Heat oil and stir-fry onion, garlic, bell pepper, tomato, red hot pepper and half of the coriander. Add the fish, cover with water and cook for 1h30-2 hours, until the flesh pulls easily away from the bones. Remove all bones and blend the meat and cooking broth in a food processor, until smooth. Season with salt and pepper and serve sprinkled with the remaining coriander.

CHARRU MUSSEL BROTH

(CALDO DE SURURU)

6 servings | 40 minutes | Easy

- 400 G CHARRU MUSSELS, SHELLS REMOVED AND CLEANED
- JUICE OF ½ LIME
- 1 ONION
- 2 CLOVES OF GARLIC
- 2 TOMATOES, PEELED AND SEEDED
- ¼ RED BELL PEPPER, PEELED
- 2 TABLESPOONS DENDE OIL
- 1 MEDIUM POTATO, COOKED
- 300 ML COCONUT MILK
- ½ BUNCH CORIANDER, CHOPPED
- HOT PEPPER SAUCE TO TASTE
- SALT TO TASTE

Wash the charru mussels under cool running water and season with lime juice. Cook for 5 minutes, with a pinch of salt. In a food processor, blitz onion, garlic, tomato and bell pepper, until you have an even mixture. Stir-fry it in dende oil, add two-thirds of charru mussels, cover with water and cook for 20 minutes. Meanwhile, blend the remaining mollusk, potato and coconut milk in a blender, until smooth. Put it in the broth and stir well. Add half of the chopped coriander and season with hot pepper sauce and salt to taste. Serve sprinkled with the remaining coriander.

SHRIMP WITH GARLIC AND OIL

(CAMARÃO AO ALHO E ÓLEO)

6 servings | 25 minutes | Easy

- 18 LARGE SHRIMPS, SHELLS AND HEADS LEFT ON
- JUICE OF 2 LIMES
- 2 TABLESPOONS OLIVE OIL
- 3 CLOVES OF GARLIC, SLICED
- ½ BUNCH PARSLEY, CHOPPED
- SALT AND PEPPER TO TASTE

Season the shrimps with lime juice and salt. Let it rest for 5 minutes. Fry in olive oil, add garlic and sauté until light golden brown. Finish with parsley and ground pepper.

STEAMED SHRIMP
(CAMARÃO AO BAFO)
6 servings | 15 minutes | Easy

- 1 KG ATLANTIC SEABOB SHRIMP, HEADS OFF
- 1 TABLESPOON OIL
- 2 TABLESPOONS WHITE WINE
- 1 TEASPOON SALT

Wash the shrimps very well. Put in a deep cooking pot, add oil, 1 tablespoon of water, wine and salt. Cover and cook over medium heat for 5 minutes. Serve immediately with mayonnaise, lime, hot pepper sauce or other of your choice. They must be eaten with the hands.

TOC TOC CRAB
(CARANGUEJO TOC-TOC)
4 servings | 10 minutes | Easy

- 4 FRESH CRABS
- SALT TO TASTE

Clean the crabs carefully, removing the sand and scrubbing the legs. Put them in salted boiling water and cook for 4-5 minutes, until they get a bright red color. Serve the whole crabs, with little hammers to break the shell.

IN DETAIL: *Like the onomatopoeia, the name of this specialty popular throughout Brazilian coast has no date of birth. "Toc toc" comes from the sound of the hammer hitting the shell of a crab to open it.*

BRAZILIAN STEAK TARTARE
(CARNE DE ONÇA)
2 servings | 15 minutes | Easy

- 300 G GROUND MEAT (INSIDE ROUND)
- 1 CUP RED ONION, CHOPPED
- 1 TABLESPOON BROWN MUSTARD, PLUS EXTRA TO SERVE
- JUICE OF 1 LIME
- HOT PEPPER SAUCE
- 1 EGG YOLK
- OLIVE OIL
- 2 SLICES BROWN BREAD
- ½ CUP SCALLION

Combine meat, salt, half of the onion, mustard, lime juice, a few drops of hot pepper sauce, egg yolk and a drizzle of olive oil. Stir well until you get an even mixture. Heat the bread in the oven at 180 °C for 2 minutes, until slices start getting crispy. Spread meat over the bread and sprinkle with the remaining onion and the scallion. Serve with brown mustard.

IN DETAIL: *This recipe comes from Curitiba, where it first came out at Embaixador restaurant, in the 1950s. It grew popular in botecos and became intangible heritage of the city. The name carne de onça (literally, jaguar meat) has no relation with the type of meat, it's a joke about "jaguar's breath", a Brazilian lingo for bad breath.*

CRAB MEAT GRATIN IN A SHELL
(CASQUINHA DE CARANGUEJO)
12 servings | 30 minutes | Easy

- 5 TABLESPOONS OLIVE OIL
- 1 MEDIUM ONIUM, CHOPPED
- 4 TOMATOES, PEELED, SEEDED AND CHOPPED
- 1 TABLESPOON CORIANDER, CHOPPED
- 1 TABLESPOON PARSLEY, CHOPPED
- 500 G CRAB MEAT, COOKED AND SHREDDED
- 1 TABLESPOON LIME JUICE
- 1 TABLESPOON BUTTER
- 1 CUP MANIOC FLOUR
- ⅓ CUP GRATED PARMESAN CHEESE
- SALT AND GROUND PEPPER TO TASTE
- 12 SCALLOP SHELLS

In a large frying pan, heat olive oil and sauté the onion until soft. Add tomato and stir-fry for 2 minutes, stirring constantly. Add coriander, parsley, crab meat, lime juice, salt and ground pepper. Cook over medium heat for 5 minutes. Divide the mixture between the scallop shells. Preheat the oven to 200 °C-220 °C. In another frying pan, heat butter, add manioc flour, season with salt and stir for a few minutes over medium heat. Dust the crab meat mixture with the manioc flour and sprinkle with grated cheese. Take it to the oven for 10 minutes, or until golden brown.

BLUE CRAB GRATIN IN A SHELL
(CASQUINHA DE SIRI)
4 servings | 40 minutes | Easy

- 1 TABLESPOON OLIVE OIL
- 2 TABLESPOONS DENDE OIL
- ½ ONION, CHOPPED
- 1 CLOVE OF GARLIC, CHOPPED
- 2 TOMATOES, PEELED AND SEEDED
- ¼ RED BELL PEPPER, PEELED AND CHOPPED
- 500 G BLUE CRAB MEAT, CLEANED
- 200 ML COCONUT MILK
- ¼ BUNCH CORIANDER, FINELY CHOPPED
- ¼ BUNCH SCALLION, CUT INTO FINE RINGS
- 1 CUP DRIED BREADCRUMBS
- SALT TO TASTE
- 12 SCALLOP SHELLS

Heat the olive oil and the dende oil. Stir-fry onion, garlic, tomato and bell pepper. Add blue crab meat, stir for a little while and add coconut milk. Cook over low heat for 5 minutes. Add coriander and scallion, season with salt. Remove from heat and divide the mixture between the shells. Dust with manioc flour and take it to the oven at 200 °C for 5 minutes, until golden brown.

PLANTAIN CHIPS

(CHIPS DE BANANA-DA-TERRA)

4 servings | 30 minutes | Medium

- 6 PLANTAINS, GREEN AND FIRM
- CORN OIL, FOR FRYING
- SALT TO TASTE

Peel the plantains and cut them lengthwise, in 1-2 mm slices. Dry on paper towel carefully, so the slices don't get stuck on the paper, and fry in preheated oil, until light golden brown. Drain on paper towel, season with salt and serve.

POTATO OR SWEET POTATO CHIPS

(CHIPS DE BATATA)

5 servings | 20 minutes | Easy

- 5 MEDIUM POTATOES
- CORN OIL, FOR FRYING
- SALT TO TASTE

Peel the potatoes, wash them well and dry with a dishcloth. Cut into thin slices with a sharp knife or a handheld slicer. Fry in very hot oil, until golden on both sides (pay attention, process is quite fast). Drain on paper towel, season with salt and serve.

SCARLET EGGPLANT CHIPS

(CHIPS DE JILÓ)

6 servings | 40 minutes | Easy

- 1 KG SCARLET EGGPLANT
- SALT TO TASTE
- 3 CUPS ALL-PURPOSE FLOUR
- 1 LITRE CORN OIL

Wash the scarlet eggplants and cut them into very thin slices. Soak them in salted ice water and set aside for 20 minutes. Drain the slices and coat them on flour. Fry in heated oil (180 °C) and drain on paper towel. Serve immediately.

MANIOC CHIPS

(CHIPS DE MANDIOCA)

5 servings | 20 minutes | Easy

- 2 MEDIUM MANIOCS, PEELED
- CORN OIL, FOR FRYING
- SALT TO TASTE

Cut the maniocs into thin vertical slices with a sharp knife or a handheld slicer. Soak them in ice water and set aside for 30 minutes. Drain and dry with a dishcloth. Fry in very hot oil, until golden on both sides (pay attention, process is quite fast). Drain on paper towel, season with salt and serve.

MARINATED NEW POTATOES

(CONSERVA DE BATATA-BOLINHA)

10 servings | 40 minutes, plus marinating time | Easy

- 1 KG NEW POTATOES, COOKED UNPEELED
- 2 ONIONS
- 3 CLOVES OF GARLIC
- 2 GREEN BELL PEPPERS
- 4 GREEN TOMATOES, SEEDED
- 1 BUNCH PARSLEY
- 1 CUP OLIVE OIL
- ½ CUP VINEGAR
- SALT AND GROUND PEPPER TO TASTE

Pierce the potatoes, so seasoning can penetrate them, and place in a bowl. Pulse-process or coarsely chop onion, garlic, bell pepper, tomato and parsley. Add the mixture to the potatoes, along with olive oil, vinegar, salt, and ground pepper. Mix well. Let it rest in the fridge for 24 hours. Serve chilled (it can be stored for 5 days in the fridge).

PICKLED VEGETABLES

(CONSERVA DE LEGUMES)

1 preserving jar | 15 minutes, plus marinating time | Easy

- ½ BOTTLE APPLE CIDER VINEGAR
- 1 ½ CUP SUGAR
- ½ JAPANESE CUCUMBER, CUT INTO SLICES
- ½ CARROT, CUT INTO SLICES
- ½ DAIKON RADISH, CUT INTO SLICES
- 1 CUP CAULIFLOWER FLORETS
- 1 PINCH OF SALT

Heat the vinegar with 1½ cup of water and sugar. Bring to a boil and turn off the heat. Add the vegetables in this hot broth, season with salt and allow to cool. Transfer to a glass jar sterilized with boiling water and let it marinate for at least 48 hours before serving.

PICKLED QUAIL EGGS

(CONSERVA DE OVO DE CODORNA)

10 servings | 10 minutes | Easy

- 30 QUAIL EGGS
- 100 ML WHITE VINEGAR
- 1 TEASPOON SALT
- 1 TEASPOON RED PEPPER FLAKES
- 1 TEASPOON DRIED OREGANO
- 1 DRIED BAY LEAF
- 1 PINCH GROUND WHITE PEPPER

Boil eggs for 6-7 minutes, until they are completely cooked. Unpeel and set aside in a bowl. Wash them in filtered water to remove any possible piece of shell left behind and drain on paper towel. Sterilize a preserving jar and fill half of it with vinegar. Complete with 100 ml of water. Add all seasoning, mix well and add little eggs. Close the lid and keep in the fridge until serving time.

PICKLED PEPPERS IN CACHAÇA, OLIVE OIL AND VINEGAR

(CONSERVA DE PIMENTA NA CACHAÇA, NO AZEITE E NO VINAGRE)

10 servings (each) | 20 minutes (each), plus preparation one day before | Easy

CACHAÇA

- 500 G VARIED PEPPERS
- 4 CUPS CACHAÇA
- 1 TABLESPOON SALT
- 4 CLOVES OF GARLIC, SMASHED

OLIVE OIL

- 500 G MIXED PEPPERS
- 4 CUPS EXTRAVIRGIN OLIVE OIL
- 4 CLOVES GARLIC, SMASHED

VINEGAR

- 500 G HOT PEPPERS (DE-CHEIRO, MALAGUETA AND DEDO-DE-MOÇA)
- 1 CUP, PLUS 2 TEASPOONS SALT
- 750 ML VINEGAR
- 2 TABLESPOONS SUGAR
- 1 SPRIG THYME
- 4 CLOVES OF GARLIC, SMASHED

For pickled peppers in cachaça or olive oil, the recipe is quite the same. Wash and pat dry the pepper. Remove stems and set aside overnight on paper towel, to dry completely. Put all ingredients in a sterilized jar, leaving 1,5 cm of headspace. Wipe the top with a paper towel, screw on the jar lid and keep in the refrigerator for at least 30 days before consumption.

For vinegar pickled peppers, put the pepper on a brine solution made with 1 litre of water and 1 cup of salt; cover with a clean dish cloth and let aside for 8 hours. Drain, rinse under running water and pat dry with a dish cloth. Poke a bunch of holes with a fork and transfer to a sterilized jar. Heat the vinegar, 250 ml of water, 2 tablespoons salt, sugar, garlic and thyme for 5 minutes, over a medium heat. Pour in the liquid and leave 1 cm of headspace. Allow to cool, screw on the jar lid and store it in room temperature, away from light exposure, in a cool, dry place, for 3 months, at most.

SHRIMP COCKTAIL

(COQUETEL DE CAMARÃO)

6 servings | 40 minutes | Easy

- 1 EGG YOLK
- 1 TABLESPOON MUSTARD
- ½ BOTTLE CORN OIL
- JUICE OF 1 LIME
- 1 TABLESPOON HOMEMADE KETCHUP (P. 296)
- 20 ML COGNAC
- ½ CUP WHITE WINE
- 1 CELERY STALK
- ½ ONION
- ½ CARROT
- 1 BAY LEAF
- 600 G MEDIUM-SIZED SHRIMPS, CLEANED
- ½ BUNCH PARSLEY, FINELY CHOPPED
- SALT AND GROUND PEPPER TO TASTE

For the sauce, combine yolk and mustard. Pour the oil in a steady stream, whisking with a wire whip, until you have a mayonnaise. Add lime juice, ketchup and cognac. Stir well, season with salt and ground pepper and set aside. Heat ½ litre of water. At the boiling point, add wine, vegetables, bay leaf, and salt to taste. Cook the shrimp in this broth for 2 minutes. Serve the sauce with the shrimp and garnish with parsley.

BRAZILIAN CHICKEN CROQUETTE

(COXINHA DE GALINHA)

20 coxinhas | 2 hours | Medium/difficult

- 150 G UNSALTED BUTTER
- 1 TABLESPOON SALT
- 3⅓ CUP ALL-PURPOSE FLOUR
- 4 TABLESPOONS OLIVE OIL
- 500 G CHICKEN BREAST, COOKED AND SHREDDED
- ½ ONION, CHOPPED
- 2 CLOVES OF GARLIC, CHOPPED
- 1 TEASPOON TOMATO PASTE
- ½ BUNCH PARSLEY, CHOPPED
- 4 EGGS
- 4 CUPS DRIED BREADCRUMBS
- CORN OIL, FOR FRYING

Heat the 1 litre of water with butter and salt. At boiling point, pour the flour all at once, stirring constantly, until dough starts to pull away from the bottom. Remove from heat and set aside. Heat the olive oil and sauté onion and garlic. Add the chicken and tomato paste, stir well and salt to taste. Add the parsley and remove from heat. Roll the dough into little balls and flatten into discs with your fingertips. Add the chicken filling, bring the edges together and shape the coxinhas (they must look like little pears). Dip them in the beaten egg, then coat in breadcrumbs. Fry in hot oil until golden. You can also add creamy requeijão (Brazilian cheese spread) to the filling, if you like.

IN DETAIL: *Although French people have been preparing "croquette de poulet" since the 19th century, this beloved Brazilian appetizer made with shredded and seasoned chicken was born in São Paulo in the 1920s, near factories' gates. People from Minas Gerais state incorporated requeijão into the filling.*

BEEF CROQUETTE

(CROQUETE DE CARNE)

20 small croquettes | 1h20 | Easy

- 1/3 ONION, CHOPPED
- 1 CLOVE OF GARLIC
- 2 TABLESPOONS OLIVE OIL
- 2 CUPS BRAISED BEEF, SHREDDED
- 3 TABLESPOONS UNSALTED BUTTER
- 3 TABLESPOONS ALL-PURPOSE FLOUR
- 1 1/2 CUP MILK
- 2 TABLESPOONS PARSLEY, CHOPPED
- SALT TO TASTE

FOR COATING

- 1 CUP ALL-PURPOSE FLOUR
- 2 EGGS
- 1 CUP DRIED BREADCRUMBS
- 1 BOTTLE CORN OIL, FOR FRYING

Sauté onion and garlic in olive oil, until golden. Stir in the beef and set aside. In the same pan, melt the butter and add the all-purpose flour, stirring constantly to avoid lumps. Mix well and cook for about 4 minutes, until it starts to smell like cookie. Add milk, parsley, the reserved meat and salt. Cook over low heat until thickens and let stand. Shape the dough into little cakes, coat in all-purpose flour, then dip them in beaten eggs and, finally, coat in breadcrumbs. Fry in hot oil.

IN DETAIL: *Croquettes' origins are European. They were brought to Brazil by Portugal, where it can be eaten as a main dish, sided by rice and potatoes. In Brazil, it has found its place at parties and display counters of bars and bakeries.*

SHRIMP, CHICKEN AND HEART OF PALM 'EMPADINHAS'

(EMPADINHAS DE CAMARÃO, FRANGO E PALMITO)

12 units (of each) | 50 minutes | Medium

- FOR THE DOUGH:
- 500 G OF ALL-PURPOSE FLOUR
- 300 G OF BUTTER
- 1 EGG AND 2 YOLKS
- A DASH OF SALT

For the dough, mix the flour, butter, and salt, until it becomes crumbly. Add the egg and, while mixing, slowly put in 143 ml of water, until the dough is soft and no longer sticks to your hands. Allow it to rest for 1 hour at room temperature while you prepare the filling. Roll out the dough with a rolling pin, creating the base and the top of the crust for the empadas. Put the bases in small pastry cups, put in the filling and cover with the top. Brush with the yolk and bake for 15 minutes at 180 °C, or until golden.

SHRIMP FILLING

- 500 G OF MEDIUM SHRIMPS, CHOPPED
- JUICE OF 1 LIME
- 1/2 ONION, DICED
- 2 GARLIC CLOVES
- 2 TOMATOES, CHOPPED
- 2 TABLESPOONS OF OLIVE OIL
- 1 TEACUP OF SHRIMP STOCK (MADE WITH THE SHRIMP'S SHELLS)
- 1/2 TEACUP OF CHOPPED GREEN OLIVES
- 1/4 BUNCH OF PARSLEY, CHOPPED
- SALT AND BLACK PEPPER TO TASTE

Season the shrimp with the lime juice, salt, and black pepper. Braise the onion, garlic, and tomatoes in olive oil. Add the shrimps and the stock; cook until it reduces to about half and is creamier. Add the olives and parsley and put the filling into the empadas.

HEART OF PALM FILLING

- 750 G OF PEACH PALM
- 1 TABLESPOON OF OLIVE OIL
- 2 TABLESPOONS OF BUTTER
- 1/4 ONION, DICED
- 1 GARLIC CLOVE
- 2 PEELED AND DESEEDED TOMATOES, CHOPPED
- 1 TABLESPOON OF ALL-PURPOSE FLOUR
- 1 TEACUP OF MILK
- 1/4 BUNCH OF PARSLEY, CHOPPED
- SALT AND BLACK PEPPER TO TASTE

Season the heart of palm with olive oil, salt, and black pepper. Wrap in aluminium foil and bake at 180 °C for 30 minutes, or until tender. Dice and set aside. Heat up the butter and braise the onion with the garlic and tomato, until they whiter. Add the all-purpose flour and cook for a bit, stirring constantly to prevent lumps. Add the milk, cook until it's creamy, then add the diced heart of palm. Adjust the seasoning, sprinkle with parsley and remove from the heat.

CHICKEN FILLING

- 500 OF BONELESS CHICKEN BREAST
- JUICE OF 1 LIME
- 3 TABLESPOONS OF OLIVE OIL
- ½ ONION, DICED
- 2 GARLIC CLOVES, MINCED
- 2 TOMATOES, CHOPPED
- ½ BUNCH OF PARSLEY, CHOPPED
- 1 TABLESPOON OF BUTTER
- 1½ TABLESPOON OF ALL-PURPOSE FLOUR
- 1½ TEACUP OF MILK
- SALT AND BLACK PEPPER TO TASTE

Season the chicken with the lime juice, salt, and black pepper. Fry in olive oil until lightly golden. Remove the chicken; braise the onion, garlic, and tomato in the same pot. Bring back the chicken, cover with water and cook until tender (add more water if necessary). Shred the meat and season with parsley. In another pot, melt the butter and braise the shredded chicken with the seasoning. Add the flour and stir. Add the milk and stir thoroughly; cook until creamy. Cook over low heat for another 5 minutes, then remove from the heat, allow to cool down, and fill the empadas.

IN DETAIL: *What's the origin of the empadinha? Could it be that the pie shrunk so it would fit into the trays of parties? Or did the appetizer grow to become a pie? In any case, empadinha became the official savoury snack of Brazilian parties, and it's a mandatory staple of joints and bars in São Paulo.*

STEAK BITES

(FILÉ APERITIVO)

6 servings | 30 minutes | Easy

- 500 G BEEF TENDERLOIN (OR TOP SIRLOIN BUTT, TRI-TIP OR STRIP LOIN), CUT INTO STRIPS
- 1 TABLESPOON OLIVE OIL
- 3 CLOVES OF GARLIC
- 1 TEASPOON VINEGAR
- 1 ONION, FINELY SLICED
- 1 TABLESPOON WORCESTERSHIRE SAUCE (OPTIONAL)
- CORN OIL
- SALT AND GROUND PEPPER TO TASTE

Season the meat with olive oil, garlic, vinegar, salt and ground pepper. Heat the oil in a griddle or a large skillet and fry the steak bites, without stirring, for 2 minutes. Then stir-fry for 2 more minutes. Add onion and sauté, stirring constantly, until golden. To finish, add Worcestershire sauce, heat for about 1 minute and turn off the heat. Serve with French rolls and vinagrete (fresh tomato and onion salsa, p. 290).

DEEP-FRIED CHICKEN BITES

(FRANGO À PASSARINHO)

4 servings | 40 minutes | Easy

- 1 WHOLE CHICKEN, CUT INTO 22 PIECES OF THE SAME SIZE
- JUICE OF 2 LIMES
- 6 CLOVES OF GARLIC
- CORN OIL, FOR FRYING
- ½ CUP PARSLEY, CHOPPED
- SALT AND PEPPER TO TASTE

Season the chicken with lime juice, 2 crushed garlic cloves, salt and ground pepper; marinate for 15 minutes. Meanwhile, chop the remaining cloves of garlic into little cubes and fry over low heat in 1 tablespoon of oil, be careful not to burn it; set aside. Heat the oil to 150-160 °C (medium heat) and fry the chicken pieces for 10 minutes, until light golden. Remove and drain on paper towel. Heat the oil a little more and fry the chicken again, now until it gets a golden brown crispy skin. Remove, drain and combine with fried garlic and chopped parsley.

IN DETAIL: *A literal translation of "pollo all'uccelletto", this hand-held snack became popular in Brazil in the 1950s, especially in Italian restaurants. At Triângulo Mineiro (Minas Gerais' state area, between Grande and Parnaíba rivers), it is boned and served with cheese. In Salvador (Bahia state's capital), it is called "frango à passarinha", named after "passarinha", a snack made with beef spleen fried in dende oil.*

BROADBAND ANCHOVY WITH TAPIOCA

(GINGA COM TAPIOCA)

4 servings | 40 minutes | Easy

- 500 G TAPIOCA GOMA (HYDRATED TAPIOCA STARCH)
- ½ FRESHLY GRATED COCONUT
- 16 BROADBAND ANCHOVIES
- 1½ MANIOC FLOUR, FOR COATING
- 4 TABLESPOONS DENDE OIL
- SALT TO TASTE

Combine goma and coconut. Pass the mixture through a sieve, so the tapioca dough is very soft. Heat a non-stick frying pan over low heat, add some dough and spread it with the back of a spoon, to cover the bottom evenly.

Fry for 2-4 minutes, or until you get a sort of a pancake, with edges pulling away from the pan. Flip it and fry for 1 more minute. Season the broadband anchovies with salt and skewer the fish using wooden skewers broken in half. Coat in manioc flour and fry in very hot dende oil. When fish is golden, remove and stuff the tapioca pancake with it, leaving the tip of the skewer out.

FISH BITES WITH TARTAR SAUCE

(ISCA DE PEIXE COM MOLHO TÁRTARO)

4 servings | 20 minutes | Easy

- 500 G GROUPER OR ACOUPA WEAKFISH
- JUICE OF 1½ LIME
- 1 EGG YOLK
- 1 TABLESPOON MUSTARD
- ½ BOTTLE CORN OIL
- ¼ BUNCH PARSLEY, CHOPPED
- ¾ CUP PICKLED VEGETABLES (P. 279)
- 1 CUP ALL-PURPOSE FLOUR
- 1 BEATEN EGG
- 2 CUPS CORNMEAL
- CORN OIL, FOR FRYING
- SALT AND GROUND PEPPER TO TASTE

Cut the fish into strips and season with the juice of 1 lime, salt and ground pepper. Meanwhile, prepare the tartar sauce: whisk the egg yolk with the mustard and pour the oil in a steady stream, whisking non-stop with a wire whip, until you get a mayonnaise. Season with the juice of ½ lime, salt and ground pepper. Add parsley and pickled vegetables finely chopped. Coat the fish in all-purpose flour, dip in beaten egg and coat in cornmeal. Fry in preheated oil and serve with the sauce.

FRIED LAMBARI

(LAMBARI FRITO)

4 servings | 40 minutes | Medium

- 500 G LAMBARI (SMALL FRESHWATER FISH)
- 150 G CORNMEAL, FOR COATING
- 2 LITRES CORN OIL, FOR FRYING
- LIME TO TASTE
- SALT TO TASTE

Clean the lambari and make 10 to 12 slits in the fish skin. Salt to taste. Coat in cornmeal and toss them in a sieve to remove the excess coating. In a deep pot (10 cm high x 24 cm diameter) or medium pan, heat the oil to 180 °C and fry the lambari for 10 minutes, or until it gets firm and dry; golden, but not brown. Drain on paper towel and serve with lime to taste.

IN DETAIL: *This appetizer comes from the tradition of coating and frying freshwater fish, in order to soften the strong taste from small dams. According to their size, you can put the whole fish in the pan – fish bones and all.*

THICK LUCINE CLAM

(LAMBRETA)

6 servings | 30 minutes | Easy

- ¼ CUP OLIVE OIL
- 1 ONION, CHOPPED
- 2 TOMATOES, CHOPPED
- JUICE OF 2 LIMES
- ¼ CUP CORIANDER, CHOPPED
- 3 KG THICK LUCINE CLAMS
- SALT TO TASTE

In a large pan, pour olive oil and add onion, tomato, salt and lime juice. Stir-fry for 5 minutes, mixing constantly. Add coriander, 4 cups of water and the thick lucine clams. Cover and cook until all clams open up (discard any clams that have not opened, they may be unfit for consumption). Remove the clams with a skimming ladle and serve with the broth, hot or cold, separately.

CACHAÇA SAUSAGE

(LINGUIÇA NA CACHAÇA)

4 servings | 25 minutes | Easy

- 500 G ARTISAN SAUSAGE
- 3 TABLESPOONS OLIVE OIL
- 1 ONION, SLICED
- 1 TABLESPOON VINEGAR
- 40 ML ARTISANAL CACHAÇA (BRAZILIAN SPIRIT MADE WITH SUGAR CANE)
- ½ BUNCH PARSLEY, CHOPPED
- 1 PINCH OF SALT AND ANOTHER OF GROUND PEPPER

Brown all sides of the sausage in hot olive oil. Remove from the pan, cut into slices and return to the frying pan to brown a little more and cook inside. Set aside. Using the same pan, stir-fry onion over low heat, until soft. Season with salt, ground pepper, and vinegar. Stir in the sausage and add cachaça. Let some of the liquid evaporate, add chopped parsley and serve.

FRIED CALAMARI

(LULA À DORÉE)

4 servings | 20 minutes | Easy

- 12 MEDIUM-SIZED SQUIDS, WITHOUT TENTACLES
- JUICE OF 2 LANGPUR LIMES
- 1 CUP ALL-PURPOSE FLOUR
- CORN OIL, FOR FRYING
- SALT AND PEPPER TO TASTE

Clean and wash very well the squid bodies. Cut into rings, season with lime juice, salt and ground pepper. Put the flour inside a plastic bag and add calamari rings. Close it tightly and shake to coat the squid completely in the flour. Heat the oil and fry the rings quickly, around 1 minute. Drain on paper towel and serve with tartar sauce (p. 283).

FRIED BROADBAND ANCHOVY

(MANJUBINHA FRITA)

6 servings | 10 minutes | Easy

- 1 KG FRIED BROADBAND ANCHOVIES, CLEANED AND EVISCERATED
- JUICE OF 2 LIMES
- 3 CUPS ALL-PURPOSE FLOUR
- CORN OIL, FOR FRYING
- SALT AND PEPPER TO TASTE

Season the fish with lemon juice, salt and ground pepper. Coat in flour and fry in hot oil until golden (another option is to coat them in fubá mimoso, fine maze flour). Serve immediately with tartar sauce or homemade mayonnaise.

CHICKEN GIZZARD

(MOELA NA CERVEJA ESCURA)

4 servings | 4 hours | Easy

- 1 KG CHICKEN GIZZARD
- 3 RED HOT PEPPERS
- 3 TINS DARK BEER
- ½ ONION, CHOPPED
- 3 CLOVES OF GARLIC
- 2 TABLESPOONS CORN OIL
- ½ BUNCH CORIANDER, CHOPPED
- SALT TO TASTE

Clean the chicken gizzard very carefully and wash under running water. Chop the red hot peppers, combine the meat and cover with beer; let marinate for 1h30. Remove the chicken gizzard and reserve the brine. Sauté onion and garlic in oil, add chicken gizzard and brown on all sides. Pour in the reserved brine and cook over medium heat, covered, until meat is tender. Uncover and cook until the sauce has reduced by half. Season with salt and finish with the coriander. Serve with bread or plain rice.

OYSTER AU GRATIN

(OSTRA GRATINADA)

4 servings | 1 hour | Easy

- 3 CUPS MILK
- ½ ONION
- 1 BAY LEAF
- 2 CLOVES
- 2 TABLESPOONS UNSALTED BUTTER
- 3 TABLESPOONS ALL-PURPOSE FLOUR
- 1 PINCH GROUND NUTMEG
- 16 FRESH OYSTERS
- 1 CUP GRATED PARMESAN CHEESE
- SALT TO TASTE

Prepare the béchamel sauce: boil the milk with onion, bay leaf and cloves. Melt the butter, add all-purpose flour and stir until it smells like cookie. Add the boiled milk gradually, stirring constantly to avoid lumps. Season with salt and ground pepper; set aside. Open the oysters carefully and season with a pinch of salt. Cover with béchamel sauce, sprinkle Parmesan cheese and take it to the oven for 6-7 minutes, until cheese is melted and golden. Serve immediately.

COLOURED EGG

(OVO COLORIDO)

12 eggs | 30 minutes | Easy

- 12 WHITE EGGS
- 1½ TABLESPOON VINEGAR
- 2 TABLESPOONS GROUND TURMERIC
- 1 CUP BEETROOT, GRATED
- 1 CUP SPINACH, FINELY CHOPPED

Divide eggs between 3 bowls; cover with water and add ½ tablespoon of vinegar in each bowl. In one bowl, add ground turmeric. In the other one, add beetroot and, in the last one, put the chopped spinach. Keep in the fridge for 30 minutes. Transfer the content of each bowl to separated saucepans. Cook for 12 minutes, drain and place the eggs in a glass container, unpeeled. Serve them peeled or unpeeled.

IN DETAIL: *There is a recurrent discussion in the counter of botecos: how coloured eggs were created? And everybody seems to have an explanation for it – usually connected with jokes. In fact, the first coloured eggs came from the practice of boiling the ingredients along with pre-cooked sausages. And then with onions. And beetroot. And...*

BRAZILIAN HAND PIE

(PASTEL ASSADO)

20 servings | 40 minutes | Easy

- 2½ CUPS ALL-PURPOSE FLOUR
- 1 TEASPOON BAKING POWDER
- 3 EGGS
- 1 TABLESPOON BUTTER
- 1 TABLESPOON CORN OIL
- 4 TABLESPOONS MILK
- 1 TEASPOON CACHAÇA
- 400 G MEAT (BELOW) OR CHICKEN FILLING (P. 392)

- 2 EGGS, FOR BRUSHING THE DOUGH
- SALT

Sieve flour and baking powder. Make a well in the center and add eggs, butter, oil, milk and salt. Mix very well and add cachaça. Knead the mixture until you have a smooth dough. Roll out the dough on a clean flour-dusted surface and cut circles using a 10 cm pastry cutter. Place 1 tablespoon of filling in the middle of each circle, fold over like a half moon and pinch edges to seal. Brush the pies with beaten eggs and bake in preheated oven at 180 °C for 20 minutes, until golden.

BRAZILIAN FRIED TURNOVERS

(PASTEL DE CAMARÃO, CARNE E PALMITO)

10 fried turnovers (of each filling) | 1h20

Medium/difficult

DOUGH

- 4 CUPS ALL-PURPOSE FLOUR
- 1 TABLESPOON SALT
- 1 TABLESPOON CORN OIL
- 50 ML CACHAÇA
- ½ CUP ALL-PURPOSE FLOUR, TO ROLL THE DOUGH
- 1 BOTTLE CORN OIL, FOR FRYING

Mix the flour with the salt. Make a well in the centre and gradually pour in 400 ml of water, incorporating the ingredients with the hands. Add the oil and mix until smooth. Combine the cachaça. Dust flour over a clean surface and knead the mixture until you have an elastic and not sticky dough. Cover with a cloth and set aside for 30 minutes. Roll out the dough with a cylinder or rolling pin, dusting flour over the surface, and cut into desired size. Add the filling and fry in oil at 180 °C.

SHRIMP FILLING

- 500 G MEDIUM-SIZED SHRIMP, CLEANED AND CHOPPED
- JUICE OF 1 LIME
- ½ ONION, CHOPPED
- 2 CLOVES OF GARLIC
- 2 TOMATOES, CHOPPED
- 2 TABLESPOONS OLIVE OIL
- SHRIMP BROTH (MADE WITH SHRIMP SHELLS)
- ½ CUP GREEN OLIVES, CHOPPED
- ¼ BUNCH PARSLEY, CHOPPED
- 1 RECIPE DOUGH FOR PASTEL
- SALT AND PEPPER TO TASTE

Season shrimp with lime juice, salt and ground pepper. Set aside. Stir-fry onion, garlic and tomato in olive oil. Add the shrimp and broth (1 cup). Let it reduce by half, until gets creamier. Add olives and parsley. Stuff the dough with it and fry the pastéis.

MEAT FILLING

- 500 G GROUND BEEF KNUCKLE
- 3 TABLESPOONS CORN OIL
- ½ ONION
- 3 CLOVES OF GARLIC
- ½ CUP BLACK OLIVES, CHOPPED
- 4 EGGS, BOILED AND CHOPPED
- ½ BUNCH PARSLEY, CHOPPED
- 1 RECIPE DOUGH FOR PASTEL
- SALT AND GROUND PEPPER TO TASTE

Season meat with salt and ground pepper and stir-fry in oil, until golden brown. Stir in onion and garlic. Add olives, eggs and parsley. Mix gently, taking care not to smash the eggs. Take off the heat, stuff the dough with it and fry the pastéis.

HEARTS OF PALM FILLING

- 750 G FRESH PEACH PALM HEARTS
- 1 TABLESPOON OLIVE OIL
- 2 TABLESPOONS BUTTER
- ¼ ONION, CHOPPED
- 1 CLOVE OF GARLIC
- 2 TOMATOES, PEELED, SEEDED AND CHOPPED
- 1 TABLESPOON ALL-PURPOSE FLOUR
- 1 CUP MILK
- ¼ BUNCH PARSLEY, CHOPPED
- 1 RECIPE DOUGH FOR PASTEL
- SALT AND PEPPER TO TASTE

Season the palm hearts with olive oil, salt and ground pepper. Wrap in aluminium foil and take it to the oven at 180 °C for 30 minutes, or until tender. Chop it and set aside. Melt the butter and sauté the onion, garlic and tomato until soft. Add flour and let it cook for a while, stirring constantly to avoid lumps. Stir in the milk and cook until creamy; add the palm hearts. Adjust seasoning, sprinkle parsley and take off the heat. Stuff the dough with it and fry pastéis.

COOKED PARANÁ PINE NUT

(PINHÃO COZIDO)

8 servings | 2 hours | Easy

- 1 KG PARANÁ PINE NUTS
- 1 TABLESPOON SALT

Wash clean the pine nuts in running water and cook in salted water for about 2 hours - or 30 minutes in a pressure cooker.

MANIOC KIBBEH

(QUIBE DE MANDIOCA)

20 kibbehs | 45 minutes | Medium

- 1 KG MANIOC, CENTRAL WOODY FIBER REMOVED
- 3 TABLESPOONS CORN OIL
- ½ ONION, CHOPPED
- 3 CLOVES OF GARLIC
- 500 G GROUND MEAT (BEEF KNUCKLE)
- ½ BUNCH MINT, CHOPPED
- 1 TABLESPOON UNSALTED BUTTER
- 4 TABLESPOONS RICE FLOUR
- 3 EGGS, BEATEN
- 2 CUPS FINE MANIOC FLOUR, TOASTED
- CORN OIL, FOR FRYING
- SALT AND GROUND PEPPER TO TASTE

Cook manioc in a small amount of salted water, until it gets pretty dry. Heat the oil and sauté onion and garlic. Add meat, let the liquid evaporates and season with salt, ground pepper and mint. Mash the manioc until you get a nice firm dough. Add butter and rice flour, mixing until smooth. Roll the dough into same-sized little balls, make a cavity and stuff them with the meat filling. Shape the kibbehs like rugby balls, dip them in the beaten eggs and coat in manioc flour. Fry in heated oil until lightly golden.

MEAT RISSOLE

(RISSOLE DE CARNE)

20 rissoles | 2 hours | Medium

- 150 G UNSALTED BUTTER
- 1 TABLESPOON SALT
- 3⅓ CUPS ALL-PURPOSE FLOUR
- 700 G GROUND MEAT (BEEF KNUCKLE)
- 3 TABLESPOONS CORN OIL
- 3 CLOVES OF GARLIC
- ½ ONION, CHOPPED
- ½ CUP BLACK OLIVES, CHOPPED
- ¼ BUNCH PARSLEY, CHOPPED
- 4 EGGS, BEATEN
- 2 CUPS DRIED BREADCRUMBS
- CORN OIL, FOR FRYING
- SALT AND GROUND PEPPER TO TASTE

Heat 1 litre of water with the butter and the salt. At boiling point, pour the flour all at once in the pan, stirring constantly, until the dough starts to pull away from the bottom. Remove and set aside. Stir-fry the meat in corn oil until golden brown. Stir in the garlic and onion. Add the olives and parsley, stir a little bit, season with salt and ground pepper and take off the heat. Roll out the dough to 0,5 cm thick and cut with a round pastry cutter. Add the filling and fold over like a half moon. Dip the rissoles in the beaten egg, coat in dried breadcrumbs and fry in preheated oil, until lightly golden. Other common fillings are semi-cured cheese grated and corn (saute fresh green corn with onion and garlic and process in a blender to get creamy before filling).

FRIED SARDINE

(SARDINHA FRITA)

10 servings | 30 minutes | Easy

- 10 OPENED AND CLEANED SARDINES
- 2 CLOVES OF GARLIC, CHOPPED
- ½ CUP ALL-PURPOSE FLOUR
- CORN OIL, FOR FRYING
- 2 LIMES
- SALT AND GROUND PEPPER TO TASTE

Run sardines under cold water to wash them and season with garlic, salt and pepper. Coat them in flour, shake gently to remove the excess flour, and fry them in hot oil. Drain the sardines on paper towel and serve with lime slices.

PORK CRACKLING – CHICHARRÓN

(TORRESMO)

4 servings | 5 hours, plus time for draining
Medium

- 1 PORK BELLY (2 KG)
- SALT AND GROUND PEPPER TO TASTE
- CORN OIL OR LARD, FOR FRYING

Make parallel diagonal lines across the skin side of the pork, and season with salt and pepper, rubbing. Place it over a baking rack, with the skin upside down, and let it drain overnight inside the fridge. On the next day, take it to the oven at 180 °C for 1h30, until golden and dry. Cut it into large dices and let stand. Heat the oil and fry the pork pieces until golden and crispy.

IN DETAIL: *With feijoada, pork cracklings are served in dry, small chunks. As a robust appetizer, it is better if the pork belly is prepared in strips, with crunchy skin and juicy meat.*

MISTURA

In Brazilian cuisine, mistura is the nourishing, filling food. A home where you find mistura is a home where meals are plentiful, whole. Otherwise, the feeling is there is no food at all, or that there is something missing. Like when we look into a closet filled with clothes and still feel like we have nothing to wear. So much so that those who climb the social ladder make a point of "enhancing" the mistura – because they spent their whole lives trying to stretch out a given portion of whichever meat.

In fact, many classic dishes came out of this need to "stretch out" the mistura. It's the case of the Maria Isabel and carreteiro rices, which make use of the meat while "swelling" the dish with the added rice. To stretching out the mistura with "sustância" (nourishment) is to make sure there is no lack of protein – and this is almost a matter of national pride.

But the idea of meat as the only fundamental part of a meal has been reviewed with time. Nowadays, there is "mistura" with legumes, potatoes, squashes, manioc, and other vegetable foods that are rich in vitamins and minerals. And no one dares to say that those are not "hearty" foods.

I realized the importance of the mistura when I collected the recipes for the most iconic dishes of Brazilian cuisine. This chapter occupies more than a third of the whole book. It's the outcome of more than fifteen years of travels across the country, gathering recipes and tales about the eating habits of Brazilians such as myself.

Ok, Ana, that's all very nice, but where did the term "mistura" come from? I've found that this word is more frequent in the countryside of São Paulo, in Rio Grande do Sul, and in some regions of the Northeast. If I close my eyes, I can still see my father, looking inquisitively into the kitchen and asking, "What's the mistura for today?"

THE FOLLOWING RECIPES ARE SHOWN IN THE ORDER AS THEY APPEAR IN THE MAIN SECTION OF THE BOOK. THEY ARE ALSO PAIRED WITH THEIR ORIGINAL BRAZILIAN NAMES FOR FASTER AND EASIER REFERENCE.

BEEF

BRISKET STEW

(AFOGADO)

Serves 6 | 2 hours | Medium

- 1.5 KG OF BEEF BRISKET
- 2 GARLIC CLOVES, MINCED OR CRUSHED
- 1 LARGE ONION, DICED
- 4 TABLESPOONS OF CORN OIL
- 1 TABLESPOON OF ANNATTO
- ½ BUNCH OF PARSLEY AND SCALLIONS, CHOPPED
- ¼ BUNCH OF CLOVE BASIL, STEMS REMOVED
- 2 BAY LEAVES
- 6 POTATOES, PEELED
- 2 TEACUPS OF FINE MANIOC FLOUR
- SALT AND BLACK PEPPER TO TASTE

Trim the meat, cut it into large cubes and season with salt and black pepper. Braise the garlic and onion in oil. Add the annatto and the meat pieces; fry the meat, searing each side. Add all other seasonings (set aside a bit of the scallions and parsley for garnishing) and cover it with water. Cook for 30 minutes and then add the potatoes. When everything is cooked, adjust seasoning and remove from heat, sprinkle the reserved scallions and parsley and serve with manioc flour.

IN DETAIL: *In some cities around the Paraíba river valley, where it first appeared in the 18th century as a party food, the dish is also known as "fogado" In both cases the name refers to the practice of "drowning" the meat, which could take up to 24 hours, and cooking it in huge copper pots. Originally, it was made with manioc, but nowadays there are versions that use potatoes or pasta.*

MEATBALLS

(ALMÔNDEGA)

Serves 4 | 1h20 | Easy/Medium

- 1.5 KG OF TOMATOES
- 2 ROLLS
- 700 G OF GROUND BEEF (KNUCKLE OR RUMP STEAK)
- 1 LARGE ONION, DICED
- 3 GARLIC CLOVES, MINCED
- 2 TABLESPOONS OF OLIVE OIL
- SALT AND BLACK PEPPER TO TASTE

Cook the tomato in a pot with a bit of water and blend it in a food processor in order to get a smooth sauce. Moisten the rolls until they dissolve and mix them with the ground beef. Add ½ onion, 2 garlic cloves, salt, and black pepper. Mix until smooth. Shape into little balls and sear them in olive oil until golden. Remove from heat and set aside. Using the same pot, braise the remaining onion and garlic. Return the meatballs to the pot, add the tomato sauce and cook for 20 minutes. Serve with white rice (p. 336).

IN DETAIL: *Our meatballs come from Portugal. But this does not mean that the recipe is 100% Portuguese. As old as the Greek, Chinese, and Arabs – from whom the Portuguese name came through the word "albúnduqa" ("round shape") –, meatballs have different ingredients and roles around throughout the world. Here, rarely they stand alone as a dish: the classic version is served with tomato sauce and accompanied by pasta or rice.*

CARRETEIRO RICE

(ARROZ CARRETEIRO)

6 servings | 2 hours | Medium

- 300 G MEAT SHAVINGS (FRALDINHA, ALCATRA, TRI-TIP, PICANHA), CUT INTO THIN SLICES
- 4 CUPS CORN OIL
- 400 G CHARQUE, DESALTED, COOKED AND SHREDDED
- 2 GARLIC CLOVES, CHOPPED
- 1 SMALL ONION, CHOPPED
- 350 G LONG-GRAIN WHITE RICE
- 700 ML BEEF STOCK (P. 289)
- 4 TABLESPOONS PARSLEY, CHOPPED
- 2 TABLESPOONS SCALLION, CHOPPED
- 6 COOKED EGGS
- 3 PORK SAUSAGES, GRILLED
- SALT AND PEPPER TO TASTE

Sauté meat shavings in a thick-botton pan, until brown; season with salt and pepper. Add charque, garlic and onion. Stir-fry a little longer and bring together the rice. Pour in the beef stock, correct the salt, put a lid and cook for 20 minutes, until rice gets tender. Sprinkle parsley, scallion and the eggs mashed up. Serve with grilled pork sausage.

IN DETAIL: *As typical among gaúchos as mate tea and churrasco (Brazilian barbecue), carreteiro has been a staple of lone travellers, cargo transport workingmen who left family and made long journeys into Pampas' farthest reaches, in order to build small houses and ranches, helping to populate what later would become Rio Grande do Sul state. Carreteiro is a Spanish word: means wagon or transport cart.*

BEEF STOCK

3 litres | 12 hours | Difficult

- 5 KG BONELESS BEEF SHANK, OR ANY OTHER BEEF CUT WITH COLLAGEN
- 2 LARGE ONIONS
- 1 CARROT
- 4 CELERY STALKS
- 1 LEEK
- 2 CUPS CORN OIL
- 1 CUP TOMATO PASTE
- 1 BOTTLE OF DRY RED WINE
- 5 BAY LEAVES

Cut the beef shank into large pieces and cook it in preheated oven at 180 °C for 1 hour, until it gets pretty dry and brown. Chop onions, carrot, celery stalks and leek into large dices. Stir-fry the vegetables with corn oil until it gets golden brown, without burning. Add the beef shank and tomato paste, mixing well, plus red wine, bay leaves and 8 litres of water. Cook over medium-low heat for about 6 hours. Strain the broth, squeezing well to take all liquid from it. Discard all solid ingredients. Bring broth back to the fire and let it simmer for 3 hours, or until it reduces by half. Take the quantity needed for the recipe, and store the rest on the freezer for 6 months, at most.

OVEN RICE

(ARROZ DE FORNO)

Serves 6 | 1h40 | Medium

- 1 KG OF TOMATOES
- 750 G OF GROUND BEEF (KNUCKLE)
- 3 TABLESPOONS OF CORN OIL
- 1 ONION, DICED
- 2 GARLIC CLOVES, MINCED
- 1 BAY LEAF
- 2½ TEACUPS OF WHITE RICE
- 2 TEACUPS OF COARSELY GRATED MOZZARELLA CHEESE
- ½ TEACUP OF CHOPPED GREEN OLIVES
- 3 EGGS, BEATEN
- ½ BUNCH OF PARSLEY AND SCALLIONS, CHOPPED
- 3 TEACUPS OF GRATED PARMESAN CHEESE
- SALT AND BLACK PEPPER TO TASTE

Put the tomato on a pot and cook it low heat, without water, until soften. Blend it in a food processor, strain it, and set it aside. Season the meat with salt and black pepper. Braise it in 3 tablespoons of oil, until dry. Add ½ onion and 1 garlic clove; braise for a bit, until soft. Add the tomato sauce and bay leaf; cook for 20 minutes. Meanwhile, prepare the white rice: braise the remaining onion and garlic in two tablespoons of oil. Add the rice, cover it with 5 teacups of warm water and season with salt. When it is cooked through, add the ground beef sauce. Let it cool for a bit and add the mouzzarella, olives, eggs, scallions, and parsley, mixing well until even. Put it in a baking dish, cover with Parmesan cheese and bake in a preheated oven at 180 °C, until golden. Serve while still hot. The arroz de forno (baked rice) is a recipe for leftovers - that is, it is very versatile. very You could add ingredients such as corn or peas, for instance, and replace the ground beef for shredded chicken or diced pork.

HAUÇÁ RICE

(ARROZ DE HAUÇÁ)

6 servings | 2 hours | Medium

- 1 KG DESALTED CARNE-SECA, CHOPPED INTO CUBES
- 2 TABLESPOONS OLIVE OIL
- 2 TABLESPOONS DENDÊ OIL
- 2 ONIONS
- 3 CUPS COCONUT MILK
- 2 CUPS DRIED SHRIMPS, DESALTED
- 2 TABLESPOONS CORN OIL
- 2 GARLIC CLOVES, CHOPPED
- 2½ CUPS LONG-GRAINED WHITE RICE
- SALT TO TASTE

SAUCE

- ½ MEDIUM ONION
- 1 TOMATO, PEELED AND SEEDED
- ½ CUP DRIED SHRIMP, DESALTED
- ½ MALAGUETA PEPPER
- 1 TABLESPOON OLIVE OIL
- 1 TABLESPOON DENDÊ OIL
- JUICE OF ½ LIME

Cook carne-seca until tender. Heat 1 tablespoon of olive oil and 1 tablespoon of dendê oil. Add 1 onion cut into thin slices and sauté, until soft. Add carne-seca and fry for 10 minutes, stirring, so meat doesn't stick on the pan. Add ¾ cup of coconut milk and 1 cup of dried shrimp; let dry a little and set aside. Prepare the rice: heat the oil and stir-fry ½ chopped onion and garlic. Add rice and 5 cups of lukewarm water; season with salt. When it gets tender, add ¾ cup of coconut milk and transfer the rice to a ring mold; set aside. Heat the rest of the olive oil and dendê oil and sauté ½ chopped onion with 1 cup of dried shrimp. Add coconut milk, cook for 2 minutes and set aside.

Prepare the sauce: blend onion, tomato, dried shrimp and malagueta pepper in a blender. Stir this paste with olive oil combined with dendê oil; season with lime juice. Unmold the rice from the ring mold and place the meat around it and inside the hole. Cover with dried shrimp cooked with coconut milk and serve with the sauce.

IN DETAIL: *Câmara Cascudo registered the origins: 'Haussás, muslim sudaneses from Nigeria, had left in Salvador a dish with rice which honors their name, hauçá rice, kept by baianos from the capital". Chronics from that time* *mention that it was Ruy Barbosa's favourite dish. He would have said, mistakenly, that the word "hauçá" was a corruption of "water and salt" (água e sal).*

COCONUT MILK

1 litre | 20 minutes | Easy

- 200 ML COCONUT MEAT IN PIECES

Blend the coconut meat with 1 litre of hot water. Strain the coconut and use it right away.

MARIA ISABEL RICE

(ARROZ MARIA ISABEL)

6 servings | 30 minute | Easy

- 600 G DESALTED CARNE DE SOL, DICED
- 3 TABLESPOONS CLARIFIED BUTTER
- 1 LARGE ONION, CHOPPED
- 1 GARLIC CLOVE, CHOPPED
- ½ RED BELL PEPPER, SKINNED AND CHOPPED
- 1 DE-CHEIRO PEPPER, CHOPPED
- ½ TEASPOON COLORAU
- 1 TEASPOON BABASSU OIL
- 2 CUPS BEEF STOCK (P. 289)
- 6 CUPS LONG-GRAIN RICE, COOKED
- ¼ BUNCH CILANTRO, CHOPPED
- SALT TO TASTE

Stir-fry carne de sol with clarified butter. Add the onion, garlic, bell pepper and de-cheiro pepper; sauté until brown. Add colorau, babassu oil and beef ragout. Add cooked rice, combine and salt to taste. Sprinkle cilantro.

IN DETAIL: *Legend has it that this dish was popular among poor families from Piauí backlands, so women could eat meat, an ingredient almost exclusive of male tropeiros. Maria and Isabel would have been the daughters of the anonymous cook that created the recipe. In a Historical Fiction book called "O Escravo e o Senhor da Parnahiba", author Enéas Barros found the origins of this dish studying the life of Simplício Dias da Silva, a powerful farmer from São João da Parnaiba village, in the beginnings of 19th century. Maria Isabel would have been his wife.*

ARRUMADINHO

Serves 6 | 30 minutes, plus the desalting time
Easy

- 1 KG OF JERKED BEEF CUT INTO STRIPS
- 5 TABLESPOONS OF CLARIFIED BUTTER
- ½ ONION, SLICED, AND ½ ONION, DICED
- 2 GARLIC CLOVES, MINCED
- 2 TEACUPS OF FRESH BLACK-EYED PEAS COOKED IN WATER AND SALT
- SALT TO TASTE
- SIMPLE VINAIGRETTE (BELOW) AND CLASSIC FAROFA (P. 346)

Desalt the jerked beef, soaking it for 24 hours and changing the water three times. Cook until soft. Heat three tablespoons of clarified butter; braise the sliced onions and 1 garlic clove. Add the jerked beef and brown all sides; set it aside. For the black-eyed peas, heat 2 tablespoons of clarified butter and braise the remaining onions and garlic. Add the peas, mix, and add salt if necessary. Divide the beans into the dishes, cover them with jerked beef, and top it off with the vinaigrette. Serve with farofa on the side.

SIMPLE VINAIGRETTE

6 servings | 15 minutes | Easy

- 10 PEELED AND SEEDED RIPE TOMATOES, CHOPPED
- 1 MEDIUM ONION, CHOPPED
- ¾ CUP EXTRA VIRGIN OLIVE OIL
- ¼ CUP APPLE VINEGAR OR LIME JUICE
- ¼ BUNCH CORIANDER, CHOPPED
- ¼ BUNCH PARSLEY AND SPRING ONION, CHOPPED
- SALT AND PEPPER TO TASTE

Whisk all the ingredients together and season with salt and pepper. It's also possible to add red pepper, garlic or citrus such as cashew, among other ingredients, to change the type of vinegar or to leave out the coriander, for example.

IN DETAIL: *This coming together of ingredients, as well as the habit of arranging them with a particular order and logic, come from the backlands of Pernambuco. Some place the beans on the bottom, the farofa above it, the beef following it, and vinaigrette topping it off; others prefer to arrange the portions side by side in a tray.*

BAIÃO-DE-DOIS

6 servings | 1h30 | Medium

- 500 G CARNE-SECA, DESALTED AND CUBED
- 2 CUPS COWPEAS
- 2 TABLESPOONS CORN OIL
- 1 ONION, CHOPPED
- 2 CLOVES OF GARLIC, CHOPPED
- 2 CUPS LONG-GRAIN WHITE RICE
- 4 TOMATOES, PEELED AND SEEDED, DICED
- ¼ BUNCH SCALLION, CHOPPED
- ¼ BUNCH CORIANDER, CHOPPED
- 2 CUPS COALHO CHEESE, DICED
- SALT TO TASTE

Cook carne-seca in the pressure cooker for 30 minutes. Cook the beans with a little bit of salt until al dente; turn off the heat and keep the water used for cooking them. Heat the oil and sauté onion and garlic, until soft. Add rice and stir a little longer. Add carne-seca and cowpeas. Combine and pour in the water kept from cooking, until it covers the cowpeas up to 4,5 cm. Cook until rice is soft. Add and combine tomato, scallion, coriander and cheese. Heat for a minute and serve.

MEAT POT

(BARREADO)

Serves 6 | 7 hours, plus time to marinate
Medium

- 1 KG OF SHOULDER HEART OR BEEF BRISKET
- CUMIN TO TASTE
- 2 ONIONS, CUT INTO STRIPS
- 3 GARLIC CLOVES, MINCED
- ½ BUNCH OF PARSLEY AND ½ BUNCH OF SCALLIONS, FINELY CHOPPED
- 2 BAY LEAVES
- 1 SHALLOW DISH OF SLICED BACON
- 3 SHOTS OF CACHAÇA
- 3 RIPE PLANTAINS
- 2 TEACUPS OF EXTRA-FINE MANIOC FLOUR
- SALT TO TASTE

FOR THE DOUGH

- ½ A TEACUP OF EXTRA-FINE MANIOC FLOUR
- ½ TEACUP OF ALL-PURPOSE FLOUR

Cut the beef into broad strips and season with salt, cumin, onions, garlic, scallions, parsley, bay, and 1/4 of the bacon. Marinate overnight. The following day, line the bottom of a clay pot with the remaining bacon. Add the beef, all seasonings, and 2 shots of cachaça. Cover with water and seal the pot; mix the ingredients for the dough with a teacup of water, until smooth, and spread between the pot and its lid, so it is well sealed. Cook over medium heat for 6 hours, or until the beef is totally shredded. Cook the plantain in water with the remaining shot of cachaça. Serve it whole or sliced, along with a pirão (a type of mush) made from the manioc flour and the broth resulting from the cooking of the beef.

IN DETAIL: *Slow cooking and low heat are the staples of this signature dish from the Serra do Mar, near the cities of Antonina and Morretes in Paraná. In the past, the cooking ritual could take up to 24 hours and was enjoyed during feasts leading up to the carnival. A symbol of Paraná's culinary tradition, the dish's name refers to the practice of sealing ("barrear") the lid of the pot with a dough made with manioc flour, preventing steam from escaping.*

STEAK 'N' ONIONS

(BIFE ACEBOLADO)

Serves 6 | 15 minutes | Easy

- 6 STRIPLOIN STEAKS
- 2 TABLESPOONS OF CORN OIL
- 2 MEDIUM ONIONS, CUT INTO STRIPS
- 2 TABLESPOONS OF VINEGAR
- SALT AND BLACK PEPPER TO TASTE

Season the steaks with salt and black pepper. Fry them on heated oil - only turn the steaks over when they begin to release juices at the top, assuring they are medium-rare. If you want them to be well-done, leave them a bit longer. Remove the steaks and add the onion strips to the pan. Season with salt and black pepper and wait until they have lightly withered. Add the vinegar and scrape the bottom of the pan in order to bring forth flavour and remove the steak browned residues. Serve the onions on top of the steaks.

BREADED STEAKS

(BIFE À MILANESA)

Serves 6 | 20 minutes | Easy

- 6 RUMP OR TENDERLOIN STEAKS
- 2 TEACUPS OF ALL-PURPOSE FLOUR
- 3 EGGS
- 3 TEACUPS OF BREADCRUMBS
- CORN OIL, FOR FRYING
- SALT AND BLACK PEPPER TO TASTE

Cover the steaks with a plastic sheet and beat them with a meat tenderizer so they are wider and thinner. Season with salt and black pepper. Coat them in all-purpose flour, then dip them in the well beaten eggs and, finally, the breadcrumbs - you can season the breadcrumbs for extra flavour if you want to. Fry them in hell heated oil until golden. Serve immediately.

STEAK PARMESAN

(BIFE À PARMEGIANA)

Serves 6 | 1 hour | Easy

- 6 POTATOES, SKIN ON, CUT INTO THICK STICKS
- 6 RUMP OR TENDERLOIN STEAKS (150 G EACH)
- 2 TEACUPS OF ALL-PURPOSE FLOUR
- 3 EGGS
- 3 TEACUPS OF BREADCRUMBS
- CORN OIL, FOR FRYING
- 3 TEACUPS OF TOMATO SAUCE (P. 292)
- 18 SLICES OF MOZZARELLA CHEESE
- 1 TEACUP OF GRATED PARMESAN CHEESE
- SALT AND BLACK PEPPER TO TASTE

Soak the potatoes into water and ice and set aside for 30 minutes. Meanwhile, cover the steaks with a plastic sheet and beat them with a meat tenderizer so they are wider and thinner. Season with salt and black pepper. First coat them in all-purpose flour, then dip them into the well-beaten eggs and, finally, the breadcrumbs - you can season the breadcrumbs for extra flavour if you wish to. Heat the oil (not allowing it to overheat) and fry the potatoes for the first time, so they are only lightly cooked. Remove them, increase the oil's temperature, and fry the coated steaks until golden. Spread a thin layer of tomato sauce into a baking dish or tray. Cover it with the steaks and another generous layer of sauce. Arrange the mozzarella, a spoonful of sauce, and the Parmesan. Bake at 180 °C for 10 minutes, or until the cheese slices melt completely. Meanwhile, fry the potatoes in hot oil again until they are golden and crispy. Drain on paper towels and season with salt. Serve the steaks with the potatoes and white rice (p. 336).

TOMATO SAUCE

4 kg | 2h20 | Easy

- 3 TABLESPOONS OLIVE OIL
- 3 ONIONS, CHOPPED
- 5 KG OF PEELED, DESEEDED RIPE TOMATOES
- SALT AND PEPPER TO TASTE

Heat the olive oil and sauté the onions. Blend the tomatoes in a blender or food processor and add to the pan. When it starts do boil, turn down the heat and simmer for 1 hour 30 minutes, stirring sometimes, until the sauce thickens. Season with salt and pepper.

IN DETAIL: *The "cotoletta alla milanese" and the "parmigiana di melanzane" are the Steak Parmesan's closest ancestors. The recipe was created from Italian influences in São Paulo in the early 20th century. One of the most well-established set lunches, it can also be known as "steak stewed with grated cheese"*

STEAK ROLLS

(BIFE À ROLÊ)

Serves 6 | 1h20 | Medium

- 6 LARGE OUTSIDE FLAT STEAKS
- 12 BACON SLICES
- 1 CARROT, CUT INTO STRIPS
- ½ RED BELL PEPPER, CUT INTO STRIPS
- ½ MEDIUM ONION CUT INTO STRIPS, AND ½ DICED
- 2 TABLESPOONS OF CORN OIL
- 1 GARLIC CLOVE, MINCED
- 1 TABLESPOON OF TOMATO PASTE
- SALT AND BLACK PEPPER TO TASTE

Cover the steaks with a plastic sheet and beat them with a meat tenderizer so they are thinner. Season with salt and black pepper. Upon each steak, arrange the bacon slices, carrot, bell pepper, and onion strips. Roll up and secure it with a toothpick. Heat up the oil and sear the meat on all sides; remove and set aside. In the same pot, braise the garlic and diced onion. Add the tomato paste, braise it for a bit and introduce the steaks. Cover with water and cook it until the meat is tender and the liquid has transformed into a sauce. Adjust seasoning and serve.

TOMATO EXTRACT

300 g | 30 minutes | Ease

- ¼ CUP VINEGAR
- 2 CLOVES (OPTIONAL)
- ½ CUP MUSCOVADO SUGAR
- 3 CUPS TOMATO SAUCE (P. 292)
- 1 TEASPOON PUXURI OR GRATED NUTMEG
- SALT AND PEPPER TO TASTE

Bring vinegar, cloves and sugar to the heat, until dissolves. Add tomato sauce and puxuri; cook for about 20 minutes. Season with salt and pepper. Let stand and take it to the fridge.

BEEF LIVER AND ONIONS

(BIFE DE FÍGADO ACEBOLADO)

Serves 6 | 12 minutes | Easy

- 6 BEEF LIVER STEAKS, VERY WELL TRIMMED
- 4 TABLESPOONS OF VINEGAR
- 1 GARLIC CLOVE, CRUSHED
- 2 TABLESPOONS OF CORN OIL
- 2 MEDIUM ONIONS, CUT INTO STRIPS
- SALT AND BLACK PEPPER TO TASTE

Season the steaks with salt, black pepper, 2 tablespoons of vinegar, and the crushed garlic. Heat up the oil and fry the steaks. To prevent them from being chewy, only brown each side for 3 minutes; remove and set aside. Put the onions into the pan, season with salt and black pepper and allow them to soften a bit. Add in the remaining vinegar and scrape the bottom of the pan, releasing the flavour and removing the steak's browned residues. Serve the onions on top of the steaks.

ROASTED MEET AND POTATOES

(CARNE ASSADA COM BATATA)

Serves 8-10 | 2h30 | Easy

- ONE TRIMMED PIECE OF EYE OF ROUND OR RUMP SKIRT (2.5 KG)
- 5 GARLIC CLOVES
- 2 CELERY STALKS
- ¼ CARROT
- 2 TEACUPS OF RED WINE

- 2 BAY LEAVES
- 1 THYME SPRIG
- 6 POTATOES, PEELED AND CUT IN HALF HORIZONTALLY
- SALT AND BLACK PEPPER TO TASTE

Pierce the meat with a knife and season it with a paste made from blended garlic, celery, carrot, wine, salt, and black pepper. Add the bay leaf and thyme and allow it to rest for at least 30 minutes. Cover the eye of round and the spices with aluminium foil and bake at 180 °C for about 1 hour, or until tender. Meanwhile, cook the potatoes in water until al dente. Transfer them to the baking tray, cover with aluminium foil and bake for another 10 minutes. Remove the aluminium foil and bake for another 10 minutes before serving.

POT ROAST

(CARNE DE PANELA)

Serves 6 | 2-3 hours | Medium

- 900 G OF INSIDE ROUND, CHUCK OR BONELESS BEEF SHANK
- 2 TABLESPOONS OF OLIVE OIL
- ½ TEACUP OF SMOKED BACON, FINELY CHOPPED
- 1 MEDIUM ONION, DICED
- 2 GARLIC CLOVES, MINCED
- 4 PEELED, DESEEDED TOMATOES, CHOPPED
- 1 TEASPOON OF TOMATO PASTE
- 2 POTATOES, PEELED AND CUT INTO LARGE CUBES
- 2 CARROTS, PEELED AND CUT INTO LARGE SLICES
- ½ BUNCH OF PARSLEY, CHOPPED
- SALT AND BLACK PEPPER TO TASTE

Trim and cut the meat into large cubes; season with salt and black pepper. Sear all sides in olive oil, remove and set aside. In the same pot, braise the bacon, onions, garlic, and tomatoes until all vegetables are soft. Mix the tomato paste in, stir well, and return the meat to the pot; stir and cover with water or beef stock (p. 289). When the meat is almost tender, put in the potatoes and add more water. Cook for 5 minutes and add the carrots. When everything is cooked through, adjust seasoning, sprinkle in the parsley, and serve.

IN DETAIL: *A hallmark of home cooking in many homes across the country, the carne de panela is a Brazilian classic. Meat cuts such as inside round, chuck, and boneless beef shank are the most traditional. But more fibrous meat cuts can also be used in this recipe, such as outside flat or eye round.*

SHREDDED MEAT

(CARNE DESFIADA)

Serves 7 | 1 hour | Easy

- 2 TABLESPOONS OF OLIVE OIL
- 1 KG OF OUTSIDE FLAT (OR BONELESS BEEF SHANK), CUT INTO LARGE CUBES
- 1 ONION, DICED
- 3 GARLIC CLOVES, MINCED
- 1 TEACUP OF TOMATO SAUCE (P. 292)
- 5 RIPE TOMATOES, PEELED AND DESEEDED
- 1 TEACUP OF BEEF STOCK (P. 289)
- PARSLEY TO TASTE, CHOPPED
- SCALLIONS TO TASTE, CHOPPED
- SALT TO TASTE

Heat up the olive oil in a pressure cooker and brown the meat seasoned with salt. Add the onions and garlic; allow it to brown. Put in the tomato sauce and stir. Cook for 2 minutes, so it will reduce a bit. Add the tomatoes and braise for about 5 minutes. Add the beef stock and, if needed, top it off with water, covering the contents of the pot. Wait until it is boiling, close the lid and cook over medium heat for 40 minutes. When all pressure is gone, open the lid and transfer the meat to a dish. Shred the meat using a fork and return it to the pot. Add the parsley and scallions, heat up for 5 minutes and serve it with a side of polenta.

SUN-DRIED MEAT WITH CREAM

(CARNE DE SOL COM NATA)

Serves 4 | 2 hours | Easy

- 600 G OF DESALTED SUN-DRIED MEAT
- 1 MEDIUM ONION, CUT INTO STRIPS
- 1 TEASPOON OF CRUSHED GARLIC
- 4 TABLESPOONS OF CLARIFIED BUTTER
- 1½ TEACUP OF HEAVY CREAM
- 1 TEACUP OF WHOLE MILK
- SALT TO TASTE

Cook the meat until tender, shred it, and set it aside. Braise the onions and garlic in clarified butter until onions are translucent. Add the meat and braise it for a little longer. Put in the heavy cream and the milk (for an even lighter consistency, add more milk). Add salt if needed and serve with white rice (p. 336).

SUN-DRIED MEAT

5 kg | 3-4 days | Difficult

- 1 TOPSIDE OF MEAT, 7,5 KG APPROXIMATELY
- 2 CUPS COARSE SALT
- TABLE SALT

Trim the fat from the meat and slice it in two. Cut the meat open in two 'blankets' of about 4 fingers high, rub coarse salt and table salt on both sides and keep them in a perforated baking tin, in order to drain out the excess liquid, for at least 24 hours. Next day, check if the beef has let all the liquid out and hang it on a covered clothesline, protecting it from insects and other animals. Let it rest there to dry for at least 48 hours. When ready, soak it in water or milk for 12 hours minimum, to leach out the salt.

IN DETAIL: *The culture of dehydrating and salt-curing meat builds a history with more than 400 years old in the country. "The most common supply in Brazil is dried meat, 'sun meat' (carne de sol), 'wind meat' (carne de vento) or wilderness meat, Ceará beef, beef jerky, jabá, ox meat; salted, sun and wind exposed, during a certain period of time", reports Câmara Cascudo. Many processes differ a little from each other, in terms of preparation. "Carne de sol" (dried meat) is a classic ingredient of the Northeastern cuisine, made with ox or goat meat, opened and cut into 'blankets'.*

SUN-DRIED MEAT WITH MILK MUSH AND GRILLED COALHO CHEESE

(CARNE DE SOL COM PIRÃO DE LEITE E QUEIJO DE COALHO GRELHADO)

Serves 4 | 40 minutes | Easy

- 600 G OF DESALTED CARNE DE SOL
- 6 TABLESPOONS OF CLARIFIED BUTTER, PLUS SOME EXTRA FOR GRILLING.
- ½ ONION, DICED
- 2 GARLIC CLOVES, MINCED
- 2½ TEACUPS OF MILK
- 1 TEACUP OF FINE MANIOC FLOUR
- 200 G OF COALHO CHEESE, CUT INTO 4 MM SLICES
- SALT TO TASTE

On a grill or hot very hot griddle, grill the meat on all sides using a bit of clarified butter. Meanwhile, braise the onions and garlic on the remaining butter, until translucent. Add the milk and wait until it boils. While constantly stirring, add manioc flour until it is a mush; season with salt. Grill the cheese on all sides and serve with the meat and the warm pirão.

"CRAZY" MEAT

(CARNE LOUCA)

Serves 12 | 3-4 hours | Easy

- 1.5 KG INSIDE ROUND
- 4 TABLESPOONS OF OLIVE OIL
- 2 ONIONS, CUT INTO STRIPS
- 4 GARLIC CLOVES, MINCED
- 6 PEELED AND DESEEDED TOMATOES, CHOPPED
- 1 PEELED RED BELL PEPPER, CUT INTO STRIPS
- 2 TABLESPOONS OF TOMATO PASTE
- 1 BUNCH OF PARSLEY, CHOPPED
- SALT AND BLACK PEPPER TO TASTE

Trim the meat, cut it into thick strips following the grain, and season with salt and black pepper. Heat the olive oil and sear every side of the meat; remove and set aside. In the same pot, braise the onions, garlic, tomatoes, and bell pepper. Add the tomato paste, stir well and put in the meat. Cover with water and cook over medium heat; add more water if needed. When the meat begins to fall apart, shred it with a fork without removing it from the pot, stirring it into the sauce. Add the parsley and serve with white rice (p. 336) or as a sandwich, in a roll.

IN DETAIL: *In many Brazilian cities, this dish is similar to "carne à escabeche" – but, in that case, the preparation is different, as it uses vinegar as seasoning and is served cold, as a side dish or appetizer.*

GROUND BEEF AND POTATOES

(CARNE MOÍDA COM BATATA)

Serves 6 | 50 minutes | Easy

- 900 G OF GROUND BEEF (BEEF KNUCKLE)
- 3 TABLESPOONS OF CORN OIL
- 1 ONION, DICED
- 3 GARLIC CLOVES, MINCED
- 1 TABLESPOON OF TOMATO PASTE
- 4 PEELED, DESEEDED TOMATOES, CHOPPED
- 3 POTATOES, CUT INTO MEDIUM CUBES
- ½ A TEACUP OF CHOPPED OLIVES
- ½ BUNCH OF PARSLEY, CHOPPED
- SALT AND BLACK PEPPER TO TASTE

Season the meat with salt and black pepper. Heat the oil in a wide pot and braise the meat until thoroughly browned Add the onions and garlic, braise until translucent and put in the tomato paste. Add the tomatoes and potatoes, cover with water and add salt if necessary. Cook over low heat, until potatoes are soft. Put in the olives, stir and heat up. Garnish with parsley.

JERKED BEEF WITH ONIONS

(CARNE-SECA ACEBOLADA)

Serves 6 | 1 hour | Easy

- 1 KG OF DESALTED JERKED BEEF
- 6 TABLESPOONS OF CLARIFIED BUTTER
- 2 RED ONIONS, CUT INTO STRIPS

Cover the jerked beef with water and cook for 2 hours, or until tender - it should reduce to about half. Cut into thick strips and brown all sides using clarified butter. Put in the onions and braise them, along with the meat, until translucent. Serve at once.

JERKED BEEF AND SQUASH

(CARNE-SECA COM ABÓBORA)

Serves 6 | 1 hour | Easy

- 1 KG OF DESALTED JERKED BEEF
- 1 KABOCHA PUMPKIN
- 8 TABLESPOONS OF CLARIFIED BUTTER
- 2 ONIONS, CUT INTO STRIPS
- SALT TO TASTE

Cover the jerked beef with water and cook for about 2 hours, or until tender - if should reduce to about half. Bake the pumpkin at 200 °C for 30 minutes, or until it is very soft. Cut it in half, dispose of the seeds, and cut it into half-moons; set it aside. Cut the beef into small cubes and braise them in clarified butter; add the onions and braise them. Grill the pumpkin, season with salt and clarified butter and serve with the beef.

BEEF SHANK

(CHAMBARIL)

Serves 2 | 2 hours | Easy/Medium

- 2 BEEF SHANK UNITS (OSSOBUCO) ABOUT 2 FINGERS HIGH AND 2 CM OF BONE
- 2 GARLIC CLOVES, WELL MINCED
- 1 TABLESPOON OF OLIVE OIL
- 2 TEACUPS OF BEEF STOCK (P. 289)
- SALT AND BLACK PEPPER TO TASTE

Season the beef shanks with salt and black pepper. Bake in a preheated oven at 200 °C for 15 minutes, or until thoroughly golden. Braise the garlic in olive oil and add the beef shanks. Cover with the beef stock and cook for about 1 hour and a half, or until the meat begins to come off the bone.

IN DETAIL: *The ossobuco found in the South and Southwest (the Italian word means "bone with a hole") is known as chambaril in the other regions of the country. This horizontal cut of the ox's leg includes the shank, bone and, in the middle of it, the marrow – which, according to popular belief, keeps the bone from "breaking".*

STEAMED RIBS

(COSTELA NO BAFO)

Serves 8 | 2h30 to 7 hours

Easy

- 1 WHOLE BEEF RIB, WITH BONES
- ROCK SALT

There are two methods for preparing this recipe. The first one involves seasoning the ribs and baking them in a grill with a lid, controlling the flames to prevent the meat from burning and turning it every hour until the bones begin to come off, which could take up to 4 hours. The other method consists of seasoning the meat, wrapping it in aluminium foil and baking it in an oven at 200 °C for around 2 hours and a half, or on the highest part of a conventional grill for around 6 to 7 hours, turning is 3 hours after it began grilling.

STEW

(COZIDO)

Serves 10 | 2h30 | Medium

- 500 G OF DESALTED JERKED BEEF
- 500 G OF BEEF BRISKET
- 500 G OF PAIO SAUSAGE (SMOKED SAUSAGE MADE FROM PORK LOIN)
- 500 G OF SMOKED CALABRESA SAUSAGE
- 4 TABLESPOONS OF CORN OIL
- 1 TEACUP OF SMOKED BACON, CUT INTO CUBED
- 1 LARGE ONION, DICED
- 3 GARLIC CLOVES, MINCED
- 2 PEELED AND DESEEDED TOMATOES, CHOPPED
- 2 BAY LEAVES
- 1 MANIOC, SLICED
- 1 POTATO, CUT INTO CUBES
- 1 SWEET POTATO, CUT INTO CUBES
- 1 PIECE OF BUTTERNUT SQUASH
- ½ BUNCH OF PARSLEY, CHOPPED
- ½ BUNCH OF GREEN ONIONS, CHOPPED
- 1 TEACUP OF FINE MANIOC FLOUR
- SALT AND BLACK PEPPER TO TASTE

Cut the jerked beef into cubes and cook until almost soft; set it aside. Cut the brisket into cubes and season with salt and black pepper. Cut the paio and calabresa into thick slices. In a large pot, heat the oil and braise the bacon, onion, garlic, tomatoes, and bay leaves. Add the meats, cover with water and cook for 1 hour. Add the manioc and, every 10 minutes, the remaining vegetables, in the following order: potato, sweet potato, and squash. Adjust seasoning and garnish with the herbs. Make a pirão (a type of mush) by mixing the manioc flour with the cooking broth in low heat, stirring constantly until it becomes thicker. Serve with white rice (p. 336).

IN DETAIL: *Many have laid claim to the invention of the cozido: French, Spaniards, Portuguese. "The cozido is precisely the case of an universal dish, the most elementary of them in any land where oxen are not sacred", Odylo Costa Filho writes. In Brazil – where it first appeared on Rio de Janeiro's tables on the 19th century and over 100 years ago in the Northeast's backlands - each region gives the recipe its own twist.*

DOBRADINHA

Serves 10 | 2-3 hours | Medium

- 1 KG OF TRIMMED BEEF TRIPE
- 1 LIME, CUT INTO WEDGES OR SLICED
- 3 TEACUPS OF FLAGEOLET BEANS
- 2 BAY LEAVES
- 1 TEACUP OF SMOKED BACON, CUT INTO CUBES
- 1 SMOKED CALABRESA SAUSAGE, SLICED
- 3 PAIO SAUSAGES, SLICED
- 1 ONION, DICED

- 3 GARLIC CLOVES, MINCED
- 6 PEELED AND DESEEDED TOMATOES, CHOPPED
- ½ PEELED RED BELL PEPPER, CHOPPED
- 1 BUNCH OF PARSLEY, CHOPPED
- SALT TO TASTE

Clean the tripe well, cut it into small strips and boil it along with the lime, Exchange the water and boil the tripes again. Throw away the liquid and cook in water and salt. In another pot, cook the beans with salt and bay leaves until al dente; do not throw out the bean's broth. In a pan without any grease, braise the bacon and the calabresa and paio sausages. Add the onions, garlic, tomatoes, and bell pepper. When the tripe is tender, drain off the water and add the seasoning; stir well and put in the beans and their broth. Cook for another 15 to 20 minutes, add the parsley, adjust the seasoning and serve.

IN DETAIL: *Did you know that many people refer to the ox's stomach – the tripes – as "dobradinha" because of this classic Portuguese recipe, which remains the same in both countries until this day?*

BEEF AND SCARLET EGGPLANT STEW

(ENSOPADO DE CARNE COM JILÓ)

Serves 4 | 2 hours | Easy

- 600 G INSIDE ROUND
- 2 TABLESPOONS OF CORN OIL
- ½ ONION, DICED
- 2 GARLIC CLOVES, MINCED
- 2 PEELED AND DESEEDED TOMATOES, CHOPPED
- 2 TEACUPS OF BEEF STOCK (P. 289)
- 1 DEEP PLATE OF SCARLET EGGPLANT CUT INTO QUARTERS
- SALT AND BLACK PEPPER TO TASTE

Cut the meat into large cubes and season it with salt and black pepper. Heat up the oil and sear the meat on all sides. After it is seared, remove it and braise the onion, garlic, and tomatoes. Bring back the meat and cover everything with the stock; top it off with some water if necessary. Meanwhile, boil the scarlet eggplant, exchanging the water twice; set it aside. When the meat is almost done, add the scarlet eggplant. Remove from heat once everything is cooked through; serve with white rice (p. 336).

JERKED BEEF SURPRISE

(ESCONDIDINHO DE CARNE-SECA)

Serves 4 | 2 hours | Easy

- 800 G OF DESALTED JERKED BEEF
- 2 DEEP PLATES OF MANIOC
- 1 TEASPOON OF MINCED GARLIC
- 2 TABLESPOONS OF UNSALTED BUTTER
- 3 TEACUPS OF MILK
- 2 TABLESPOONS OF CLARIFIED BUTTER
- 1 MEDIUM ONION, CUT INTO STRIPS
- ½ TEACUP OF GREEN ONIONS, CHOPPED
- ½ TEACUP OF COALHO CHEESE, GRATED
- SALT TO TASTE

Cook the jerked beef, exchanging the water at least three times; shred it and set it aside. Cook the manioc until very tender; blend it in a food processor until you are left with a thick puree. Braise the garlic in butter; add the puree and the milk, cook for some minutes, season with salt and blend everything in a food processor until you have a smooth puree. In a frying pan, braise the jerked beef in clarified butter and add the onion; season with the green onions. Arrange it in a tray or individual bowls, following this order: a layer of puree, one of jerked beef, another puree layer, and then coalho cheese. Bake it at 180 °C for 15 minutes, until golden.

BEEF STROGANOFF

(ESTROGONOFE DE CARNE)

Serves 6 - 8 | 40 minutes | Medium

- 2 TABLESPOONS OF OLIVE OIL
- 1.5 KG OF RUMP STEAK, CUT INTO THIN STRIPS
- 2 ONIONS, CHOPPED
- 3 GARLIC CLOVES, MINCED
- 3 TABLESPOONS OF HOMEMADE KETCHUP (P. 296)
- 1 TABLESPOON OF SUGAR
- 3 TABLESPOONS OF WORCESTERSHIRE SAUCE
- 3 TABLESPOONS OF BRANDY
- 500 G OF BUTTON MUSHROOMS, SLICED
- 700 G OF WHIPPING CREAM
- SALT AND BLACK PEPPER TO TASTE

Heat one tablespoon of olive oil over medium heat and slowly brown the beef strips on all sides (if necessary, add another dash of olive oil); remove and set aside. Braise the onions and garlic in 1 tablespoon of olive oil, until the onions are translucent. Put in the ketchup and sugar, stir and return the meat to the pot. Add the Worcestershire sauce, brandy, mushrooms, and whipping cream. Season with salt and black pepper, stir and cook for about 15 to 20 minutes, stirring occasionally until it thickens. Serve with white rice (p 336) and shoestring potatoes (p. 340).

HOMEMADE KETCHUP

450 g | 4 hours | Easy

- ¼ CUP VINEGAR
- 2 CLOVES (OPTIONAL)
- ½ CUP MUSCOVADO SUGAR
- 3 CUPS TOMATO SAUCE
- ½ TEASPOON PUXURI OR GRATED NUTMEG
- 2 SCANT TABLESPOONS MANIOC STARCH
- SALT AND PEPPER TO TASTE

Bring vinegar, cloves and sugar to the heat, until dissolves. Add tomato sauce and puxuri; cook for about 10 minutes. Add manioc starch, stir and cook for 3 minutes more. Season with salt and pepper. Let stand and take it to the fridge.

IN DETAIL: *The Stroganoff, Russian aristocrats, indeed existed – the original version of this recipe is said to have been created by the family's chef. In Brazil, it became popular in the 50's and known as a "boarding house meal". Canned mushrooms, or dried ones that have been softened in water, are some of the recipe's variations.*

NORTHEASTERN LIMA BEAN STEW

(FAVADA NORDESTINA)

Serves 8 | 2-3 hours, plus preparations in advance | Medium

- 500 G OF BEEF TRIPE
- JUICE OF 1 LIME
- 600 G OF JERKED BEEF
- 500 G OF LIMA BEANS
- 1 TEACUP OF SMOKED BACON
- 2 PAIO SAUSAGES, SLICED
- 1 SMOKED CALABRESA SAUSAGE, SLICED
- 1 ONION, DICED
- 3 GARLIC CLOVES, MINCED
- 4 PEELED, DESEEDED TOMATOES, CHOPPED
- 1 TEASPOON OF GROUND ACHIOTE
- ½ TEACUP OF CORIANDER, CHOPPED
- SALT TO TASTE

On the previous day, clean the tripes thoroughly with running water and lime juice. Cut them in strips, bring to a boil, exchange the water and cook them until soft. Cut the jerked beef into cubes and soak it in water for 8 hours, exchanging the water at least three times. On the following day, cook the jerked beef until soft; cook the beans in water and a little bit of salt. Braise the bacon, paio, and calabresa. Add the onions, garlic, tomatoes, and meats. Braise lightly and add the beans with their cooking broth. Boil until the paio and calabresa are cooked through. Add the achiote, adjust the seasoning, and garnish with coriander.

IN DETAIL: *Very popular in the Northeast – and pretty much unfairly ignored in the rest of the country – the Lima beans are the legume that enriches this popular and highly nutritious stew. Green Lima beans can be used, as well as speckled butter beans.*

TRADITIONAL BRAZILIAN FEIJOADA

(FEIJOADA BRASILEIRA TRADICIONAL)

Serves 8 | 2 hours, plus desalting time | Medium

- 2 TEACUPS OF JERKED BEEF, CUT INTO CUBES
- 1 TEACUP OF SALTED PORK RIBS, CUT INTO CUBES
- 2 TEACUPS OF SALTED PORK LOIN, CUT INTO CUBES
- 1 SALTED PIG'S FOOT, CUT INTO CUBES
- 1 SALTED PIG'S EAR
- 1 SALTED PORK TAIL
- 4 TEACUPS OF BLACK BEANS
- 2 BAY LEAVES
- 1 TEACUP OF CALABRESA SAUSAGE, SLICED
- 2 TEACUPS OF PAIO, SLICED
- ½ ORANGE
- 3 TABLESPOONS OF CORN OIL
- ½ TEACUP OF BACON, CUT INTO SMALL CUBES
- 3 GARLIC CLOVES, MINCED
- ½ ONION, DICED
- 1 DEDO-DE-MOÇA PEPPER, DESEEDED AND CHOPPED
- 1 SHOT OF CACHAÇA
- SALT TO TASTE

The night before, leave the jerked beef, ribs, loin, foot, foot and tail to soak cold water; exchange the liquid at least three times and wash the meats thoroughly. Cook the beans with the bay leaves in 1.5 litres of water for 30 minutes. Add the jerked beef and ribs; cook for 20 minutes. Add the loins, foot, ear, and tail; cook for 30 minutes. Add the calabresa sausage and paio; cook for 20 minutes. Add the orange. In another pot, heat the oil and braise the bacon until browned. Add the garlic, onions, and dedo-de-moça pepper. Put a bit of the bean's broth into the pot with the bacon; stir and transfer everything into the bean's pot. Cook for a few more minutes, put in the cachaça and turn off the heat. Taste and add more salt if necessary. Serve with white rice (p. 336), farofa, braised collard greens, and an orange cut into wedges.

IN DETAIL: *The story that the feijoada was born in the slave quarters, with the bits rejected by white masters has already been debunked. The debunking argument is reasonable: it would be impossible for the slave masters to consume so much ham and loin that the slaves had to make use of the leftovers. Nowadays, the ingredients are served in separate bowls, so that each person can select their favourite bits, or mixed together in individual bowls.*

PERNAMBUCO STYLE FEIJOADA

(FEIJOADA PERNAMBUCANA)

Serves 15 | 1h20 | Medium

- 1 KG OF PINTO BEANS
- 300 G OF CHARQUE, DESALTED AND CUT INTO CUBES
- 400 G OF RUMP STEAK OR BEEF KNUCKLE, IN PIECES
- 500 G OF SAUSAGE (CALABRESA OR PAIO), SLICED

- 6 BAY LEAVES
- 2 CARROTS, CUT INTO THICK SLICES
- 3 POTATOES, CUT INTO LARGE CUBES
- 2 TABLESPOONS OF CORN OIL
- 1 LARGE ONION, DICED
- 6 GARLIC CLOVES, MINCED
- 1 TABLESPOON OF CUMIN
- 1 TABLESPOON OF ANNATTO
- 1 BUNCH OF CORIANDER, CHOPPED
- 1 BUNCH OF GREEN ONIONS, CHOPPED
- 1 TOMATO, CHOPPED
- 1 TEACUP OF VINEGAR
- ½ PUMPKIN, IN LARGE CHUNKS
- 6 WEST INDIAN GHERKINS
- 6 OKRAS
- SALT TO TASTE

Cover the beans, charque, meat, sausage, and bay leaves with water; cook for 1 hour. Add the carrots and potato; cook for 10 minutes. In another pot, heat the oil and braise the onions, garlic, cumin, annatto, coriander, green onions, and tomato; add vinegar. Remove from heat and add the braised contents to the mixture of beans and meats. Put in the pumpkin, west Indian gherkins, and okras. Adjust seasoning and serve with white rice (p. 336).

IN DETAIL: *Here, the classic black beans of the feijoada are replaced with pintos. And, besides the meat, there are plenty of vegetables. Also known as "panelada" in some places, this more cost-effective version of the feijoada became crystallized in Pernambuco, where it survives to this day.*

OSVALDO ARANHA STEAK

(FILÉ À OSVALDO ARANHA)

Serves 4 | 40 minutes | Easy

- 1 KG OF TENDERLOIN
- 3 LARGE POTATOES, CUT INTO 2 TO 3 MM SLICES
- 5 GARLIC CLOVES, THINLY SLICED
- 4 TABLESPOONS OF CORN OIL
- 4 TEACUPS OF COOKED WHITE RICE (P. 336)
- ½ A TEACUP OF PARSLEY, FINELY CHOPPED
- CORN OIL, FOR FRYING
- SALT AND BLACK PEPPER TO TASTE

Cut the meat diagonally into four tall and large steaks. Leave the potatoes to soak in ice cold water for 30 minutes. Fry the garlic in oil that has not been overheated, or else it will burn; set aside. Fry the potatoes in hot oil, until lightly golden; drain in a paper towel and season with a dash of salt. Season the steaks with salt and black pepper. Heat a frying pan with 4 tablespoons of corn oil and sear the steaks on all sides, until golden. Transfer to a baking tray and roast for 10 minutes at 180 °C . In the same pan, quickly braise the rice. Set the dishes with the tenderloin covered with garlic, the potatoes, and the rice. Sprinkle parsley and serve with egg farofa (p. 347).

IN DETAIL: *Cosmopolita Restaurant, Lapa, Rio de Janeiro, mid-20th century. Had he not gone down in history for presiding the First Special Session of the U.N. General Assembly, in 1947, the Rio Grande do Sul born diplomat Osvaldo Aranha at the very least holds the honour of having his name linked to the steak and garlic dish, his favourite recipe.*

COWBOY'S FRY

(FRITO DO VAQUEIRO)

Serves 10 | 3 hours | Medium

- 2 KG OF BUFFALO FLANK STEAK AT ROOM TEMPERATURE (OR HUMP, OR ANY OTHER CUT THAT IS SATURATED WITH FAT)
- 1 TABLESPOON OF SALT

Pat the meat dry with paper towel or a cloth and cut it into cubes, keeping the fat on. Season with salt. Cook over low heat in a iron pot with the lid on, and allow it to be cooked by its own steam, for 2 to 3 hours, until it begins to brown; stir from time to time. It will be done when the meat is tender and golden, but not dried.

IN DETAIL: *A dish that was born from the saddle of the Marajó Island cowboys, the reason why it's also called "Marajoara Frito". Over there, it is served on breakfast to this day. It was customary to store the meal in cans, so it could be heated or kept warm beneath the horse's saddle.*

GREEN BANANA STEW

(GODÓ DE BANANA VERDE)

Serves 8 | 50 minutes | Medium

- 12 GREEN BANANAS, SLICED
- 350 G OF DESALTED CARNE DE SOL
- 250 G OF DESALTED CHARQUE
- 100 G OF BACON, CHOPPED
- 2 GARLIC CLOVES, CRUSHED
- 1 TOMATO, CHOPPED
- 1 BELL PEPPER, CHOPPED
- TURMERIC TO TASTE
- 4 TEACUPS OF BEEF STOCK (P. 289)
- SALT TO TASTE

Cook the banana on a pressure cooker until soft; set it aside. Chop the carne de sol and the charque; braise the bacon, add the garlic and fry them for a bit longer. Put in the tomato, bell pepper, turmeric, and salt. Cover with the beef stock and cook for 40 minutes on a pressure cooker. Add the bananas and cook for a bit longer before serving.

IN DETAIL: *Born in Chapada Diamantina on the 18th and 19th centuries, it was prepared as a meal for prospectors who took advantage of the ingredients that were plentiful in that region.*

STUFFED EYE ROUND

(LAGARTO RECHEADO)

Serves 8 | 40 minutes | Medium

- 1 KG OF EYE ROUND
- 200 G OF CALABRESA SAUSAGE, CHOPPED
- 1 CARROT, CUT INTO STICKS
- 10 GREEN OLIVES, CHOPPED
- 1 TABLESPOON OF BUTTER
- 1 TABLESPOON OF OLIVE OIL
- 2 TEACUPS OF BEEF STOCK (P. 289)
- SALT TO TASTE

Season the meat with salt. Using a sharp knife, make a hole that pierces through the middle segment of the meat. Stuff it with the sausage, carrot, and olives. Heat the butter and the olive oil in the pressure cooker and sear the meat on all sides. Put in the stock, lock the lid, and cook over low heat for 30 minutes after it has gained pressure. After pressure has been released, open the lid and cook for another 5 minutes, or until the sauce has thickened. Cut the meat into thin slices and serve with the sauce.

BEEF TONGUE IN BEER WITH MILK POLENTA

(LÍNGUA NA CERVEJA COM POLENTA DE LEITE)

Serves 2 | 2h30 | Medium

- 1 BEEF TONGUE, SKIN OFF, THOROUGHLY CLEANED
- 4 TABLESPOONS OF UNSALTED BUTTER
- 1 ONION, DICED
- 3 GARLIC CLOVES, MINCED
- 2 CANS OF DARK BEER
- 1 TEACUP OF MILK
- 4 TABLESPOONS OF CORNMEAL
- SALT AND BLACK PEPPER TO TASTE

Season the tongue with salt and black pepper. Heat 2 tablespoons of butter and braise half of the onions and garlic until translucent. Add the tongue, sear it lightly and cover with the dark beer. Cook for 2 hours, or until the meat is very tender and the sauce has reduced to about a third of the initial volume. Braise the remaining onion and garlic in 2 tablespoons of butter, add the milk and wait for it to boil. Season with salt and black pepper, add the cornmeal and cook for another 10 minutes while stirring constantly to avoid lumps. Slice the tongue and serve it on top of the polenta, coated with the beer sauce.

SAUSAGE PANTANAL STYLE

(LINGUIÇA PANTANEIRA – DE MARACAJU)

4 units | 2 hours, plus resting time | Difficult

- 1 KG PIECE OF PICANHA (SIMILAR TO TOP SIRLOIN BUTT), OR ANY OTHER FATTY, TENDER MEAT
- 500 G OF BACON OR BEEF TALLOW
- 3 SMALL BONNET PEPPERS
- JUICE OF 1 ORANGE (A SOUR VARIETY)
- SCALLIONS AND PARSLEY TO TASTE
- SALT AND BLACK PEPPER TO TASTE
- THICK TRIPES, FOR STUFFING

Hydrate the tripes, turn them over and rinse well; set it aside Cut the picanha and bacon into very small pieces. Season with the crushed pepper and the remaining ingredients. Allow it to rest for 30 minutes in the fridge. With the proper sort of funnel, stuff the tripes with the mixture of meats; tie a knot on each end, so the sausage won't come undone. Put it aside in the fridge for some hours. When grilling, poke some tiny holes into the skin, to release excess air and liquid. Grill the whole sausage and slice it. You can serve it with cooked manioc.

IN DETAIL: *Creating a sausage from specialized cuts of meat was the solution found by muleteers from Minas to preserve those meets during the settlement of Maracaju and its neighbouring regions, now known as Mato Grosso do Sul. The orange used in this recipe helps with preserving the food. It should be bitter our sour, with a wrinkled peel.*

THE TROOP'S NOODLES

(MACARRÃO DE COMITIVA)

Serves 4 | 40 minutes | Easy

- 500 G OF DESALTED CARNE DE SOL
- 2 TABLESPOONS OF OLIVE OIL
- 2 TABLESPOONS OF LARD
- ½ ONION, DICED
- 2 GARLIC CLOVES, MINCED
- 2 PEELED AND DESEEDED TOMATOES, CHOPPED
- 1 TABLESPOON OF ANNATTO
- 1 PACKET OF SPAGHETTI (500 G)
- JUICE OF 1 ORANGE
- ½ BUNCH OF PARSLEY AND SCALLIONS, CHOPPED
- SALT AND BLACK PEPPER TO TASTE

Cut the carne de sol into small cubes. Heat the olive oil along with the lard and brown the meat. Add the onions, garlic, tomatoes, and annatto; braise for a bit longer. Put in the spaghetti, broken in half. Braise, add the orange juice and ½ teacup of water and cook until dry. Repeat the process, adding another ½ teacup of water until the spaghetti is cooked through. Season with salt and black pepper, sprinkle the scallions and parsley, and serve.

IN DETAIL: *This recipe is used to this day by rural workers (the "comitivas") who transport herds throughout the wetlands, particularly in Mato Grosso do Sul. Variations happen around the ingredients of the original version.*

MANIÇOBA

Serves 10 -12 | 3h30
Medium

- 1.5 KG OF PRE-COOKED CASSAVA LEAVES
- 4 BAY LEAVES
- 1 KG OF DESALTED JERKED BEEF
- 1 KG OF DESALTED PORK LOIN
- 3 TABLESPOONS OF CORN OIL
- 1 TEACUP OF SMOKED BACON, CHOPPED
- 2 ONIONS, CHOPPED
- 4 GARLIC CLOVES, MINCED
- 1 KG OF BEEF BRISKET
- 500 G OF RIPENED PORK SAUSAGE
- SALT TO TASTE

Boil the cassava and bay leaves in a large pot filled with water. Cut the jerked beef and the pork loin into cubes and braise them in oil with the bacon, onions, and garlic. Put the braised ingredients and other meats into the pot with the cassava leaves. Cook for 3 hours, or until all the meats are falling apart; add more water if necessary. Adjust the seasoning and serve with manioc flour and rice (p. 336).

IN DETAIL: *The wisdom of cooking the cassava leaves for as long as it takes to cancel out their poison comes from the women from the North, especially from Pará. Also known as "feijoada paraense" ("Pará style Feijoada"), it is a street food found in markets. Beware: only use pre-cooked cassava leaves in this recipe.*

"COW'S HAND"

(MÃO DE VACA)
Serves 10 | 2h30 | Medium

- 2.5 KG OF THE HIND LEG OF AN OX, CUT INTO CHUNKS
- 5 GARLIC CLOVES, MINCED
- 1 TABLESPOON OF ANNATTO
- 4 TABLESPOONS OF OLIVE OIL
- 1 ONION, SLICED
- 1 BELL PEPPER, SLICED
- SALT AND BLACK PEPPER TO TASTE

Season the meat with garlic, annatto, olive oil, salt, and black pepper. Add the onions and bell pepper. Braise over low heat and add 1 litre of boiling water. Cook for around 2 hours, or until tender; if needed be, add more water. Serve with vegetables, white rice (p. 336) and meat mush, which can be made from the cow hand's cooking broth.

IN DETAIL: *This stew is popular in Ceará, and known for being as nutritious as it is invigorating. The expression "mão de vaca" is also used to describe the ox's foot ("mocotó"), which includes the bone and marrow.*

ROLLED MATAMBRE

(MATAMBRE ENROLADO)
Serves 8 | 3 hours, plus the marinating time
Medium

- 1.2 KG PIECE OF MATAMBRE (THE MEAT BETWEEN THE OX'S RIBS AND ITS SKIN, SIMILAR TO FLANK STEAK)
- 10 SLICES OF SMOKED BACON
- 1 CARROT, PEELED AND CUT INTO STRIPS
- 1 RED BELL PEPPER, PEELED AND CUT INTO STRIPS
- 1 ONION, CUT INTO STRIPS
- ½ TEACUP OF WHITE WINE
- 2 GARLIC CLOVES, MINCED
- 1 BAY LEAF
- SALT AND BLACK PEPPER TO TASTE

Open the matambre, season with salt and black pepper and cover the meat with the bacon, carrot, and bell pepper. Arrange the onions over the top and roll up the matambre; tie it in place with a string. Season the outer part with salt and black pepper and marinate the meat in wine, garlic, and bay leaves; set it rest for 2 hours. Wrap it with aluminium foil and bake in a preheated over at 180 °C for 2 hours and 30 minutes. When the cooking is over, remove the aluminium foil and allow the meat to brown.

IN DETAIL: *In Spanish, matambre is a contraction of the words that form the phrase "matar el hambre", or "to kill the hunger". It is a cut of meat commonly used in the South region, as well as Argentina, Uruguay, and Paraguay. This way, rolled up, it could be server as a main course or as an appetizer, either warm or cold.*

WEST INDIAN GHERKIN AND JERKED BEEF

(MAXIXADA COM CARNE-SECA)
Serves 6 | 3 hours | Easy

- 1.5 KG OF DESALTED JERKED BEEF
- 30 WEST INDIAN GHERKINS
- 2 TABLESPOONS OF CLARIFIED BUTTER
- ½ SMOKED CALABRESA SAUSAGE, SLICED
- 1 MEDIUM ONION, CUT INTO STRIPS
- 4 GARLIC CLOVES, MINCED
- ½ RED BELL PEPPER, PEELED AND CUT INTO STRIPS
- ½ BUNCH OF CORIANDER, CHOPPED
- SALT TO TASTE

Cut the jerked beef into cubes and cook until tender. Blanch the west Indian gherkins in water and salt; set them aside.

Braise the meat in clarified butter until browned; set it aside. In the same pot, braise the sausage; remove and set it aside. Braise the onions, garlic, and bell pepper. Return the meats to the pot and add the west Indian gherkins, only to warm them. Garnish with coriander and serve.

BEEF FEET

(MOCOTÓ)

Serves 8 | 3 hours | Easy

- 3 KG OF BEEF FEET
- JUICE OF 2 LIMES
- 2 BAY LEAVES
- 3 TABLESPOONS OF OLIVE OIL
- 1½ LARGE ONION, CHOPPED
- 2 GARLIC CLOVES, MINCED
- 3 PEELED AND DESEEDED TOMATOES, CHOPPED
- 1 TABLESPOON OF ANNATTO
- ½ A BUNCH OF MINT, CHOPPED
- ½ BUNCH OF GREEN ONIONS, CHOPPED

Wash the beef feet thoroughly using lime juice and running water. Cover with water and cook in a pressure cooker, along with the bay leaves, for about 1 hour and 10 minutes, after pressure has been established. Throw out the water and keep the beef feet, which should be loosen around the bone. Heat up the olive oil and braise the onion, garlic, tomato, and annatto. Add the beef feet, cover with water and cook until the broth has been reduced and the meat has fallen off the bone. Season with salt and black pepper, sprinkle the mint and green onions, and serve.

NORTHEASTERN POT

(PANELADA NORDESTINA)

Serves 8 | 3 hours | Medium

- ½ KG OF HONEYCOMB BEEF TRIPE, CUT INTO PIECES
- ½ KG OF BEEF TRIPE, CUT INTO PIECES
- 1 BEEF FEET, CUT INTO PIECES
- 2 BAY LEAVES
- 2 TABLESPOONS OF OLIVE OIL
- 1 LARGE ONION, CHOPPED
- 4 GARLIC CLOVES, MINCED
- 1 BELL PEPPER, CHOPPED
- 2 TOMATOES, CHOPPED
- 3 COFFEE SPOONS OF RED PEPPER FLAKES
- 1 TABLESPOON OF ANNATTO
- SCALLIONS AND PARSLEY TO TASTE
- SALT AND BLACK PEPPER TO TASTE

Wash the tripes and the feet; season with salt. Cover with water, add the bay leaves and cook for about 2 hours, or until the meats are very tender. Wait for it to cool skim off the fat that has formed in the surface of the liquid. Heat the olive oil over medium heat and braise the onions until golden. Add the garlic and bell pepper; braise for a little while and put in the tomato. Cook until the tomato begins to fall apart. Add the red pepper flakes, the meats and broth. Season with annatto, salt, and black pepper. Wait for it to boil, turn off the heat and garnish with scallions and parsley.

IN DETAIL: *Strong flavours and high caloric value are a characteristic of this dish that is the embodiment of the Northeastern backlands, and which is known for curing hangovers and "raising the dead". Traditionally, it can be eaten at any time of the day.*

BEEF PANCAKES

(PANQUECA DE CARNE)

Serves 6 | 1 hour | Medium

- 1.2 KG OF TOMATOES
- 1½ ONION, DICED
- 4 GARLIC CLOVES, MINCED
- 750 G OF GROUND BEEF (BEEF KNUCKLE)
- ½ TEACUP OF BLACK OLIVES, CHOPPED
- ½ TEACUP OF CHOPPED PARSLEY
- 1 TEACUP OF GRATED PARMESAN CHEESE
- SALT AND BLACK PEPPER TO TASTE

FOR THE DOUGH

- 1 TEACUP OF MILK
- 2 TEACUPS OF ALL-PURPOSE FLOUR
- 1 EGG
- 2 EGG WHITES
- 5 TABLESPOONS OF CORN OIL, PLUS A BIT FOR GREASING

Quarter the tomatoes and cook over low heat until they fall apart, stirring occasionally so they won't stick to the bottom of the pot. Meanwhile, prepare the pancake dough: Whip the milk, all-purpose flour, egg, egg whites, oil, salt and black pepper until smooth. Heat up the pan, grease it with oil and pour a scoop of batter; spread it and flip after 30 seconds. Prepare all the pancakes and set them aside. Braise 1 onion and 2 garlic cloves; add the tomato sauce and mix in a blender, so it is smooth. Season the meat with salt and black pepper and braise it in oil, until golden. Put in the remaining onion and garlic, braise lightly and then add the onions and parsley; stir and remove from the heat. Fill the pancakes with the ground beef, transfer them to a baking dish, cover with the sauce and sprinkle the grated cheese. Bake at 180 °C for 20 minutes before serving.

CHOPPED STEW

(PICADINHO)

Serves 4 | 50 minutes | Medium

- 600 G OF TENDERLOIN, CHOPPED INTO SMALL CUBES
- 2 TABLESPOONS OF OLIVE OIL
- ½ TEACUP OF SMOKED BACON, CHOPPED

- 1 ONION, DICED
- 4 GARLIC CLOVES, MINCED
- 2 TEACUPS OF BEEF STOCK (P. 289)
- 3 TABLESPOONS OF BUTTER
- 2 TEACUPS OF MANIOC FLOUR
- 2 TABLESPOONS OF VINEGAR
- 6 EGGS
- SALT AND BLACK PEPPER TO TASTE

Season the meat with salt and black pepper. Sear every side in olive oil; remove and set aside. Using the same pot, braise the bacon, add half the onions and garlic and return the seared meat. Add the stock and cook until it reduces to half. Meanwhile, make the farofa: braise the remaining onions and garlic in butter. Add the manioc flour and season with salt and black pepper. For the poached eggs, heat the water with vinegar in a small pot. With a ladle, swirl the centre of the liquid and place one raw egg. Cook for 3 minutes then remove it. Serve the picadinho with white rice (p. 336), black beans, farofa, and the egg.

IN DETAIL: *The heir to the Portuguese stews, the picadinho appeared in Rio de Janeiro's taverns during colonial times – those eventually turned into 19th century joints. Rio de Janeiro, therefore, lays claim to the original recipe: with black beans, egg, and banana. In São Paulo, the dish is served without beans, the egg is poached, and has a fried turnover as a side.*

ROASTED PICANHA ON COARSE SALT
(PICANHA ASSADA NO SAL GROSSO)

Serves 4 | 1h10 | Easy

- A 1 KG PIECE OF PICANHA
- ROCK SALT

Season the picanha with rock salt on all sides, but do not overdo it. Put it on a baking tray and cover with aluminium foil. Bake at 180 °C for about 1 hour, or until tender. Remove the aluminium foil and allow it to brown lightly before serving.

INSIDE-OUT PICANHA
(PICANHA INVERTIDA)

Serves 4 | 40 minutes | Easy

- 1 PICANHA (WITH UP TO 1.5 KG)
- 1 CALABRESA SAUSAGE, CHOPPED
- 250 G OF BACON, CHOPPED
- 250 G OF MEIA-CURA CHEESE, CHOPPED
- ROCK SALT

With a slim knife, trim a bit of the meat's fat. Score the middle of the picanha, without reaching the edges, and without piercing the sides. Turn the meat "inside out", pushing one of the extremities towards the inside so that the fat goes inside the piece. Mix the sausages, bacon, and cheese. Stuff the picanha and season with rock salt. Roast at 250 °C until the desired doneness (25 to 30 minutes for rare).

SOFT POLENTA WITH BOLOGNESE SAUCE
(POLENTA MOLE COM MOLHO À BOLONHESA)

Serves 6 | 40 minutes | Easy/Medium

- 1 KG OF TOMATOES
- 750 G OF GROUND BEEF (BEEF KNUCKLE)
- 5 TABLESPOONS OF CORN OIL
- 1 ONION, DICED
- 4 GARLIC CLOVES, MINCED
- 1 BAY LEAF
- 2 TABLESPOONS OF UNSALTED BUTTER
- 1½ TEACUPS OF FINE CORNMEAL
- 1 TEACUP OF GRATED PARMESAN CHEESE
- SALT AND BLACK PEPPER TO TASTE

For the sauce, wash the tomatoes, quarter them and cook over low heat, without water. Cook until they fall apart, process them in a blender quickly, pass it through a sieve and set it aside. Brase the meat in oil. When the meat dries out, add the onion and 2 garlic cloves; braise it for a little longer, until they wilt. Add the tomato sauce and bay leaf; cook for 20 minutes. Season with salt and ground pepper. Meanwhile, braise the remaining onion and garlic in butter for 3 minutes. Add 6 cups of water and wait until it boils. Season with salt and slowly add the cornmeal, stirring constantly to avoid lumps. Cook over low heat for 10 minutes, stirring continuously. Transfer to a serving dish, cover with sauce and serve with grated cheese.

OKRA AND MEAT STEW
(QUIABADA COM CARNE)

Serves 5 | 40 minutes | Medium

- 2 TABLESPOONS OF CORN OIL
- 1 MEDIUM ONION, DICED
- 5 GARLIC CLOVES, CRUSHED
- 100 G OF DESALTED JERKED BEEF, CUT INTO CUBES
- 500 G OF BEEF (KNUCKLE), CUT INTO CUBES
- 100 G OF DRIED SHRIMP, PEELED
- 1 BUNCH OF CORIANDER, CHOPPED
- 300 G OF OKRA, CUT INTO CUBES
- DENDÊ OIL TO TASTE
- SALT TO TASTE

Heat up the oil and braise the onion and garlic. Add the two types of meat. While continuously stirring, add the dried shrimp and coriander. When the meat is tender, adjust the salt, add the okra and cook until al dente. Season with dendê oil to taste, and cook for 5 more minutes.

OXTAIL WITH POLENTA AND WATERCRESS

(RABADA COM POLENTA E AGRIÃO)

Serves 4 | 3h30, plus the marinating tim
Medium

- 1 KG OF OXTAIL
- 6 GARLIC CLOVES, MINCED
- ½ TEACUP OF RED WINE
- 4 TABLESPOONS OF CORN OIL
- 3 TEACUPS OF BEEF STOCK (P. 289)
- 3 TABLESPOONS OF BUTTER
- 1½ TEACUPS OF FINE CORNMEAL
- ½ BUNCH OF WATERCRESS
- SALT AND BLACK PEPPER TO TASTE

Cut the oxtail at the joints and season with salt, black pepper, 3 garlic cloves, and wine. Allow it to marinate for at least 2 hours. Heat the oil, seal the meat and cover it with the broth. Cook for around 3 hours (or about 40 minutes if you're using a pressure cooker). Braise the remaining garlic in 2 tablespoons of butter, add 4½ teacups of water and allow it to boil. Season with a dash of salt and add the cornmeal slowly, stirring constantly to avoid lumps. Cook over low heat for 10 to 15 minutes, stirring continuously. Melt 1 tablespoon of butter and sauté the watercress for a few seconds; season with a pinch of salt. Serve the oxtail with the polenta and watercress.

OXTAIL WITH TUCUPI

(RABADA NO TUCUPI)

Serves 4 | 3h30, plus time to marinate
Easy/Medium

- 1 KG OF OXTAIL
- 3 GARLIC CLOVES, MINCED
- 4 TABLESPOONS OF OLIVE OIL
- 1 LITRE OF TUCUPI (FERMENTED MANIOC BROTH)
- ½ BUNCH OF PARA CRESS LEAVES
- SALT AND BLACK PEPPER TO TASTE

Cut the oxtail at the joins and season with salt, black pepper, and garlic. Allow it to marinate for at least 2 hours. Heat the olive oil and sear the meat. Cover with water and cook for 3 hours with the lid on - remove the lid halfway through, allowing the water to reduce until it is almost totally dry. When around 30 minutes of the cooking time remain, heat up the tucupi and cook the para cress leaves until soft. Add the oxtail and finish cooking. Adjust seasoning and serve with white rice (p. 336) and farinha d'água (fermented manioc flour).

IN DETAIL: *The tucupi broth is used in countless recipes from the Northern region. This one, common in Acre, is the only one to include a red meat – the oxtail. After the 70's, the region began to develop significant cattle farming.*

BEEF ROULADE

(ROCAMBOLE DE CARNE)

Serves 8 | 1 hour | Easy

- 1 KG OF GROUND BEEF (KNUCKLE OR INSIDE ROUND)
- ½ ONION, DICED
- 2 GARLIC CLOVES, MINCED
- ½ BUNCH OF PARSLEY, CHOPPED
- 20 THIN SLICES OF BACON
- 2 TEACUPS OF COARSELY GRATED MOZZARELLA CHEESE
- SALT AND BLACK PEPPER TO TASTE

Season the meat with the onion, garlic, parsley, salt, and black pepper; mix well. Roll out a piece of plastic wrap and spread the meat, forming a rectangle, about a finger thick. Cover with the bacon slices and mozzarella. Aided by the plastic wrap, roll up the meat into the shape a roulade (dispose of the plastic wrap). Wrap it in aluminium foil and bake at 180 °C for 30 minutes. Remove the aluminium foil and bake for another 10 minutes. Slice and serve.

ROASTBEEF

(ROSBIFE)

Serves 8 | 40 minute | Easy

- 1 PIECE OF TENDERLOIN
- 2 TABLESPOONS OF CORN OIL
- 3 TABLESPOONS OF MUSTARD
- 2 TABLESPOONS OF RED WINE
- SALT AND BLACK PEPPER TO TASTE

Season the meat with salt and pepper. Heat the oil in a large pot and sear the tenderloin on all sides. Transfer the meat to a baking tray and bake at 210 °C for 10 minutes, so that it is cooked through while the centre remains pink. Add the mustard and red wine to the juices left on the pot, adjust seasoning, and serve with the sliced roast beef, either warm or cold.

"OLD RAGS"

(ROUPA VELHA)

Serves 4 | 1 hour | Easy

- 1 KG OF DESALTED CHARQUE
- 2 TABLESPOONS OF CORN OIL
- ½ ONION, CUT INTO STRIPS
- 1 GARLIC CLOVE, MINCED
- 2 PEELED AND DESEEDED TOMATOES, CUT INTO CUBES
- ½ BUNCH OF PARSLEY

Cook the charque exchanging the water at least twice, until tender. Shred and braise in oil; add onions, garlic, and tomato. Wait until the tomato releases a bit of its juices, add the parsley, and serve.

IN DETAIL: *The dish's tongue-in-cheek name comes from Portugal, where often it is made with the leftovers from the previous day. The previous day's cod, potatoes and vegetables are the traditional ingredients found across the Atlantic. Here, the charque based recipe took root.*

MEAT AND POTATOES SOUP

(SOPA DE BATATA COM CARNE)

Serves 6 | 2h30
Easy/Medium

- 500 G OF CHUCK OR SHANK, CUT INTO 2 CM CUBES
- 2 TABLESPOONS OF OLIVE OIL
- ½ ONION, DICED
- 2 GARLIC CLOVES, MINCED
- 2 PEELED AND DESEEDED TOMATOES, CHOPPED
- 6 LARGE POTATOES, CUT INTO CUBES
- ½ BUNCH OF PARSLEY AND SCALLIONS, CHOPPED
- SALT AND BLACK PEPPER TO TASTE

Season the meat with salt and black pepper; sear each side on olive oil. Add the onion, garlic, and tomatoes, cover with water and cook for about 1 hour and a half, until the meat is very tender. Add the potatoes and cook until they are soft. Take 2 teacups of cooked potatoes and process them in a blender or food processor until they reach a puree like consistency. Add it to the soup and stir, so it is smooth. Adjust seasoning, sprinkle in the parsley and scallions, and serve.

MEAT AND VEGETABLES SOUP

(SOPA DE LEGUMES COM CARNE)

Serves 6 | 1 hour | Easy

- 1 TABLESPOON OF OLIVE OIL
- 1 GARLIC CLOVE, CRUSHED
- 1 SMALL ONION, DICED
- 500 G OF SHANK, CUT INTO CUBES
- 1 TEACUP OF BEEF STOCK (P. 289)
- 4 ARRACACHAS, CUT INTO MEDIUM CUBES
- 2 POTATOES, CUT INTO MEDIUM CUBES
- 2 MEDIUM CARROTS, CUT INTO MEDIUM CUBES
- 1 LARGE CHAYOTE, CUT INTO MEDIUM CUBES
- 2 COUSA SQUASHES, CUT INTO MEDIUM CUBES
- SALT TO TASTE

In a pressure cooker, heat the olive oil and braise the garlic and onion. Add the meat, wait until it is golden, put in the broth of the vegetables and top it off with water. Cook for 30 minutes, or until the meat is tender. Add the arracachas, potatoes, and carrots; cook for 10 minutes after pressure has formed. Wait for pressure to be released, open the lid, add the chayote and cousa squashes and cook for another 10 minutes.

MANIOC AND SHANK SOUP

(SOPA DE MANDIOCA COM MÚSCULO)

Serves 6 | 1h10 | Easy

- 500 G OF SHANK
- 2 ONIONS, CHOPPED
- 3 GARLIC CLOVES, MINCED
- 1 KG OF MANIOC
- 3 TABLESPOONS OF CORN OIL
- 300 ML OF BEEF STOCK (P. 289)
- SCALLIONS AND PARSLEY TO TASTE
- SALT AND BLACK PEPPER TO TASTE

Season the meat with 1 onion, garlic, salt, and black pepper. Cover with water and cook for 40 minutes in a pressure cooker. Cut the meat into small cubes and set it aside. Cook the manioc in water and salt. After allowing it to cool, blend it, adding the cooking liquid until obtaining a sturdy cream. Heat the oil and braise the remaining onions until golden. Add the manioc cream, the beef stock, and the shank. Allow it to simmer, adjust seasoning, sprinkle in the parsley and scallions, and serve.

VACA ATOLADA

Serves 8 -10 | 4 hours | Easy

- 1.5 KG OF BEEF RIBS, BONES OFF, CUT INTO LARGE CUBES.
- 4 TABLESPOONS OF CORN OIL
- 1 TEASPOON OF ANNATTO
- 1 ONION, DICED
- 3 GARLIC CLOVES, MINCED
- 4 PEELED, DESEEDED TOMATOES, CHOPPED
- 1 KG OF MANIOC, CUT INTO MEDIUM CUBES
- ½ BUNCH OF PARSLEY AND ½ BUNCH OF SCALLIONS, CHOPPED
- SALT AND BLACK PEPPER TO TASTE

Season the ribs with salt and black pepper. Heat up the oil and braise the meat along with the annatto. Once it is browned, add the onions, garlic, and tomatoes. Cover with water and cook for 3 hours. Add the manioc and cook over medium heat for about 40 minutes, or until it is cooked through. Add salt if necessary, sprinkle the scallions and parsley, and serve with white rice (p. 336) and manioc flour.

IN DETAIL: *From the pots of Minas Gerais in the beginning of the 18th century – at the height of the gold and diamond mining – simple recipes emerge, using ingredients that were transported to the whole country on the back of beasts of burden. That's the origin of the dish's name, and fame, now a staple of rural culture. Beef ribs and manioc are the elements that are always present in the variations of this recipe found throughout the country.*

XIXO

Serves 4 | 40 minutes | Easy

- 400 G OF RUMP STEAK
- 400 G OF PORK LOIN
- 400 G OF LAMB LOIN
- 5 ITALIAN (ROMA) TOMATOES
- 3 MEDIUM ONIONS
- 1 GARLIC CLOVE
- 1 RED BELL PEPPER
- 150 G OF SLICED BACON

Cut the rump steak, pork and lamb loins into 8 large cubes each. Blend 1 tomato, 1 onion and the garlic in a blender or food processor; season the meats with this paste. Cut the bell pepper, tomato, and remaining onion in equally sized pieces. In 4 different skewers, stick in the pieces of meat, bacon, tomato, onion, and bell pepper. Grill it in a barbecue grill until cooked through.

IN DETAIL: *A variation of the gaúcho barbecue, xixo comes from the Arabic "shish kebab", a skewer with beef, chicken, or pork meat interposed with pieces of bell pepper, tomato, and onion.*

PORK

RICE AND PORK BACKBONE

(ARROZ COM SUÃ)

Serves 6 | 1h20, plus the time to marinate
Medium

- 1 KG OF PORK BACKBONE
- 1 ONION, DICED
- 2 GARLIC CLOVES, MINCED
- 1 DEDO-DE-MOÇA PEPPER, DESEEDED AND CHOPPED
- 1 TEACUP OF WHITE WINE
- 2 TABLESPOONS OF LARD OR CORN OIL
- 3 TEACUPS OF WHITE RICE
- ½ BUNCH OF GREEN ONIONS, CHOPPED
- ½ BUNCH OF PARSLEY, CHOPPED
- SALT TO TASTE

Cut the backbone into medium sized pieces. Make a marinade with ½ onion, 1 garlic clove, the dedo-de-moça pepper, wine and salt. Cover the meat and let it rest for at least one 1 hour. Heat up the lard and sear the backbone on all sides; cover with water and cook until the liquid dries. Add the rice, onions, and remaining garlic; braise until the rice is glossy. Cover with 6 teacups of water. When the backbone and the rice are cooked, turn off the heat, adjust the seasoning and finish with the green onions and parsley.

"GREEN BROTH"

(CALDO VERDE)

Serves 6 | 1h30 | Easy

- 1 KG OF POTATOES, PEELED AND CUT INTO CUBES
- 2 TABLESPOONS OF OLIVE OIL
- ½ ONION, DICED
- 2 GARLIC CLOVES, MINCED
- 1 SMOKED SAUSAGE
- 1 BUNCH OF COLLARD GREENS, CUT INTO STRIPS
- SALT AND BLACK PEPPER TO TASTE

Cook the potatoes in plenty of water, until falling apart. Blend them, along with the cooking water, until obtaining a cream. Heat up the olive oil, braise the onions and garlic, and add the potato cream, so flavours can be refined. Remove the sausage's casing and cook for 15 minutes in the cream. Remove it, slice it, and return it to the pot Add the collard greens and cook for a bit. Adjust seasoning and serve.

IN DETAIL: *Mixing vegetables (collard greens) and meats (sausage), while keeping a light consistence, the caldo verde is almost a forefather of the Portuguese stews. Common in northern Portugal, the recipe soon became popular among Brazilians and remains intact.*

PORK RIBS

(COSTELINHA DE PORCO)

Serves 4 | 1h50 | Easy

- 1 CHUNK OF PORK RIBS, WEIGHTING ABOUT 1 KG
- JUICE OF 1 LIME
- 2 TABLESPOONS OF CORN OIL
- SALT AND BLACK PEPPER TO TASTE

Season the meat with lime juice, salt, and black pepper. Rub the oil over the pork ribs and use it also to grease a baking tray. Bake at a preheated oven at 180 °C for about 1 hour and 40 minutes. It is not necessary to cover with aluminium foil.

IN DETAIL: *Falling apart in your mouth, pork ribs are one of the stars of our barbecues. They can also be cooked in a pressure cooker or baked after resting in a marinade. Also available in a smoked version.*

COSTELINHA DE PORCO COM CANJIQUINHA

(PORK RIBS AND HOMINY)

Serves 6 | 1h30, plus time to marinate
Easy/Medium

- 1.2 KG OF PORK RIBS WITH BONES.
- 4 GARLIC CLOVES
- ½ ONION

- 1 DEDO-DE-MOÇA PEPPER
- 1 TEACUP OF WHITE WINE
- 4 TABLESPOONS OF CORN OIL, PLUS A BIT EXTRA FOR BRAISING
- 2½ TEACUPS OF HOMINY
- 1 SPRING OF BARBADOS GOOSEBERRY
- SALT TO TASTE

Cut the pork ribs into strips. In a blender or food processor, blend the garlic cloves, onion, pepper and wine until smooth, making up the traditional "vinha-d'alhos" Portuguese marinade. Season the ribs with this paste and allow them to rest for 1 hour. Heat the oil in a deep pot and sear the pork strips, setting aside the seasoning. Begin to add sprinkles of water, cooking the meat slowly. When it is almost cooked through, add the marinate and braise it lightly, not allowing it to brown. Add the hominy and cover with water, going about 2 fingers over the total volume. Cook until tender. Remove the ribs and season the hominy. Shred the meat, throw out the bones and return it to the pot. In a pan, braise the Barbados gooseberry with a bit of oil and a pinch of salt. Serve the leaves over the hominy.

HAM HOCK

(JOELHO DE PORCO)

Serves 2 | 3 hours, plus the time to marinate
Easy

- 1 HAM HOCK WITH SKIN
- 1 TEACUP OF WHITE WINE
- 2 CLOVES
- 2 TABLESPOONS OF CORN OIL
- ½ ONION, DICED
- 1 GARLIC CLOVE, MINCED
- SALT AND BLACK PEPPER TO TASTE

Poke some holes into the ham hock and season with wine, cloves, salt, and black pepper; set it aside for 30 minutes. Heat up the oil and braise the onion and garlic. Add the ham hock along with the marinade, cover with water and cook until soft, for 1 hour and a half to 2 hours. Transfer to a baking dish and bake at 180 °C for 30 minutes. Serve with sauerkraut (p. 341).

IN DETAIL: *This may not be the most sought-after cut of meat, but it is a symbol of German cuisine that is used in the southern region of Brazil, where it is called "eisbein" to this day.*

SUCKLING PIG ROAST

(LEITOA PURURUCA)

Serves 10 | 5-6 hours, plus time to marinate
Difficult

- ½ SUCKLING PIG, CUT LENGTHWAYS
- 1 BOTTLE OF WHITE WINE
- 5 GARLIC CLOVES, CRUSHED
- 2 BOTTLES OF CORN OIL
- SALT AND BLACK PEPPER TO TASTE

Poke holes across the pig and season with wine, garlic, salt, and black pepper - rubbing especially the inner part. Leave it to marinate for 2 hours. Cover the meat with aluminium foil and bake in a preheated oven at 200 °C for about 2 hours and a half, or until tender. Set the pig on a wire rack and dry the skin with paper towel, removing the excess liquid. Heat the oil. While wearing gloves made from fabric, use a ladle to pour hot oil over the pig's skin until it is braised and browned. Be careful not to burn yourself.

IN DETAIL: *"Pururucar" is a term coming from the tupi indigenous language as a variation of the word "pororoca", which means "roaring". It gives name to the method for preparing the pig's skin, in both its appetizer form and in this dish traditionally found in the countryside of São Paulo and Minas Gerais. There are many ways to stuff or accompany the leitoa pururuca, such as farofa, rice, and tutu de feijão or roasted potatoes, sweet and sour red cabbage, and apple puree.*

ROASTED PORK LOIN

(LOMBO ASSADO)

Serves 8 | 2 hours | Easy

- 2 TEACUPS OF WHITE WINE
- JUICE OF 1 LIME
- ½ ONION
- 4 GARLIC CLOVES
- 1 CELERY STALK
- 1 LEEK STALK
- 1 DEDO-DE-MOÇA PEPPER, DESEEDED
- 1 PORK LOIN, WEIGHTING ABOUT 2 KG
- SALT TO TASTE

Blend the wine, lime juice, onion, garlic, celery, leek, pepper, and salt in a blender or food processor. Poke holes into the loin with a small knife and season with the marinade; set aside for 1 hour. Transfer to a baking dish or tray with part of the seasoning. Cover with aluminium foil and bake in a preheated oven at 180 °C for about 1 hour, or until tender. Remove the aluminium foil and wait until its golden. Serve with braised collard greens and a simple farofa.

FRESH HAM

(PERNIL DE PORCO)

Serves 25 | 5 hours, plus previous preparations
Medium

- 2 LARGE ONIONS
- 1 LARGE CARROT
- 4 CELERY STALKS
- 1 LEEK STALK
- 5 GARLIC CLOVES

- 3 DEDO-DE-MOÇA PEPPERS, DESEEDED
- 1 BOTTLE OF WHITE WINE
- 1 FRESH HAM, WEIGHTING ABOUT 6 KG
- 4 BAY LEAVES
- SALT AND BLACK PEPPER TO TASTE

Blend the onions, carrot, celery, leek, garlic, dedo-de-moça pepper, and wine in a blender or food processor. Poke holes into the ham with a knife and season with the marinade. Add the bay leaves, rub the meat with salt and black pepper and season the marinade. Set it aside for 24 hours, turning every 6 ours. Cover with aluminium foil and back at 180 °C for about 4 hours, or until tender. Remove the aluminium foil and back for 30 minutes, until golden. Remove from the oven, slice the meat, and serve. Use the brown bits that stuck to the baking tray and make a sauce to accompany the ham.

IN DETAIL: *It's one of the most flavourful cuts of pig, usually prepared for Christmas supper. When shredded, it is used as a filling for the popular fresh ham sandwich served in joints throughout the country.*

PIG IN A CAN

(PORCO NA LATA)

Serves 8 | 4 hours | Easy

- 1 KG OF BONED FRESH HAM
- 2 GARLIC CLOVES, MINCED
- 1 KG OF LARD
- 3 BAY LEAVES
- SALT AND BLACK PEPPER TO TASTE

Cut the meat into cubes and season with garlic, salt, and black pepper. Heat one tablespoon of lard and sear the ham on all sides; transfer to a deep baking dish. Melt the remaining lard and pour over the pig, until it is fully covered (the meat needs to be immersed). Add the bay leaves and bake in a preheated oven at 100 °C for 3 to 4 hours, or until tender. Wait until it is cool and store it in lard - or serve it as soon as you take it out of the oven.

IN DETAIL: *Not only the French know the "confit" method of preparing food – duck being the most traditional for them. Around here, we've inherited, from the Portuguese, the method for preserving food in lard. By preparing parts of the pig in its own fat and then storing it in cans, it was possible to keep the food for many days without refrigeration. Even after the invention of the refrigerator, the technique was still used in rural areas in farms, and was even applied to poultry.*

CRACKED CORN AND PORK BACKBONE

(QUIRERA COM SUÃ)

Serves 12 | 1 hour, plus time for soaking | Easy

- 500 G OF CRACKED CORN
- 2 KG OF PORK RIBS, CUT INTO MEDIUM PIECES
- 2KG OF PORK BACK BONE, CUT INTO MEDIUM PIECES
- JUICE OF 2 LIMES
- 4 TABLESPOONS OF CORN OIL
- 2 ONIONS, CHOPPED
- 6 GARLIC CLOVES, MINCED
- 1 TEACUP OF BEEF STOCK (P. 289)
- SALT TO TASTE

Wash the cracked corn and let it soak for 30 minutes. Cook for 40 minutes to 1 hours, stirring occasionally; add more water if necessary. Season the backbone and ribs with lime juice and salt. In another pot, heat up the oil and slowly brown the meat. Add the onions and garlic, braise, cover with water and cook for 40 minutes. Add the cracked corn and beef stock, adjust seasonings and serve at once.

LAPA STYLE CRACKED CORN

(QUIRERA LAPEANA)

Serves 4 | 50 minutes | Easy

- 2 TEACUPS OF CRACKED CORN
- 3 TABLESPOONS OF CORN OIL
- 1 KG OF PORK (FRESH OR SMOKED RIBS)
- 2 MEDIUM ONIONS, CHOPPED
- 2 GARLIC CLOVES, MINCED
- PARSLEY AND GREEN ONIONS, CHOPPED
- SALT AND BLACK PEPPER TO TASTE

Wash the cracked corn and let it soak for 30 minutes. Heat up the oil and fry the pork meat until golden. Add the onions and garlic, braise it until golden. Cover with water and cook until the meat is tender. Add the cracked corn and cook over low heat, stirring. Season with salt and black pepper. When the cracked corn is al dente, add the greens and serve at once.

IN DETAIL: *This recipe comes from the countryside of Paraná: the city of Lapa, in the middle of the route taken by muleteers going from Rio Grande do Sul to São Paulo. The recipe uses ground corn, called "quirera". When cooked, it looks like a sort of porridge. Fried ribs can be used as well as smoked meats.*

PIG OFFAL STEW

(SARAPATEL)

Serves 6 | 2h40 | Medium

- 1.2 KG OF PIG OFFAL (LIVER, LUNGS, TONGUE, AND HEART)
- 3 LIMES
- 1 RED BELL PEPPER

- 1 YELLOW BELL PEPPER
- ½ A BUNCH OF MINT
- ½ BUNCH OF GREEN ONIONS
- ½ BUNCH OF CORIANDER
- 2 MEDIUM ONIONS
- 2 GARLIC CLOVES
- 3 TOMATOES
- 4 TABLESPOONS OF CORN OIL
- ½ TEACUP OF SMOKED BACON, CUT INTO CUBED
- SALT TO TASTE

Wash the offal thoroughly and allow to soak in lime juice. Chop the bell peppers, mint, green onions, coriander, onion, garlic, and tomatoes - set aside some of the herbs for garnishing later. Mix the chopped ingredients with the offal. In a deep pot, heat the oil and braise the bacon. Add the offal and seasonings, braising thoroughly. Cover with water and cook for about 2 hours over medium heat; add more water if necessary. Serve with white rice (p. 336), manioc flour, and pepper sauce (recipe below).

PEPPER SAUCE

1 litre | 10 minutes | Easy

- 150 G PICKLED DE-CHEIRO PEPPER
- 150 G PICKLED MALAGUETA PEPPER
- 150 G PICKLED CUMARI PEPPER
- 800 ML EXTRA VIRGIN OLIVE OIL

Drain the peppers and blend in a blender or food processor with the olive oil. Keep refrigerated.

IN DETAIL: *The dish was handed down from Alto Alentejo's kitchens, but it's also been rumoured to have African influences. From Portugal, it extended itself to all the colonies, particularly Goa, in India. The hearty stew is commonly found in the Northeast, where it is served with white rice and manioc flour, as well as in the North and across the Amazonian region. It resembles many aspects of the sarrabulho, which is a bit more complex, as it also uses the offal of other animals, such as lamb and even turtles.*

SÃO PAULO STYLE BEANS

(VIRADO À PAULISTA)

Serves 2 | 2 hours, plus the time to marinate
Medium/Difficult

- 2 LARGE PORK CHOPS, WITH ABOUT 1½ FINGER IN HEIGHT
- ¼ ONION
- 2 GARLIC CLOVES, MINCED
- ¼ DEDO-DE-MOÇA PEPPER, DESEEDED
- ½ TEACUP OF WHITE WINE
- 200 G OF PORK BELLY
- 2 FRESH ITALIAN SAUSAGES
- 2 TEACUPS OF BAKED BEANS
- 2 TABLESPOONS OF FINE MANIOC FLOUR
- 1 BANANA
- 2 TABLESPOONS OF ALL-PURPOSE FLOUR
- 1 EGG, BEATEN
- 3 TABLESPOONS OF CORNMEAL
- 1 BUNCH OF COLLARD GREENS, CUT INTO STRIPS
- 2 EGGS
- 1 TABLESPOON OF BUTTER
- CORN OIL, FOR FRYING
- SALT AND BLACK PEPPER TO TASTE

Season the pork chops with salt and black pepper. In a blender or food processor, blend the onions, garlic dedo-de-moça pepper, and wine; spread the marinade over the meat and set it aside for 1 hour. Season the pork belly with salt and black pepper, rubbing thoroughly; bake in an over at 180 °C for 40 minutes, or until golden; set aside. In a heated pot, sear the pork chops (set the marinade aside) and the sausage. Transfer to a baking dish and set aside. In the same pot, braise the marinade, turn down the heat and add the beans. Adjust the seasoning and add the manioc flour, stirring constantly as to not form lumps; cook for a bit and set aside. Cut the bananas in half and coat them with all-purpose flour, beaten egg, and cornmeal; deep fry in hot oil and set aside. Cut the roasted pig belly into cubes and deep fry it; remove it and drain it when the pieces are golden brown. Put the baking dish with the meats in an oven at 200 °C for 10 minutes. Braise the remaining garlic with a dash of corn oil and add the collard greens; wait until they wither a bit, season with salt and set aside. Fry the eggs with butter. Serve the pork chops and sausage with the virado (beans), pig belly, the fried banana, collard greens, fried egg, and white rice (p. 336).

IN DETAIL: *There is a lot of controversy about who created the virado à paulista, despite the dish's name ("paulista" means "from São Paulo"). It's part of the Minas Gerais culinary tradition, but it's origins are found in São Paulo, where it has its very own day for showing up on the fixed menu lunches: Mondays.*

SHEEP AND GOAT MEATS

SHEEP STEW

(CARNEIRO GUISADO)

Serves 4 to 6 | 40 minutes, plus preparations made in advance | Easy

- 1.5 KG OF SHEEP
- 5 GARLIC CLOVES
- 4 TABLESPOONS OF VINEGAR

- 3 TABLESPOONS OF CORN OIL
- 1 ONION
- 1 RED BELL PEPPER
- 3 TOMATOES
- ½ TEACUP OF DE-CHEIRO PEPPER
- ½ BUNCH OF PARSLEY AND ½ BUNCH OF SCALLIONS
- SALT AND BLACK PEPPERCORNS TO TASTE

In the previous day, clean the sheep, cut it into large cubes, and season with 2 crushed garlic cloves, vinegar, salt, and black peppercorns. Allow it to marinate on the fridge overnight. Heat up the remaining garlic, onion, bell pepper, tomato and de-cheiro pepper, until golden. Add the sheep and its marinade. Stir thoroughly, cover with water and cook, with the lid on, for 20 minutes. When it's cooked through, sprinkle the parsley and scallions and serve.

SHEEP SPINE

(ESPINHAÇO DE OVELHA)

Serves 6 | 1h20, plus the time to marinate
Medium

- 1 SHEEP SPINE
- 1 ONION, DICED
- 1 GARLIC CLOVE, MINCED
- 1 TABLESPOON OF LARD
- ½ TEACUP OF TOASTED MANIOC FLOUR
- SCALLIONS AND PARSLEY, FOR GARNISHING
- SALT AND BLACK PEPPER TO TASTE

Cut the sheep spine at the joints and season with salt and black pepper; keep it on the fridge for 4 hours. Braise the onion and garlic in lard. Add the spine, cover with 2 teacups of water, and cook for about 1 hours over low heat. If the liquid dries out, add a bit more, keeping at least 3 fingers of water on the pot. Take out of the heat and slowly add the manioc flour, stirring continuously. Garnish with the scallions and parsley and serve hot.

ROASTED GOAT

(BODE ASSADO)

Serves 4 | 40 minutes, plus preparations made in advance | Medium

- 500 G OF GOAT MEAT
- SALT AND BLACK PEPPER TO TASTE
-

Chop the already trimmed goat meat, season with salt and black pepper, and leave it to dry, in the shade, overnight. Grill each side on a grill for about 15 minutes. Serve hot.

IN DETAIL: *The distinct, dark goat meat is not among the most prestigious in Brazil, although it is widely used in the Northeast – goat farming has been present since Colonial times. In Petrolina, Pernambuco, there is even a "Bodódromo", an area that harbours restaurants specialized in goat, with recipes that go well beyond the well-known buchada, made only from the cooked entrails. The meat itself can be roasted, fried, stewed, or prepared over coal or "atolada".*

GOAT STEW

(BODE GUISADO)

Serves 4 | 40 minutes | Medium

- 600 G OF GOAT MEAT, CUT INTO MEDIUM CUBES
- 50 ML OF CACHAÇA
- ½ TABLESPOON OF ANNATTO
- 1 TABLESPOON OF ROSEMARY
- 4 TABLESPOONS OF CORN OIL
- 1 TABLESPOON OF CRUSHED GARLIC
- 1 ONION, CUT INTO SMALL CUBES
- 1 TOMATO, CUT INTO SMALL CUBES
- 1 GREEN BELL PEPPER, CUT INTO SMALL CUBES
- SALT TO TASTE

Marinate the meat in cachaça, annatto, and rosemary for about 10 minutes. Remove and season with salt. Heat up the oil and braise the goat chunks equally until golden. Add the garlic, onion, tomato, bell pepper, and 1 teacup of water. Cook for about 25 minutes and serve hot.

GOAT'S ENTRAILS

(BUCHADA DE BODE)

Serves 6 | 4-5 hours | Medium

- 2 KG OF GOAT ENTRAILS (OFFAL AND STOMACH)
- JUICE OF 3 LIMES
- 1 TEACUP OF GOAT BLOOD
- 1 ONION, DICED
- 5 PEELED AND DESEEDED TOMATOES, CHOPPED
- ½ YELLOW BELL PEPPER, CHOPPED
- ½ RED BELL PEPPER, CHOPPED
- 3 GARLIC CLOVES, MINCED
- 1 TABLESPOON OF VINEGAR
- 1 TEACUP OF SMOKED BACON
- ¼ A BUNCH OF MINT, CHOPPED
- 2 DEDO-DE-MOÇA PEPPERS, DESEEDED AND CHOPPED
- 2 TABLESPOONS OF CUMIN
- 1 TABLESPOON OF ANNATTO
- 1½ TEACUP OF FINE MANIOC FLOUR
- SALT AND BLACK PEPPER TO TASTE

Rinse the offal (heart, liver, etc.) and stomach thoroughly with running water and lime juice. Boil for 5 minutes, remove from the heat and once rinse with running water and lime juice one more time. Chop the offal and keep the stomach whole. Add the offal to the blood, onions, tomatoes, bell pepper, garlic, vinegar, bacon, mint, and dedo-de-moça pepper. Mix well and season with salt, black pepper, and cumin. Stuff the stomach and sew it shut with a line and thread. Cover with water, add the annatto, and cook in a pot for 3 to 4 hours, with the lid on. When it's cooked through, remove the stomach and make a pirão (mush) with the broth and the manioc flour. Serve hot.

GOAT RIBS

(COSTELA DE BODE)

Serves 20 | 1 hour | Medium

- 2 KG OF GOAT RIBS, CUT INTO MEDIUM CHUNKS
- ½ A LIME
- 3 TABLESPOONS OF CORN OIL
- ½ A BELL PEPPER, CUT INTO SMALL CUBES
- 2 TOMATOES, CUT INTO SMALL CUBES
- 6 GARLIC CLOVES, MINCED
- 1 ONION, DICED
- ½ BUNCH OF CORIANDER
- ½ BUNCH OF SCALLIONS
- SALT, CUMIN, AND ANNATTO TO TASTE

Blanch the meat in water and lime juice. Drain and wash under running water, removing the excess fat. In a pressure cooker, heat up the oil and braise the bell pepper, tomato, garlic, and onion. Add the meat, season with salt, cumin, and annatto; braise and cover with water. Cook for 25 minutes. Add the coriander and scallions. Serve hot.

YOUNG GOAT WITH POTATOES

(CABRITO GUISADO COM BATATA)

Serves 8 | 1h10, plus preparations in advance
Medium

- 1 KG OF YOUNG GOAT, CUT INTO MEDIUM CUBES
- 2 TEACUPS OF RED WINE
- 3 GARLIC CLOVES, SLICED
- 2 TABLESPOONS OF LARD
- ½ TEACUP OF BACON, CUT INTO MEDIUM CUBES
- 1 TABLESPOON OF ALL-PURPOSE FLOUR
- 1 ONION, DICED
- 2 TOMATOES, DICED
- 1 CARROT, DICED
- 2 TABLESPOONS OF TOMATO PUREE
- 8 SMALL POTATOES, PEELED AND CUT IN HALF
- MINT TO TASTE
- SALT AND BLACK PEPPER TO TASTE

Marinate the meat in wine, garlic, mint, salt, and black pepper for 12 hours. Drain well and set the marinade aside. Melt the lard and braise the goat on all sides for about 5 minutes. Add the bacon and braise until golden. Sprinkle the all-purpose flour and stir, coating the meat cubes. Add the onion, tomato, and carrot; braise for 5 minutes and then add the marinade and the tomato puree. Cover with water and cook over low heat for 40 minutes. Add the potatoes, cook for another 15 minutes and serve hot.

POULTRY

FREE-RANGE CHICKEN WITH PEQUI

(FRANGO CAIPIRA COM PEQUI)

Serves 6 | 1h30 | Medium

- 1 FREE-RANGE CHICKEN, IN CHUNKS
- 1 BELL PEPPER, SLICED
- 1 ONION, DICED
- 1 GARLIC CLOVE, MINCED
- 1 TOMATO, CHOPPED
- 200 G OF SLICED BACON
- ½ TEACUP OF WHITE WINE VINEGAR
- 300 G OF PEQUI
- GREEN ONIONS, CHOPPED
- 2 TABLESPOONS OF CORN OIL
- SALT AND BLACK PEPPER TO TASTE

Mix the chicken with the bell pepper, onion, tomato, and garlic; season with salt and black pepper. Add two teacups of water and cook until totally dried. In another pot, heat the oil and braise the pequi and the bacon. Scoop out the excess fat and add the chicken. Add the vinegar and 5 teacups of water to the pot where the chicken was braised; heat up, stirring vigorously, obtaining a flavourful and fragrant broth. Cover the meat with this broth and adjust the seasoning. Close the lid and cook until tender. Garnish with green onions.

STUFFED CHICKEN

(FRANGO CHEIO)

Serves 4 to 6 | 2h30 | Easy

- 5 TABLESPOONS OF UNSALTED BUTTER AT ROOM TEMPERATURE
- ZEST OF 1 ORANGE
- ¼ A TEACUP OF PARSLEY, FINELY CHOPPED
- 1 WHOLE CHICKEN

FOR THE FAROFA

- 300 G OF CHICKEN GIZZARD
- 150 G OF CHICKEN LIVER
- 1 MEDIUM ONION, DICED
- 2 GARLIC CLOVES, MINCED
- 2 TABLESPOONS OF BUTTER
- ½ TEACUP OF OLIVES, CHOPPED
- 2 TEACUPS OF MANIOC FLOUR
- ½ TEACUP OF CORNMEAL
- ¼ BUNCH OF PARSLEY, CHOPPED
- SALT AND BLACK PEPPER TO TASTE

Mix the butter with the orange zest, parsley, salt, and black pepper. Using your fingers, carefully displace the meat the skin of the chicken and spread the seasoned butter inside the skin of the breast tights, drumsticks, and wherever else you can reach. Also spread the butter inside the bird and a bit on top of it. Set it aside while you prepare the farofa. Clean the gizzard and live and chop them separately. Season with salt and black pepper. Braise the onions and garlic in one tablespoon of butter. Add the gizzard, braise for a bit, and cover with water. Once it is cooked through, wait for the liquid to reduce and add the liver with the remaining butter. Braise and when it's done, add the olives, cornmeal, and manioc flour. Season with salt, black pepper, and parsley. Stuff the chicken with the farofa (some should be left out), cover with aluminium foil and bake in a preheated oven at 180 °C for 40 minutes. Remove the foil and back for another 10 minutes. Serve the chicken with the remaining farofa.

CHICKEN CATUPIRY

(FRANGO COM CATUPIRY)

Serves 6 | 1 hour | Medium

- 1 KG OF CHICKEN THIGHS OR BREAST
- 1 TABLESPOON OF OLIVE OIL
- 1 ONION, DICED
- 1 TEACUP OF TOMATO SAUCE
- 1 TEACUP OF SOFT CHEESE (CATUPIRY)
- ½ TEACUP OF GRATED PARMESAN CHEESE
- 1 TEACUP OF SHOESTRING POTATOES
- SALT TO TASTE

Cook the chicken on water and salt; drain and shred. Heat up the olive oil, braise the onions and add the meat. Braise lightly, add the tomato sauce, season with salt and allow it to simmer. Transfer to a baking dish, spread the catupiry over the chicken and cover with Parmesan cheese. Bake on a preheated oven for about 20 minutes for browning. Cover with the shoestring potatoes and serve hot.

CHICKEN AND OKRA

(FRANGO COM QUIABO)

Serves 6 | 1h30 | Easy

- 1 WHOLE CHICKEN, CUT AT THE JOINTS
- JUICE OF 2 LIMES
- 4 GARLIC CLOVES, CRUSHED
- 1 KG OF OKRA
- 2 TABLESPOONS OF CORN OIL
- 1 ONION, DICED
- 4 TOMATOES, CHOPPED
- 1 TABLESPOON OF ANNATTO
- SALT AND BLACK PEPPER TO TASTE

Season the chicken with the lime juice, 2 garlic cloves, salt, and black pepper. Put it aside in the fridge for 30 minutes. Wash the okra thoroughly and break away the extremities to check if they are good. Trim the stems, dry the okra and cut it into three equally sized pieces. Heat up the oil and sear the chicken - first with the skin down, then the other side; sear until golden. Remove from heat and set aside. In the same pot, braise the onion, annatto, remaining garlic, and tomato, until they whiter. Add the okra and braise until the slime is gone; remove and set aside. Return the chicken to the pot, cover with water and cook until tender. Add the tomatoes, cook for 5 minutes and serve at once.

BEER CHICKEN ROAST

(FRANGO NA CERVEJA)

Serves 6 | 1h30, plus time to marinate
Easy

- 6 CHICKEN THIGHS
- 1 ONION, DICED
- 3 GARLIC CLOVES, CRUSHED
- ½ CARROT, DICED
- 2 CELERY STALKS, DICED
- ½ TEACUP OF SMOKED BACON, CHOPPED
- 3 CANS OF LAGER BEER
- SALT AND BLACK PEPPER TO TASTE

Separate the thighs from the drumsticks and place them in a bowl. Combine all the other ingredients and allow to marinate for at least 4 hours. Transfer the meat, vegetables, bacon, and a bit of beer to a baking dish. Cover with aluminium foil and bake in a preheated oven at 180 °C for 1 hour. Remove the aluminium foil and allow to brown a bit. Serve at once.

CHICKEN FRICASSÉE WITH COCONUT MILK

(FRICASSÊ DE FRANGO COM LEITE DE COCO)

Serves 5 | 30 minutes | Medium

- 2 CHICKEN BREASTS, CUT INTO CUBES
- 3 TABLESPOONS OF OLIVE OIL
- 1 SMALL ONION, DICED
- 2 GARLIC CLOVES, CRUSHED
- 2 TEACUPS OF COCONUT MILK
- 3 TEACUPS OF WHIPPING CREAM
- 100 G OF SHOESTRING POTATOES
- NUTMEG TO TASTE
- SCALLIONS AND PARSLEY TO TASTE
- SALT TO TASTE

Season the chicken with salt and nutmeg. Heat up the olive oil and braise the onions and garlic. Add the chicken and fry, stirring occasionally, until golden. Add the coconut milk and the whipping cream; cook until the chicken is tender. Adjust seasoning and garnish with parsley, scallions, and shoestring potatoes. Serve with white rice (p. 336).

GOIÁS STYLE SAVORY PIE

(EMPADÃO GOIANO)

Serves 4 to 6 | 3 hours | Medium/Difficult

- FOR THE DOUGH
- 500 G OF ALL-PURPOSE FLOUR
- 300 G OF LARD OR UNSALTED BUTTER
- 2 EGGS AND 1 YOLK

FOR THE FILLING

- 2 TABLESPOONS OF OLIVE OIL
- ½ ONION, DICED
- 2 GARLIC CLOVES, MINCED
- 6 PEELED AND DESEEDED TOMATOES, CHOPPED
- 2 FRESH SAUSAGES
- 1½ TEACUP OF DICED COOKED CHICKEN
- 1 TEASPOON OF TOMATO PASTE
- 1 BITTER COCONUT PALM, COOKED IN SMALL PIECES
- 3 HARD-BOILED EGGS, DICED
- 1 TEACUP OF DICED MEIA-CURA CHEESE
- ½ TEACUP OF CHOPPED GREEN OLIVES
- ½ BUNCH OF PARSLEY, CHOPPED
- SALT AND BLACK PEPPER TO TASTE

For the dough, mix the flour with the lard. Add the eggs (set the yolk aside) and, slowly, mix in 95 ml of water with salt. The dough should be ready when it's soft and no longer sticks to the hands. Allow it to rest for 1 hour, outside of the fridge, while you prepare the filling. Heat up the olive oil and braise the onion, garlic, and tomato until they whiter. Add the sausage, without the casing, and stir until it's cooked through. Add the chicken and tomato paste. Stir and add the bitter coconut palm, eggs, cheese, olives, and parsley. Taste, adjust seasoning, and wait for it cool. Roll out two thirds of the dough using a rolling pin (set a plastic wrap over it, so it won't stick) and line the bottom and the sides of a clay pot with 15 cm of diameter. Put in the filling and cover with the remaining dough, previously rolled out. With the leftover dough, seal the edge of the lid, covering possible gaps. Brush the egg yolk on the crust and bake at 180 °C for 40 minutes, or until golden.

IN DETAIL: *The "empadão" quickly became known during the 80's, when it was added to the menu of a restaurant at the Centro de Tradições Goianas, in Goiás. Today, it reached beyond state borders and is one of the best-known dishes in Mid-West. Pork loin, pequi, sausages, heart of palm, and boiled eggs are among the ingredients used for the filling.*

CAPPELLETTI SOUP

(SOPA DE CAPELETE)

Serves 6 to 8 | 2 hours | Medium/Difficult

- 1 KG OF ALL-PURPOSE FLOUR, PLUS A BIT EXTRA FOR SPRINKLING
- 6 SEPARATED EGGS
- ½ TABLESPOON OF SALT
- 2 TABLESPOONS OF CORN OIL
- 500 G OF CHICKEN BREAST STRIPS
- ½ ONION, DICED
- 2 GARLIC CLOVES, MINCED
- ½ TEACUP OF CHOPPED PARSLEY

Dust the flour over a work surface, and dig a hole in the centre. Add the yolks, the salt and slowly combine ½ of teacup of water. The dough should be done when it's soft, flexible, and no longer sticks to the hands. Cover with a cloth and allow it to rest outside the fridge for 30 minutes. Meanwhile, sear the chicken in corn oil. Add the onions and the garlic, braise, cover with plenty of water and cook until the chicken is falling apart. Set the broth aside. Roll out the dough with a rolling pin or a roller 2 mm thick. Cut out circles and stuff them with the shredded chicken and sprinkled parsley. Fold the dough as if you were making a turnover and wet the edges, so they'll stick. Stick the ends of the turnover together, forming the cappelletti. Adjust the seasoning of the chicken's cooking broth, which should be dark. Add the egg whites and cook - the egg whites will absorb the broth's impurities, making the liquid translucent. Cook the cappelletti and serve with the hot broth.

IN DETAIL: *Italian immigration to the South left the "cappelletti in brodo" along its tracks. Now its name has a portuguese version and it's one of the typical dishes of the Serra Gaúcha, in Rio Grande do Sul. It can also be made with free-range chicken and complemented with beef shank or brisket.*

CHICKEN SOUP

(CANJA DE GALINHA)

Serves 6 | 30-40 minutes | Easy

- 500 G OF CHICKEN BREAST
- JUICE OF ½ LIME
- 2 TABLESPOONS OF OLIVE OIL
- ½ ONION, DICED
- 2 GARLIC CLOVES, MINCED
- 1 CARROT, DICED
- 1 POTATO, DICED
- 1 TEACUP OF WHITE RICE
- ½ BUNCH OF PARSLEY, FINELY CHOPPED
- SALT AND BLACK PEPPER TO TASTE

Cut the chicken into long strips and season with lime juice, salt, and black pepper. Heat up the olive oil and braise the onions and garlic, until translucent. Add the chicken and sear thoroughly on all sides, not browning it excessively. Cover with water and cook until very tender. Remove the chicken from the broth, shred it and return it to the pot. Add the carrots, potato, and rice; cook until everything is tender. Adjust seasonings, add the parsley and serve.

IN DETAIL: *The dish – which was one of Dom Pedro II's favourites – is Asian in its origin. The "kanji" (in Malayalam, the language spoken in the Indian state of Kerala, in southern India), went from Goa to Portugal and from there it came to us, while undergoing additions and modifications. In the 18th century, it was even served during lavished banquets, with diluted eggs. Its fans swear that a good canja can cure anything, from a broken heart to a cold.*

CHICKEN CABIDELA

(GALINHA À CABIDELA)

Serves 6 | 1h40 | Easy/Medium

- 1 WHOLE CHICKEN, CUT AT THE JOINTS
- BLOOD OF ONE CHICKEN, CURDLED WITH VINEGAR
- 4 GARLIC CLOVES, MINCED
- 95 ML OF WHITE WINE VINEGAR
- 3 TABLESPOONS OF CORN OIL
- 1 ONION, DICED
- 3 PEELED AND DESEEDED TOMATOES, CHOPPED
- 1 PEELED AND DESEEDED GREEN BELL PEPPER, CHOPPED
- 2 DE-CHEIRO PEPPERS, CHOPPED
- ½ BUNCH OF CORIANDER, CHOPPED
- ½ BUNCH OF PARSLEY AND GREEN ONIONS, CHOPPED
- SALT TO TASTE

Ideally the chicken should be bought the day before it's prepared, and one should ask for the fresh blood to be curdled with vinegar and stored, so it can be used in the sauce. Season the meat with 2 minced garlic cloves, vinegar, and salt; set aside for 30 minutes. Heat up the oil and braise the onion, remaining garlic, tomato, bell pepper, and de--cheiro pepper. Add the chicken with the marinade, cover with water and cook until the meat is tender. Add the blood, mix well and wait until the sauce thickens. Add the herbs, check the seasoning and serve at once.

IN DETAIL: *Everywhere in Brazil there's a dish made with chicken – such as one-pot stews. The most traditional are the cabidela version (in the Northeast) and in blood sauce (in the Southeast). Both are cooked in the animal's blood, but the latter doesn't include bell pepper and coriander. Tomato is optional; it's served with white rice or manioc flour (in the North) and farofa (in Minas Gerais). Other chicken preparations include the version that is cooked in its own sauce and "galinhada", made with rice. There was always a chicken considered "the next victim" in my backyard.*

CHICKEN IN BLOOD SAUCE

(GALINHA AO MOLHO PARDO)

Serves 6 | 1h40 | Easy/Medium

- 1 WHOLE CHICKEN, CUT AT THE JOINTS
- BLOOD OF ONE CHICKEN, CURDLED WITH VINEGAR
- 4 GARLIC CLOVES, MINCED
- 95 ML OF WHITE WINE VINEGAR
- 3 TABLESPOONS OF CORN OIL
- 1 ONION, DICED
- 6 PEELED AND DESEEDED TOMATOES, CHOPPED
- 2 DEDO-DE-MOÇA PEPPERS, SEEDED AND CHOPPED
- 1 BUNCH OF PARSLEY AND GREEN ONIONS, CHOPPED
- SALT TO TASTE

Ideally the chicken should be bought the day before it's prepared, and one should ask for the fresh blood to be curdled with vinegar and stored, so it can be used in the sauce. Season the meat with 2 minced garlic cloves, vinegar, and salt; set aside for 30 minutes. Heat up the oil and braise the onion, remaining garlic, tomato, and dedo-de-moça. Add the chicken with the marinade, cover with water and cook until the meat is tender. Add the blood, mix well and wait until the sauce thickens. Add the herbs, check the seasoning and serve at once.

CHICKEN WITH SAUCE

(GALINHA CAIPIRA AO MOLHO)

Serves 6 | 1h40 | Easy/Medium

- 4 GARLIC CLOVES, MINCED
- 95 ML OF WHITE WINE VINEGAR
- 1 WHOLE CHICKEN, CUT AT THE JOINTS
- 3 TABLESPOONS OF CORN OIL
- 1 ONION, DICED
- 2 DEDO-DE-MOÇA PEPPERS, SEEDED AND CHOPPED
- 1 BUNCH OF PARSLEY AND GREEN ONIONS, CHOPPED
- SALT TO TASTE

Season the meat with 2 minced garlic cloves, vinegar, and salt; set aside for 30 minutes. Heat up the oil and braise the onion, remaining garlic, and dedo-de-moça pepper. Add the chicken with the marinade, cover with water and cook until the meat is tender. Add the herbs, check the seasoning and serve at once.

CHICKEN IN A CAN

(GALINHA NA LATA)

Serves 8 | 5-6 hours | Medium

- 1 FREE-RANGE CHICKEN
- SALT AND BLACK PEPPER TO TASTE

Clean the chicken, remove and discard the offals and skin; remove and reserve the fat. Break it apart at the joints and cut the breast into chucks; season with salt and black pepper. Melt the chicken fat and arrange the pieces of meat, leaving them immersed - add more fat if necessary. Cook over a low heat, not allowing it to boil. Cook for 5 hours, or until the pieces are tender. Serve hot.

CHICKEN WITH RICE
(GALINHADA)
Serves 6 | 1h30 | Easy

- 1 FREE-RANGE CHICKEN, CUT AT THE JOINTS
- 4 TABLESPOONS OF CORN OIL
- 1½ TABLESPOON OF TURMERIC
- 1 ONION, DICED
- 3 GARLIC CLOVES, MINCED
- ½ PEELED YELLOW BELL PEPPER, CHOPPED
- 2 TEACUPS OF RICE
- ½ BUNCH OF PARSLEY AND SCALLIONS, CHOPPED
- SALT AND BLACK PEPPER TO TASTE

Season the chicken with salt and black pepper. Heat up the oil in a large pot, add the turmeric and sear the meat, beginning with the skin side down. Add the onions, garlic, and bell pepper; braise lightly, until they whiter. Cover with water and cook for 30 minutes, without the lid, so the broth can reduce until it almost dries out. Add the rice, braise lightly and cover with 4 teacups of boiling water. Season with salt and a dash of black pepper and cook until the rice is soft. Garnish with the scallions and parsley and serve.

CHICKEN WITH PEQUI
(GALINHADA COM PEQUI)
Serves 10 | 1 hour, plus time to marinate
Medium

- 1 WHOLE CHICKEN (PREFERABLY FREE-RANGE)
- 4 GARLIC CLOVES, MINCED
- 1 MALAGUETA OR DE-CHEIRO PEPPER, DESEEDED AND CHOPPED
- 3 TABLESPOONS OF CORN OIL
- 1 MEDIUM ONION, DICED
- 1 DESSERT SPOON OF POWDERED SAFFRON
- 12 PEQUIS, CUT INTO PIECES
- 2 CARROTS, CHOPPED
- 390 G OF RICE
- SCALLIONS AND PARSLEY TO TASTE
- SALT TO TASTE

Season the chicken with garlic, malagueta pepper, salt, and black pepper; set aside for 30 minutes. Heat up the oil and braise the onion and saffron. Add the meat and braise each side. Cover with water and cook over high heat. When it dries, add the pequis and carrots; braise lightly. Put in the rice and fry it. Add boiling water until it rises one finger above the ingredients, turn down the heat and cook until the rice is soft. Adjust seasoning, garnish with parsley and scallions and serve immediately.

CHICKEN VATAPÁ
(VATAPÁ DE GALINHA)
Serves 8 | 3 hours | Easy

- 6 ROLLS
- 1 LITRE OF MILK
- 190 ML OF COCONUT MILK
- 1 TABLESPOON AND 1 TEASPOON OF ANNATTO
- 2 TABLESPOONS OF OLIVE OIL
- 1 MEDIUM ONION, DICED
- 4 GARLIC CLOVES, MINCED
- ½ PEELED BELL PEPPER, CHOPPED
- 1 CHICKEN BREAST, COOKED AND SHREDDED
- ½ BUNCH OF CORIANDER, CHOPPED
- ½ BUNCH OF GREEN ONIONS, CHOPPED
- SALT AND BLACK PEPPER TO TASTE

For the cream's base, moisten the bread with half the milk; allow to soak until falling apart. Cook the remaining milk with coconut milk, the rolls, and 1 tablespoon of annatto for about 1 hour and a half to 2 hours, until it thickens considerably. Blend it in a blender, so it is smooth; set aside. Heat up the olive oil with 1 teaspoon of annatto and braise the onions, the garlic, and bell pepper. Add the chicken and season with salt and black pepper. Mix the chicken in with the cream and cook for 15 minutes. Garnish with coriander and green onions.

XINXIM
(XINXIM DE GALINHA)
Serves 8-10 | 2h30
Easy/Medium

- 1 WHOLE CHICKEN (2 TO 3 KG)
- JUICE OF 2 LIMES
- 2 GARLIC CLOVES, MINCED
- 1 LARGE ONION
- 2 TEACUPS OF DRIED SHRIMP, CLEANED AND DESALTED
- 1 TEACUP OF TOASTED, PEELED PEANUTS
- 3 TABLESPOONS OF DENDÊ OIL
- ½ BUNCH OF CORIANDER, CHOPPED
- SALT TO TASTE

Cut the chicken at the joints and season with lime juice, garlic, and salt, rubbing thoroughly; set aside for 30 minutes. Blend the onions, shrimp, and peanuts in a blender. Heat up the dendê oil and braise the paste until soft. Add the chicken and braise thoroughly. Cover with water and cook with the lid on to obtain a bit of sauce (if necessary, add more water). When the chicken is cooked through, mix in the coriander and serve.

IN DETAIL: *In the Candomblé religious rituals, this recipe is appreciated by Oxum, Xangô's second wife. When it's cooked for her, it's prepared in a special manner – with eggs. At home, this recipe can also be made with beef or offal.*

SPRING CHICKEN WITH FRIED POLENTA

(GALETO COM POLENTA FRITA)

Serves 2 | 1h15, plus preparations in advance
Easy

- 1 SPRING CHICKEN
- 1 TEACUP OF WHITE WINE
- THYME SPRIGS
- SALT AND BLACK PEPPER TO TASTE

FOR THE POLENTA

- 2 TEASPOONS OF BUTTER
- ½ ONION, DICED
- 2 GARLIC CLOVES, MINCED
- 2 TEACUPS OF CORNMEAL
- CORN OIL, FOR FRYING
- SALT TO TASTE

Season the spring chicken with salt, black pepper, thyme, and white wine. Leave it to marinate overnight. Transfer to a baking dish, pour the marinate on top of the chicken and cover with aluminium foil. Bake at medium heat (170 °C to 190 °C) for about 1 hour, basting with the sauce during this time. Remove the foil and bake for another 15 minutes, until golden.

While the spring chicken is roasting, prepare the polenta. Heat the butter and braise the onion and garlic. Add 6 teacups of water and wait until it boils. Reduce the heat and slowly add the cornmeal while whisking vigorously with a wire whip. Cook over low heat for 20 minutes while continuously whisking. Remove from the heat, season with salt and transfer to a 35 cm X 23 cm baking dish. When it cools down a bit, cover with plastic wrap and leave on the fridge for 30 minutes, or until firm. Cut the polenta into small rectangles and fry in hot oil for about 5 minutes, until golden. Drain in a paper towel and serve with the chicken.

GUINEA FOWL RICE

(ARROZ DE CAPOTE)

Serves 6 | 3h30 | Medium

- 1 LARGE GUINEA FOWL, CUT AT THE JOINTS
- 1 LIME
- 3 GARLIC CLOVES, MINCED
- 1 DASH OF CUMIN
- 1 DEDO-DE-MOÇA PEPPER, CHOPPED
- ½ TEACUP OF WHITE WINE VINEGAR
- ½ ONION, DICED
- ½ PEELED RED BELL PEPPER, CHOPPED
- 3 DE-CHEIRO PEPPERS, CHOPPED
- 3 TABLESPOONS OF ANNATTO OIL
- 2½ TEACUPS OF WHITE RICE
- ½ BUNCH OF CORIANDER, CHOPPED
- ½ BUNCH OF PARSLEY AND SCALLIONS, CHOPPED
- SALT AND BLACK PEPPER TO TASTE

Wash the Guinea fowl with lime juice and leave for at least 1 hour and a half in a marinate made with 2 garlic cloves, cumin, dedo-de-moço pepper, vinegar, salt, and black pepper. Braise the onion, bell pepper, de-cheiro pepper, and remaining garlic in annatto oil. Put in the bird, sear on all sides, cover with warm water and cook, with the lid on, until the Guinea fowl is tender. Add the rice and, if necessary, cover with more warm water. Season with salt and wait until it's soft. Garnish with coriander, parsley, and scallions. (In some versions of this recipe, the rice is fried until sticking to the bottom of the pot before it is cooked. This way, it is crispy and fully absorbs the Guinea fowl's flavour).

IN DETAIL: *The Guinea fowl has a stiff meat and a striking flavour. While throughout the Northeast this type of chicken is significant, in Piauí the Guinea fowl stands out, with a series of typical recipes devoted to the bird that came from Africa. Stewed, fried or braised in annatto with added rice, it's one of the staples of Piauí's cuisine.*

GUINEA FOWL WITH SAUCE

(CAPOTE AO MOLHO)

Serves 6 | 3h30 | Medium

- 1 LARGE GUINEA FOWL, CUT AT THE JOINTS
- 1 LIME
- 3 GARLIC CLOVES, MINCED
- 1 DASH OF CUMIN
- 1 DEDO-DE-MOÇA PEPPER, CHOPPED
- ½ TEACUP OF WHITE WINE VINEGAR
- ½ ONION, DICED
- ½ PEELED RED BELL PEPPER, CHOPPED
- 3 DE-CHEIRO PEPPER, CHOPPED
- 3 TABLESPOONS OF ANNATTO OIL
- WATER FOR COOKING THE GUINEA FOWL
- ½ BUNCH OF CORIANDER, CHOPPED
- ½ BUNCH OF PARSLEY AND SCALLIONS, CHOPPED
- SALT AND BLACK PEPPER TO TASTE

Wash the Guinea fowl with lime juice and leave for at least 1 hour and a half in a marinate made with 2 garlic cloves, cumin, dedo-de-moça pepper, vinegar, salt, and black pepper. Braise the onion, bell pepper, de-cheiro pepper, and remaining garlic in annatto oil. Put in the bird, sear on all sides, cover with warm water and cook, with the lid on, until the Guinea fowl is tender. Garnish with coriander, parsley, and scallions. Serve with rice.

FRIED GUINEA FOWL

(CAPOTE FRITO)

Serves 5 | 50 minutes | Medium

- 1 GUINEA FOWL, CUT INTO CHUNKS
- 2 TOMATOES, DICED
- 1 SMALL ONION, DICED

- 1 GARLIC CLOVE, MINCED
- 1½ OF 190 ML GLASS FILLED WITH OF MANIOC FLOUR
- CORN OIL, FOR FRYING
- SCALLIONS AND PARSLEY TO TASTE
- SALT AND BLACK PEPPER TO TASTE

Season the bird with salt and black pepper. In a pot, braise the onions, garlic, and tomatoes in corn oil; add the Guinea fowl. Cover with water and, when it's cooked, allow the liquid to dry, until the bird is golden. Add the parsley, scallions, and flour, braise for 3 more minutes and serve.

DOMESTIC DUCK WITH RED CABBAGE

(MARRECO ASSADO COM REPOLHO ROXO)

Serves 8 | 3 hours, plus the time to marinate
Medium

- 1 WHOLE DOMESTIC DUCK, OFFAL REMOVED
- 1 BOTTLE OF DRY WHITE WINE
- 3 GARLIC CLOVES, MINCED
- ½ CARROT, COARSELY CHOPPED
- 2 CELERY STALKS, COARSELY CHOPPED
- ½ ONION, COARSELY CHOPPED, AND ½ ONION CUT INTO STRIPS
- 2 TABLESPOONS OF BUTTER
- ½ RED CABBAGE, SLICED
- 3 CLOVES
- SALT AND BLACK PEPPER TO TASTE

Allow the duck to rest for at least 4 hours in a marinade made with the wine, garlic, carrot, celery, chopped onion, salt, and black pepper; turn the bird at half the time. Cover with aluminium foil and bake in a preheated oven at 180 °C for about 2 hours. Remove the foil and bake for another 20 minutes, until golden. For a side dish, braise the onion cut into strips in butter and add the cabbage; allow it to release a bit of liquid. Add the cloves and cook for a bit over low heat. Season with salt and black pepper and serve with the duck.

IN DETAIL: *The German colony at the Itajaí Valley, in Santa Catarina, brought this recipe that, originally, uses all the offal as ingredients for the stuffing.*

DUCK WITH TUCUPI

(PATO NO TUCUPI)

Serves 2 | 1 hour, plus time to marinate | Easy

- 2 DOMESTIC DUCK THIGHS AND DRUMSTICKS
- ½ TEACUP OF WHITE WINE
- 2 GARLIC CLOVES, MINCED
- 2 DE-CHEIRO-DO-PARÁ PEPPERS, CRUSHED
- ¼ BUNCH OF PARA CRESS, WITH FLOWERS
- 1 TEASPOON OF OLIVE OIL
- ¼ ONION, DICED
- 1 LITRE OF TUCUPI (FERMENTED MANIOC BROTH)
- 4 CILANTRO LEAVES

Marinate the duck for 1 hour in wine, 1 garlic clove, de-cheiro pepper, and a bit of salt. Boil the para cress leaves and set aside. Heat up the olive oil and sear the duck, beginning with the skin side down. Add the remaining onions and garlic and braise until they whiter. Put in the tucupi and cook for 40 minutes, or until the duck is quite tender. Add the para cress and the cilantro; simmer for 10 minutes. Serve with farinha d'água and white rice (p. 336).

IN DETAIL: *It's intimately linked to the country's biggest Catholic manifestation, the Círio de Nazaré, which takes more than a million people to the streets of Belém every October, as they show their faith in Our Lady of Nazareth.*

ROASTED TURKEY

(PERU ASSADO)

Serves 15 | 1h30, plus time to marinate | Easy

- 1 TURKEY WEIGHTING 3.5 KG
- 1 ONION, COARSELY CHOPPED
- 1 CARROT, COARSELY CHOPPED
- 1 CELERY STALK, COARSELY CHOPPED
- 10 BAY LEAVES
- 10 GARLIC CLOVES, CRUSHED
- 1 BUNCH OF THYME, CHOPPED
- 1 BUNCH OF ROSEMARY, CHOPPED
- 4 TABLESPOONS OF WHITE WINE
- 6 TABLESPOONS OF BUTTER
- 1 TABLESPOON OF VINEGAR
- 5 COFFEE SPOONS OF SWEET PAPRIKA
- OFFAL FAROFA (P. 346), FOR STUFFING
- SALT AND BLACK PEPPER TO TASTE
- 2 LITRES OF FILTERED WATER

Put the turkey in a large baking tray with the onion, carrot, celery, bay leaves, garlic, and herbs. Make a marinade with the wine, butter, vinegar, paprika, and salt. Spread it inside and outside the bird and keep it on the fridge for 24 hours. The following day, prepare the offal farofa. Stuff the turkey with the farofa, cover it with aluminium foil and bake in a preheated oven at 180 °C for 30 minutes. Remove the aluminium foil and bake for another 30 minutes, until golden.

FISHES

GRILLED BLUEFISH

(ANCHOVA NA BRASA)

Serves 2 | 30 minutes | Medium

- 1 BLUEFISH WITH 1 KG
- EXTRA VIRGIN OLIVE OIL

- 1 LIME, SLICED
- SALT

Fire up the grill in advance. Cut open the fish, clean it without removing the scales, and wash. Put the open bluefish over the grid of the grill, brush it with olive oil and sprinkle salt. Grill with the scales side down for about 20 minutes. When it's cooked through, turn to brown the other side. Serve with lime slices.

FISH AND PLANTAINS

(AZUL-MARINHO)

Serves 6 | 1 hour | Easy/Medium

- 900 G OF MULLET STEAKS
- JUICE OF ½ LIME
- 2 TABLESPOONS OF OLIVE OIL
- ½ ONION, DICED
- 1 GARLIC CLOVE, MINCED
- 6 VERY GREEN PLANTAINS
- 4 PEELED TOMATOES, DICED
- ¼ BUNCH OF CORIANDER, CHOPPED
- ¼ BUNCH OF CLOVE BASIL
- ½ TEACUP OF FINE MANIOC FLOUR
- SALT TO TASTE

Season the fish with salt and lime juice. In an iron pot, heat up the olive oil and braise the onion and garlic. Add the plantains, cut it lengthways and then in half. Add one litre of water and cook until the plantains are soft - at this point, the liquid should already have a blueish hue. Take out the plantains and half the broth; set aside. Add the tomato and the herbs and cook the fish in the broth, taking care not to overdo it. When it is cooked through, remove the fish and, with half of the broth, make a pirão (mush) adding the manioc flour slowly and stirring constantly. Serve the fish with the pirão.

IN DETAIL: *The fish may vary according to supply: dried or salted, fresh and firm, mullet or sea catfish, snook, grouper, or acoupa weakfish. The one thing that cannot change is the plantain, which should be very green – that what gives the recipe its intriguing blueish hue due to a chemic reaction between the tannin and the fish's proteins during cooking ("azul-marinho" means "navy blue" in Portuguese).*

BACALHOADA

Serves 6 | 1 hour, plus desalting time | Easy

- 1.5 KG OF SALTED COD LOIN
- 4 POTATOES
- 1 TEACUP OF EXTRA-VIRGIN OLIVE OIL
- 1 YELLOW BELL PEPPER, SLICED
- 2 TOMATOES, SLICED
- 1 ONION, SLICED
- 1 TEACUP OF BLACK OLIVES
- SALT TO TASTE

Desalt the cod for at least 24 hours, frequently trading the water and tasting the fish, to sample the flavour. Cook the potatoes (peeled or not) and slice them. Put the fish on a baking dish or tray, cover with aluminium foil, pour half the olive oil and bake at 180 °C for 10 minutes. Arrange the potatoes, bell pepper, tomato, onion, and olives on top of the cod. Pour the remaining olive oil, cover with aluminium foil and return it to the oven for 20 minutes; remove the foil during the final 5 minutes. Serve with white rice (p. 336). Other versions of this dish may include hard boiled eggs, for instance. The dish can also be prepared with shredded cod, making the most of the loin left overs.

IN DETAIL: *À Brás, da Margarida da Praça, de São Martinho, às postas, no Borralho, grilled, with baked potatoes, Albardado, à Gomes Sá...There are countless ways to prepare cod in Portugal, the country that uses up to one fourth of the cod sold around the world. Here, many of these recipes are still popular, particularly in Rio de Janeiro. Cod dishes, mainly during the Good Friday, are a Brazilian tradition.*

FISH CALDEIRADA

(CALDEIRADA DE PEIXE)

Serves 8 | 40 minutes | Medium

- 1 KG OF FISH (GOLIATH CATFISH OR PEACOCK BASS) IN LARGE CHUNKS
- JUICE OF 2 LIMES
- 15 BABY POTATOES
- 1 TEACUP OF OLIVE OIL
- ½ GARLIC BULB, CRUSHED
- 3 ONIONS, DICED
- ½ SMALL BUNCH OF PARSLEY AND ½ SMALL BUNCH OF SCALLIONS
- 5 PEELED AND DESEEDED TOMATOES, CUT INTO CHUNKS
- ½ SMALL BUNCH OF CORIANDER
- ½ TEACUP OF DE-CHEIRO PEPPER, CHOPPED
- SALT TO TASTE

Season the fish with salt and lime juice. Cook the potato, drain, and set aside. Heat up the olive oil and braise the garlic and 1 diced onion, until golden. Add the fish, the scallions, and the parsley. Braise for a bit, cover with boiling water up to two fingers above the fish and add the potatoes, tomato, and remaining onion. Cook for 20 minutes and serve with the hot broth, sprinkled with coriander. If you are using tambaqui, season the fish with salt and juice of 3 limes; set aside for 30 minutes. Follow the same recipe and, at the very end, add 6 hard-boiled eggs cut in half.

IN DETAIL: *Easily available foods are the basis for the caldeirada, a stew with ingredients and seasonings that varies and give the dish a festival of flavours. In the Amazonian region, caldeiradas are frequently made with goliath catfish, a staple of that region, as was as tambaqui and peacock bass, which are also present in the fresh water rivers further South.*

PARÁ STYLE FISH CALDEIRADA
(CALDEIRADA PARAENSE)
Serves 6 | 1h20 | Easy

- 1.2 KG OF GOLIATH CATFISH, CUT INTO STEAKS
- JUICE OF 1 LIME
- 2 TABLESPOONS OF OLIVE OIL
- 1 ONION, DICED
- 2 GARLIC CLOVES, MINCED
- 3 PEELED AND DESEEDED TOMATOES, CHOPPED
- ½ PEELED RED BELL PEPPER, DICED
- ½ PEELED GREEN BELL PEPPER, DICED
- 2 DE-CHEIRO PEPPERS, CHOPPED
- 2 LITRES OF TUCUPI
- ¼ OF A BUNCH OF PARA CRESS, STEMS REMOVED
- ¼ OF A BUNCH OF CLOVE BASIL, CHOPPED
- ½ BUNCH OF PARSLEY AND SCALLIONS, CHOPPED
- 3 HARD-BOILED EGGS
- SALT TO TASTE

Season the fish with salt and lime juice; set aside for 10 to 15 minutes. Heat up the olive oil and braise the onion, garlic, tomatoes, and bell peppers. Add the de-cheiro pepper and tucupi. Once it boils, put in the para cress and cook for a bit. Add the fish and, when it is cooked through, put in the clove basil, the scallions and parsley, and the eggs. Adjust seasoning and serve.

PACU RIBS
(COSTELA DE PACU)
Serves 10 | 20 minutes, plus time to marinate
Easy

- 1 CLEAN PACU WITH ABOUT 3 KG
- JUICE OF 3 LIMES
- 4 EGGS, BEATEN
- MANIOC FLOUR OR CORNMEAL, FOR THE BATTER
- CORN OIL (OR LARD), FOR FRYING
- PARSLEY, CHOPPED
- SALT AND BLACK PEPPER TO TASTE

Cut the fish into steaks and season with salt, black pepper, lime juice and parsley to taste; set aside for 2 hours. Dip each piece into the beaten egg and coat with manioc flour. Fry in very hot oil.

DAMORIDA
Serves 5 | 40 minutes | Easy

- 1 KG OF GOLIATH CATFISH, SPOTTED SORUBIM, OR TAMBAQUI
- 1 TABLESPOON OF CHOPPED PEPPERS (A MIXTURE OF MURUPI, DE-CHEIRO, MALAGUETA, OLHO-DE-PEIXE, CARAIMÉ)
- ½ BUNCH OF CARIRU LEAVES
- 2 TABLESPOONS OF DARK TUCUPI
- MANIOC BEIJU, AS A SIDE DISH
- A DASH OF SALT

Cut the fish into large cubes. In a clay pot, heat 2 litres of water with the peppers and the cariru. When it boils, turn down the heat slightly and add the fish. As soon as it's cooked through, put in the tucupi and turn off the heat. Serve in bowls, with manioc beiju.

IN DETAIL: *In Roraima, the more traditional damorida is not offered in restaurants, but only in people's homes. The ingredients – fishes and peppers – are as important as the clay pots that are used in this typically indigenous recipe. They are served in bowls, accompanied by beiju for dipping in the sauce.*

FISH STEW
(ENSOPADO DE PEIXE)
Serves 6 | 20 minutes, plus time to marinate
Easy

- 700 G OF FISH CUT INTO STEAKS (NAMORADO SANDPERCH, GROUPER, RED SNAPPER)
- 4 TABLESPOONS OF LIME JUICE
- 2 MEDIUM ONIONS
- 3 TOMATOES
- 1 RED BELL PEPPER
- 3 TABLESPOONS OF CHOPPED CORIANDER
- SALT TO TASTE
- 2 TEACUPS OF WATER

Season the steaks with salt and lime juice. In a blender, mix the onions, tomatoes, bell pepper, coriander and salt, to taste. Mix this paste with the fish and set aside for at least 30 minutes. Add 2 teacups of water and cook with the lid on for about 20 minutes, not allowing the meat to fall apart.

POACHED FISH
(ESCALDADO DE PEIXE)
Serves 6 | 30 minutes | Easy

- 1 KG OF FISH STEAKS (SNOOK OR GROUPER)
- JUICE OF 2 LIMES
- ½ KG OF OKRA
- ½ KG OF WEST INDIAN GHERKIN
- ½ KG OF SCARLET EGGPLANT
- 2 TABLESPOONS OF OLIVE OIL
- 2 GARLIC CLOVES, MINCED
- 1 ONION, CHOPPED, AND 3 SMALL ONIONS, WHOLE
- ½ BUNCH OF CORIANDER
- 6 HARD-BOILED EGGS
- DE-CHEIRO PEPPER TO TASTE
- SALT TO TASTE

Clean the fish with lime and season with salt. Wash the okra, gherkins, and scarlet eggplant. Dry them well and remove stems. Heat up the olive oil and braise the garlic and chopped onion. Set the fish and the whole onions on top. Put on the lid and cook for 5 minutes. Add the okra, gherkins, scarlet eggplant, and de-cheiro pepper. Cover with water and cook for 10 minutes. Garnish with coriander and hard-boiled eggs.

COD FRITTATA

(FRIGIDEIRA DE BACALHAU)

Serves 8 | 50 minutes, plus time for soaking
Medium

- 1KG OF COD
- 5 TABLESPOONS OF EXTRA VIRGIN OLIVE OIL
- 4 GARLIC CLOVES, MINCED
- 2 LARGE ONIONS, CHOPPED, AND ½ ONION, SLICED, FOR GARNISHING
- ½ TEACUP OF COCONUT MILK
- ½ TEACUP OF CHOPPED CORIANDER
- 7 EGGS
- 1 BELL PEPPER, SLICED, FOR GARNISHING
- 8 BLACK OLIVES, PITTED
- SALT AND WHITE PEPPER TO TASTE

Allow to cod to soak for 24 hours, changing the water at times. Cover with water and warm over medium heat for a few minutes, not allowing it to boil. Remove the fishbones and skin, cut into cubes and set aside. Heat up the olive oil and braise the garlic and chopped onion. Add the fish and braise for a bit. Add the coconut milk, coriander, salt, and white pepper. Cook for about 10 minutes, stirring constantly to break the cod. Whip the egg whites until firm. Add the yolks and a dash of salt; whip a bit longer. Mix two spoonfuls of the egg mixture in with the cod and stir. Transfer to a greased baking dish, cover with the remaining whisked eggs and garnish with the sliced onions, bell pepper, and olives. Bake in a preheated oven at 180 °C, until golden. Serve hot.

SPOTTED SORUBIM MOJICA

(MOJICA DE PINTADO)

Serves 4 to 5 | 40 minute | Easy

- 1 KG OF SPOTTED SORUBIM CUT INTO LARGE CUBES (USE THE HEAD AND TAIL TO MAKE A BROTH ALONG WITH THE VEGETABLE SCRAPS)
- JUICE OF 1 LIME
- ½ TABLESPOON OF ANNATTO
- 3 TABLESPOONS OF OLIVE OIL
- 1 ONION, CUT INTO STRIPS
- 2 GARLIC CLOVES, MINCED
- 2 PEELED AND DESEEDED TOMATOES, CHOPPED
- 1 KG OF MANIOC, CUT INTO PIECES, WITH THE CENTRAL FIBRE REMOVED
- FISH STOCK (MADE WITH THE SORUBIM'S HEAD AND TAIL)
- 1 TEACUP OF CHOPPED HERBS (PARSLEY, SCALLIONS, AND CORIANDER)
- SALT AND BLACK PEPPER TO TASTE

Season the fish with the lime juice, salt, and black pepper. Add the annatto and fry all sides in olive oil, without browning excessively; remove and set aside. In the same pot, braise the onion, garlic, and tomatoes. Add the manioc and cover with fish stock (or water). Cook the manioc until it falls apart and is creamy. Return the fish pieces, heat slightly, and garnish with the herbs. Serve with white rice (p. 336) and manioc flour.

IN DETAIL: *The word "mojica" comes from the Tupi language meaning "broth thickened with flour". This is a typical dish in the Mid-West, where manioc helps to give body to the recipe. The Amazonian region mojicas frequently use uarini and tambaqui flours.*

BAHIA STYLE MOQUECA

Serves 6 | 40 minutes | Easy/Medium

- 1.2 KG OF SHARK STEAKS
- JUICE OF ½ LIME
- 3 TABLESPOONS OF OLIVE OIL
- 3 TABLESPOONS OF DENDÊ OIL
- 2 GARLIC CLOVES, MINCED
- ½ ONION, CUT INTO THIN STRIPS
- 3 PEELED AND DESEEDED TOMATOES, CUT INTO THIN STRIPS
- ¼ PEELED RED BELL PEPPER, CUT INTO THIN STRIPS
- ¼ PEELED YELLOW BELL PEPPER, CUT INTO THIN STRIPS
- ¼ BUNCH OF GREEN ONIONS, CHOPPED
- ¼ BUNCH OF CORIANDER, CHOPPED
- 1½ TEACUPS OF COCONUT MILK
- 1 COFFEE SPOON OF PEPPER SAUCE
- SALT AND BLACK PEPPER TO TASTE

Season the fish with the lime juice, salt, and black pepper. Sear all sides in olive oil. Spread the dendê oil and the garlic across the bottom of a clay pot. Cover with half the onions, tomatoes, and bell peppers. Lay the fish over them and, on top of it, make new layers with the remaining onion, tomato, and bell pepper. Sprinkle the scallions and coriander. Pour coconut oil over it and cook for 8 minutes. Season with the pepper sauce.

IN DETAIL: *Who created the moqueca? Was it born in Bahia or Espírito Santo? Neither. The dish's origin is actually indigenous – so much so that the word, in Tupi, means "wrapped", which was how the first natives cooked the fish: wrapped in leaves. Throughout the years, all the coast cities and adjoining ones developed their own type of moqueca, always alternating layers of fish steak with tomatoes, onions, and bell pepper, besides other ingredients and spices. In Bahia, it also has dendê oil (due to African influences) and coconut milk. In Espírito Santo, it has urucum – a tradition handed down from natives that not only reduces acidity, but also gives colour to the dish.*

CAPIXABA STYLE MOQUECA

(MOQUECA CAPIXABA)

Serves 4 | 40 minutes | Easy/Medium

- 800 G OF GROUPER, CUT INTO 8 FILLETS
- JUICE OF 1 LIME
- 2 TABLESPOONS OF OLIVE OIL
- ½ TABLESPOON OF URUCUM
- 1 ONION, CUT INTO STRIPS
- 2 GARLIC CLOVES, MINCED
- 6 TOMATOES, CUT INTO STRIPS
- ¼ BUNCH OF CORIANDER, CHOPPED
- ¼ BUNCH OF GREEN ONIONS, CHOPPED
- SALT AND BLACK PEPPER TO TASTE

Season the fish with the lime juice, salt, and black pepper. Heat up the olive oil mixed with urucum and braise the onion, garlic, tomato, allowing them to release some of their juices (if that doesn't happen, add a bit of water or fish stock). Add the fish and cook with the lid on until the meat is tender. Garnish with the herbs and serve with white rice (p. 336) and a pirão (mush) made with the fish's head.

CEARÁ STYLE FISH STEW

(PEIXADA CEARENSE)

Serves 6 | 30-40 minutes | Easy

- 1.5 KG OF RED PORGY IN STEAKS OR FILLETS
- JUICE OF 2 LIMES
- 2 TABLESPOONS OF DENDÊ OIL
- 2 TABLESPOONS OF OLIVE OIL
- 2 GARLIC CLOVES, MINCED
- 1½ ONION, CUT INTO STRIPS
- 3 PEELED AND DESEEDED TOMATOES, CUT INTO STRIPS
- ½ YELLOW BELL PEPPER, PEELED AND CUT INTO STRIPS
- ½ RED BELL PEPPER, PEELED AND CUT INTO STRIPS
- 190 ML OF COCONUT MILK
- 2 POTATOES, COOKED AND QUARTERED
- 2 CARROTS, COOKED AND QUARTERED
- 6 HARD-BOILED EGGS
- FISH STOCK
- SALT TO TASTE

Ask the fishmonger to set aside the red porgy's head and tail; use them to make a fish stock along with the scraps of vegetables and coriander and scallion stems. Season the fish with limes and salt; set aside. Mix the two kinds of oil together; quickly braise the garlic, onion, tomato and bell peppers. Reduce the heat and add the coconut milk and fish stock; season with a dash of salt and stir until smooth. Add the fish and cook for about 12 minutes, or until tender, but not falling apart. Add the potato, carrot, and had boiled eggs. Serve with a pirão (mush) made with the fish stock and manioc flour.

IN DETAIL: *Just as it happens with the moquecas from Bahia, Ceará's peixada is cooked in coconut milk. The differences lie in the complements of this dish, which is the highlight of waterfront restaurants in Ceará.*

DOURADO STEW

(PEIXADA DE DOURADO)

Serves 4 | 50 minutes | Easy

- 1 KG OF DOURADO STEAKS
- JUICE OF 3 LIMES
- 2 GARLIC CLOVES, MINCED
- 5 POTATOES, SLICED
- 5 TOMATOES, SLICED
- 1 ONION, SLICED
- 2 TABLESPOONS OF OLIVE OIL
- PARSLEY TO TASTE, CHOPPED
- SALT, OREGANO, AND BLACK PEPPER TO TASTE

Season the dourado with lime juice, garlic, salt, and black pepper. Season the tomatoes with salt and oregano. Arrange layers of potatoes, fish, tomato, and onion in a deep pot. Drizzle olive oil and the juices of the dourado seasoning. Put on the lid and cook over high heat for 30 minutes, or until the potatoes are cooked. Sprinkle in the parsley and serve.

ROASTED FISH

(PEIXE ASSADO)

Serves 10 | 1h15 | Easy

- 2.5 KG OF A WHOLE, CLEANED FISH
- 2 TABLESPOONS OF LIME JUICE
- 2 TABLESPOONS OF CHOPPED PARSLEY
- 1 TABLESPOON OF CHOPPED CORIANDER
- 1 TABLESPOON OF CHOPPED GREEN ONIONS
- 2 TABLESPOON OF OLIVE OIL, PLUS A BIT EXTRA FOR GREASING
- CUMIN POWDER
- SALT TO TASTE

Make cuts on both sides of the fish and season with salt, lime juice, and cumin. Mix the parsley, coriander, and green onions; stuff the fish with the herbs and grease it with olive oil. Put it in a baking tray lined with aluminium foil and greased with olive oil. Close the edges of the paper firmly, forming a packet. Bake in a preheated oven at 180 °C for about 1 hour, or until the fish is tender. Remove the aluminium foil and serve at once.

FISH ROASTED IN BANANA LEAVES

(PEIXE ASSADO NA FOLHA DE BANANEIRA)

Serves 4 | 50 minute | Easy

- 1 WHOLE PACU, SCALES AND OFFAL REMOVED
- 3 RANGPUR LIMES

- 3 THYME SPRIGS
- OLIVE OIL, FOR GREASING
- SALT AND BLACK PEPPER TO TASTE

Season the outside of the pacu with the juice of 2 limes, salt, and black pepper. Season the interior with a bit of salt and black pepper, slice the remaining limes and stuff them inside the fish along with the thyme. Grease the skin with olive oil. Quickly pass the banana leaf through a flame, to make it more flexible. Wrap the leaf around the fish and secure it with a string. Fire up the grill and, once it is very hot, put the wrapped fish on the grid and cook for 10 minutes on each side. Open the wrapped leaf and serve the fish.

FISH WITH ARUBÉ SAUCE

(PEIXE COM MOLHO DE ARUBÉ)

Serves 3 | 50 minutes | Medium

- 500 G OF GOLIATH CATFISH FILLETS
- SALT, TO TASTE
- JUICE OF 1 SMALL LIME
- 1 LITRE OF TUCUPI (FERMENTED MANIOC BROTH)
- 100 G MANIOC MASS
- 50 G OF MANIOC STARCH
- 1 ONION, DICED
- 1 TOMATO, CHOPPED
- 1 BELL PEPPER, CHOPPED
- 3 GARLIC CLOVES, MINCED
- CHOPPED ESCAROLE, CLOVE BASIL, AND GREEN ONIONS, TO TASTE
- 200 G OF SHRIMP

Season the fish with salt and lime juice. Bake it at 180 °C for 30 minutes; set aside. Heat up the tucupi along with the manioc mass and the manioc starch. Once if begins to boil, add the onion, tomato, bell pepper, garlic, and herbs. Add the shrimp and wait until it boils again. Once the sauce has thickened, cook for a bit longer and serve with the fish.

IN DETAIL: *The arubé sauce's main ingredient is tucupi, which flavours many of the recipes from the Northern region. This is a typical dish in Pará.*

FRIED FISH WITH AÇAÍ

(PEIXE FRITO COM AÇAÍ)

Serves 6 | 20 minutes, plus preparations made in advance | Easy

- 900 G OF SALTED PAICHE STEAKS OR FILLETS
- JUICE OF 2 LIMES
- 2 TEACUPS OF ALL-PURPOSE FLOUR
- 1 KG OF PURE AÇAÍ PULP
- 1 PINCH OF SALT
- 1½ TEACUPS OF FARINHA D'ÁGUA
- CORN OIL, FOR FRYING

Desalt the paiche, soaking it in ice cold water for 20 hours, changing the water three times. Taste to see if it is desalted enough or if it should soak for longer. Season with lime juice and coat with all-purpose flour. Fry in hot oil, until golden. Blend the açaí pulp with a pinch of salt, until it is creamy. Serve the fish along with the açaí and farinha d'água.

GRILLED FISH WITH SHRIMP SAUCE

(PEIXE GRELHADO COM MOLHO DE CAMARÃO)

Serves 3 | 50 minutes | Medium

- 500 G OF TILAPIA FILLETS
- SALT TO TASTE
- JUICE OF 1 LIME
- 2 TABLESPOONS OF OLIVE OIL
- 200 G OF FRESH SHRIMP (SET THE SHELLS ASIDE)
- 100 G MANIOC MASS
- 50 G OF MANIOC STARCH
- 1 ONION, DICED
- 1 TOMATO, CHOPPED
- GREEN ONIONS, CHOPPED
- 1 BELL PEPPER, CHOPPED
- 3 GARLIC CLOVES, MINCED

Season the fish with salt and lime juice. Heat up the olive oil and grill the tilapia fillet on a very hot pan; set aside. Braise the shrimp shells until they are orange, then cover with 2 litres of water; simmer for 40 minutes. Blend the broth and the shells in a blender and set 1 litre aside. In another pot, use the manioc mass and goma de tapioca to thicken the sauce. Once it boils, add the onions, tomato, and remaining spices. Put in the shrimp and boil, so the sauce can thicken. Serve with the grilled fish.

FISH ON A TILE

(PEIXE NA TELHA)

Serves 6 | 40 minutes, plus time to marinate
Easy

- 1 KG OF SPOTTED SORUBIM (OR ANY OTHER BONY FISH) STEAKS
- JUICE OF 1 LIME
- 4 GARLIC CLOVES, MINCED
- 2 TABLESPOONS OF OLIVE OIL
- 3 ONIONS, SLICED
- 1 KG OF RIPE TOMATOES, SLICED
- 3 MEDIUM, DESEEDED BELL PEPPERS (GREEN, YELLOW, AND RED), SLICED
- 1 TEACUP OF COCONUT MILK
- DE-BODE PEPPER TO TASTE
- SCALLIONS AND PARSLEY TO TASTE
- BREADCRUMBS, FOR SPRINKLING
- SALT TO TASTE

Season the fish with lime juice, a bit of garlic, salt, and de-bode pepper; leave it to marinate for 2 hours. Heat up the olive oil and braise the onion with the remaining garlic. Add the tomatoes (set aside a few slices) and cook for about 20 minutes, until it resembles a sauce. Add the bell pepper and the coconut milk; cook for 5 minutes. Put the fish over the tile (or clay pot) greased with a bit of olive oil. Cover with the sauce and arrange the tomato slices above it. Sprinkle the scallions and parsley and a bit of breadcrumbs. Bake at 220 °C for 10 minutes.

IN DETAIL: *The "tile" on the dish's name is not a play on words, but the baking dish that is used – not only on the coast, but also on the countryside – for roasting the fish without spilling the sauce. The edges of the tile are usually sealed with a thick manioc flour paste. Nowadays, it's common in Goiás.*

ROASTED ACOUPA WEAKFISH

(PESCADA AMARELA AO FORNO)

Serves 4 | 30 minutes | Easy

- 500 G OF ACOUPA WEAKFISH FILLETS
- ⅓ TEACUP OF BUTTER
- 1 TABLESPOON OF CHOPPED PARSLEY
- CORN OIL, FOR GREASING
- LIME JUICE
- SALT AND BLACK PEPPER TO TASTE

Season the fish with the lime juice, salt, and black pepper. Mix the butter with the parsley; season with salt and black pepper. Cut pieces of aluminium foil, grease them with butter, and wrap the fish fillets. Grease a baking dish with oil, arrange the fish packets and back for 20 minutes. Unwrap and serve with potatoes cooked in butter and sprinkled with parsley.

SPOTTED SORUBIM WITH URUCUM

(PINTADO AO URUCUM)

Serves 2 | 50 minutes | Easy

- REMOVER
- 250 G OF SPOTTED SORUBIM STEAKS
- 1 TEACUP OF ALL-PURPOSE FLOUR
- 1 TOMATO, DICED
- 1 ONION, DICED
- ½ DESEEDED GREEN BELL PEPPER, DICED
- 2 COFFEE SPOONS OF URUCUM POWDER
- 1 TABLESPOON OF DENDÊ OIL
- 1½ TEACUP OF WHIPPING CREAM
- 1½ TEACUP OF COCONUT MILK
- 1½ TEACUP OF SLICED MOZZARELLA CHEESE
- LIME JUICE
- SALT TO TASTE

Season the fish with lime juice and salt. Heat the oil up to 160 °C. Coat the fish with all-purpose flour, fry, and set aside. In a pot, braise the tomato, onion, bell pepper, and urucum in dendê oil for about 15 minutes. Season with salt and add the whipping cream and coconut milk. Cook for about 15 minutes. Put the breaded fish in a baking dish, cover with sauce and arrange the cheese over it. Bake at 160 °C for 15 minutes.

"FANCY" PAICHE

(PIRARUCU DE CASACA)

Serves 8 | 1h20, plus preparations made in advance | Easy/Medium

- 1 KG OF SALTED PAICHE
- 1.5 KG OF MANIOC, WITH THE CENTRAL FIBRE REMOVED
- 2 POTATOES
- CORN OIL, FOR FRYING
- ½ ONION, CUT INTO STRIPS
- 3 GARLIC CLOVES, MINCED
- 3 TABLESPOONS OF OLIVE OIL
- 3 PEELED AND DESEEDED TOMATOES, CUT INTO STRIPS
- ¾ TEACUP OF CHOPPED GREEN OLIVES
- ½ BUNCH OF PARSLEY, CHOPPED
- 2 TABLESPOONS OF BUTTER
- 190 ML OF MILK
- A 190 ML GLASS FILLED WITH COARSE MANIOC FLOUR OR FARINHA D'ÁGUA
- 2 PLANTAINS, CUT INTO THIN, VERTICAL SLICES.
- 3 HARD-BOILED EGGS, SLICED
- SALT AND BLACK PEPPER TO TASTE

Desalt the paiche by soaking it in ice cold water for 20 hours, changing the water three or four times. Cover the manioc with salted water and simmer; turn off the heat when it's falling apart. Process it in a blender along with the cooking water and set aside. Grate the potato and soak in water with ice for 30 minutes. Fry in hot oil, until slightly golden. Wait for it to cool and store in a closed container, so they won't wilt. Cut the fish into flakes. Braise the onions and half the garlic in olive oil. Add the paiche, braise lightly and add the tomatoes and olives. When the fish is cooked through, adjust the salt and put in the parsley. Braise the remaining garlic in 1 tablespoon of butter. Add the manioc cream, the milk, salt, and black pepper; wait until it's hot. Spread a thin layer of manioc cream on a baking dish. Cover with the paiche and spread a new layer of cream. Sprinkle the manioc flour. Grill the plantain in 1 tablespoon of butter and set it on top of the manioc flour. Garnish with the eggs, shoestring potatoes, and serve.

IN DETAIL: *Also known as "amazonian cod", the paiche is one of the largest fresh water fishes, reaching up to 2 meters in length. It is used in countless recipes, both in the Northern and Mid-Western regions. In this dish, particularly common in Amazonas during the June celebrations, the paiche arrives at the table all dressed up.*

PAICHE IN BRAZILIAN NUT MILK

(PIRARUCU NO LEITE DE CASTANHA)

Serves 2 | 50 minutes | Easy

- 200 G OF BRAZILIAN NUTS
- 360 G OF PAICHE FILLET
- 1 TABLESPOON OF LIME JUICE
- 2 TABLESPOONS OF OLIVE OIL
- SALT AND BLACK PEPPER TO TASTE

Process the nuts and 200 ml of water in a blender. Strain the mixture through a sieve lined with a thin cloth, pressing down to extract all the liquid. Spread the husks across a baking tray and bake at 170 °C for 20 minutes, to dry them out. Meanwhile, season the fish with salt, black pepper, and lime juice. Heat up the olive oil and brown both sides of the fish. Add the nut's milk and simmer over low heat for about 5 minutes. Serve with the golden, crispy husks, garnishing the fillet.

BREADED GREY TRIGGERFISH

(PORQUINHO EMPANADO)

Serves 4-6 | 20 minutes | Easy

- 800 G OF GREY TRIGGERFISH, OFFAL REMOVED
- JUICE OF 2 LIMES
- 2 TEACUPS OF ALL-PURPOSE FLOUR
- 3 EGGS, BEATEN
- 3 TEACUPS OF CORNMEAL
- CORN OIL, FOR FRYING
- SALT AND BLACK PEPPER TO TASTE

Clean the fish thoroughly and remove the head, skin, and tail. Season with lime juice, salt, and black pepper. Coat it with all-purpose flour, dip into the eggs and, finally, coat with cornmeal. Deep fry it in hot oil until it's lightly golden. Drain in a paper towel and serve at once.

SPICY FISH BROTH

(QUINHAPIRA)

Serves 6 | 40 minutes | Easy

- 1 LITRE OF TUCUPI (FERMENTED MANIOC BROTH)
- 4 DE-CHEIRO PEPPERS
- 2 MURUPI PEPPERS
- 1 GARLIC CLOVE
- 1 KG OF GOLIATH CATFISH STEAKS OR FILLETS
- CORIANDER STEMS, TO TASTE
- SALT TO TASTE

Boil the tucupi with 1 litre of water. Crush the peppers with the garlic and coriander until they come apart and add them to the boiling broth. Put in the fish, cook for a few minutes and serve with dry manioc beiju. If you wish to, add a pinch of salt (the traditional indigenous recipe does not include it).

IN DETAIL: *This spicy fish broth (in the Tupi language, "quinha" means "pepper" and "pirá", fish) is typical of the Rio Negro region, where normally it's eaten during the mornings. Atta ants may be added to the recipe.*

PICKLED SARDINES

(SARDINHA ESCABECHE)

Serves 8 | 1 hour | Easy

- 3 TABLESPOONS OF OLIVE OIL
- 1 ONION, SLICED
- 3 GARLIC CLOVES, SLICED
- 5 PEELED TOMATOES, SLICED
- 1.5 KG OF SARDINES, OFFAL, HEAD AND TAIL REMOVED
- ½ TEACUP OF WHITE WINE
- ½ TEACUP OF BLACK OLIVES
- ½ BUNCH OF PARSLEY, CHOPPED
- SALT AND BLACK PEPPER TO TASTE

Heat 1 tablespoon of olive oil and braise half the onion, garlic, and tomatoes. Remove from the heat, arrange the sardines on top of this layer, season with salt and black pepper and cover with the remaining onion, garlic, and tomatoes. Douse with the remaining white wine and olive oil. Add the olives, put on the lid, and cook for 30 minutes. Adjust seasoning, sprinkle the parsley and serve.

GRILLED MULLET

(TAINHA NA GRELHA)

Serves 4 to 6 | 40 minutes | Medium

- 1 WHOLE MULLET, OFFAL AND SCALES REMOVED
- JUICE OF 2 LIMES
- 4 TABLESPOONS OF OLIVE OIL
- SALT AND BLACK PEPPER TO TASTE

Season the mullet with the lime juice, olive oil, salt, and black pepper; coat the outside and the inside of the fish. Fire up the grill and roast the mullet for 15 minutes; pass a spatula underneath is to prevent it from sticking. Turn it over and cook for 15 minutes. Remove from the grill and serve

CHARCOAL GRILLED TAMBAQUI

(TAMBAQUI NA BRASA)

Serves 6 | 40 minutes | Medium

- 1 WHOLE TAMBAQUI, OFFAL AND SCALES REMOVED
- 4 TABLESPOONS OF OLIVE OIL
- 1 SPRIG OF VARIOUS HERBS (THYME, ROSEMARY, BAY, ETC.)
- 3 LIMES, SLICED
- SALT AND BLACK PEPPER TO TASTE

Season the tambaqui inside and out with olive oil, salt, and black pepper. Place the herbs and part of the lime slices inside the fish; Arrange a few more lime slices on top of the tambaqui. Heat up the charcoal grill until it's hot. Put the fish on the grid with a few lime slices underneath it, so if won't stick, and roast for 10 to 15 minutes. Turn it and repeat on the other side. Remove it from the grill and serve.

CAPIXABA STYLE PIE

(TORTA CAPIXABA)

Serves 6 | 1h30

Medium/Difficult

- 400 G OF GROUPER, CUT INTO CUBES
- 400 G OF BLUE CRAB MEAT
- 200 G OF PRECOOKED CHARRU MUSCLES
- 200 G OF MEDIUM SHRIMPS, CLEANED AND CHOPPED
- JUICE OF 2 LIMES
- 2 TABLESPOONS OF URUCUM OLIVE OIL
- 1 ONION, CHOPPED, PLUS A FEW SLICES FOR GARNISHING
- 3 GARLIC CLOVES, MINCED
- 5 PEELED AND DESEEDED ITALIAN (ROMA) TOMATOES, CHOPPED
- 3 TEACUPS OF FRESH PUPUNHA HEART OF PALM
- 1½ TEACUP OF CHOPPED GREEN OLIVES, PLUS A BIT MORE FOR GARNISHING
- 2 BUNCHES OF CORIANDER, CHOPPED
- 1 BUNCH OF GREEN ONIONS, CHOPPED
- 8 EGGS
- SALT AND BLACK PEPPER TO TASTE

Season the fish and seafood with lime juice, salt, and black pepper. In a clay pot, heat up the urucum olive oil and braise the chopped onions, garlic, and tomato. Add the fish and seafoods, braise lightly and put in the heart of palm, olives, coriander, and scallions. Remove from the heat and allow it to cool. Whisk 4 whole eggs and add to the braised ingredients. Whisk four egg whites until firm, then add the yolks and whisk for a bit longer. Pour it over the other ingredients, garnish with the onions and olives, and bake in preheated oven at 180 °C for 15 minutes, until golden.

IN DETAIL: *The variety and amount of ingredients are the defining features of this dish, typical of Espírito Santo, traditionally served during the Holy Week.*

TROUT WITH ALMONDS

(TRUTA COM AMÊNDOA)

Serves 2 | 30 minutes | Easy

- 300 G OF TROUT
- 2 TABLESPOONS OF BUTTER, PLUS A BIT EXTRA FOR GREASING THE FISH
- 3 TABLESPOONS OF WHITE WINE
- 1 COFFEE SPOON OF LIME JUICE
- 2 TABLESPOONS OF TOASTED, CHOPPED ALMONDS
- 1 TEASPOON OF CHOPPED PARSLEY
- SALT AND BLACK PEPPER TO TASTE

Season the trout with salt and black pepper. Remove the central spine, spread a bit of butter inside the fish, put it in a baking tray and drizzle with the wine. Bake at a preheated oven at 180 °C for about 18 minutes, or until roasted. In a frying pan, heat the butter until lightly golden. Add the lime juice, almonds, and parsley; season with salt and black pepper. Remove the trout from the oven, discard the skin, and douse it with the sauce. Serve with boiled potatoes.

SEAFOOD

SEAFOOD RICE

(ARROZ DE FRUTOS DO MAR)

Serves 6 | 1h20 | Medium

- 12 LARGE SHRIMPS
- 1 SHOT OF WHITE CACHAÇA
- 1 CARROT
- 2 CELERY STALKS
- 1½ MEDIUM ONION
- 2 BAY LEAVES
- 2 MEDIUM OCTOPUSES
- ½ PERA ORANGE (A SOURER VARIETY OF ORANGE)
- 2 TABLESPOONS OF WHITE WINE
- 2 TABLESPOONS OF URUCUM OLIVE OIL
- 1 GARLIC CLOVE, MINCED
- 2½ TEACUPS OF WHITE RICE
- 5 TEACUPS OF SHRIMP STOCK (RECIPE BELOW)
- 6 MEDIUM SQUIDS
- 12 BROWN MUSSELS
- 4 PEELED TOMATOES, CHOPPED
- ½ BUNCH OF CORIANDER, CHOPPED
- ½ BUNCH OF GREEN ONIONS, CHOPPED
- SALT AND BLACK PEPPER TO TASTE

Peel and chop half of the shrimp; set the shells aside. Make the stock with the shells, cachaça, ½ carrot, 1 celery stalk, ½ onion, and 1 bay leaf; set aside. Wash the octopus thoroughly and boil it whole with ½ carrot, 1 celery stalk, ½ onion, 1 bay leaf, the orange, and the wine, until the tentacles are tender. Separate and chop the head. Dice the remaining onion and braise with the garlic in urucum olive oil. Add the rice, braise it, and cover with the shrimp stock, Add salt to taste. While the rice is simmering, season the seafood with salt and black pepper. Grill them separately, saving the juices they release to the pan. Once the rice is cooked, add the seafoods and the reserved liquids along with tomatoes, coriander, and green onions. Stir vigorously and serve.

OCTOPUS RICE

(ARROZ DE POLVO)

Serves 6 | 1h30 | Medium

- 2 MEDIUM OCTOPUSES
- 1 LARGE ONION
- 1 CELERY STALK
- 1 LEEK STALK
- ½ CARROT
- ½ PERA ORANGE (A SOURER VARIETY OF ORANGE)
- ½ TEACUP OF WHITE WINE
- 1 BAY LEAF
- 2 GARLIC CLOVES, MINCED
- 2 PEELED TOMATOES, CHOPPED
- 2 TABLESPOONS OF CORN OIL
- 2½ TEACUPS OF WHITE RICE
- 2 TEACUPS OF OCTOPUS STOCK
- ¼ BUNCH OF GREEN ONIONS, CHOPPED
- BUNCH OF CORIANDER, CHOPPED
- SALT TO TASTE

Clean the octopus thoroughly; spread salt on the tentacles to remove the excess dirt and rinse with running water. Cover with water and simmer with ½ onion, celery, leek, carrot, orange, wine, and bay leaf. After 30 minutes, when it's almost tender, remove the tentacles and chop them into large pieces; save the cooking broth, vegetables removed. Chop the other half of the onion and braise with the garlic and tomatoes in corn oil. Add the rice, braise for a bit longer, and add the octopus. Cover with the broth and simmer until the rice is cooked through and the octopus is tender. Add the herbs and serve.

LAMBE-LAMBE RICE

(ARROZ LAMBE-LAMBE)

Serves 6 | 1h20 | Easy

- 1 KG OF FRESH MANGROVE SHELLFISH
- ½ LARGE ONION, CHOPPED
- 2 GARLIC CLOVES, MINCED
- 1 PEELED YELLOW BELL PEPPER, CUT INTO MEDIUM CUBES
- 2 TABLESPOONS OF CORN OIL
- 2½ TEACUPS OF WHITE RICE
- 5 TEACUPS OF VEGETABLE STOCK (RECIPE BELOW)
- 4 PEELED TOMATOES, CUT INTO MEDIUM CUBES
- ½ BUNCH OF GREEN ONIONS, CHOPPED
- ½ BUNCH OF CORIANDER, CHOPPED
- SALT TO TASTE

Immerse the shellfish in water for 30 minutes, to remove excess sand; discard those that open. Braise the onion, garlic and bell pepper in corn oil, until it wilts a bit. Add the rice and stir so it is coated in oil. Cover with the warm broth (or warm water), season with salt and add the shellfish, the tomatoes, and half of the herbs. Simmer until the rice is tender; discard the shellfish that don't open, as they are not fit to be eaten. Garnish with the remaining herbs and serve.

VEGETABLE STOCK

2,8 litres | 1 hour | Easy

- 1 CARROT
- 2 ONIONS
- 1 LEEK
- 3 CELERY STALKS
- 5 GRAINS BLACK PEPPER
- 1 SPRIG THYME
- PARSLEY
- 1 BAY LEAF

Chop up carrot, onion, leek and celery stalks into dices of 1 cm. Put all ingredients in a large pan with 3 litres of water and keep it in high heat. When it boils, bring it to a simmer and cook for 40 minutes. Let stand, strain and store.

IN DETAIL: *While embracing the customs of the settlers, natives, and even Spanish pirates, the seaside dweller's diet keeps this recipe alive throughout the Brazilian coast, particularly in the southern beaches of São Paulo.*

SHRIMP BOBÓ

(BOBÓ DE CAMARÃO)

Serves 6 | 1h30 | Easy/Medium

- 1 KG OF FRESH, MEDIUM SHRIMP
- JUICE OF 2 LIMES
- 1.5 KG OF MANIOC
- 1 TEACUP OF DENDÊ OIL
- ½ LARGE ONION, DICED
- 2 GARLIC CLOVES, MINCED
- 6 PEELED TOMATOES, DICED
- ½ PEELED RED BELL PEPPER, DICED
- ½ PEELED YELLOW BELL PEPPER, DICED
- 2 TEACUPS OF COCONUT MILK
- ¼ BUNCH OF CORIANDER, CHOPPED
- ¼ BUNCH OF SCALLIONS, CHOPPED
- SALT TO TASTE

Clean the shrimp thoroughly, season with salt and lime juice and make a stock with the shells. Remove the manioc's central fibre and cook it in the shrimp stock until very tender. Process it in a blender, along with the liquid, forming a cream. Heat up the dendê oil and braise the onions, garlic, tomatoes, and bell peppers. Add the manioc cream and the coconut milk, stir until smooth. Grill the shrimps and add them to the cream. Garnish with the chopped herbs and serve hot.

IN DETAIL: *The word "bobó" comes from the Fon language (spoken in Benin) and refers to the cream that initially was made with taro, manioc or breadfruit, without shrimp. Nowadays a staple of Bahia's cuisine, it can be eaten as a single dish or as a side dish for meats and fishes.*

BIG-CLAW RICER SHRIMP STEW

(CALDEIRADA DE PITU)

Serves 8 | 50 minutes | Medium

- 500 F OF GOLIATH CATFISH, CUT INTO CHUNKS
- 500 G OF BIG-CLAW RIVER SHRIMPS
- 2 TABLESPOONS OF OLIVE OIL
- 1 ONION, DICED
- 2 GARLIC CLOVES
- 1 YELLOW BELL PEPPER, DICED
- 3 DESEEDED TOMATOES, DICED
- ½ TEACUP OF COCONUT MILK
- 3 TABLESPOONS OF CHOPPED SCALLIONS AND PARSLEY MIXED TOGETHER
- LIME JUICE
- SALT AND BLACK PEPPER TO TASTE

Season the fish with lime juice and salt; set aside for 15 minutes. Wash the river shrimp in running water. Heat up the olive oil and braise the onions and garlic. Add 1 litre of water and, once it boils, put in the river shrimp, the fish, bell pepper, tomato, coconut milk, and scallions and parsley mix. Simmer over high heat for 20 minutes. Serve at once, with white rice (p. 336).

SÃO PAULO STYLE SHRIMP

(CAMARÃO À PAULISTA)

Serves 4 | 20 min | Easy

- ½ KG OF (LARGE) PISTOL SHRIMPS
- 2 EGGS
- 1 PINCH OF SALT
- 1 KG OF ALL-PURPOSE FLOUR, FOR BATTERING
- CORN OIL, FOR FRYING
- LIME, FOR GARNISHING

Wash the shrimp and remove the heads, keeping the shells; dry thoroughly Whip the eggs and add the salt. Dip the shrimps into the eggs and then the flour. Fry in hot oil, until golden. Drain in a paper towel and serve at once, along with the lime wedges.

IN DETAIL: *In São Paulo, it's traditional to prepare shrimps with their shells, granting them an unique and irresistible flavour. When the shrimps are cut in half, the recipe is then called "Santos Style".*

SHRIMP AND CHAYOTE STEW

(CAMARÃO ENSOPADO COM CHUCHU)

Serves 6 | 30 minutes | Easy

- 750 G OF MEDIUM SHRIMPS
- JUICE OF 2 LIMES
- 1 TABLESPOON OF OLIVE OIL
- ½ ONION, DICED
- 2 GARLIC CLOVES, MINCED
- 3 PEELED AND DESEEDED TOMATOES, CHOPPED
- 3 PEELED CHAYOTES, CUT INTO LARGE CUBES
- SALT AND BLACK PEPPER TO TASTE

Season the shrimp with the lime juice, salt, and black pepper. Fry on both sides, in olive oil, and set aside. In the same pot, braise the onion, garlic, and tomatoes. Add the chayotes and cover with boiling water. When they are cooked through, season with salt and black pepper and put in the shrimps. Cook for about 2 minutes, adjust seasoning, and serve.

IN DETAIL: *"Stewed and harmonizing with the shrimp, the chayote in this dish is worshiped in Rio de Janeiro. That's where Carmen Miranda, the singer of 'Disseram que eu voltei americanizada', learned to enjoy it.", tells J.A. Dias Lopes in the book "A canja do imperador". Who does not remember these verses from the 1940's samba? "Enquanto houver Brasil, na hora das comidas, / Eu sou do camarão ensopadinho com chuchu". (As long as there is Brazil, when it comes to eating/ I'm for the shrimp stewed with chayote".*

SHRIMP IN A PUMPKIN

(CAMARÃO NA MORANGA)

Serves 8 | 2 hours | Medium

- 1 LARGE PUMPKIN
- 1.2 KG OF MEDIUM SHRIMPS, CUT IN HALF
- 6 LARGE SHRIMPS
- JUICE OF 2 LIMES
- 4 TABLESPOONS OF OLIVE OIL
- 3 GARLIC CLOVES, MINCED
- ½ ONION, DICED
- 4 PEELED, DESEEDED TOMATOES, CHOPPED
- 1 LITRE OF WHIPPING CREAM
- SALT AND BLACK PEPPER TO TASTE

Bake the whole pumpkin in a preheated oven at 180 °C for 30 minutes, or until tender. Cut out the top lid and discard the seeds. Remove a bit of the pulp (be careful not to compromise the pumpkin's structure) and set aside. Season the shrimps with lime juice, salt, and black pepper. Fry them in both sides in 1 tablespoon of olive oil. Remove from heat and set aside. In the same pot, heat up the remaining olive oil and braise the garlic, onion, and tomatoes. Add the pumpkin pulp and braise for a bit more. Blend in a blender until obtaining a smooth cream. Return them to the pot, adding the whipping cream and medium shrimps Season with salt and black pepper and stuff the pumpkin, mixing so the cream will absorb the pumpkin's flavour. Arrange the large shrimps on top and serve.

SEAFOOD FEIJOADA

(FEIJOADA DE FRUTOS DO MAR)

Serves 6 | 2 hours | Medium

- 500 G OF FLAGEOLET BEANS
- 2 BAY LEAVES
- 6 LARGE SHRIMPS (WITH THEIR SHELLS AND HEADS)
- 6 SQUIDS, CUT INTO RINGS
- 2 GROUPS FILLETS, CUT INTO CUBES
- 12 SHELLFISHES
- 3 OCTOPUS TENTACLES, COOKED AND CHOPPED
- 3 TABLESPOONS OF OLIVE OIL
- 1 TABLESPOON OF ANNATTO
- ½ TEACUP OF SMOKED BACON, CHOPPED
- 1 ONION, DICED
- 2 GARLIC CLOVES, MINCED
- 3 PEELED AND DESEEDED TOMATOES, CHOPPED
- 2 TEACUPS OF FISH STOCK (MADE WITH THE SCRAPS AND HEAD OF THE FISH)
- ½ BUNCH OF CORIANDER, CHOPPED
- SALT AND BLACK PEPPER TO TASTE

Cook the flageolet beans with the bay leaves until soft; turn off the heat and set the liquid aside. Season all the seafoods with salt and black pepper. Heat up the olive oil with annatto and fry the seafoods individually, in this order: shrimp, squid, fish, shellfish, and octopus. Remove from heat and set aside. In the same pot, braise the bacon, onion, garlic, and tomato. Return the seafoods; add the beans, a bit of the cooking liquid, and the fish stock. Cook for 10 minutes, but do not allow the fish to fall apart. Adjust seasoning, sprinkle in the chopped coriander, and serve with white rice (p. 336).

IN DETAIL: *The abundance of fish and seafoods in Brazil's coast brought on the development of this particular type of feijoada. The recipe shares some similarities with the French cassoulet, which also uses flageolet beans.*

SHRIMP FRITTATA

(FRIGIDEIRA DE CAMARÃO)

Serves 5 | 50 minutes | Medium

- 500 G OF SHRIMP
- 1 TABLESPOON OF OLIVE OIL, PLUS SOME EXTRA FOR GREASING
- 1 ONION, DICED
- 2 TOMATOES, CHOPPED
- 5 POTATOES, BOILED IN SMALL PIECES
- ⅓ TEACUP OF GREEN OLIVES, PITTED AND SLICED
- 5 EGGS
- 1 TABLESPOON FILLED WITH ALL-PURPOSE FLOUR
- ½ TEACUP OF COCONUT MILK
- ¼ TEACUP OF GRATED PARMESAN CHEESE
- ¼ TEACUP OF BREADCRUMBS
- SCALLIONS AND PARSLEY TO TASTE
- SALT AND BLACK PEPPER TO TASTE

Season the shrimp with salt and black pepper; brown in olive oil and set aside. In the same pot, braise the onions, tomatoes, potato, olives, scallions, and parsley. Whip the egg whites until firm and delicately add the all-purpose flour. Mix the yolks in with the coconut milk and pour it in a baking dish greased with olive oil. Arrange the braised ingredients on top of it, along with the shrimp and whipped egg whites. Sprinkle the cheese mixed with breadcrumbs. Bake in a preheated oven at 180 °C, until golden.

BLUE CRAB FRITTATA

(FRIGIDEIRA DE SIRI)

Serves 5 | 1 hour | Medium

- 3 TOMATOES, CHOPPED
- 1 ONION, DICED
- 3 TABLESPOONS OF CHOPPED CORIANDER
- 150 G OF DRIED SHRIMP
- 100 G OF GRATED COCONUT
- 1½ TEACUPS OF COCONUT MILK
- 200 G OF BLUE GRAB
- 2 TABLESPOONS OF DENDÊ OIL
- 6 EGGS
- 2 TABLESPOONS OF ALL-PURPOSE FLOUR
- TOMATOES AND ONIONS, SLICED, FOR GARNISHING
- SALT TO TASTE

In a blender, mix the tomatoes, onions, coriander, dried shrimp, and salt to taste. Put it in a pan and heat it up along with the grated coconut and coconut milk. Add the crab and the dendê oil; braise for 20 minutes. Meanwhile, whip the egg whites until firm. Add the yolks and the all-purpose flour. Pour half of the mixture into a baking dish, spread the braised blue crab, and cover with the remaining whipped eggs. Garnish with tomatoes and onions and bake at 180 °C for 20 to 30 minutes. Serve hot.

MANGROVE TREE CRAB FRITTATA

(FRITADA DE ARATU)

Serves 8 | 1 hour | Medium

- 1 KG OF MANGROVE TREE CRAB
- JUICE OF 1 LIME
- 3 TABLESPOONS OF OLIVE OIL
- 2 ONIONS, CHOPPED
- 2 GARLIC CLOVES, MINCED
- 1 BELL PEPPER, CHOPPED
- 3 EGGS
- 2 TABLESPOONS OF ALL-PURPOSE FLOUR

- 1½ TEACUP OF SLICED OLIVES
- CORIANDER, CHOPPED, TO TASTE
- SALT TO TASTE

Wash the crab with lime juice, rinse and braise in olive oil with the onions and garlic. Add the coriander, bell pepper, and salt; cook until the liquid in the pan evaporates. Whip the egg whites until firm; add the yolks and the all-purpose flour. Spread half of the whipped eggs across a baking dish, arrange the braised crab meat on top of it, and cover with the remaining eggs. Garnish with olives and bake at 180 °C for 25 minutes, until golden.

GRILLED LOBSTER

(LAGOSTA GRELHADA)

Serves 2 | 20 minutes | Easy

- 1 WHOLE LOBSTER
- 2 TABLESPOONS OF BUTTER, AT ROOM TEMPERATURE
- ZEST OF 1 ORANGE
- SALT AND BLACK PEPPER TO TASTE

Boil water and salt in a deep pot; cook the lobster for 10 minutes and transfer to a bowl with ice cold water to prevent further cooking. Heat up a griddle or barbecue grill. Cut the lobster in half lengthways, so you'll have two equal parts. While they are grilling, season the butter with salt, black pepper, and orange zest. Remove the lobster from the grill, butter it up, and serve.

IN DETAIL: *Ceará and Rio Grande do Norte are two states that have kept the practice of preparing lobsters in an unelaborated way, found in beachside joints and restaurants alike.*

SHELLFISH STEW

(MARISCADA)

Serves 6 | 40 minutes | Medium

- 6 LARGE SHRIMPS, WHOLE
- 6 SQUIDS, CUT IN TUBES
- 2 TABLESPOONS OF OLIVE OIL
- 1 TABLESPOON OF URUCUM
- 1 ONION, DICED
- 2 GARLIC CLOVES, MINCED
- 2 PEELED AND DESEEDED TOMATOES, CHOPPED
- 20 FREE BROWN MUSSELS
- 1½ TEACUPS OF CLEAN CRAB MEAT
- 4 OCTOPUS TENTACLES, SLICED AND COOKED
- JUICE OF 2 LIMES
- ½ BUNCH OF CORIANDER, CHOPPED
- ½ BUNCH OF GREEN ONIONS, CHOPPED
- SALT AND BLACK PEPPER TO TASTE

Season the shrimp with the lime juice, salt, and black pepper. Heat up the olive oil and the urucum and first sear the shrimp, and then the squid; take out and set aside. In the same pot, braise the onion, garlic, and tomatoes. Add the mussels, crab, and octopus. Braise for a bit and add the squid, shrimp, and lime juice. Adjust seasoning and finish off with the chopped herbs.

SHRIMP MOQUECA

(MOQUECA DE CAMARÃO)

Serves 4 | 40 minutes | Medium

- 400 G OF MEDIUM SHRIMPS
- JUICE OF 2 LIMES
- 2 SMALL ONIONS, SLICED
- 2 PEELED GREEN BELL PEPPERS, CHOPPED
- 3 TOMATOES, SLICED
- ¼ TEACUP OF OLIVE OIL
- ¼ TEACUP OF DENDÊ OIL
- 1 SMALL BUNCH OF CORIANDER, CHOPPED
- ½ SMALL BUNCH OF PARSLEY AND ½ SMALL BUNCH OF SCALLIONS, CHOPPED
- SALT AND BLACK PEPPER TO TASTE

Season the shrimp with the lime juice, salt, and black pepper. In a clay pot, arrange layers of onions, bell pepper, tomato, and shrimp Drizzle with a bit of each kind of oil and cook for a few minutes. Add the remaining oils and cook for 5 to 10 minutes, until the shrimp is done and not allowing it to overcook. Add the coriander, scallions, and parsley, adjust the seasoning, and serve with white rice (p. 336).

OYSTER MOQUECA

(MOQUECA DE OSTRA)

Serves 5 | 30 minutes | Easy

- 1 KG OF FRESH OYSTERS
- 2 KEY-LIMES
- 3 TABLESPOONS OF CORN OIL
- 1 COFFEE SPOON OF URUCUM
- 3 BUNCHES OF CORIANDER, CHOPPED
- 5 TOMATOES, CHOPPED
- 3 ONIONS, DICED
- 2 MALAGUETA PEPPERS, CRUSHED
- JUICE OF 3 LIMES
- 1 TABLESPOON OF OLIVE OIL
- SALT TO TASTE

Clean the oysters thoroughly with water and plenty of key-lime. Squeeze the oysters with your hands under running water - when you notice they are very clean, put them in baking dish and add a bit of salt to them. Set aside for 20 minutes. Mix the urucum with the oil and pour into a clay pot; heat it up and braise de coriander, tomato, onion, garlic, crushed peppers, lime juice, and olive oil. Wash the oysters one more time, drain them, and add to the pot. Stir, out on the lid, and cook for 20 minutes. Wash the oysters again by rinsing them and throw them into the braised ingredients in the clay pot. Stir, close the lid and cook for 20 minutes.

SOFT-SHELL CRAB MOQUECA

(MOQUECA DE SIRI MOLE)

Serves 4 | 40 minutes | Medium

- ⅔ TEACUP OF DENDÊ OIL
- 2 LARGE ONIONS, DICED
- 4 LARGE, RIPE AND FIRM TOMATOES, CHOPPED
- 1 LARGE BUNCH OF CORIANDER, CHOPPED
- 2 MALAGUETA PEPPERS
- JUICE OF 1 LIME
- 12 LARGE SOFT-SHELL CRABS
- 1 COCONUT MILK BOTTLE
- 1 TEASPOON OF SALT

Grease a clay pot with one tablespoon of dendê oil and arrange layers of onions, tomatoes, and coriander. Crush the pepper with the lime juice and add to the pot. Drizzle it with the remaining dendê oil. Boil the crabs until red and place then under running water, rubbing thoroughly. Add to the pot. Mix the coconut milk with salt, pour over the crabs, wait until it boils and cook for about 30 minutes over low heat.

CLAM CHOWDER

(SOPA DE BERBIGÃO)

Serves 4 | 30 minutes, plus time for soaking
Easy

- 1 KG OF SARNAMBI (A TYPE OF CLAM)
- 1 ONION, SLICED
- 1 BAY LEAF
- 1 PARSLEY SPRIG
- 1 GARLIC BULB, CUT INTO THIN SLICES
- 2 TABLESPOONS OF DENDÊ OIL
- 2 TABLESPOONS OF PASTA (OPTIONAL)
- PARMESAN CHEESE, GRATE, TO TASTE (OPTIONAL)
- SALT AND BLACK PEPPER TO TASTE

Soak the sarnambis in cold water for about 8 hours, exchanging the liquid as often as possible. Cook in 1 litre of water with the onion, bay leaf, and parsley. Close de lid, and cook for 3 minutes after it boils. Strain and reserve the broth and the shells. In another pot, braise the garlic in dendê oil. Drizzle it with the sarnambi's cooking broth, season with salt and black pepper, wait until it boils and then add the pasta. When the pasta is cooked through, add the sarnambis previously removed from their shells. Serve hot. You may choose to sprinkle Parmesan cheese over the soup.

CRAB CHOWDER

(SOPA DE CARANGUEJO)

Serves 10 | 50 minutes | Medium

- 2K OF PEELED POTATOES
- 5 TABLESPOONS OF OLIVE OIL
- 3 MEDIUM ONIONS, DICED
- 5 GARLIC CLOVES, MINCED
- 3 TOMATOES, CHOPPED
- 1 BUNCH OF PARSLEY, CHOPPED
- 1 BUNCH OF CORIANDER, CHOPPED
- 2.5 KG OF CRAB PASTE
- 3 TEACUPS OF COCONUT MILK
- 3 TABLESPOONS OF CUMIN
- 6 BAY LEAVES
- JUICE OF 4 LIMES
- ¾ TEACUP OF PITTED GREEN OLIVES
- SALT AND BLACK PEPPER TO TASTE

Dice the potatoes and cook them covered with water. In a blender, mix them along with one third of the cooking water, until obtaining a paste; set aside. Heat up two tablespoons of olive oil and braise the onions, garlic, tomatoes, parsley, and coriander. Add the crab and stir. Add the coconut milk and season with salt and black pepper. Cook for about 10 minutes, stirring continuously. Remove from the heat and set aside. In another pot, mix the potatoes and the crab. Cover with water and add the cumin, bay leaves, lime juice, olives, and remaining olive oil. Adjust seasoning and cook for 20 minutes. Serve hot.

LEÃO VELOSO SOUP

(SOPA LEÃO VELOSO)

Serves 10 | 1h30 | Medium

- FOR THE FISH STOCK
- 1.5 KG OF FISH HEADS
- 1 ONION
- 1 CELERY STALK
- 1 LEEK
- 3 PARSLEY SPRIGS
- 3 GREEN ONIONS SPRIGS
- 4 BASIL SPRIGS
- 1 ROSEMARY SPRIG
- 5 CORIANDER SPRIGS

FOR THE SOUP

- 300 G OF OCTOPUS, CUT INTO PIECES
- 300 G OF SQUID, CUT INTO PIECES
- 200 G OF MEDIUM SHRIMPS
- 50 G OF BROWN MUSSELS
- 1 ONION, DICED
- 6 GARLIC CLOVES, MINCED
- 2 TOMATOES, CHOPPED
- 2 TABLESPOONS OF EXTRA VIRGIN OLIVE OIL
- 2 TABLESPOONS OF CORN OIL
- 2 BAY LEAVES
- 1 TEACUP OF DRY WHITE WINE
- 1.5 LITRE OF FISH STOCK
- 1 DESSERT SPOON OF ANNATTO
- 1 PINCH OF NUTMEG

- 1 DESSERT SPOON OF RICE CREAM
- SALT TO TASTE

Prepare the stock: cover the fish heads, onion, celery, leek and herbs with plenty of water. Cook for 30 minutes and strain the stock. Shred the meat from the fish heads and set aside. Cook the octopus and squid for 30 minutes; season with salt and set aside. Coo the shrimp and mussels for 10 minutes; season with salt and set the cooking liquid aside. Braise the onion, garlic, and tomato in olive oil mixed with corn oil. Add the bay leaves and wine; boil for 15 minutes, strain and set the braised ingredients aside. Mix the fish stock with 2 teacups of the shrimp's cooking liquid. Add the braised ingredients and boil for 15 minutes, stirring continuously. Add the annatto and nutmeg, cook for another 15 minutes, and strain it. Put in the rice cream, the seafood, and the fish meat; wait until it thickens, adjust the seasoning, and serve.

CHARRU MUSSEL WITH COCONUT MILK

(SURURU AO LEITE DE COCO)

Serves 4 | 30 minutes | Easy

- 1 SMALL ONION, DICED
- 2 GARLIC CLOVES, MINCED
- 1 TOMATO, CHOPPED
- ½ GREEN BELL PEPPER, CHOPPED
- 2 TABLESPOONS OF DENDÊ OIL
- 1½ TEACUP OF CHARRU MUSSELS
- ¼ TEACUP OF COOKED MANIOC
- ½ TEACUP OF COCONUT MILK
- 1 LIME
- 1 BUNCH OF CORIANDER, CHOPPED
- SALT TO TASTE

Braise the onion, garlic, tomato, and bell pepper in dendê oil. Add the charru mussels and cook for 5 minutes. Mix the manioc and coconut milk in a blender; add to the pot and cook for 10 minutes. Season with salt and drops of lime. Sprinkle the coriander and serve.

TACACÁ

Serves 8 | 1h20 | Easy

- 1 TEACUP PACKED WITH SMALL, DRIED SHRIMPS
- 2 LITRES OF TUCUPI
- 3 GARLIC CLOVES, MINCED
- DE-CHEIRO PEPPER FROM PARÁ, TO TASTE
- ½ BUNCH OF CURLY ENDIVE LEAVES
- 1 PINCH OF SALT
- ½ BUNCH OF PARA CRESS LEAVES
- ½ SOUR OR SWEET MANIOC STARCH (GOMA)

Clean the shrimps, ripping off their heads and legs. Simmer in warm water, exchanging the liquid three time and storing 1 litre of the last batch of water. Heat the tucupi over medium heat along with the garlic, de-cheiro pepper, curly endive, shrimp, and salt; close the lid and cook for 30 minutes. Meanwhile, boil the para cress leaves until tender; set aside. Heat up the shrimp's cooking liquid. When it begins to boil, add the manioc starch and cook for 5 minutes, stirring constantly to prevent the forming of lumps. Add the para cress to the tucupi, cook for a few minutes and serve the broth with starch in a bowl.

IN DETAIL: *One of the most symbolic dishes from the Amazonian region, it comes from the "mani poi", the old soup prepared by Pará indigenous people and recorded by Câmara Cascudo. In the North, the tacacá is usually sold by street vendors and enjoyed during the late evening - depending on where it's made, different touches might be added – such as popcorn, flour, or mush.*

CRAB PIE

(TORTA DE CARANGUEJO)

Serves 4 | 1 hour | Easy

- 4 STALE ROLLS, CRUMBS REMOVED
- 3 TEACUPS OF MILK
- 1 TEACUP OF CHOPPED ONIONS
- 2 GARLIC CLOVES, CRUSHED
- 3 TABLESPOONS OF OLIVE OIL
- 1 TEACUP OF PEELED AND DESEEDED TOMATOES, CHOPPED
- ½ BELL PEPPER
- 600 G OF CRAB MEAT
- JUICE OF 1 LIME
- 2 YOLKS
- GRATED PARMESAN CHEESE, TO TASTE
- CORIANDER TO TASTE
- SALT TO TASTE

Soak the rolls in milk, until they are drenched. Braise the onions and garlic in olive oil. Add the tomato, bell pepper, and crab; braise for 5 minutes. Add the lime juice and season with salt and coriander to taste. Add the rolls and cook over low heat for 15 minutes. Transfer to a clay pot and brush with the whipped yolks. Sprinkle over the grated cheese and bake at 200 °C for 15 minutes, until golden.

VEGETABLES AND EGG

BREADFRUIT BOBÓ

(BOBÓ DE FRUTA-PÃO)

Serves 10 | 50 minutes | Easy

- 3 KG OF BREADFRUIT
- 1 KG OF SHRIMP FILLETS, PEELED

- JUICE OF 1 LIME
- 2 TABLESPOONS OF OLIVE OIL
- 2 ONIONS, CHOPPED
- 1 TABLESPOON OF MINCED GARLIC
- 3 TOMATOES, CHOPPED
- 3 TABLESPOONS OF CHOPPED CORIANDER
- 3 TABLESPOONS OF CHOPPED GREEN ONIONS
- 150 ML OF DENDÊ OIL
- 200 ML OF COCONUT MILK
- 150 G OF DRIED SHRIMP
- SALT TO TASTE

Cook the breadfruit in water and salt and mix it in a blender, until obtaining a puree. Wash the shrimp with lime juice and season with salt. Heat up the olive oil and braise the shrimp, onion, garlic, tomato, and herbs. Add the dendê oil, coconut milk, and dried shrimp. Cook for 3 minutes, add the breadfruit puree, heat up and serve with white rice (p. 336).

TARO BOBÓ

(BOBÓ DE INHAME)

Serves 10 | 1 hour | Medium

- 4 TAROS, CUT INTO SMALL PIECES
- ½ A LIME
- 1 EFÓ RECIPE (P. 331)
- 2 TEACUPS OF COCONUT MILK
- SALT TO TASTE

Cook the taro in water with salt and lime. Prepare the efó recipe. Add the coconut milk and the taro; cook for 10 minutes. Adjust seasoning and serve hot.

CARIBÉ

Serves 2 | 10 minutes | Easy

- ¾ TEACUP OF MANIOC FLOUR OR FARINHA D'ÁGUA
- 1 TABLESPOON OF BUTTER

Divide the flour into two bowls. Heat up 3 teacups of water until it begins to boil. Pour over the flour and wait until it hydrates a bit. Put the butter on top - only ingest the liquid.

CASHEW MEAT

(CARNE DE CAJU)

Serves 4 | 25 minutes | Easy

- 5 CASHEWS
- 3 TABLESPOONS OF CORN OIL
- ½ ONION, DICED
- 1 GARLIC CLOVE, MINCED
- 1 DESEEDED TOMATO, CHOPPED
- ½ GREEN BELL PEPPER, CHOPPED
- 1 DESSERT SPOON OF OREGANO
- SALT TO TASTE

Squeeze the cashews, removing all the juice, and shred the "meat" until it comes off the peel. Heat up the oil and braise the shredded cashew, until golden. Add the onion, garlic, tomato, and bell pepper. Cook for 10 minutes, season with salt and oregano, and serve immediately.

JACKFRUIT MEAT

(CARNE DE JACA)

Serves 8 | 1 hour | Easy

- 1 SMALL, GREEN JACKFRUIT
- 3 TABLESPOONS OF OLIVE OIL
- 1 ONION, DICED
- 1 GARLIC CLOVE, MINCED
- ½ TEACUP OF SOY SAUCE
- 2 TEACUPS OF TOMATO SAUCE (P. 292)
- ½ TEACUP OF COCONUT MILK
- SALT TO TASTE

While wearing a disposable glove, cut the jackfruit into large chunks, keeping the peel. Put it in a pressure cooker (fill about half of it, or work within the given proportions), cover with water and cook for 30 minutes, or until the core is soft. Drain the water, put it under cold water and shred it (throw out the peel and central part, which could be chewy). Heat up the olive oil and braise the "meat" with onion and garlic. Add the soy and tomato sauces and the coconut milk. Season with salt, wait until it dries a bit and serve hot.

CHIBÉ

Serves 4 | 20 minutes | Easy

- 1 MURUPI PEPPER
- 2 DE-CHEIRO-DO-PARÁ PEPPERS
- 1 TEACUP OF FARINHA D´ÁGUA
- 1 GARLIC CLOVE, MINCED
- ½ MEDIUM ONION, FINELY DICED
- 2 TEASPOONS OF CHOPPED CORIANDER
- 2 TABLESPOONS OF CHOPPED PARSLEY
- 4 CILANTRO LEAVES, CHOPPED
- JUICE OF 1 RANGPUR OR PERSIAN LIME
- 1 PINCH OF SALT

Distribute the two types of pepper, crushed, into four bowls, along with the farinha d'água. Mix the garlic, onions, coriander, parsley, cilantro, lime juice and salt with 8 teacups of ice cold water. Stir the ingredients and distribute them among the bowls, with the farinha at the bottom. Wait for 5 minutes while it hydrates and serve.

EFÓ

Serves 6 | 1 hour | Medium

- 4 TEACUPS OF BITTER DOCK LEAVES (OR MUSTARD GREENS, SPINACH, MALABAR SPINACH, ARROWLEAF ELEPHANT EAR)
- 2 LARGE ONIONS, DICED
- 3 GARLIC CLOVES
- 1 TEACUP OF PEANUTS (OR CASHEW NUTS)
- 2 TABLESPOONS OF DENDÊ OIL
- 2 TEACUPS OF SMOKE DRIED SHRIMP, PEELED
- SALT AND DRIED MALAGUETA PEPPER TO TASTE

Chop the bitter dock, put it in water and boil it. In a blender, mix 1 teacup of water, onions, garlic, shrimps, and peanuts. Heat up the dendê oil and braise this paste along with the bitter dock. Season with salt and malagueta pepper and cook, stirring, until it dries out.

IN DETAIL: *The efó is prepared with the same technique as the caruru. The difference is that the okra is replaced with leaves known as "bitter docks". It's a dish that is offered to Oxum in the Candomblé's religious rituals, normally with a side of angu made with rice flour.*

MATURI FRITTATA

(FRIGIDEIRA DE MATURI)

Serves 8 | 20 minutes | Medium

- 1 KG OF UNRIPE CASHEW NUTS (OR CASHEW NUTS THAT HAVE BEEN SOAKED OVERNIGHT)
- 4 TABLESPOONS OF GROUND DRIED SHRIMP
- 1 ONION, DICED
- 1 TOMATO, CHOPPED
- 1 BELL PEPPER, CHOPPED
- ½ TEACUP OF COCONUT MILK
- 5 TABLESPOONS OF OLIVE OIL
- 5 EGGS

Chop the cashew nuts and mix with 1 coffee spoon of water and all the other ingredients, except the eggs. Boil it over heat, until it dries out; transfer to a baking dish. Beat the eggs and pour them over the other ingredients. Bake at 180 °C for 10 minutes, until golden.

EGG MOQUECA

(MOQUECA DE OVO)

Serves 5 | 30 minutes | Medium

- 1 ONION, DICED
- 1 GARLIC CLOVE, CRUSHED
- ¼ TEACUP OF DENDÊ OIL
- ½ DEDO-DE-MOÇA PEPPER, DESEEDED
- 1 PEELED AND DESEEDED TOMATO, CHOPPED
- 1 DESSERT SPOON OF CORIANDER
- JUICE OF ½ LIME
- 5 EGGS
- 1 DESSERT SPOON OF CHOPPED GREEN ONIONS
- SALT TO TASTE

Braise the onion and garlic in dendê oil, until soft. Add the pepper, tomato, coriander, and lime juice. Add 2½ teacups of water, season with salt and cook over low heat, until the tomato begins to fall apart. Add the whole eggs, close the lid and boil - the eggs should be cooked, but their yolks still soft. Sprinkle the green onions and serve immediately.

MANIOC GNOCCHI

(NHOQUE DE MANDIOCA)

Serves 4 | 40 minutes | Medium

- ½ KG OF COOKED MANIOC, CENTRAL FIBRE REMOVED
- 1 EGG
- 1 TEACUP OF ALL-PURPOSE FLOUR
- 1 DESSERT SPOON OF BUTTER
- ¼ TEACUP OF GRATED CHEESE
- SALT TO TASTE

Pass the manioc through a ricer and mix with the eggs, flour, butter, cheese, and salt until even. Over a floured surface, form small rolls and cut the gnocchi. Cook small batchers in boiling water, until the gnocchi rise to the surface. Drain and serve with tomato sauce (p. 292).

OMELET

(OMELETE)

1 portion | 10 minutes | Easy

- 2 EGGS
- ½ TABLESPOON OF BUTTER
- SALT AND BLACK PEPPER TO TASTE

Break the eggs, season with salt and black pepper, and whip with a fork or wire whip. In a frying pan, heat up the butter over medium heat and add the eggs, spreading them across the pan. When it is cooked, loosen the omelet with a spatula. Add the filling (optional), fold and gently press down on the edges, so they'll stick together. Serve at once.

FRIED EGG

(OVO FRITO)

1 portion | 5 minutes | Easy

- 1 DESSERT SPOON OF BUTTER
- 1 EGG
- 1 PINCH OF SALT

In a frying pan, melt the butter over medium heat. Turn off and allow to cool. Over a low heat, add the egg and, once it begins to become firm, season with salt. With a spoon, spread the melted butter over the egg. If you prefer it well-done, turn it over and cook the other side, until the yolk is hard. Serve hot.

PUMPKIN SOUP

(SOPA DE ABÓBORA)

Serves 8 | 35 minutes | Easy

- 2 TABLESPOONS OF OLIVE OIL
- ½ ONION, DICED
- 1 GARLIC CLOVE, MINCED
- 1 KG OF PUMPKIN, PEELED AND CUT INTO CUBES
- 1 LITRE OF VEGETABLE STOCK (P. 325)
- SALT AND BLACK PEPPER TO TASTE

Heat up the olive oil over low heat and braise the onions until translucent. Add the garlic, braise for a minute, and add the pumpkin. Cover with the hot vegetable stock, close the lid and simmer for about 20 minutes, or until the pumpkin is soft. Let it cool and blend on the blender or food processor. Season with salt and pepper and reheat before serving.

ONION SOUP

(SOPA DE CEBOLA)

Serves 2 | 1h30 | Easy

- 80 G OF BUTTER
- 4 ONIONS, THINLY SLICED
- 1 TABLESPOON OF ALL-PURPOSE FLOUR
- 3 THYME SPRIGS (LEAVES ONLY)
- 190 ML OF APPLE BRANDY
- 570 ML OF BEEF (P. 289) OR CHICKEN STOCK
- SALT AND BLACK PEPPER TO TASTE

In a pot with a thick bottom, melt the butter over low heat. Add the onions and cook while stirring, until they are very brown, but not burnt. Put in the flour and thyme; stir for a few minutes. Add the brandy and scrape the bottom of the pot. Wait until it reduces a bit, then add the stock. Simmer over low heat for about 1 hour. Adjust seasoning, cook for another 10 minutes, and serve immediately.

PEA SOUP

(SOPA DE ERVILHA)

Serves 4 | 40 minutes | Easy

- 1 TABLESPOON OF OLIVE OIL
- 1 SMALL ONION, DICED
- 2 GARLIC CLOVES, MINCED
- 600 G OF FRESH PEAS
- 1.5 LITRE OF VEGETABLE STOCK (P. 325)
- 1 TEACUP OF MILK
- SALT AND BLACK PEPPER TO TASTE

Heat up the olive oil and braise the onions and garlic. Add the peas and stock and season with salt and black pepper. Wait until it boils, close the lid and cook over low heat for about 30 minutes. When the peas are very soft, mix them in a blender until obtaining a smooth, even cream. Return to the pot, add the milk and cook for 5 minutes. Adjust the seasoning and serve hot.

BEAN SOUP WITH NOODLES

(SOPA DE FEIJÃO COM MACARRÃO)

Serves 6 | 50 minutes | Easy

- 2 TABLESPOONS OF CORN OIL
- ½ ONION, DICED
- 2 GARLIC CLOVES, MINCED
- 3 TEASPOONS OF COOKED BEANS IN THEIR BROTH
- 2 POTATOES, DICED
- ½ PACKET OF SPAGHETTI
- ½ BUNCH OF PARSLEY, CHOPPED
- SALT TO TASTE

Heat up the oil and braise the onion and garlic. Add the beans along with 3 teacups of water and wait until it boils. Meanwhile, boil the potatoes for 5 minutes and set aside. Mix the beans in a blender and strain them, removing the husks. Return to the pot, add the potatoes along with 1 teacup of water. Once it boils, add the spaghetti broken in half and cook until soft. Adjust the salt and garnish with parsley.

FRESH CORN AND SQUASH BUDS SOUP

(SOPA DE MILHO-VERDE COM CAMBUQUIRA)

Serves 6 | 40 minutes | Easy

- 10 CORN COBS
- 6 TEACUPS OF MILK
- 4 TABLESPOONS OF CORN OIL
- ¼ ONION, DICED
- 2 GARLIC CLOVES, MINCED
- 1 BUNCH OF SQUASH BUDS, FLOWERS AND YOUNG LEAVES
- SALT TO TASTE

In a blender, mix the corn (removed from the cob) and the milk. Put it over low heat and allow it to thicken - if you wish to, pass the corn through a sieve and add 1 teaspoon of cornstarch to the milk. Heat up the oil, braise the onion and garlic, and add the chopped squash buds. Season with salt. Add the squash buds to the corn cream, adjust seasoning and serve.

PARANÁ PINE NUT SOUP
(SOPA DE PINHÃO)
Serves 4 | 1h 20 minutes | Easy

- 2 TABLESPOONS OF CORN OIL
- 300 G OF CHICKEN BREAST, DICED
- ½ ONION, DICED
- 1 GARLIC CLOVE, MINCED
- 1 CALABRESA SAUSAGE, DICED
- 1 BAY LEAF
- 1 COFFEE SPOON OF PEPPER SAUCE
- 2 LARGE POTATOES
- 200 G OF FRESH PEAS
- 1 KG OF COOKED AND CHOPPED PARANA PINE NUT
- 100 G OF BACON, DICED AND FRIED
- SALT TO TASTE

Heat up the oil and fry the chicken breast until golden. Add the onion, garlic, sausage, and bay leaf. Braise and season with salt and pepper sauce. In a blender, mix the potatoes, peas, and 1 litre of water. Add to the pot, stir, then put in the pine nuts and bacon. Cook for about 50 minutes. Serve hot.

CHEESE SOUFFLÉ
(SUFLÊ DE QUEIJO)
Serves 8 | 50 minutes | Medium

- 3 TABLESPOONS OF BUTTER
- 2 TABLESPOONS OF ALL-PURPOSE FLOUR
- 1 TEACUP OF MILK
- 4 EGGS
- 2 TEACUPS OF WHIPPING CREAM
- 1 TEACUP OF GRATED PARMESAN CHEESE
- 1 TEACUP OF GRATED PRATO CHEESE
- SALT, BLACK PEPPER, AND FRESHLY GRATED NUTMEG TO TASTE

Prepare a white sauce: heat up the butter and add the all-purpose flour, stirring to mix them together. Add the milk, stirring continuously, preventing lumps. Allow it to cool. Whip the yolks and mix them with the whipping cream. Add the cheeses to the white sauce; season with salt, black pepper, and nutmeg. Whip the egg whites until firm and add to the cheese mixture. Transfer to a large soufflé mould (or individual moulds) and bake at 180 °C for about 30 minutes - do not open the oven's door. Serve at once.

PUMPKIN TORTELLINI
(TORTEI DE MORANGA)
Serves 6 to 8 | 2 hours | Difficult

FOR THE DOUGH
- 1 KG OF ALL-PURPOSE FLOUR, PLUS A BIT EXTRA FOR SPRINKLING
- 6 SEPARATED EGGS
- ½ TABLESPOON OF SALT

FOR THE FILLING
- 1 MEDIUM KABOCHA PUMPKIN
- ½ ONION, DICED
- 3 GARLIC CLOVES, MINCED
- 2 TABLESPOONS OF BUTTER
- ¼ BUNCH OF PARSLEY AND SCALLIONS, CHOPPED
- 1 TEACUP OF GRATED COLONIAL OR PARMESAN CHEESE
- SALT AND BLACK PEPPER TO TASTE

FOR FINISHING
- 6 TABLESPOONS OF BUTTER
- ½ TEACUP OF SAGE LEAVES
- GRATED COLONIAL OR PARMESAN CHEESE, FOR SPRINKLING

For the dough, put the flour on a working surface, open a whole in the middle and put in the yolks and salt. Slowly add ½ teacup of water, mixing until soft, flexible, and not sticky (you may not need to add all the liquid). Cover with a cloth and allow it to rest outside the fridge for 30 minutes.

For the filling, bake the whole pumpkin in an oven at 200 °C for 35 to 40 minutes, or until very tender. Open, discard the seeds and remove the squash. Braise the onions and garlic in butter, add the squash and season with a bit of salt and black pepper. Add the parsley, scallions, and the cheese, mix and allow to cool.

With a rolling pin, roll out the dough to 2 to 3 mm of thickness and cut equally sized squares. Put a spoonful of pumpkin over half of the squares and cover with the remaining pieces of dough. Wet the edges of the squares, pressing down, to secure them.

Cook the torteis in plenty of water with salt. In another pot, heat the butter and add the sage. When the dough rises to the water's surface, cook for 1 minute, take out and transfer to a pot with the butter. Continue to do this while you add ladles of the cooking water, stirring until the sauce is creamy. Serve with grated cheese.

IN DETAIL: *A variation of the Italian "tortelli", this fresh pasta shaped like a turnover is almost mandatory during the Italian festivals in Serra Gaúcha (the highlands of Rio Grande do Sul) and during the Sunday lunches.*

SUSTÂNCIA
(HEARTY FOOD)

One expression of endearment that I find particularly moving is being asked to stay for lunch or dinner without it being reason for any sort of embarrassment. In my childhood, this was a gesture that I interpreted as a warm embrace. Quickly, the hosts would make sure that there was enough food for all: one or two extra guests, it didn't matter how many. And how did they do that? The most classic image we invoke when thinking about this situation is the well-known act of "watering down the beans". In other words: stretching out the "sustância"!

"Sustância", a popular expression that has been recorded in Portuguese dictionaries, refers to hearty, flavorful foods, almost always containing a high calorie count while still being pleasing to the stomach. We're also familiar with the variation "sustança", especially when we say we quickly need something to replenish our energies and "sustain" us throughout a long journey. Could it be just rice and beans? Yes. But they become the quintessential "sustância" when garnished with a farofa or paçoca recipe, and the delicious and nutritious side dishes such as the ones we find in this chapter.

Up until colonial times, flour (manioc or corn) fulfilled this role in everyday cooking, which was basically made up of fish; it gave "sustância" to the food. Thickening, reinforcing, expanding – those are verbs that are closely linked to "sustância". Little by little throughout our history, a more frugal diet was diversified. The quintessential "sustância"? The bone marrow extracted from the ox, directly poured on top of the manioc flour mush, as Câmara Cascudo reports in "História da Alimentação no Brasil".

Be it in the various preparations of beans (the day-to-day recipe or the tutu mineiro for a side dish, among many other recipes), be it in the various kinds of rices (from the juicy biro-biro to the traditional arroz de cuxá), "sustância" also can come in the shape of anything that comes from the garden, such as braised cousa squash and chayote, ever-present in the home menus, or the classic and beloved fried manioc or French fries. We need "sustância", there are people coming over! Because, as my mother used to say, "the more, the merrier".

THE FOLLOWING RECIPES ARE SHOWN IN THE ORDER AS THEY APPEAR IN THE MAIN SECTION OF THE BOOK. THEY ARE ALSO PAIRED WITH THEIR ORIGINAL BRAZILIAN NAMES FOR FASTER AND EASIER REFERENCE.

RICE

BIRO-BIRO RICE
(ARROZ BIRO-BIRO)
10 servings | 10 minutes | Easy

- 250 G BACON, FINELY DICED
- 1 ONION, CHOPPED
- 4 EGGS
- 4 CUPS LONG-GRAIN RICE, COOKED
- 1 CUP SHOESTRING POTATO (P. 340)
- 2 TABLESPOONS PARSLEY, CHOPPED

Fry the bacon until it gets crispy; set aside. Discard half of the fat, reheat the remaining and sauté the onion. Add the eggs and stir, to get creamy. Add the cooked rice and mix together. Add potato sticks and mix tenderly. Bring together parsley and stir again. Serve it immediately.

IN DETAIL: *This recipe was a collaborative creation in the 1980s, at Rodeio steakhouse in São Paulo, during a rendez-vous with adman Washington Olivetto and journalist Thomaz Souto Corrêa. The maître accepted the unusual order and voilà: the dish was created, named after a charismatic Corinthians' midfielder of those times.*

WHITE RICE
(ARROZ BRANCO)
6 servings | 30 minutes | Easy

- ½ ONION, CHOPPED
- 2 GARLIC CLOVES, CHOPPED
- 2 TABLESPOONS CORN OIL
- 2 CUPS LONG-GRAIN WHITE RICE
- SALT TO TASTE

Sauté the onion and garlic in oil, until soft. Add rice and fry, coating the grains with oil. Pour in 4 cups of hot water, season with salt and cook over medium-high heat, covered. When water reduces by half, lower the heat and wait it to drain. Turn off the heat and let stand for 5 minutes, still covered, before serving.

IN DETAIL: *It's known that Brazil had a wide variety of native rice, even before the Discovery. However, it was not appreciated. Cultivation and consumption only began in the 18th century, after it got popular in Portugal and among other European countries, thanks to the Arabs. In Tupian language, there is no specific name for rice, known as auati-i, or "water corn", reports Câmara Cascudo. Most common varieties I've noticed at Brazilian tables, during my expeditions throughout the country, were long-grain, short-grain and red rice.*

TURMERIC RICE
(ARROZ COM AÇAFRÃO-DA-TERRA)
4 servings | 20 minutes | Easy

- 1 TABLESPOON VEGETABLE OIL
- 1 GARLIC CLOVE, CHOPPED
- 1 CUP LONG-GRAIN RICE
- 1 TABLESPOON TURMERIC
- SALT TO TASTE

Heat the oil and stir-fry the garlic. Add rice and fry for 2 minutes. Add 2 ½ cups of water and turmeric, season with salt and cook until tender. Serve hot.

BROCCOLINI RICE
(ARROZ COM BRÓCOLIS)
10 servings | 25 minutes | Easy

- BOUQUETS OF 1 BUNCH FRESH BROCCOLINI
- 1 TABLESPOON OLIVE OIL
- 1 TABLESPOON BUTTER
- 1 TABLESPOON GARLIC, CHOPPED
- 1¼ CUP LONG-GRAIN WHITE RICE, COOKED
- SALT TO TASTE

Steam broccolini for about 7 minutes, until cooked, but firm to the bite (al dente). Dice the bouquets. Heat olive oil and butter, and add garlic. Combine with the broccolini, stir altogether and add cooked rice. Season with salt and serve hot.

PEQUI RICE
(ARROZ COM PEQUI)
6 servings | 50 minutes | Easy

- 3 TABLESPOONS CORN OIL
- ½ ONION, CHOPPED
- 1½ CLOVE GARLIC, CHOPPED
- 18 PEQUIS (SOUARI NUTS)
- 2½ CUPS LONG-GRAIN RICE
- SALT TO TASTE

Heat the oil and stir in onion and garlic. Add pequi, stir a little and cover with water. Cook under low heat until there is just about 1,5 cm of liquid left. Combine with the rice, add 4 cups of hot water, season with salt and cook until tender. Serve hot.

IN DETAIL: *Those who are not familiar to pequi – in Tupian, "skin full of thorns" – can end up with the mouth covered in thorns. A typical fruit of Cerrado, one of the richest Brazilian biomes, fresh pequi is responsible for the yellowish colour of this recipe, a traditional dish in Goiás and Mato Grosso, where pequi liqueur is also produced.*

TUCUMÃ RICE

(ARROZ COM TUCUMÃ)

6 servings | 30 minutes | Easy

- 2 TABLESPOONS CORN OIL
- 3 GARLIC CLOVES, CRUSHED
- 2¾ CUPS LONG-GRAIN RICE
- 60 G TUCUMÃ, SLICED
- SCALLIONS, CHOPPED
- SALT TO TASTE

Heat the oil and stir-fry the garlic. Add rice, season with salt and pour in boiling water. Add tucumã and cook until tender. Mix with scallions and serve.

COCONUT RICE

(ARROZ DE COCO)

6 servings | 30 minutes | Easy

- ½ ONION, CHOPPED
- 2 CLOVES OF GARLIC, CHOPPED
- 2 TABLESPOONS CORN OIL
- 2 CUPS LONG-GRAIN WHITE RICE
- 2 CUPS COCONUT MILK
- COCONUT MEAT IN CHUNKS, TO TASTE
- SALT TO TASTE

Sauté onion and garlic, until tender. Add rice and fry, coating the grains with oil. Pour in 4 cups of hot water, season with salt and cook over medium-high heat, with the pan covered. When grains are cooked, add coconut milk and mix. Serve with chunks of fresh coconut meat.

CUXÁ RICE

(ARROZ DE CUXÁ)

6 servings | 2h10 | Easy

- 2 BUNCHES ROSELLE
- 3 CUPS DRIED SHRIMP
- 2 TABLESPOONS CORN OIL
- ½ ONION, CHOPPED
- ½ YELLOW BELL PEPPER, CHOPPED
- 3 PIMENTAS-DE-CHEIRO (CAPSICUM CHINENSE), CHOPPED
- 2½ CUPS LONG-GRAIN WHITE RICE

Cook the roselles for 1h30, or until tender. Dice and set aside. Remove heads and legs of dried shrimps and desalt in three steps, pouring in hot water and discarding each time – keep the last amount of water for later. Heat the oil and sauté the onion, until tender. Add bell pepper, pimenta-de-cheiro and 2 cups of dried shrimps. Add rice to combine, stir-frying, and adding the last water from desalting (check if it's not too salty). If necessary, complete with lukewarm water. Cook until tender and finish adding the remaining dried shrimp.

IN DETAIL: *Also known as caruru-azedo (sour amaranth), quiabo-azedo (sour okra), azedinha (sorrel), rosélia or rosela, roselle is the soul of this dish. Endemic vegetable in Guinea, it gives colour and taste to rice "cuchá, cuxá, cuxã, Maranhão state proud", as put by Câmara Cascudo.*

MILKY RICE

(ARROZ DE LEITE)

6 servings | 40 minutes | Easy

- 1 CUP LONG-GRAIN RICE
- 5 CUPS MILK
- ¾ CUP WHIPPING CREAM
- SALT TO TASTE

Combine rice with milk, 1 cup of water and salt to taste. Cook over medium heat for 25 minutes. When it is almost done, reduce the heat, add whipping cream and cook for 2 minutes more. Serve hot.

RICE COUSCOUS

(CUSCUZ DE ARROZ)

4-6 servings | 40 minutes | Easy

- 500 G FLAKED RICE FLOUR
- 1 TABLESPOON BUTTER
- 2 TABLESPOONS CORN OIL
- 1 COCONUT, GRATED
- 1 PINCH OF SALT
- 5 TABLESPOONS MILK
- 2 CUPS COCONUT MILK (P. 290)

Combine flaked rice flour, butter, oil, coconut and salt. Add milk gradually, until you have a very moist crumble mixture. Reserve for 30 minutes. Transfer to a cuscuzeira (a clay bowl with holes in the bottom) and steam the dough until cooked – insert a fork in the dough, it must come out clean. Pour coconut milk over it and serve.

BEANS

HOMEMADE BEANS

(FEIJÃO CASEIRO)

16 servings | 2 hours | Easy

- 1 KG PINTO BEANS
- 1 LARGE ONION, CUT IN HALF
- 2 BAY LEAVES
- 4 GARLIC CLOVES
- 4 TABLESPOONS CORN OIL
- SALT TO TASTE

Measure two parts of water to cook all beans and cook over medium heat, with onion and bay leaves. When beans are ready and the liquid thickens, reduce the heat. Remove the onion and blend it with garlic on a blender, in order to get a paste. Heat the oil and stir the paste. Add the beans. Season with salt and, if you want a thicker sauce, let it simmer a little longer.

IN DETAIL: *Maybe there is just one thing in common between all home-cooked beans recipes in the country: the ritual of sorting out the grains, practice that named a poem by João Cabral de Melo Neto. Apart from that, all is different, such as beans varieties. São Paulo has been using pinto beans for more than thirty years; Rio de Janeiro carries an old habit of eating black beans. Bay leaf, greens, bacon, carne-seca, and pork loin can also be added to the dish.*

BEANS AND PEQUI

(FEIJÃO COM PEQUI)

5 servings | 30 minutes | Easy

- 1¼ CUP BEANS
- 3 TABLESPOONS LARD
- 2 GARLIC CLOVES, CHOPPED
- 100 G PEQUI, WITHOUT THE NUT
- SALT

Cook the beans seasoned with salt, in the pressure cooker. Using another pan, heat lard and sauté garlic. Add cooked beans and pequi; let it boil for 10 minutes, or until the fruit gets tender. Season if necessary and serve hot.

TROPEIRO BEANS

(FEIJÃO TROPEIRO)

16 servings | 2 hours | Easy

- 1 KG PINTO BEANS OR ROXINHO BEANS
- 4 TABLESPOONS LARD
- 2 CUPS BACON, MINCED
- 2 FRESH SAUSAGES (REMOVE SKIN)
- 1 ONION, CHOPPED
- 3 GARLIC CLOVES, CHOPPED
- 4 CUPS FINE MANIOC FLOUR, TOASTED
- 8 EGGS, COOKED AND SLICED
- 1 BUNCH SCALLION, FINELY SLICED
- SALT TO TASTE

Cook the beans with a little bit of salt, until al dente; discard the water and set aside. Heat lard and fry bacon until brown; add sausages to cook and, finally, add onion and garlic to sauté. Add beans, manioc flour, combine all ingredients and let it brown slightly. Season if necessary and sprinkle cooked eggs and sliced scallion.

IN DETAIL: *recipe's name refers to the travelling merchants who crossed the country, specially between São Paulo, Minas Gerais and Goiás states, from the 17th century onwards. The dish is nothing but a complete meal, made with ingredients easily carried or found on the way.*

BLACK BEANS WITH COCONUT MILK

(FEIJÃO-PRETO COM LEITE DE COCO)

8 servings | 50 minutes | Easy

- 1½ CUP BLACK BEANS
- 150 ML COCONUT MILK
- 1 TABLESPOON SUGAR
- SALT TO TASTE

Cook the beans until soft and pestle in a mortar with some liquid from the cooking, keeping a firm texture. Pass through a sieve and take it back to the heat with coconut milk. Bring it to a boil, add sugar and season with salt. Serve it right away.

RUBACÃO

8 servings | 1 hour | Easy

- 750 G CARNE DE SOL, DESALTED AND CUT INTO CUBES
- 3 TABLESPOONS CORN OIL
- 2½ CUPS COWPEAS, COOKED
- 2½ CUPS LONG-GRAIN WHITE RICE, COOKED
- 2 ONIONS, CHOPPED
- 1 CUP CORIANDER, CHOPPED

- 1,5 LITRE MILK
- 200 G COALHO CHEESE, CUT INTO CUBES
- 3 TABLESPOONS NATA (DOUBLE CREAM)

Fry carne de sol in corn oil. Add cowpea, rice, onion and coriander. Mix carefully and pour in the milk. Combine all ingredients, bring it to a boil and add coalho cheese. When melted, add nata, mix, and serve.

IN DETAIL: *This dish is very similar to baião de dois. The name derives from a bird that was part of the recipe in Paraíba and Ceará states: rubacão, or avoante, that can no longer be hunted following rules established by Ibama (Brazilian Institute of Environment and Renewable Natural Resources).*

BLACK-EYED PEAS SALAD

(SALADA DE FEIJÃO-FRADINHO)

12 servings | 2 hours | Easy

- 1½ CUP BLACK-EYED PEAS
- 3 TOMATOES, DICED
- 1 RED ONION, DICED
- 2 CUPS PARSLEY, CHOPPED
- 2 TABLESPOONS LIME JUICE
- ½ CUP EXTRAVIRGIN OLIVE OIL
- SALT AND PEPPER

Bring 1 litre of water to a boil and let the beans soak for 30 minutes. Discard the liquid, cover with clean water and cook for 30 minutes until tender, but firm. Let aside for a while to cool. Combine all ingredients and add to the cooked beans. Season with salt and pepper and keep in the refrigerator for 1 hour at least before serving.

MANTEIGUINHA BEAN SALAD

(SALADA DE FEIJÃO-MANTEIGUINHA)

10 servings | 1h30 | Easy

- 2½ CUPS MANTEIGUINHA BEANS
- 1 BAY LEAF
- 8 TOMATOES, PEELED, SEEDED AND DICED
- 1 ONION, DICED
- ¼ BUNCH CORIANDER, CHOPPED
- ¼ BUNCH SCALLION, FINELY SLICED
- ¼ BUNCH PARSLEY, CHOPPED
- ¾ CUP OLIVE OIL
- ¼ CUP LIME JUICE OR VINEGAR
- SALT AND PEPPER TO TASTE

Cook beans in plenty of water with bay leaf and salt to taste. When tender, drain and let cool. Combine beans, tomato, onion and chopped herbs. Season with olive oil, lime juice, salt, and pepper. Toss well and serve.

BEAN MUSH WITH MANIOCA FLOUR

(TUTU DE FEIJÃO)

6 servings | 30 minutes | Easy

- ½ CUP BACON, CHOPPED
- 2 TABLESPOONS LARD OR CLARIFIED BUTTER
- ½ ONION, CHOPPED
- 3 GARLIC CLOVES, CHOPPED
- 2½ CUPS COOKED BEANS WITH THE LIQUID
- ¾ CUP FINE MANIOC FLOUR
- ½ BUNCH SCALLION, FINELY SLICED
- CRACKLINGS, AS SIDE DISH
- SALT AND PEPPER TO TASTE

Fry bacon in lard, until brown. Add onion and garlic, and stir-fry. Add the beans with the liquid and heat. With a tablespoon, mash the grains – you may use a blender if you want, but the goal is to keep it rough. Season with salt and pepper and add manioc flour little by little, mixing constantly. Cook for a while and sprinkle scallions. Serve with chunks of cracklings on top.

IN DETAIL: *Similar to beans served in virado à paulista – in this recipe, however, grains are mashed.*

KITCHEN GARDEN

CARAMELISED ROAST KABOCHA PUMPKIN

(ABÓBORA CARAMELADA)

12 large slices | 40 minutes | Easy

- 1 KABOCHA PUMPKIN
- 1 CUP SUGAR
- 2 TABLESPOONS MOLASSES
- SALT TO TASTE

Rinse kabocha carefully and roast in one piece in preheated oven at 180°C for 20 minutes, until tender – be sure it doesn't overcook. Slice it lengthwise, discard the seeds and season with salt. Make a caramel with sugar, ½ cup of water and molasses. Combine the pumpkin and toss it in the caramel.

SAUTÉED COUSA SQUASH
(ABOBRINHA REFOGADA)
3 servings | 10 minutes | Easy

- 1 TABLESPOON OLIVE OIL
- ½ ONION, CHOPPED
- 2 COUSA SQUASHES, CHOPPED IN MEDIUM-SIZED CUBES
- SALT TO TASTE

Heat the olive oil, add onion and sauté until transparent. Add the squash and cook. Season with salt, lower the heat, cover the pan and cook until tender, mixing now and then.

FRENCH FRIED POTATOES
(BATATA FRITA)
5 servings | 30 minutes | Easy

- 1 KG RED POTATOES
- CORN OIL, FOR FRYING
- SALT TO TASTE

Cut the potatoes into sticks of same width and length, so they can fry evenly, and put them in a bowl with water, ice cubes and 1 tablespoon of salt (in order to get crunchy, potato must go cold to the pan). Drain and pat dry with a cloth. Fry in small batches in oil and medium heat, until brown. Drain on paper towel, season with salt and serve it right away.

IN DETAIL: *Cut into sticks or into pieces and the fried, potato, manioc and polenta have got another thing in common: they are side dishes at meals and also appetizers.*

POTATO AU GRATIN
(BATATA GRATINADA)
4 servings | 2 hours | Easy

- 1 GARLIC CLOVE
- 6 POTATOES, PEELED AND SLICED
- 3½ CUPS WHIPPING CREAM
- 2 TABLESPOONS BUTTER
- SALT AND PEPPER TO TASTE

Rub the garlic inside a cake pan, smashing a little. Season the potatoes with salt and pepper. Place the slices in layers. Pour over the whipping cream and shake the pan gently to cover evenly. Spread butter on top and sprinkle more salt and pepper. Roast it in the oven for 1h30 in low heat (140°C). Potato will absorb the cream, which will get slightly toasted. To get a golden crisp on top, turn the oven up to 200°C on the last 5 minutes.

SHOESTRING POTATO
(BATATA PALHA)
5 servings | 20 minutes | Easy

- 5 POTATOES
- CORN OIL, FOR FRYING
- SALT TO TASTE

Peel the potato, rinse well and pat dry with a dish cloth. Slice in finely, place one on top of the other and cut to get thin strips. Deep-fry in hot oil, browning on both sides. Drain on paper towel, season with salt and serve.

RUSTIC POTATO
(BATATA RÚSTICA)
4 servings | 1 hour | Easy

- 4 POTATOES, CUT INTO CHUNKS
- 3 TABLESPOONS OLIVE OIL
- 3 GARLIC CLOVES, SKIN ON
- ROSEMARY, SAGE AND THYME TO TASTE
- SALT AND PEPPER TO TASTE

Cook the potato in salted water until al dente. Drain and drizzle olive oil. Season with herbs, salt and pepper. Add garlic and combine. Place all in a bake pan and roast in preheated oven at 200°C for about 40 minutes, or until brown, tossing occasionally.

SAUTÉED POTATO
(BATATA SAUTÉE)
4 servings | 12 minutes | Easy

- 500 G POTATOES, QUARTERED AND PEELED
- 2 TABLESPOONS BUTTER
- PARSLEY, CHOPPED, TO TASTE
- SALT TO TASTE

Cook potatoes in water and salt, until tender; drain. Heat the butter, add potato and fry until brown. Sprinkle with parsley and salt to taste. Serve hot.

CARURU
Serves 10 | 1h30 | Medium

- 2 KG OF OKRA
- 2 LARGE ONIONS
- 3 TEACUPS OF DRIED SHRIMP
- 1 TABLESPOON OF GRATED GINGER
- 2 TEACUPS OF CASHEW NUTS
- 2 TEACUPS OF PEANUTS
- 1 TEACUP OF DENDÊ OIL

Wash and dry the okras - you can tell if they are good by breaking off the ends of some of them; if they break easily, they are ripe enough. Quarter them lengthways, then slice them. Mix them in a blender with the onions and half of the dried shrimp. Braise this paste in dendê oil, add the okra and wait until it's tender. Add the whole shrimp and stir. Mix the cashew nuts and peanuts in a blender. Add to the pot and adjust the salt. Remove from the heat when the okra is cooked through and the caruru has thickened. Serve hot.

IN DETAIL: *Caruru is the coming together of africans and natives. From the first ones comes the recipe of Candomblés religious rituals. From the natives, the name: caá-riru, an eatable plant. Therefore, it's possible to make a "caruru from caruru", although okra is the fruit most commonly combined with cashews and dried shrimps. Some other variations are: ground beef, chicken, fishes, and crustaceans.*

SAUTÉED CHAYOTE

(CHUCHU REFOGADO)

3 servings | 10 minutes | Easy

- 1 TABLESPOON OLIVE OIL
- ½ ONION, CHOPPED
- 1 TABLESPOON GARLIC, CHOPPED
- 2 CHAYOTES, CORED, CHOPPED IN MEDIUM-SIZED CUBES
- 1 TABLESPOON PARSLEY, CHOPPED
- SALT TO TASTE

Heat the olive oil, add onion and garlic and sauté until transparent. Add the chayote and cook. Season with salt, lower the heat, cover the pan and cook until tender, mixing now and then. Add the parsley and serve.

SAUERKRAUT

(CHUCRUTE)

8-10 servings | 1h30, plus fermentation time | Medium

- 1 WHITE CABBAGE
- SALT

Quarter the cabbage, remove the bottom of the stem and shred. Put it in a large bowl or pan. Sprinkle with enough salt and toss well, taking care not to oversalt - use 2 tablespoons of salt for each 1,5 kg of cabbage. Set aside for 1 hour; it will release plenty of liquid. Squeeze with your hands to let the brine submerge the slices (if necessary, add some water and a dash of salt). Place a weighted plate over the cabbage. Wrap in plastic wrap, to pack it down and protect. Let it ferment outside the refrigerator, in a cool place with no sunlight, for at least 10 days. In 4 weeks, sauerkraut is at its peak.

IN DETAIL: *Preserved cabbage served alongside delicacies in German colonies of the South of Brazil, has older origins: China, by the times of the Great Walls construction. From China it travelled to Ancient Greece and Rome and, during Middle Ages, it had been seen as a medicine in many European countries. Portuguese name comes from the French "choucroute".*

CAULIFLOWER AU GRATIN

(COUVE-FLOR GRATINADA)

4-6 servings | 40 minutes | Easy

- 2 HEADS CAULIFLOWER, IN FLORETS
- 3 CUPS MILK
- ½ ONION
- 1 BAY LEAF
- 2 CLOVES
- 2 TABLESPOONS UNSALTED BUTTER
- 3 TABLESPOONS ALL-PURPOSE FLOUR
- 1 PINCH NUTMEG
- 2 CUPS GRATED SEMI-CURED OR PARMESAN CHEESE
- SALT TO TASTE

Cook cauliflower in salted water until al dente; set aside. Heat the milk with onion, bay leaf and clove; when boiling, turn off the heat and set aside. Melt the butter and add the flour, stirring constantly. When it starts to smell like biscuit, pour in strained milk, little by little, whisking non-stop, in order to obtain a white sauce. Season with salt and nutmeg. Place the cauliflower on a baking dish, spread the sauce, add cheese on top and bake in the oven at 180°C for 15 to 20 minutes, or until the top is browned.

PIEROGI

4 servings | 50 minutes | Medium

- 300 G ALL-PURPOSE FLOUR
- 3 EGGS, LIGHTLY BEATEN
- 500 G POTATOES, SKINNED
- 1 KG ONIONS, FINELY CHOPPED
- CORN OIL
- OLIVE OIL, TO TASTE
- SALT AND PEPPER TO TASTE

Prepare the dough: make a well in the center of the flour, break the eggs into it, add 50 ml of water and combine, kneading to obtain a smooth dough. Cover with plastic wrap and set aside for 30 minutes. Meanwhile, cook the potatoes until tender. Mash the potatoes in a masher and season with salt and pepper. Cook the onions in a hot skillet, without oil, for about 5 minutes. When brown, add some oil, lower the heat and stir constantly, until it gets dark. Divide the onions in half, set aside one half and combine the rest with potatoes. Mix well and season to taste. Roll the dough out thinly and cut into 6 cm rounds. Fill the rounds with a spoonful of the filling, moisten the edges with water and press to seal. Bring a large pot of lightly salted water to a boil, and cook the pierogies, one batch at a time. Remove with a slotted spoon, drizzle with olive oil and serve with the remaining sautéed onions.

IN DETAIL: *This cooked dumpling came with Polish and Ucranian immigrants – still common in towns of Santa Catarina, Rio Grande do Sul, and Paraná. It can be easily found at street stalls in the streets of Curitiba.*

COOKED PEACH PALM FRUIT
(PUPUNHA COZIDA)
6-8 servings | 1h10 | Easy

- 1 KG FRESH PEACH PALM FRUIT

Wash clean the palm fruits, keeping the stems. Put in a pressure cooker, cover with water and, when the pressure starts, reduce the heat and cook for 1 hour. Drain and peel.

MASHED PUMPKIN
(PURÊ DE ABÓBORA)
4 servings | 40 minutes | Easy/medium

- ¼ KABOCHA PUMPKIN, SKINNED AND CUBED
- 1 LARGE DISH BUTTERNUT SQUASH, PEELED AND CUBED
- 2 TABLESPOONS COLD BUTTER
- SALT AND PEPPER TO TASTE

Cook the pumpkin and the squash over medium heat, with two fingers of water (vegetables release liquid during cooking time). Drain, keep the liquid and blend them in a blender, or a mixer. Take it to the heat with some water, the butter, salt and pepper. Combine until the butter melts. Turn off the heat and serve.

MASHED POTATO
(PURÊ DE BATATA)
4 servings | 40 minutes | Easy

- 6 LARGE POTATOES, PEELED
- 1 CUP MILK
- 2 TABLESPOONS UNSALTED COLD BUTTER
- SALT AND PEPPER TO TASTE

Cook the potatoes until tender. Drain, mash and add milk splash by splash, stirring with a wire whip. Take it to a low heat and cook until it starts to bubble. Turn off the heat, add butter and stir to combine. Season with salt and pepper. Serve hot.

MASHED WHITE SWEET POTATO
(PURÊ DE BATATA-DOCE)
15 servings | 30 minutes | Easy

- 800 G WHITE SWEET POTATOES, PEELED AND CUBED
- 1 CUP MILK
- 1 ROUNDED TABLESPOON BUTTER
- SALT TO TASTE

Cook the sweet potatoes in a large, partially covered pot, filled with lightly salted water, until very tender. Drain, mash, discard the liquid and return to the heat. Add milk and butter. Season with salt and cook over low heat, until it starts to boil, stirring constantly. Serve hot.

MASHED CAULIFLOWER
(PURÊ DE COUVE-FLOR)
4 servings | 25 minutes | Easy

- 1 CAULIFLOWER, CHOPPED (INCLUDING THE STEM)
- 1½ CUP MILK
- 1 BAY LEAF
- 1 TEASPOON SALT

Cook the cauliflower with 1 cup of water, milk, bay leaf and salt to taste, until tender. Turn off the heat and keep the liquid for later. Drain the cauliflower and blend, in order to get a smooth purée (if necessary, pour in part of the liquid). Season to taste and serve hot.

QUIBEBE
8 servings | 40 minutes | Easy

- 1 ONION, CHOPPED
- 6 TABLESPOONS BUTTER
- 1 TABLESPOON SUGAR
- 1 KG BUTTERNUT SQUASH, PEELED AND CUBED
- ½ BUNCH SCALLION, CHOPPED
- SALT TO TASTE

Sauté the onion in the butter, until transparent. Add sugar, butternut squash, and stir. Pour in 1 cup of water and cook with the pot covered, without letting it stick into the pot. When tender, mash the squash with a spoon, season with salt, add scallions, and serve.

IN DETAIL: *The name comes after kimbundu word kibebe, spoken in Angola. This recipe, with a texture that resembles one of a thick porridge, is made with butternut squash, known as jerimum in Northeastern Brazil. In Goiás, however, the word refers to cooked manioc.*

POTATO SALAD

(SALADA DE BATATA)

6 servings | 50 minutes | Easy

- 6 POTATOES, PEELED AND DICED
- 1 EGG YOLK
- 1 TABLESPOON YELLOW MUSTARD
- ½ BOTTLE CORN OIL
- JUICE OF ½ LIME
- ½ BUNCH PARSLEY CHOPPED
- ¼ ONION, SLICED
- SALT AND GROUND PEPPER TO TASTE

Cook potatoes in lightly salted water. Meanwhile, prepare mayonnaise: whisk the egg yolk with mustard and pour the oil in a steady stream, whisking continuously until thicken. Season with lime juice, parsley, salt and ground pepper. When potatoes are cold, mix with mayonnaise, chopped parsley and onion.

BEETROOT SALAD

(SALADA DE BETERRABA)

5 servings | 30 minutes | Easy

- 5 MEDIUM BEETROOTS
- 1 TABLESPOON SALT
- 3 TABLESPOONS SUGAR
- ½ TEASPOON GROUND PEPPER
- 40 ML CORN OIL
- 60 ML VINEGAR

Cook the whole beetroots in a pressure cooker, until soft. Peel and cut into large cubes. Season with remaining ingredients and serve cold or warm.

IN DETAIL: *Salads were known in Portugal as comida de hortaliça (vegetable food) and were usually prepared with a single ingredient. By the 19th century, they became part of meals in Europe, especially in Paris, where they would be served as colourful and creative dishes. The habit of eating salads made with local ingredients only began to spread in Brazil with the arrival of the court of D. João VI, in 1808.*

ESCAROLE SALAD

(SALADA DE ESCAROLA)

6 servings | 20 minutes | Easy

- 3 TABLESPOONS VINEGAR
- 3 TABLESPOONS OLIVE OIL
- 1 CLOVE OF GARLIC, FINELY CHOPPED
- 2 HEADS ESCAROLE, CUT INTO STRIPS
- 100 G PORK CRACKLINGS (P. 286) OR FRIED BACON
- SALT TO TASTE

Whisk vinegar, olive oil, garlic and salt to taste, until emulsified. Pour sauce over the escarole and top with pork cracklings. Toss the salad and serve.

TUNA AND PASTA SALAD

(SALADA DE MACARRÃO COM ATUM)

Serves 6 | 15 minutes | Easy

- 1 PACKET OF BOW-TIE PASTA (FARFALLE)
- 1 CAN OF TUNA PRESERVED IN WATER
- 10 TABLESPOONS OF MAYONNAISE
- 1 ONION, CUT INTO THIN STRIPS
- SCALLIONS AND PARSLEY TO TASTE
- SALT TO TASTE

Cook the pasta in salted water, drain, and put under running water for cooling. Mix in the tuna, mayonnaise, onion, parsley, and scallions. Serve cold.

MAYONNAISE SALAD

(SALADA DE MAIONESE)

12 servings | 1 hour | Easy

- 4 POTATOES, MEDIUM DICED
- 3 CARROTS, MEDIUM DICED
- 3 CHAYOTES, MEDIUM DICED
- 1½ CUP FRESH PEAS
- 1 EGG YOLK
- 1 TABLESPOON YELLOW MUSTARD
- ½ BOTTLE CORN OIL
- JUICE OF ½ LIME
- PARSLEY, CHOPPED
- SALT AND GROUND PEPPER TO TASTE

Cook vegetables separately in lightly salted water until al dente; strain and transfer to a bowl with ice water to stop cooking process. While they chill, prepare mayonnaise: whisk the egg yolk with mustard and pour the oil in a steady stream, whisking continuously until thicken. Season with lime juice, parsley, salt, and ground pepper. Add vegetables and stir gently, taking care not to smash them. Serve cold or chilled.

IN DETAIL: *This is one of the classic Christmas side dishes for accompanying turkey. Without mayonnaise, this mix of diced vegetables with peas is also known as seleta de legumes.*

HEART OF PALM SALAD
(SALADA DE PALMITO)
2 servings | 10 minutes | Easy

- 2 MEDIUM-SIZED HEARTS OF PALM
- LIME JUICE
- OLIVE OIL
- SALT AND GROUND PEPPER TO TASTE

Cut the hearts of palm into slices and season with lime, olive oil, salt and pepper to taste. Keep in the fridge before serving, to make it more refreshing.

CUCUMBER SALAD
(SALADA DE PEPINO)
2 servings | 10 minutes | Easy

- 2 CUCUMBERS CUT INTO MATCHSTICKS
- LIME JUICE
- OLIVE OIL
- SALT AND GROUND PEPPER TO TASTE

Season the cucumber with lime juice, olive oil, salt and pepper to taste. Keep in the fridge before serving.

PEACH PALM FRUIT SALAD
(SALADA DE PUPUNHA)
8 servings | 1 hour | Easy

- 1 KG PEACH PALM FRUIT
- OLIVE OIL
- SALT AND GROUND PEPPER TO TASTE

Wash peach palm fruits, keeping the stem intact. Cook them covered with water in a pressure cooker. When cooker reaches pressure, turn down the heat and cook for 1 hour. Strain, peel the fruits and season with olive oil, salt and ground pepper to taste.

IN DETAIL: *Peach palm fruit comes from pupunheira, palm tree native to the Amazon, from which heart of palm is also extracted. When cooked, it can replace bread in several homes of the Northern region. Mashed pulp is used as an ingredient in cakes, cookies and mousses. The whole fruit, seeds removed, can be stuffed with cupuaçu paste or poached in syrup.*

BACON AND RADICCHIO SALAD
(SALADA DE RADICCHIO COM BACON)
10 servings | 10 minutes | Easy

- 1 HEAD GREEN RADICCHIO
- ½ HEAD RADICCHIO
- 1½ CUP BACON, FINELY DICED
- 150 G QUEIJO COLONIAL (COLONIAL CHEESE) OR PARMESAN
- VINEGAR

Detach the leaves from both radicchio heads and soak them in water and vinegar for a few minutes. Meanwhile, fry the bacon in its own fat, until crispy. Drain on paper towel. Dry radicchio leaves, place in a serving dish and sprinkle on the crispy bacon. Grate cheese over the salad and serve.

IN DETAIL: *This salad is usually part of rodízios (all-you-can-eat restaurants, also known as sequências) specialized in poussin and pasta at Serra Gaúcha (Rio Grande do Sul state's area), thanks to the influence of Italian immigrants. It is also very common in Italian restaurants of South and Southeast regions.*

CHICKEN SALAD
(SALPICÃO DE FRANGO)
8 servings | 1h30 | Easy

- 1 CHICKEN BREAST (500 G)
- 1 LARGE CARROT, GRATED
- 1 TEACUP OF FRESH, BOILED PEAS
- 2 GREEN APPLES, DICED (PUT THEM IN WATER WITH LEMON, SO THEY WON'T DARKEN)
- 2 CELERY STALKS, DICED
- ¾ TEACUP OF RAISINS
- 1 YOLK
- 1 TABLESPOON OF YELLOW MUSTARD
- ½ BOTTLE OF CORN OIL
- JUICE OF ½ LEMON
- PARSLEY TO TASTE, CHOPPED
- SALT AND BLACK PEPPER TO TASTE

Season the chicken breast with salt and black pepper; cook until tender, shred, and allow to cool. Mix the chicken with the carrot, peas, apple, celery, and raisins. Prepare the mayonnaise: mix the yolk with the mustard; add a steady stream of oil while constantly whisking with a wire whip. When the oil is finished, the mayonnaise should be solid. Season with lemon juice, salt, and black pepper. Mix with the chicken, add the parsley and serve.

COUSA SQUASH SOUFFLÉ

(SUFLÊ DE ABOBRINHA)

6 servings | 30 minutes | Medium

- 2 LARGE COUSA SQUASH, FINELY DICED
- 1 TABLESPOON OLIVE OIL
- 100 G BUTTER, PLUS EXTRA FOR GREASING
- 1 ONION, CHOPPED
- 2 CLOVES OF GARLIC, CRUSHED
- 3 TABLESPOONS ALL-PURPOSE FLOUR
- 2 CUPS MILK
- 3 EGG YOLKS
- 1 CUP GRATED PARMESAN CHEESE
- 4 EGG WHITES BEATEN UNTIL STIFF
- SALT AND GROUND PEPPER TO TASTE

Sauté cousa squash in olive oil until golden, season with salt and set aside. Melt the butter and stir-fry onion and garlic. Dissolve flour in milk and add to the pan. Always mixing, add egg yolks, cousa squash, salt and ground pepper; cook until creamy. Remove from fire and allow to cool. Add grated cheese and gently fold in the egg yolks. Grease 6 individual ramekins with butter and distribute the mixture among them. Bake in preheated oven at 180°C for about 25 minutes, or until golden brown.

IN DETAIL: *The word soufflé means "blown", in French – and it was precisely in France that this preparation was invented more than 200 years ago. Over there, the cheese version is one of the most traditional. In Brazil, variations with mild vegetables, such as chayote and cousa squash, have become popular.*

CARROT SOUFFLÉ

(SUFLÊ DE CENOURA)

6 servings | 30 minutes | Medium

- 100 G BUTTER, PLUS EXTRA FOR GREASING
- 1 ONION, CHOPPED
- 2 CLOVES OF GARLIC, CRUSHED
- 2 CUPS MILK
- 3 TABLESPOONS ALL-PURPOSE FLOUR
- 3 EGG YOLKS
- 2 LARGE CARROTS, GRATED
- 1 CUP GRATED CHEESE
- 4 EGG WHITES BEATEN UNTIL STIFF
- SALT AND GROUND PEPPER TO TASTE

Melt the butter and sauté onion and garlic. Dissolve flour in milk and add to the pan. Always mixing, add egg yolks, carrot, salt and ground pepper; cook until creamy. Remove from heat and allow to cool. Add grated cheese and gently fold in the egg whites. Grease 6 individual ramekins with butter and distribute the mixture among them. Bake in preheated oven at 180°C for around 25 minutes, or until golden brown.

CHAYOTE SOUFFLÉ

(SUFLÊ DE CHUCHU)

4 servings | 1 hour | Medium

- 3 CHAYOTES, PEELED AND MEDIUM DICED
- 2 TABLESPOONS UNSALTED BUTTER
- 2 TABLESPOONS ALL-PURPOSE FLOUR
- 2 CUPS MILK
- 4 EGGS, WHITES AND YOLKS SEPARATED
- BUTTER, FOR GREASING
- SALT AND GROUND PEPPER TO TASTE

Cook chayote in salted water until al dente; set aside. Melt butter and add flour, stirring constantly to avoid lumps. When it starts smelling like cookie, add milk gradually, mixing non-stop, to make a béchamel sauce. Season with salt and ground pepper. Allow to cool a little, then stir in the egg yolks. Add chayote, adjust seasoning and gently fold in the egg whites beaten until stiff. Transfer to a greased ovenproof dish and bake in preheated oven at 160°C for 30-35 minutes, until soufflé is puffed and golden brown. Do not open the oven door while baking or soufflé may deflate.

SPINACH SOUFFLÉ

(SUFLÊ DE ESPINAFRE)

6 servings | 30 minutes | Medium

- 150 G SPINACH
- 2 TABLESPOONS BUTTER, PLUS EXTRA FOR GREASING
- 2 TABLESPOONS ALL-PURPOSE FLOUR
- 1½ CUP MILK
- 3 EGG YOLKS
- ½ CUP GRATED PARMESAN CHEESE
- 5 EGG WHITES
- FRESHLY GROUND NUTMEG
- SALT AND GROUND PEPPER TO TASTE

Soak spinach leaves for 2 minutes in boiling water; strain and cool under running water. Squeeze out the excess liquid and chop the spinach. Melt the butter and add the flour, stirring constantly to avoid lumps. When it starts smelling like cookie, add milk gradually, mixing non-stop, to make a béchamel sauce. Season with nutmeg, salt, and ground pepper. Add spinach and cook over medium heat for about 10 minutes. Allow to cool and add egg yolks and grated cheese. Gently fold in the egg whites beaten until stiff. Transfer to an ovenproof dish greased with butter and take it to preheated oven at a 180°C for about 30 minutes, until golden. Serve immediately.

MANIOC

CLASSIC FAROFA, SEASONED MANIOC FLOUR

(FAROFA CLÁSSICA)

6 servings | 10 minutes | Easy

- 5 TABLESPOONS UNSALTED BUTTER
- 1 ONION, CHOPPED
- 2 CLOVES OF GARLIC, CHOPPED
- 2 CUPS FINE MANIOC FLOUR
- SALT AND GROUND PEPPER TO TASTE

Melt the butter and stir-fry onion and garlic, until soft and lightly golden. Add manioc flour and stir well. Season with salt and ground pepper.

IN DETAIL: *The origin of this typically Brazilian side dish is controversial. Brazilian philologist Antônio Houaiss admits that there is a connection with the word falofa, term used in Angola for the mixture of flour, oil or water. Scalding or roasting manioc flour or corn meal in fat is a practice that dates back to the colonial period. Farofa can be enriched with other ingredients (egg, beef, sausage, bacon) and served with or to stuff meats, poultry and fish.*

BANANA FAROFA

(FAROFA DE BANANA)

6 servings | 15 minutes | Easy

- 150 G UNSALTED BUTTER
- ¼ ONION, CHOPPED
- 1 CLOVE OF GARLIC, CHOPPED
- 2 PLANTAINS, DICED
- 2 CUPS CRUZEIRO MANIOC FLOUR (FLAKED MANIOC FLOUR, TOASTED AND CRISPY, WITH SLIGHTLY SWEET FLAVOR AND GRAINY TEXTURE, PRODUCED IN CITIES OF RIO BRANCO STATE)
- SALT TO TASTE

Melt the butter and stir-fry onion and garlic, until translucent. Add plantain and sauté until soft, but not mushy. Add manioc flour, mix, season with salt and serve immediately.

COLLARD GREENS FAROFA

(FAROFA DE COUVE)

6 servings | 20 minutes | Easy

- 200 G COLLARD GREENS
- 4 TABLESPOONS BUTTER
- 500 G RAW MANIOC FLOUR
- SALT AND GROUND PEPPER TO TASTE

Soak the collard greens for 30 seconds in hot water. Strain and cool under running water, then squeeze out the liquid. Melt the butter and roast the manioc flour until crunchy. Allow to cool and blend with the collard greens in a blender or food processor.

PALM OIL FAROFA

(FAROFA DE DENDÊ)

6 servings | 10 minutes | Easy

- 4 TABLESPOONS DENDE OIL
- ½ ONION, CHOPPED
- 1 CLOVE OF GARLIC, CHOPPED
- 2 CUPS FINE MANIOC FLOUR
- SALT TO TASTE

Heat the dende oil and stir-fry onion and garlic, until soft. Add the manioc flour and mix very well. Season with salt and serve.

IÇÁ ANT FAROFA

(FAROFA DE IÇÁ)

3 servings | 15 minutes | Easy

- 1 CUP IÇÁ ANT
- ½ CORN OIL
- ½ MANIOC FLOUR
- SALT TO TASTE

Discard head, wings and legs and use only ant's abdomen and bottom. Heat the oil and fry the içás until they pop and get crunchy. Add the manioc flour gradually, stirring well, and season with salt.

IN DETAIL: *This delicacy, made with the tummy of tanajura (female leaf-cutter ant), has indigenous roots and it has conquered fans since the colonial period. Capixabas (people from Espírito Santo state) were even known by the name of papa-tanajura (tanajura eaters). "Roasted içá is what they would call ambrosia in the Greek Olympus", wrote Brazilian writer Monteiro Lobato.*

CHICKEN OFFAL FAROFA

(FAROFA DE MIÚDOS DE GALINHA)

10 servings | 50 minutes | Easy

- 400 G CHICKEN GIZZARD, CHOPPED
- 200 G CHICKEN LIVER, CHOPPED
- 3 TABLESPOONS BUTTER
- 1 MEDIUM ONION, CHOPPED
- 2 CLOVES OF GARLIC, CHOPPED
- ½ CUP OLIVES, CHOPPED
- 2 CUPS MANIOC FLOUR

- ½ CUP FLAKED CORN MEAL
- ¼ BUNCH PARSLEY, CHOPPED
- SALT AND GROUND PEPPER TO TASTE

Season the chicken gizzard and liver with salt and pepper. Heat 1 tablespoon of butter and sauté onion and garlic. Stir in the chicken gizzard and cover with water. When it is cooked, let the liquid reduce, add 1 tablespoon of butter and sauté the chicken liver. When it is done, add olives, remaining butter and the two types of flour. Mix, season with salt and pepper, add parsley and serve.

EGG FAROFA
(FAROFA DE OVO)

4-6 servings | 15 minutes | Easy

- 4 HEAPED TABLESPOONS UNSALTED BUTTER
- ½ ONION, CHOPPED
- 2 CLOVES OF GARLIC
- 6 EGGS
- 2 CUPS ROASTED MANIOC FLOUR
- ½ CUP PARSLEY, CHOPPED
- SALT AND GROUND PEPPER TO TASTE

Heat the butter and stir-fry onion and garlic, until soft. Over low heat, add eggs, season with salt and pepper and mix until eggs have just set in soft curds. Add manioc flour, stir well and roast it for a while. Add chopped parsley and serve immediately.

PARANÁ PINE NUT FAROFA
(FAROFA DE PINHÃO)

4 servings | 40 minutes | Easy

- 1½ CUP PARANÁ PINE NUTS, COOKED AND PEELED
- 1 ONION, CHOPPED
- 2 TABLESPOONS BUTTER
- 1 CUP MANIOC FLOUR
- SALT TO TASTE

Cut the Paraná pine nuts into small pieces. Sauté the onion in melted butter until golden. Add pine nuts and manioc flour, mix well and roast it for a while. Season with salt and serve immediately.

FRIED MANIOC
(MANDIOCA FRITA)

4-6 servings | 40 minutes | Easy

- 1 KG MANIOC
- 1 TABLESPOON BUTTER
- CORN OIL, FOR FRYING
- SALT TO TASTE.

Cut the manioc in half, lengthwise, and remove the central woody fibre. Cook in water with a little bit of salt and butter until soft. Remove and strain it. Fry in hot oil until lightly golden. Drain on paper towel and sprinkle more salt, if desired.

IN DETAIL: *Just like French fries and fried polenta, fried manioc can be served as a side dish or as an appetizer.*

FRIED SUN-DRIED MEAT POUNDED WITH MANIOC FLOUR
(PAÇOCA DE CARNE DE SOL)

6 servings | 30 minutes | Easy

- 300 G SUN-DRIED MEAT, DESALTED (P. 293)
- 5 TABLESPOONS ONION, CHOPPED
- 1 TEASPOON GARLIC, CHOPPED
- 2 TABLESPOONS CLARIFIED BUTTER
- ½ TEASPOON ANNATTO SEEDS
- 1 CUP MANIOC FLOUR
- ½ CUP FLAKED CORN MEAL
- PARSLEY TO TASTE, CHOPPED
- SALT AND GROUND PEPPER TO TASTE

Cut the carne de sol into long strips. Sauté onion and garlic in clarified butter with annatto seeds. Add meat and let it brown a little. Add the two types of flour, season with salt and ground pepper and remove from heat. Transfer in batches to a mortar and pound it until meat is shredded and combined to the flour.

IN DETAIL: *Pestle and mortar are used to grind roasted or sun-dried meat (cured or not in seasonings or salt), until they are reduced to small pieces, and then combined to flour. It is a traditional staple in semi-arid regions of Brazil's Northeast.*

BEEF PIRÃO, MANIOC FLOUR PORRIDGE
(PIRÃO DE CARNE)

6 servings | 10 minutes | Easy

- 10 CUPS BEEF STOCK (P. 289)
- 3 CUPS MANIOC FLOUR
- SALT TO TASTE

Reserve ¼ cup of the meat broth and heat the rest over low heat. Add manioc flour stirring non-stop. Add the remaining broth and stir a little longer, until it reaches a nice porridge texture. Pirão stiffens when cold. To avoid this from happening, make it softer and serve immediately.

FISH PIRÃO, MANIOC FLOUR PORRIDGE

(PIRÃO DE PEIXE)

4 servings | 30 minutes | Easy

- ½ ONION, CHOPPED
- 2 CLOVES OF GARLIC, CHOPPED
- 2 TABLESPOONS OLIVE OIL
- 3 CUPS FISH BROTH
- ¾ CUP MANIOC FLOUR
- SALT TO TASTE

Sauté onion and garlic in olive oil. Add fish broth and bring to a boil. Season with salt and add the manioc flour gradually, stirring constantly to avoid lumps. Cook for a few minutes and serve.

MASHED MANIOC

(PURÊ DE AIPIM)

15 servings | 40 minutes | Easy

- 800 G MANIOC, PEELED AND CUT INTO MEDIUM PIECES
- 1 CUP MILK
- 1 HEAPED TABLESPOON BUTTER
- SALT TO TASTE

Cook the manioc in plenty of water with a pinch of salt, until soft. Strain and discard liquid. Cut in half and remove the central woody fibre. Mash the manioc still hot with a fork or a potato ricer. Return it to the pan and add milk and butter. Season with salt to taste, and heat over low heat until starts boiling, stirring constantly to avoid it from sticking to the bottom. Serve immediately.

CORN

FRESH CORN ANGU

(ANGU DE MILHO-VERDE)

6 servings | 1 hour | Easy

- 10 EARS FRESH CORN
- 2 CUPS MILK
- 1 TABLESPOON UNSALTED BUTTER
- SALT TO TASTE

Blend the corn kernels in a blender, until it is completely puréed. Pass it through a sieve and discard solids. Cook over low heat with milk and butter, stirring constantly, until thick and creamy. Season with salt to taste and serve hot.

IN DETAIL: *In the beginning, the Portuguese used to grow corn only to feed horses, chickens, goats and pigs. One century after colonization, though, the ingredient would appear in various forms at Brazilian tables. The angu, a kind of thick porridge, has African influences.*

FRESH CORN CREAM

(CREME DE MILHO-VERDE)

6 servings | 30 minutes | Easy

- 6 EARS FRESH CORN
- 3 CUPS MILK
- ½ ONION
- 1 BAY LEAF
- 2 CLOVES
- 2 TABLESPOONS UNSALTED BUTTER
- 3 TABLESPOONS ALL-PURPOSE FLOUR
- 1 PINCH GROUND NUTMEG

Cook the ears of corn. Meanwhile, heat the milk with onion, bay leaf and cloves. At boiling point, take off the heat and set aside (keep solids inside). Melt the butter and add flour, stirring constantly to avoid lumps. When it smells like cookie, add the strained broth, mixing non-stop, until you have a béchamel sauce. Season with salt and ground nutmeg. Cut corn off the cob and blend half of the kernels in a blender, along with béchamel sauce. Add remaining kernels, mix and serve.

BRAZILIAN CORN COUSCOUS

(CUSCUZ DE MILHO)

4 servings | 40 minutes | Easy

- 3 CUPS FLAKED QUICK GRITS
- 1 CUP WATER
- 1 TEASPOON SALT

Combine all ingredients and let hydrating for 25 minutes, covered with a cloth. Transfer to a cuscuzeira and steam the dough. When steam starts to escape from the top of cuscuzeira, take off the heat and serve.

IN DETAIL: *The couscous made in Brazil since the Portuguese colonization is very different from the original Arabic dish: the type of flour has changed considerably the recipe's characteristics. There is even a special pan for preparing it: the cuscuzeira, a clay bowl with holes in the bottom.*

MODERN CUSCUZ PAULISTA

(CUSCUZ PAULISTA MODERNO)

6-8 servings | 50 minutes | Easy

- 2 TABLESPOONS CORN OIL
- ½ ONION, CHOPPED
- 1 CLOVE OR GARLIC, CHOPPED
- 1 CUP TOMATO SAUCE (P. 292)
- 1 TABLESPOON TOMATO PURÉE
- 2 CUPS SHRIMP BROTH
- 1 CUP FRESH PEAS
- 1 CUP GREEN OLIVES, CHOPPED
- 10 PINK SHRIMPS
- 2 TABLESPOONS OLIVE OIL
- 3½ CUPS FLAKED CORN MEAL
- 2 BOILED EGGS
- 1 TOMATO, PEELED AND SEEDED
- PARSLEY, CHOPPED
- SALT AND GROUND PEPPER TO TASTE

Heat the oil and stir-fry onion and garlic. Add tomato sauce, tomato purée and shrimp broth. Mix well and cook the peas. Add olives (reserve some peas and olives to garnish). Cut 6 shrimps into small cubes, fry in oil and add them to the broth. Grill the 4 remaining shrimps and set aside. Add flaked corn meal and stir well, to combine the ingredients (add more broth if necessary). Season with salt and ground pepper and add parsley. Check if the corn meal is cooked, remove from heat and allow to cool. Place peas, olives, the reserved shrimp, eggs and tomato (cut into slices) on the bottom and sides of a bundt pan. Fill it up with the corn meal mixture and take it to the fridge. After unmolding, garnish with more egg, tomato and shrimp.

IN DETAIL: *One of the most representatives dishes of Sao Paulo state, cuscuz paulista is served in homes and restaurants. It is said that the recipe has its origin in the pack lunch of bandeirantes (Brazilian pathfinders from the 16th and 17th centuries), who used to keep their food provisions wrapped up in a piece of cloth. During the journey, they would open it and eat the content, possibly the first cuscuz paulista.*

CHARCOAL-GRILLED CORN ON THE COB

(MILHO-VERDE NA BRASA)

6 servings | 40 minutes | Easy

- 6 EARS FRESH CORN
- 4 TABLESPOONS BUTTER
- SALT TO TASTE

Remove husk and silk from ears of corn and cook them in lightly salted water. Meanwhile, light the charcoal grill or brazier. When corn is cooked, strain and place the cobs on the grill. Let it golden on all sites, remove from grill and finish with butter.

SAVOURY COOKED HOMINY

(MUNGUNZÁ SALGADO)

6 servings | 50 minutes, plus preparations on the day before | Easy

- 300 G YELLOW HOMINY
- 120 G BACON
- 1 PIG'S FOOT
- 2 BAY LEAVES
- 2 TABLESPOONS CLARIFIED BUTTER
- ½ CHOPPED ONION
- 1 CLOVE OF GARLIC, CHOPPED
- 1 PAIO SAUSAGE, CUT INTO SMALL DICES
- 1 TOMATO, CUT INTO SMALL DICES
- 1 RED HOT PEPPER
- 1 PIMENTA-DE-CHEIRO (CAPSICUM CHINENSE)
- CORIANDER TO TASTE
- SALT TO TASTE

Soak the yellow hominy in water the day before. In this same water, cook the bacon, pig's foot and bay leaves for about 30 minutes. Heat the clarified butter and sauté the onion and garlic until golden. Stir in the paio sausage, tomatoes and peppers. Add the hominy cooked along with pork meat. Season with coriander and salt to taste. Serve hot.

FRIED POLENTA

(FRIED POLENTA)

4 servings | 2 hours | Easy

- 3 TABLESPOONS BUTTER
- 3 CLOVES OF GARLIC, FINELY CHOPPED
- 2½ CUPS CORNMEAL
- CORN OIL, FOR FRYING
- SALT TO TASTE

Heat the butter and sauté the garlic until soft. Add 5 cups of water, season with salt and bring to a boil. Add cornmeal gradually, whisking constantly with a wire whip to avoid lumps. Cook for 10 minutes, mixing non-stop. Transfer to a serving dish and take it to the fridge. When it gets firm, cut into large rectangles. Fry in hot oil until crispy on outside end lightly golden. Sprinkle more salt and serve.

SWEETS

Desserts were my gateway to the kitchen – like a kid who's in a hurry to get to the "sweet" part of the meal. In my childhood, I had the good fortune of knowing a wonderful cook, Lúcia, who ruled over the pots and pans, but allowed me to help...with the desserts, and nothing more.

Among my aunts back home, the notebooks containing dessert recipes were always the most neatly kept. To this day I have my notebook with a red suede paper cover: it was where my mother and my aunts – and my own childish handwriting – recorded everything, from the rainbow jello to the pudim de leite – all homemade.

To my delight, I soon began to prepare the rice pudding I learned from my maternal grandma, the manjar de coco (I always removed the prunes, but later I learned to love them), the pudim de leite, pavês made with all sorts of chocolate, the sorvetões. These were easy to re-create. While still young I learned that even if you follow each step of a recipe, sometimes it just doesn't work out. I needed that ace in the hole, the trade secret hidden behind the copper pots that cook jams and fruit preserves. Curious about how everything was made, I've always enjoyed to watch the process. The beauty of a fruit in a pot, being transformed into something different and wonderful! Not to mention the sweets that came from the farm: the goiabada cascão, the dulce de leche, the doce de coco ralado. And, at last, the sweets my aunts brought back home from their travels: candies made of coffee, milk...

In Brazil, sweets seem to be the combination of a necessity and a whim. Since the arrival of the Portuguese, desserts were incorporated and adapted to the menus. Fruits were subject to all kinds of experiments: they were turned into jams, candied, gave flavor to custards, puddings, fillings. The recipes from the Portuguese convents were embraced and practiced. Milk and sugar felt madly in love and were combined in the dulce de leche and other delicacies. Coconut and corn came into the sugary versions of foods. And chocolate began to grace the tables after the 19th century.

And so our collection of sweets slowly was formed – plentiful, rich, signaling pleasure and diversity – and, with it, our utter vocation for a type of happiness that comes in small bites, but very diverse ones.

THE FOLLOWING RECIPES ARE SHOWN IN THE ORDER AS THEY APPEAR IN THE MAIN SECTION OF THE BOOK. THEY ARE ALSO PAIRED WITH THEIR ORIGINAL BRAZILIAN NAMES FOR FASTER AND EASIER REFERENCE.

ACAÇÁ

30 little cakes | 1 hour, plus soaking time | Easy

- 1 KG DRIED WHITE CORN KERNELS
- 2 LARGE DRIED WHOLE COCONUTS
- BANANA LEAVES, FOR WRAPPING

Soak corn kernels in water for 3-4 days. Keep in the fridge and change water often. Process in a blender and cook in a large deep pan. Process coconut pulp in a blender with hot water to obtain coconut milk. Add it to the corn and cook, always mixing. To get the right consistency, take a small amount of the mixture with a spoon and dip into a glass of water. The mixture must not run off. Pass the banana leaves over the flame of the stove burner to soften them. Shape de dough into small cakes and wrap them in the leaves.

IN DETAIL: *In African-Brazilian religion candomblé, acaçá is a delicacy served as an offering to orixás (deities) before the beginning of religious rituals. The act of taking the little cake from banana leaf wraps represents the "great mystery of life" and makes other foods being offered sacred as well. Made specially for these occasions, it is known as "comida de santo" (saint's food) and prepared with white corn – in the old days, it would be pounded with a stone. I've learned this story in a dinner at the home of artist Antonio Miranda, in São Paulo, with acaçá offered by the host and prepared by Junior and Ieda.*

AÇAÍ WITH TAPIOCA FLAKES

(AÇAÍ COM TAPIOCA FLOCADA)

4 servings | 40 minutes | Easy

- 1 KG PURE FROZEN AÇAÍ PULP
- 1½ CUP TAPIOCA FLAKES
- SUGAR OR SALT TO TASTE

Take the açaí pulp out of the fridge and set aside for 30 minutes, until partially thawed. Process in a blender until creamy. Season with sugar or salt to taste, as desired. Serve sprinkled with tapioca flakes.

IN DETAIL: *Highly versatile, this Amazonian fruit can be used in both savoury and sweet dishes. In the North of Brazil, especially in Pará state, açaí is served with fresh fish, as a creamy side dish. In the Southeast, the blended pulp is served cold, with fruits, guarana syrup and granola. It is also used as an ingredient of juices, ice creams, liqueurs and jellies.*

SWEET ANGEL HAIR PASTA

(ALETRIA)

4 servings | 25 minutes | Easy

- PEEL OF 1 LIME
- 2 CINNAMON STICKS
- 2 TABLESPOONS BUTTER
- 2 CUPS SUGAR
- 6 EGG YOLKS
- 200 G ANGEL HAIR PASTA
- SALT

Heat 1½ litre of water with the lime peel, cinnamon sticks, butter, sugar and a pinch of salt; bring to the boil for 5 minutes. Pour one ladle of the liquid into a bowl and whisk with the egg yolks; set aside. Discard lime peel and cinnamon. Break the pasta into little pieces and cook for about 5 minutes. Turn down the heat and add the yolks, always mixing. Cook for 2 more minutes. Serve hot or cold and sprinkle ground cinnamon on top, if desired.

IN DETAIL: *Aletria was brought to Brazil by the Portuguese, who serve this preparation as a Christmas dessert until nowadays – in many cases replacing rice pudding. The texture varies: it can be creamy or firm enough to be sliced. The origin is Arab; its name comes from al-iṭriyah, which means pasta. During my last trip to Portugal, I saw aletria quite often in many places in Algarve.*

AMBROSIA

4 servings | 1h20 | Medium

- 500 G SUGAR
- 2 CINNAMON STICKS
- 3 CLOVES
- 4 EGGS
- 1 LITRE MILK
- 1 TABLESPOON VINEGAR
- JUICE OF ½ LIME

Make a light syrup with sugar, 2 cups of water, cinnamon and cloves. Beat egg whites until stiff. Add egg yolks, one by one, and whisk briefly. Stir in the milk and pour the mixture into the pan with the syrup. Cook over low heat, stirring constantly, and add vinegar and lime juice. When milk curdles, turn up the fire a little bit and keep cooking, always mixing, until almost all liquid has gone. Let it golden slightly and remove from heat. Allow to cool and serve.

IN DETAIL: *This recipe from Portugal became one of the most appreciated desserts in South and Southeast regions of Brazil. The biggest secret for a good ambrosia (word that comes from the Greek mythology and refers to a delicious food that would give miracle powers to the gods) is the texture: it must have perfectly regular little curds.*

RICE PUDDING

(ARROZ DOCE)

6 servings | 1h20 | Easy

- 2 CUPS WHITE RICE
- 1 LITRE WHOLE MILK
- ½ CUP SUGAR
- 1 TABLESPOON BUTTER
- 4 EGG YOLKS
- GROUND CINNAMON TO TASTE

Cook rice in 2 cups of water. Meanwhile, heat milk, but don't allow to boil. When all the water in the pan rice has gone, add milk to the grains - reserve 1 cup. When rice is tender, add sugar and butter. Cook the mixture stirring constantly, to avoid it from sticking to the bottom. Mix the egg yolks with the reserved milk and add to the rice. Cook until thickened and very creamy. Sprinkle with ground cinnamon and serve. If you wish, add also orange zest and cloves along with the butter.

EGG COCONUT CUSTARD CREAM

(BABA DE MOÇA)

6 servings | 1 hour | Medium

- 12 EGG YOLKS
- 1½ CUP SUGAR
- 1 CUP COCONUT MILK (P. 290)

Strain egg yolks. Heat the sugar with ½ cup of water until the syrup reaches thread stage. Remove from heat, wait until lukewarm and add the coconut milk and the yolks. Cook in water bath, stirring constantly and taking care not to curdle it, until the mixture is creamy. Tip: use vanilla or orange blossom water for flavoring.

IN DETAIL: *This was the dessert Princess Isabel used to make to her French husband, count d'Eu, and it was also the favourite sweet of Brazilian writer José de Alencar. One of the symbols of the Second Empire, it has crossed generations on the table, and along the decades it has received aromatic touches, such as orange flower water, vanilla pod or cinnamon. I'm a big fan of baba de moça and during my childhood I would be upset for not having this dessert at home all the time. That's why I've created my own version of it, one of the most appreciated at Brasil a Gosto restaurant.*

FLAMING BANANAS

(BANANA FLAMBADA)

8 servings | 10 minutes | Easy

- 2 TABLESPOONS BUTTER
- 8 RIPE MEDIUM BANANAS, CUT IN HALF LENGTHWISE
- 1 TABLESPOON LIME JUICE
- ½ COARSE SUGAR
- ½ GROUND CINNAMON
- 4 TABLESPOONS COGNAC

Melt butter over medium heat and add the bananas. Drizzle with lime juice and cook until soft. Mix sugar and cinnamon and sprinkle over the bananas. When sugar melts, pour cognac into a ladle, ignite it in the stove burner and flame the bananas. Serve hot.

BANANA PASTE

(BANANADA)

500 g | 4 hours | Easy

- 18 OVERRIPE BURRO BANANAS
- 1½ CUP SUGAR
- 1 CINNAMON STICK
- 3 CLOVES

Peel the bananas and mash them with the hands. Heat sugar, cinnamon and cloves in a pan, until sugar melts. Add mashed bananas and cook for about 4 hours, or until it gets a very dark colour and starts to pull away from the bottom of the pan.

IN DETAIL: *This recipe uses up overripe fruits that otherwise would be discarded – that's one of the qualities of this Brazilian dessert that started to be prepared during the sugar era (16th and 17th centuries).*

BRAZILIAN CHOCOLATE FLAN

(BRIGADEIRÃO)

6-8 servings | 1h10 | Easy

- 6 EGGS
- 400 ML MILK
- 1 CUP SUGAR
- 1 CUP SOLUBLE CHOCOLATE POWDER
- 1 TEASPOON VANILLA EXTRACT
- 1 PINCH OF SALT
- CHOCOLATE SPRINKLES

Strain egg yolks and process all the ingredients in a blender. Transfer to a baking pan and bake in water bath for 1 hour, in preheated oven at 180 °C. Unmold, garnish with chocolate sprinkles and keep in the fridge before serving.

COCONUT AND PARMESAN CAKE

(CAÇAROLA ITALIANA)

10 servings | 40 minutes | Easy

- 2 CUPS SUGAR
- 5 EGGS
- 3 CUPS MILK

- 5 TABLESPOONS ALL-PURPOSE FLOUR
- 4 TABLESPOONS DRIED COCONUT, GRATED
- 8 TABLESPOONS PARMESAN CHEESE, GRATED

Put 1 cup of sugar in a baking pan and melt it over the flame of the stove burner, until you have a caramel; swirl to coat evenly. Process the remaining ingredients in a blender and transfer to the baking pan. Cover with aluminium foil and bake in water bath for 30 minutes, in preheated oven at 180 °C. Remove aluminium foil and bake until golden brown. Allow to cool before unmolding. If caramel hardens, heat the bottom of the baking pan over the flame of the stove burner.

HOMINY PUDDING
(CANJICA)

16 servings | 1 hour, plus soaking time | Easy

- 500 G HOMINY (DRIED WHITE CORN)
- 2 CUPS SUGAR
- 3 CINNAMON STICKS
- 5 CLOVES
- 3 CUPS COCONUT MILK (P. 290)
- GROUND CINNAMON, FOR DUSTING

Cover hominy with water and let soak for at least 6 hours. Cook kernels in this same water until liquid is absorbed. Add 3 cups of water, sugar, cinnamon and cloves. Cook until al dente, add coconut milk and keep cooking for 15-20 minutes more, until hominy is done. Serve lukewarm or cold, sprinkled with ground cinnamon.

CARTOLA

4 servings | 10 minutes | Easy

- 2 HEAPED TABLESPOONS BUTTER
- 6 RIPE BURRO BANANAS CUT IN HALF LENGTHWISE
- 4 SLICES MANTEIGA CHEESE 0,5 CM THICK
- SUGAR AND GROUND CINNAMON, FOR DUSTING

Heat the butter and grill the banana on both sides. Transfer to a serving dish and set aside. In the same frying pan, grill the cheese on both sides, until golden brown. Place it on the top of the banana and dust with cinnamon sugar.

IN DETAIL: *Another way of using up overripe bananas originated this dish typical from Pernambuco, where it was recognized as intangible heritage of the state. It is served until nowadays in one of the oldest restaurants of Recife (Pernambuco's capital), called Leite, opened in 1882. Some folks prepare it with coalho cheese, but the traditional recipe is made with manteiga cheese.*

CHURROS

16 churros | 40-50 minutes | Medium/difficult

- 4 HEAPED TABLESPOONS UNSALTED BUTTER
- 1 PINCH OF SALT
- 2 CUPS ALL-PURPOSE FLOUR
- 2 LARGE EGGS
- CORN OIL, FOR FRYING
- 2 CUPS MILK CARAMEL SPREAD (P. 357)
- SUGAR AND GROUND CINNAMON, FOR COATING

Heat 2 ½ cup of water. Add butter and salt; bring to the boil. Pour the flour all at once, stirring constantly, until dough starts to pull away from the bottom. Transfer to a food mixer and beat the dough while adding the eggs, one at a time. Put the dough into a piping bag fitted with a large star nozzle. Heat the oil and pipe churros into the pan, using scissors to cut the dough at the desired length. When churros are golden, remove from oil and drain on paper towel. With a skewer or a hard-plastic straw, carve a hole through the centre of each churro and fill them up with milk caramel spread, using a flavour injector. Coat in the mixture of sugar and cinnamon and serve.

COCONUT CANDY BAR
(COCADA)

4 servings | 1 hour | Medium

- 1 LARGE DRIED COCONUT, GRATED
- 1 KG SUGAR

Combine coconut, sugar and 2 cups of water and cook over medium heat until sugar melts. Keep cooking, stirring constantly. When it starts to pull away from the bottom, spread the mixture on a greased surface or a silicone mat. Allow to cool for a while and shape mixture into bars with your hands – be careful not to get burned. If you want a darker cocada, add another cup of water to the mixture in the pan and keep cooking until it reaches the desired colour.

BAKED COCONUT CANDY
(COCADA DE FORNO)

10 servings | 1 hour, plus resting time | Medium

- 4½ CUPS SUGAR
- 2 CUPS FINELY GRATED DRIED COCONUT
- 2½ CUPS MILK
- 65 G BUTTER, PLUS EXTRA FOR GREASING
- 18 EGG YOLKS
- ¾ CUP ALL-PURPOSE FLOUR, PLUS EXTRA FOR DUSTING

Make a syrup with sugar and 1¾ cup of water and cook until it reaches thread stage. Add coconut, milk and butter; cook for a few minutes, remove from heat and allow to cool. Meanwhile, strain egg yolks and whisk in a food mixer until double in volume; add flour gradually and beat to combine the ingredients. Combine yolks mixture and syrup and keep in the fridge for at least 3 hours. Transfer to a baking tray greased with butter and lightly dusted with flour. Cover with aluminium foil and bake in water bath for 30-40 minutes, in the oven at a 180 °C. Remove aluminium foil and let golden slightly.

FLORIDA AVOCADO CREAM
(CREME DE ABACATE)
4 servings | 10 minutes | Easy

- 2 RIPE FLORIDA AVOCADOS
- JUICE OF 2 LIMES
- 6 TABLESPOONS SUGAR

Process the avocado pulp in a blender, with lime juice and sugar, until smooth. Serve cold.

CUPUAÇU CREAM
(CREME DE CUPUAÇU)
12 servings | 50 minutes, plus chilling time | Easy

- 1 CUP PLUS 4 TABLESPOONS SUGAR
- 7 EGG YOLKS
- 2 EGGS
- 700 ML WHIPPING CREAM
- 100 G CUPUAÇU PULP
- 12 G GELATIN POWDER (OR 6 GELATIN SHEETS)

Make a syrup with 1 cup of sugar and ½ cup of water (kitchen thermometer must read 110 °C). Whisk egg yolks and eggs in a food mixer until quadruple in volume. Add syrup and beat until cold; set aside. Whisk the whipping cream to make a chantilly; set aside. Heat the cupuaçu pulp with 4 tablespoons of sugar. Dissolve the gelatin powder in 4 tablespoons of lukewarm water and add to cupuaçu; mix and reserve (if using gelatin sheets, soak them in ice cold water; when become soft and translucent, squeeze them, add to cupuaçu and stir until dissolve. Gently combine egg cream, chantilly and the still warm cupuaçu, folding the mixture over on top of itself. Keep in the fridge overnight before serving.

PAPAYA CREAM
(CREME DE PAPAIA)
6 servings | 10 minutes | Easy

- 3 PAPAYAS
- 12 HEAPED TABLESPOONS VANILLA ICE CREAM
- CRÈME DE CASSIS TO TASTE

Process the papaya pulp with ice cream in a blender until smooth and creamy. Serve with a few drops of crème de cassis.

IN DETAIL: *The combination of ice cream with papaya was very popular in São Paulo in the 1990s. With a touch of crème de cassis, it was one of the favourite desserts at homes and rodízios de carne (all-you-can-eat barbecue restaurants). Rodeio restaurant claims the authorship of this dessert, but many steakhouses have adopted it as a classic.*

FRESH CORN CUSTARD
(CURAU DE MILHO VERDE)
8 servings | 1h30 | Medium

- 6 EARS FRESH CORN
- 1½ LITRE MILK
- 2 CUPS SUGAR
- 1 TEASPOON SALT
- 1 TABLESPOON CORNSTARCH
- GROUND CINNAMON, FOR DUSTING

Process corn kernels in a blender. Pass through a sieve and bring to medium heat with remaining ingredients. Cook for 30 minutes, stirring now and then. Allow to cool and serve dusted with cinnamon.

IN DETAIL: *During the fresh corn harvesting season, when people would gather to make pamonha (Brazilian fresh corn tamale), curau was one of the most delicious sweets that I would eat at the farm, in São Paulo countryside. I liked it even when it was still hot. In Northeast states, it is called canjica.*

TAPIOCA COUSCOUS
(CUSCUZ DE TAPIOCA)
4-6 servings | 2h30 | Easy

- 2 CUPS INSTANT TAPIOCA GRANULES
- 200 ML COCONUT MILK (P. 290)
- 200 ML MILK
- ½ CUP SUGAR
- 1 CUP FRESHLY GRATED COCONUT, PLUS EXTRA FOR SERVING

Hydrate tapioca granules in coconut milk for 1 hour. Separately, mix the other ingredients and cook over low heat for 30 minutes. Pour the mixture over the hydrated tapioca, stir to combine and transfer to a bundt pan. Allow to cool, unmold and serve garnished with grated coconut

CREAMY BUTTERNUT SQUASH PRESERVE
(DOCE DE ABÓBORA)
8 servings | 1 hour | Easy

- 1 KG BUTTERNUT SQUASH, PEELED AND DICED
- 2 CUPS SUGAR
- 5 CLOVES
- 2 CINNAMON STICKS

Combine all ingredients in a pan and cook over low heat, stirring until sugar melts and butternut squash begins to release liquid. Cook the fruit until mushy, stirring now and then. Remove from heat and allow to cool before serving.

IN DETAIL: *Butternut squash preserve is such an old dessert in this country that there are records of recipes since the discovery of Brazil (1500). In those days, the preparation would take more than two weeks: first, squash chunks were soaked in brine for one entire day, after that they would spend another day in an infusion, changing water several times, then the syrup had to be clarified with egg whites... Today, there are many variations of this sweet: such as compote, made with culinary lime, very firm; with big chunks, in Minas Gerais style; grated with coconut and cloves, like my paternal grandmother used to make.*

BUTTERNUT SQUASH COMPOTE

(DOCE DE ABÓBORA EM CUBOS)

8 servings | 4 hours | Easy/medium

- 1 KG BUTTERNUT SQUASH, PEELED AND CUT INTO CUBES
- 1 TABLESPOON CULINARY LIME
- 2 CUPS SUGAR
- 5 CLOVES
- 2 CINNAMON STICKS

Soak butternut squash in water with culinary lime for 2 hours. Make a syrup with sugar, 2 cups of water, cloves and cinnamon. Strain and wash the butternut squash. Add to the syrup and cook until tender inside. Allow to cool before serving.

AÇAÍ PRESERVE

(DOCE DE AÇAÍ)

10 servings | 40 minutes, plus cooling time | Easy

- 1 KG AÇAÍ PULP
- 2 CUPS SUGAR
- 1 CUP GRATED COCONUT

Cook the açaí and sugar over low heat for 30 minutes, stirring all the time. Stir in grated coconut and cook for 5 more minutes. Take to the fridge for 3 hours and serve chilled.

CREAMY SWEET POTATO PASTE

(DOCE DE BATATA-DOCE CREMOSO)

10 servings | 40 minutes | Easy

- 4 OKINAWAN SWEET POTATOES
- 200 G COARSE SUGAR
- 2 CLOVES
- 1 CINNAMON STICK

Cook sweet potatoes in water; strain (reserve the liquid) and mash while they are still hot. Make a syrup with 1½ cup of the reserved liquid, sugar, cloves and cinnamon. When it thickens a little bit, add sweet potatoes, stir and cook until creamy. Allow to cool before serving.

SLICING SWEET POTATO PASTE

(DOCE DE BATATA-DOCE DE CORTE)

6 servings | 30 minutes | Easy

- 5 WHITE SWEET POTATOES, PEELED
- 2 CUPS LUKEWARM MILK
- 1 CUP SUGAR

Cook sweet potatoes in water, strain and mash them. In a blender, process the still hot potatoes with lukewarm milk. Cook for 12 minutes, to evaporate the liquid. Turn down the heat, add sugar and keep cooking, always stirring, until the mixture pulls away from the bottom of the pan. Transfer to a glass or plastic serving dish, previously wet. Allow to cool and unmold. Keep it in the fridge.

CASHEW FRUIT COMPOTE

(DOCE DE CAJU)

6-8 servings | 1 hour | Easy

- 20 CASHEW FRUITS
- 3½ CUPS SUGAR
- 1 CINNAMON STICK
- 3 CLOVES

Remove cashew nuts and peel the fruits. Make a syrup with the sugar and 2½ cups of water. When it reaches a caramel colour, add cinnamon, cloves, cashew fruits and the juice they have released. Cook until cashew fruits are very soft and reduced in size. Allow to cool and serve.

CITRON PRESERVE

(DOCE DE CIDRA)

30 servings | 45 minutes, plus preparation 3 days before | Medium

- 3 CITRONS (AROUND 700 G EACH ONE)
- 7 CUPS SUGAR
- 3 CINNAMON STICKS
- 6 CLOVES
- 1 TABLESPOON FENNEL SEEDS
- SALT

Grate the peel of citrons, taking care not to reach the pulp. Place it in a large bowl and sprinkle with plenty of salt. Wash under running water, rubbing the peel, until eliminate the bitter taste. Repeat this procedure for three days. Transfer citron to a pan, add sugar and bring to the boil, stirring occasionally. Cook until you have a thick syrup; add more water, if necessary. Add cinnamon, cloves and fennel seeds and boil for 5 more minutes. Remove from heat and allow to cool before serving.

COCONUT PASTRY

(DOCE DE COCO)

8 servings | 30 minutes | Medium

- 3 CUPS COARSELY GRATED COCONUT
- 2 CUPS SUGAR
- 2 CUPS ALL-PURPOSE FLOUR, PLUS EXTRA FOR DUSTING
- 5 TABLESPOONS CORN OIL
- ½ TEASPOON SALT
- BUTTER, FOR GREASING

Cook coconut, sugar and 1 cup water over high heat, stirring constantly. When mixture is very creamy, transfer to a baking tray greased with butter and allow to cool. For the dough, combine flour, oil, salt and ½ cup water. Mix until smooth. Dust a working surface with flour and roll out the pastry with a rolling pin to a very thin layer. Use a glass rim to cut out circles from the pastry; transfer to a baking tray dusted with flour. In the centre of each circle, place a generous spoon of the cold coconut mixture. Garnish each sweet with thin strips of pastry, shaped like bows. Bake in hot oven for about 20 minutes.

GREEN COCONUT PRESERVE

(DOCE DE COCO VERDE)

2 servings | 15 minutes | Easy

- 1½ CUP SUGAR
- 1 GREEN COCONUT MEAT, IN CHUNKS

Make a clear syrup with sugar and 1 cup of water. When it starts to boil, add coconut meat and let it cook, avoiding burning and browning. Let it cool and store in a sealed jar inside the fridge.

GREEN FIG COMPOTE

(DOCE DE FIGO VERDE)

6-8 servings | 2h30 | Medium

- 1,5 KG GREEN FIGS
- 1,5 KG SUGAR
- 1 CINNAMON STICK
- 2 CLOVES

Wash the figs and poke some holes with a needle or a fork, in order to absorb the syrup. Bring them to a boil twice, replacing the water, to eliminate the bitter taste. Figs must cook with same amount of sugar in weight – it's better to check with a kitchen scale. Bring fruit and sugar to a large pot with cinnamon and cloves. Cover with water and cook over low heat for about 2 hours; if necessary, add more water to dilute the syrup. Allow to cool before serving.

SESAME SEED CANDY

(DOCE DE GERGELIM)

6 servings | 30 minutes | Easy

- ½ CUP BLACK OR WHITE SESAME SEEDS
- ½ CUP MANIOC FLOUR
- 12 CASHEW NUTS
- 3 CLOVES
- ½ TABLESPOON BUTTER
- 1 CUP HONEY

Stir sesame seeds in a skillet. When cooled, blend sesame seeds in a blender with manioc flour, cashew nuts and cloves. Bring to a pot with butter and honey, cook over low heat, stirring constantly, until it pulls away from the bottom of the pan. Allow to cool before serving.

JACKFRUIT COMPOTE

(DOCE DE JACA)

6 servings | 25 minutes | Easy

- 250 G SUGAR
- ½ KG HARD JACKFRUIT (PODS)

Heat 1 cup of water in a pot and dissolve the sugar. Add jackfruit pods without the seeds, stir and cook for 20 minutes, until the syrup gets thicker. Serve cold.

JENIPAPO CRYSTALLIZED CANDY

(DOCE DE JENIPAPO)

30 servings | 30 minutes | Easy

- 4 LARGE JENIPAPOS, PEELED AND SEEDED
- 3 CUPS SUGAR
- SANDING SUGAR, FOR COATING

Blend jenipapo in a blender, until you get a paste. Add sugar and cook over medium heat, until boil. Lower the heat and stir constantly to cook, until it pulls away from the bottom of the pan. Allow to cool, roll the paste into little balls and coat with sanding sugar. Keep in sealed jars or in the fridge.

JABUTICABA SKIN CANDY

(DOCE DE CASCA DE JABUTICABA)

6-8 servings | 1 hour | Easy

- 1 KG JABUTICABA
- 4 CUPS SUGAR
- 40 ML WHITE CACHAÇA

Wash all jabuticabas and squeeze them into a strainer, keeping the skins and juicing the pulp for usage. Bring the skins to a pot and cover with water. Bring it to a boil, add sugar and the pulp. Cook to obtain a light syrup, with the colour of the fruit. Add cachaça and turn off the heat. Allow to cool and store on a sterilized mason jar.

CANDIED BITTER ORANGE PEEL

(DOCE DE LARANJA-DA-TERRA)

6-8 servings | 4 days | Difficult

- 12 BITTER ORANGES
- 1 TABLESPOON BAKING SODA
- 1,5 KG SUGAR
- 1,5 LITRE OF WATER

Wash the oranges and quarter them. Remove the pulp, including the pith, saving the petal-shaped peels. Bring peels to a boil and take them to a cold water and baking soda bath. Keep in the freeze overnight. Make a thread-stage sugar syrup with 500 g of sugar and 500 ml of water; cook the oranges in this syrup for 30 minutes. Allow it to cool and keep in the fridge overnight. Throw away the syrup and repeat the process with same quantities of water and sugar, keeping in the fridge overnight. On the last day, make the syrup with the last amount of water and sugar, and let it get thicker. Add oranges and cook until very tender.

DULCE DE LECHE

(DOCE DE LEITE CREMOSO)

1 kg | 3-4 hours | Easy/Medium

- 5 LITRES MILK
- 5 CINNAMON STICKS
- 1 KG SUGAR

Heat the milk with cinnamon. Bring it to a boil, add sugar and stir well. Cook over medium heat, stirring occasionally. Milk must reduce to, until it gets creamy. If you want a thicker spread, let it cook longer.

IN DETAIL: *Ancient records identify dulce de leche all over Latin America – Argentina, Uruguay, Chile, Mexico, Peru and Colombia are all proud of their sweets made with 'leche' (milk). Spanish and Portuguese colonizers arrived with the technique, alongside with sugar cane plants. There are plenty of recipes in Brazil, from the creamy to hard ones, also known as "de corte".*

SLICING DULCE DE LECHE

(DOCE DE LEITE DE CORTE)

1 bar | 3-4 hours | Easy

- 1 LITRE MILK
- 2 CUPS SUGAR

Cook milk until it starts to reduce and get yellowish. Add sugar and mix occasionally, until it boils and pulls away from the bottom of the pan. Stir constantly until it caramelizes. Remove from the heat and transfer to a bake pan covered with plastic wrap. Allow to cool, unmold and serve.

LIME MARMALADE

(DOCE DE LIMÃO)

6-8 servings | 5 days | Difficult

- 20 LIMES
- 3 TABLESPOONS BAKING SODA
- 1 KG SUGAR

Wash clean the limes, cut off the tip and bring them to a boil for 10 minutes. Discard the cooking liquid, add clean water to the limes and bring to a boil again. Scoop off inner parts of limes very carefully, not to damage the skin. Keep the peel in a pot with water and 1 tablespoon of baking soda. Repeat this procedure for three days in a row (twice more). On the fourth day, make a syrup with sugar and 1 litre of water. Add lime peel and set aside. On the last day, take the syrup and the fruit to the heat: cook until tender and the syrup reduces. Allow to cool, serve pure or filled with sweetened milk.

GREEN MARADOL PAPAYA PRESERVE

(DOCE DE MAMÃO VERDE)

1 kg | 1 hour, plus preparation 1 day before
Easy

- 1 GREEN MARADOL PAPAYA (1 KG)
- 2 TABLESPOONS BAKING SODA
- 2 CUPS SUGAR

Peel papayas and cut into cubes or thin slices, vertically – or grate the pulp. Bring it to a boil with water and baking soda and set aside overnight. Make a syrup with sugar and 2 cups of water. When sugar dissolves, add papaya and cook until tender. Allow to cool to serve.

MANGABA PRESERVE

(DOCE DE MANGABA)

20 servings | 25 minutes | Easy

- 2 KG MANGABA
- 700 G SUGAR
- 3 CLOVES
- 2 CINNAMON STICKS

Wash and peel mangabas. Squeeze over a strainer with some water, to remove seeds. Bring pulp, sugar and ½ litre of water to a large pot, and cook over medium heat. When it starts to boil, add cinnamon and cloves. Cook the pulp, stirring occasionally, until it pulls away from the bottom of the pot. Allow to cool and keep in the fridge, in a sealed jar.

GOLDEN PASSION FRUIT PRESERVE

(DOCE DE MARACUJÁ)

10 servings | 50 minutes | Easy

- 7 GOLDEN PASSION FRUITS
- 200 G SUGAR

Cut the passion fruits and save the pulp. Remove the skin and bring the skin to a boil. Drain and repeat this step three or five times, always replacing the water, until eliminate the bitter taste. Juice the pulp with 400 ml of water. Bring to a pot with sugar and skins; cook until reduced by half. Allow to cool and serve cold.

BEEF FEET CANDY

(DOCE DE MOCOTÓ)

6-8 servings | 4 hours | Medium

- 1 KG BEEF FEET, IN CHUNKS
- JUICE OF 1 LIME
- 1 LITRE MILK
- 3½ CUPS SUGAR
- GROUND CINNAMON TO TASTE
- 4 EGGS

Wash clean the chunks of beef feet under running water with the lime juice. Bring it to a boil, discard the liquid, add more water and cook until the jelly comes out of the bone (to save time, use a pressure cooker). Release the jelly and process with the milk in a blender. Bring to the heat with sugar and cinnamon; cook until gets thicken and almost firm. Remove from the heat, allow to cool and add strained eggs, stirring well to become smooth. Place it in a bake pan covered with plastic wrap and let it cool inside the fridge until it gets solid. Hint: to make beef feet jelly, keep the water from cooking, add 2 cups of sugar, cook and let it reduce until it's done. Allow to cool and serve.

CASHEW NUT FAROFA

(FAROFA DOCE DE CASTANHA)

2 servings | 20 minutes | Easy

- 4 TABLESPOONS MUSCOVADO SUGAR
- 2 TABLESPOONS CASHEW NUTS, CHOPPED
- BUTTER, FOR GREASING

Cook the sugar with cashew nuts over low heat, until the sugar melts. Transfer to a marble surface greased with butter. Allow to cool for 5 minutes and break with a hammer, until you get a fine, delicate flour – if you want, you can use a blender. Serve on top of ice creams and pastries.

EGG THREADS

(FIOS DE OVOS)

100 g | 40 minutes | Difficult

- 7 YOLKS
- 5 EGGS
- 4 CUPS SUGAR
- 1 TEASPOON VINEGAR
- 1 TEASPOON VANILLA ESSENCE

Whisk the eggs gently with the yolks. Strain them in a sieve. Bring the sugar and 4 cups of water to a boil until you get a runny syrup. Add vinegar and vanilla essence. Place the eggs into a funnel used to make egg threads (or a tube) and pour (or squeeze) into the syrup, making round moves. Keep the heat to a minimum. Cook for 1 minute, remove with a fork and transfer to a strainer. Place the strainer into a bowl with water and ice, to cool quickly. If the syrup thickens, add cold water.

BROKEN GLASS JELLO

(GELATINA COLORIDA)

6-8 servings | 3-4 hours | Medium

- 4 PACKAGES JELLY POWDER (FLAVOURS TO TASTE)
- 1 TABLESPOON GELATIN POWDER
- ½ CUP MILK
- 2 CUPS WHIPPING CREAM
- 5 SCANT TABLESPOONS SUGAR

Prepare the jelly from the packages separately, following the instructions. When it's set, slice in cubes and keep in the fridge. In a bowl, pour 2 tablespoons of water and gelatin powder, mixing well. Let it hydrate for 2 or 3 minutes. Take milk to the heat, add the dissolved gelatin and whisk to blend. Combine this mixture to the whipping cream and the sugar, and add gently to the flavoured jelly. Take it to refrigerate until set.

CACHAÇA JELLY
(GELATINA DE PINGA)
6-8 servings | 4-5 hours | Medium

- 1 PACKAGE STRAWBERRY JELLY POWDER (OR ANY OTHER FLAVOUR YOU LIKE)
- 3 PACKAGES (21 G) GELATIN POWDER
- 2½ CUPS SUGAR
- 80 ML WHITE CACHAÇA
- SANDING SUGAR, FOR COATING

Combine all ingredients in a pot (except sanding sugar) with 2 cups of water. Bring it to a boil and cook under low heat for 20 minutes, without stirring. Transfer to a baking dish or ice molds, and take to the fridge to set. Unmold the jelly from the ice molds, or cut into cubes, and coat with sugar.

CHUNKY GUAVA PASTE
(GOIABADA CASCÃO)
1 large bar | 5-6 hours | Medium

- 1,5 KG RED, RIPE GUAVAS
- 5 CUPS SUGAR

Cut guavas in half (save the seeds for later), bring them to a boil and set aside. Squeeze the seeds, to get more pulp. Make a syrup with sugar and 2 cups of water, and cook ⅔ of the fruits, including the pulp, until it turns to a creamy paste (3 hours over low heat). Add the rest of the guava and cook for 1 hour, mashing the fruit, but leaving some pieces intact. Take off the heat and transfer to a baking dish covered with plastic wrap. Allow to cool and take it to the fridge, to set. Unmold and serve. To make all-creamy guava paste, use only 3 cups of sugar and cook all guavas from the start.

LELÊ
4 servings | 20 minutes | Easy

- 3 CUPS CRACKED CORN
- 2½ CUPS COCONUT MILK (P. 290)
- 1½ CUP MILK
- 2 CINNAMON STICKS
- 3 CLOVES
- ½ SCANT TEASPOON SALT
- 5 CUPS SUGAR
- 3 CUPS BUTTER

Soak cracked corn in cold water for 30 minutes. Drain and combine with coconut milk, milk, cinnamon, cloves, salt and sugar. Cook it, stirring constantly, until it starts to thicken. Lower the heat, add butter and mix until it pulls away from the bottom of the pan.

IN DETAIL: *Also known as muxá, this pastry is made with quirera, cracked corn, also called canjiquinha in some places. It is ubiquitous in Bahia and Espírito Santo, during June Festivities.*

TOFFEE APPLE
(MAÇÃ DO AMOR)
6 apples | 1h10 | Medium

- 6 LARGE, RED APPLES
- 500 G SUGAR
- 4 TABLESPOONS GLUCOSE SYRUP
- 4 DROPS RED FOOD COLOURING

Stick an ice cream stick on the bottom of each apple and set aside. Combine sugar, glucose syrup and 1 cup of water; stir to dissolve. Cook over low heat, without stirring, until it starts to boil. Lower the heat and cook for 15 minutes. Add the food colouring, cook for 1 minute and take the pan off the heat. Put apples under a silicone baking mat, or under a greased baking tray, and pour the liquid over each one of them. Wait for hardening and allow to cool.

IN DETAIL: *Red, caramelized apple in a stick is everywhere during June Festivities, around squares and parks. It was created in 1959 by the Farre Family, Catalan immigrants established in the east region of São Paulo city. The Spanish pastry makers were inspired by Chinese caramelized fruits.*

COCONUT BLANCMANGE
(MANJAR DE COCO)
1 ring mold | 1h30 | Easy

- 1 LITRE WHOLE MILK
- 200 ML COCONUT MILK (P. 290)
- ⅔ CUP SUGAR
- 1 CUP CORNSTARCH

TOPPING
- 1 CUP SUGAR
- 2 CUPS PITTED PRUNES, SOAKED IN WATER

Combine milk, coconut milk and sugar in a pot. Stir altogether to dissolve the sugar and bring it to a boil. Add cornstarch and keep stirring, so it won't lump. Cook for 10 minutes over low heat and transfer to a baking tray sprayed with water, so the blancmange won't stick. Allow to cool and take it to the fridge. For the topping, cook sugar, prunes and 1 cup of the soaking water; turn off the heat right after it thickens. When blancmange is firm and cold, unmold and drizzle with cold syrup and garnish with prunes.

IN DETAIL: *In Portugal, back in the old days, blancmange was a whole family of savoury or sweet dishes which used chicken breast as "gelatin". In Brazil, Portuguese blancmange embodied cornstarch and coconut milk, becoming one of our classic desserts all over the country.*

COCONUT MARSHMALLOW

(MARIA MOLE COM COCO)

20 servings | 50 minutes | Medium

- 36 G GELATIN POWDER (OR 3 SHEETS), UNFLAVOURED
- 2 CUPS SUGAR
- 6 TABLESPOON COCONUT MILK
- ½ CUP SHREDDED COCONUT
- CORN OIL, FOR GREASING

Dissolve gelatin powder on 6 tablespoon of lukewarm water and melt in water bath. Mix the melted gelatin, 1¼ cup of water, sugar and coconut milk. Beat in a stand mixer, on medium speed, for 15 minutes. Cover the bottom of a baking dish with plastic wrap and a drizzle of corn oil, avoiding it to stick. Spread the mixture over the baking dish and keep it in the fridge for at least 2 hours, to set. Remove from the fridge, cut into little cubes and unmold. Pass them quicky through water and coat with shredded coconut all over.

IN DETAIL: *Coconut marshmallow (maria mole) was born in Brazil. Our national version of marshmallow has a spongy texture, which makes it very suitable for coconut or syrup toppings.*

QUINCE PASTE

(MARMELADA)

1 candied bar | 1-2 hours | Easy

- 1 KG QUINCE, UNPEELED
- 1 KG SUGAR

Cook the quince until tender. Pass it through a strainer, squeezing to become a paste. Make a thick syrup with sugar and 500 ml of water. Add quince paste and cook, stirring constantly, until it starts pulling away from the bottom of the pan, and very consistent. Allow to cool and transfer to a baking dish covered with plastic wrap, in order to get easier to unmold when firm.

STRAWBERRY MERINGUE

(MERENGUE DE MORANGO)

4 servings | 20 minutes | Easy

- 1 BOX (250 G) FRESH STRAWBERRIES
- 500 ML WHIPPING CREAM
- ½ CUP SUGAR
- 1½ CUP BAKED MERINGUES (P. 376)
- VINEGAR, FOR WASHING

Wash strawberries with vinegar and water. Remove stems and leaves, cut in half or quarters; set aside. Combine whipping cream with sugar to get a whipped cream. Place layers of meringue, whipped cream and strawberries in individual glasses, topping with a layer of whipped cream.

BANANA PORRIDGE

(MINGAU DE BANANA PACOVA)

3 servings | 10 minutes | Easy

- 2 RIPE PACOVA BANANAS
- 1 CUP SUGAR
- 1 CUP MILK
- 1 CUP MANIOC STARCH
- 1 DASH OF SALT
- CINNAMON TO TASTE

Cut bananas into big chunks, cover with water and cook. Bring it to a boil, and add the sugar. Turn off the heat and take half of the banana to process in a blender with the milk. Add manioc starch to the pan with the remaining bananas. Turn on the heat again and add the processed fruit. Cook, stirring constantly; if it is too thick, add some water. Include salt and cook 10 minutes more, until manioc starch is tender.

INSTANT TAPIOCA GRANULES PORRIDGE

(MINGAU DE TAPIOCA)

6 servings | 1h30 | Easy

- 10 TABLESPOONS INSTANT TAPIOCA GRANULES
- 3 CUPS MILK
- 200 ML COCONUT MILK (P. 290)
- ½ CUP SUGAR
- 1 CINNAMON STICK
- 2 CLOVES
- 2 TABLESPOONS FRESH COCONUT MEAT, GRATED

Hydrate tapioca granules in milk for 40 minutes. Bring all ingredients to cook under low heat, except coconut; stir constantly, so the granules can release the starch and thicken the porridge. Cook for 30 minutes, or until tender. Add grated coconut meat and cook for a while. Serve hot, pure or topped with ground cinnamon.

CHOCOLATE MOUSSE

(MUSSE DE CHOCOLATE)

15 servings | 30 minutes, plus fridge time | Easy

- 1¼ CUP SUGAR
- 7 EGG YOLKS
- 2 EGGS
- 700 G BITTERSWEET CHOCOLATE
- 700 ML WHIPPING CREAM
- GRATED CHOCOLATE, AS GARNISH

Make a syrup with ¾ cup of water and sugar. Beat the yolks and eggs in a stand mixer until it increases four times in volume. Add the syrup and beat until meringue cools down. Melt the chocolate in a water bath and combine with meringue. Beat the whipping cream to get chantilly and add to the mousse. Take it to the fridge to cool overnight. Serve with grated chocolate on top.

PASSION FRUIT MOUSSE

(MUSSE DE MARACUJA)

4 servings | 1 hour | Easy

- 2 CUPS MILK
- 1 CUP SUGAR
- 2 YELLOW PASSION FRUITS
- 8 EGG YOLKS
- 2 TABLESPOONS CORNSTARCH
- 2 CUPS WHIPPING CREAM

Bring the milk to a boil with half the sugar and passion fruit juice, seeded (strained). Meanwhile, beat egg yolks and the rest of the sugar for 3 minutes, with a wire whip, until it gets pale. Add cornstarch and stir well. When the milk starts to boil, add beaten yolks in a constant stream, whisking non-stop. Cook altogether over low heat, stirring, until thicken. Keep cooking for 3 more minutes and turn off the heat. Transfer the cream to a bowl, cover with a plastic wrap and, when cooled, take it to the fridge. Whip the whipping cream until thickened. Fold it gently over the passion fruit cream, keeping it airy and smooth. Serve chilled.

SWEET PAMONHA

(PAMONHA DOCE)

6 small pieces | 1-2 hours | Difficult

- 10 EARS OF FRESH CORN, WITH HUSKS
- 500 ML MILK
- 2 CUPS SUGAR
- 1 TEASPOON SALT
- GROUND CINNAMON, TO TASTE

Take off the husks from cobs, saving for later. Grate fresh corn or peel it directly from the cob with a knife, and process in a blender with the milk. Strain to get rid of the hard pieces and add sugar, cinnamon and salt; mix to incorporate. Place two husks together in a package. Put the corn paste inside each package, fold and tie them close with a twine (or a string; you can sew the package). Cook pamonhas in boiling water until it gets firm (or steam them). Serve hot.

IN DETAIL: *The most beautiful thing in this recipe is the team work involved: some people grate, others cook, others roll the packages. Family, uncles and neighbours gather in the ritual of pamonhada, a common effort around recipes that are made with fresh corn. I remember how anxious I have always been, waiting to eat this pastry while hot. On the mountains of Minas Gerais, pamonha can be sweet or salty, with a cheese filling. And in Goiânia city I've found salted pamonhas with cracklings and pimenta-biquinho sweet pepper.*

ANGEL'S DOUBLE CHIN

(PAPO DE ANJO)

22 units | 30 minutes | Medium

- 600 G SUGAR
- 1 DROP VANILLA ESSENCE
- 12 EGG YOLKS, STRAINED
- 1 TABLESPOON ALL-PURPOSE FLOUR
- 5 CLOVES

Prepare the syrup with sugar and 600 ml of water; cook under low heat until ⅓ is reduced and add vanilla essence. Keep the syrup in a warm temperature while you prepare angel's double chins. Beat the egg yolks for 10 minutes, until very pale. Add flour and mix well. Meanwhile, preheat oven at medium heat (180 °C), grease little muffin tins, place them in a shallow pan and warm water to prepare a water bath. Pour beaten yolks into muffin tins, about ⅓ or ½ of its capacity. Set water in the shallow pan (about 1,5 cm). Take it immediately to the oven and bake for 4 or 5 minutes, until firm and slightly golden on top. When ready, turn off the oven and keep the oven door open for about 5 minutes before moving the shallow pan. Unmold angel's double chins, using a spatula or a knife with no point, to loosen. Put angel's double chins in the syrup, add cloves and keep in a bowl or a compote.

PINEAPPLE TRIFLE

(PAVÊ DE ABACAXI)

8 servings | 2 hours, plus time to cool | Medium

PINEAPPLE SYRUP

- 1 PINEAPPLE, CUT INTO MEDIUM SLICES
- 500 G SUGAR

FILLING

- 2 CUPS MILK
- 1 CUP SUGAR
- 8 EGG YOLKS
- 2 TEASPOONS CORNSTARCH
- 1½ CUP SINGLE CREAM

TOPPING AND ASSEMBLY

- 3 EGG WHITES
- 4 TABLESPOONS SUGAR
- 1½ CUP WHIPPING CREAM (WITHOUT WHEY)
- 200 G LADYFINGERS (P. 374)
- GRATED WHITE CHOCOLATE OR COCONUT, FOR COATING

Remove the centre of each pineapple slice, leaving a hole in the middle. Bring 1 litre of water and sugar to a boil for 5 minutes, stirring constantly. In case it turns out too thick, add water (you can use cinnamon sticks to flavour the syrup). Cook the pineapple in the syrup and turn off the heat when it starts boiling. Allow to cool and take it to the fridge for 1 hour. Slice the fruit in tidbits and set aside. For the filling cream, combine the milk with half the sugar and bring it to a boil. Meanwhile, beat the egg yolks and the rest of the sugar for 3 minutes, with a wire whip, until pale. Add cornstarch and stir. When the milk boils, pour over the yolks, whisking non-stop, in a constant stream. Take the mixture to a sauce pan and cook over low heat, stirring all the time, until thickened. Cook for 3 minutes more and turn off the heat. Take the cream to a bowl, cover with plastic wrap and, when chilled, combine with single cream and pineapple (save some syrup and tidbits for later); take it to the fridge. For the topping, beat the egg whites with sugar, until it forms stiff peaks, and combine with the whipping cream. Fill a baking pan with layers of ladyfingers soaked in the syrup, and cream. Spread the topping and keep it in the fridge for, at least, 6 hours before serving. Coat with grated white chocolate or coconut.

IN DETAIL: *Some decades ago, pavê went fashion. It was served in all celebrations and parties. The name comes from the French "pavage", meaning pavement. Ingredients in layers placed in transparent baking dishes can admit many variations. Serving pavê always involves a joke: é pavê ou pra comê?" ('it is to just to look at, or is it to eat?') Classic flavours are pineapple, chocolate or ladyfingers and candies.*

CHOCOLATE TRIFLE WITH LADYFINGERS

(PAVÊ DE CHOCOLATE COM BISCOITO CHAMPANHE)

8 servings | 4 hours | Medium

- 5 CUPS MILK, PLUS EXTRA TO SOAK THE BISCUITS
- 1 CUP SUGAR
- 2 EGGS
- ½ CUP CORNSTARCH
- 1 TABLESPOON BUTTER
- 3 PACKAGES LADYFINGERS (P. 374)
- 4 TABLESPOONS COCOA POWDER
- 1½ CUPS BITTERSWEET CHOCOLATE, CHOPPED
- 1 CUP MILK CHOCOLATE, CHOPPED
- ½ CUP WHIPPING CREAM

To make the cream, take the milk and the sugar to the heat. Beat the eggs in a stand mixer until it doubles its volume. Dissolve cornstarch in the hot milk and add the eggs, on a steady stream, so it won't coagulate. Take it back to a low heat until it thickens. Take off the heat and add butter. (If you want, add 4 drops of vanilla essence or 1 vanilla pod). Allow to cool. Soak biscuits in milk mixed with cocoa powder. In a baking pan, place layers of biscuits and cream; repeat. Melt both chocolates in a water bath and combine with the whipping cream, until you get a dense ganache. Cover with ganache and take it to the freezer to cool.

SWEETENED PEANUT BUTTER AND CHOCOLATE BONBON TRIFLE

(PAVÊ DE SONHO DE VALSA)

12 servings | 50 minutes, plus extra time to cool
Medium

CHOCOLATE CREAM

- 250 G MILK CHOCOLATE
- 120 G WHIPPING CREAM
- 1 TABLESPOON HONEY
- 1 TEASPOON VANILLA ESSENCE
- ½ TABLESPOON BUTTER

CAKE

- 4 LARGE EGGS
- 120 G SUGAR
- 120 G ALL-PURPOSE FLOUR, PLUS EXTRA FOR DUSTING
- 20 G CORNSTARCH
- BUTTER, FOR GREASING

SONHO DE VALSA CREAM

- 600 G WHIPPING CREAM
- 16 SONHO DE VALSA BONBONS, PLUS 6, AS GARNISH

Place chocolate in a bowl and make a water bath to melt ⅓. Take it from the water bath and set aside. Bring whipping cream to a boil and add to the chocolate, honey and vanilla essence; stir well. Combine with butter and mix until it becomes together and creamy. Allow to cool in room temperature.

To make the cake, grease and flour a 40 cm x 25 cm flat baking pan. Beat the eggs with sugar until it doubles its volume and gets pale. Sift the flour with cornstarch and add the eggs gently, stirring it carefully with ascending movements (from the bottom to the top). Bake it in the oven at 220 °C for 10 to 15 minutes, or until brown. Take it from the oven and allow to cool.

To make Sonho de Valsa cream, process 16 bonbon fillings and 140 g of whipping cream in a mixer; set aside (keep the crunchy bonbons for later). Whip the rest of the whipping cream to obtain chantilly. Combine gently with the cream of bonbon fillings. In a large bowl or in individual glasses, build layers, starting with a piece of the cake (cut it into a proper size). Cover with a thin layer of chocolate cream. Add the crunchy parts, chopped. Then layer with a generous amount of Sonho de Valsa cream. Keep building the layers until all parts are over. End up with chopped bonbons on top of everything. Take it to the fridge for 5 hours and serve cold.

ICE CREAM TRIFLE

(PAVÊ DE SORVETE)

8 servings | 1 hour, plus fridge time | Easy

- 200 G BITTERSWEET CHOCOLATE, MELTED
- ¾ CUP WHIPPING CREAM
- 2 CUPS MILK
- 1 CUP SUGAR
- 8 EGG YOLKS
- 2 TABLESPOONS CORNSTARCH
- 200 G LADYFINGERS (P. 374)

Combine bittersweet chocolate with ½ cup whipping cream; set aside. Bring the milk to a boil with half the sugar. Meanwhile, beat the egg yolks with the rest of the sugar for 3 minutes, with a wire whip, until pale. Add cornstarch and stir well. When the milk boils, pour over the yolks, whisking non-stop, in a constant stream. Take the mixture to a sauce pan and cook over low heat, stirring all the time, until thickened. Cook for 3 minutes more and turn off the heat. Take the cream to a bowl, cover with plastic wrap and take it to the fridge until chilled.

Beat the rest of the whipping cream to obtain chantilly. Combine to the cold cream, gently. In a 28 cm x 17 cm x 4,5 cm baking pan, place half of the cream and, with a spoon, spread over ⅓ of chocolate ganache, to get it blended. Put half of the biscuits and repeat the layers with the rest of the white cream, plus ⅓ of chocolate ganache and all biscuits left. Spread the ganache to decorate and take it to the freezer for 6 hours.

PEACH PRESERVE

(PESSEGADA)

12 servings | 30 minutes, plus extra time for preserving | Easy

- 10 RIPE PEACHES
- 500 G SUGAR

Wash the peaches, rub with a clean dish cloth, remove pits and cut into dices. Place layers of fruit and sugar and set aside for 3 hours. Then, take it to a low heat, stirring frequently, until it pulls away from the bottom of the pan. Keep the preserve in sterilized jars.

PEACH COMPOTE

(PÊSSEGO EM CALDA)

12 servings | 30 minutes | Easy

- 600 G SUGAR
- 12 YELLOW PEACHES, FIRM AND KEPT IN THE FRIDGE

Put sugar in a sauce pan and wait for it to burn a little, so it can give a caramel colour to the syrup. Add 800 ml of water. Once you pour over the liquid, sugar will become rock-hard. Lower the heat and boil until it dissolves. Peel the peaches' skin, and remove pits. Cut in half and place them in the syrup, to cook over low heat. When it boils, cook for 20 minutes. Put in a container and take it to the fridge.

COCONUT, LIME AND GRAPE POPSICLES

(PICOLÉS DE COCO, LIMÃO E UVA)

4 popsicles | 20 minutes, plus freezer time | Easy

COCONUT

- 200 ML COCONUT WATER
- 200 ML COCONUT MILK (P. 290)
- 1 TABLESPOON COCONUT, GRATED
- 1 CUP MILK
- 1 TABLESPOON CORNSTARCH
- 2 TABLESPOONS SUGAR

Cook all ingredients over low heat to thicken. When cool, process in a blender, and pour in an ice mold. Place ice cream sticks or little spoons so, when it freezes, it would be easier to serve.

LIME

- 70 ML LIME JUICE
- 7 TABLESPOONS SUGAR
- 1 TABLESPOON GLUCOSE SYRUP

Process all ingredients in a blender with 2 cups of water, until sugar and glucose dissolve. Pour in an ice mold and freeze for 2 hours. Place ice cream wooden sticks and freeze for another 6 hours, at least.

GRAPE

- 3 CUPS INTEGRAL GRAPE JUICE
- 7 TABLESPOONS SUGAR
- 1 TABLESPOON GLUCOSE SYRUP

Process all ingredients in a blender, until sugar and glucose dissolve. Pour in an ice mold and freeze for 2 hours. Place ice cream wooden sticks and freeze for another 6 hours, at least.

AÇAÍ PUDDING

(PUDIM DE AÇAÍ)

8 servings | 1h30 | Easy

- 3 CUPS MILK
- 50 G AÇAÍ PURÉE, FROZEN
- 1 TABLESPOON CORNSTARCH
- 5 EGGS
- 1 CUP SUGAR

SYRUP

- 1 CUP SUGAR

Prepare the syrup: cook sugar and ¼ cup of water over low heat, until lightly brown. Pour over a rectangular 10 cm x 20 cm baking dish; allow to cool. For the pudding: combine all ingredients in a blender. Transfer to the baking dish and bake in a water bath in the oven at 180 °C for 1h20. To check if it is ready, move the dish to see if the pudding is set. Remove from the oven and slide a slim knife through the edges to detach. Unmold immediately. (Or let it cool, take to the fridge and, before serving, put the pudding over the heat to melt the caramel.)

COFFEE PUDDING

(PUDIM DE CAFÉ)

8 servings | 1h20 | Easy

- 3 CUPS MILK
- 2 CUPS STRONG COFFEE
- 1 CUP SUGAR
- 6 EGGS

SYRUP

- 1 CUP SUGAR

Process milk, coffee, sugar and eggs on a blender. Make a syrup with sugar and ¼ cup of water, directly on the baking pan. Transfer the pudding to the pan and bake in a water bath in the oven at 180 °C for 1 hour. Unmold and sprinkle with coffee grains to decorate.

COCONUT PUDDING

(PUDIM DE COCO)

10 servings | 35 minutes, plus refrigeration time
Easy

- 200 ML COCONUT MILK (P. 290)
- 300 ML MILK
- 200 G SUGAR
- 5 EGGS
- 2 TABLESPOONS CORNSTARCH
- 100 ML WHIPPING CREAM
- 5 TABLESPOONS COCONUT, GRATED
- 3 TABLESPOONS COCONUT, GRATED, FOR COATING
- BUTTER, FOR GREASING

Grease a ring mold with butter. Process all ingredients - except 3 tablespoons grated coconut - with a blender. Pour into the ring mold and bake in a water bath in the oven at 170 °C for 25 minutes. Take it to the fridge for 3 hours, unmold and sprinkle with grated coconut on top. Serve chilled.

TOASTED COCONUT CREAM PUDDING

(PUDIM DE COCO QUEIMADO)

10 servings | 1 hour, plus fridge time | Easy

- 5 EGGS
- 1 CUP SUGAR
- 1½ CUP MILK
- 2 TABLESPOONS CORNSTARCH

SYRUP

- 2 CUPS SUGAR
- 200 G FRESH COCONUT MEAT

To make the syrup, caramel the sugar directly in the baking pan; set aside. In a sauce pan, cook remaining sugar, coconut meat and 2 tablespoons of water, over high heat. When you get a thread-stage syrup, remove half of the coconut and set aside. Continue to cook, stirring all the time, until brown. Turn off the heat and stir constantly to cool. Using a blender, mix eggs, sugar, milk, and cornstarch. Add the reserved coconut and combine without whisking. Pour into the baking pan and cook in a water bath for 40 minutes. Allow to cool and keep it in the fridge for, at least, 6 hours. Unmold and cover with the toasted coconut. Serve cold.

CUPUAÇU PUDDING

(PUDIM DE CUPUAÇU)

8 servings | 1h30 | Easy

- 5 EGGS
- 50 G CUPUAÇU
- 3 CUPS MILK
- 1 CUPS SUGAR
- 1 TABLESPOON CORNSTARCH

SYRUP

- 1 CUP SUGAR

Prepare the syrup: cook sugar and ¼ cup of water, over low heat, until lightly brown. Pour over a rectangular 10 cm x 20 cm baking dish; allow to cool. For the pudding: combine all ingredients in a blender. Transfer to the baking dish and bake in a water bath in the oven at 180 °C for 1h20. To check if it is ready, move the dish to see if the pudding is set. Remove from the oven and slide a slim knife through the edges to detach. Unmold immediately. (Or let it cool, take to the fridge and, before serving, put the pudding over the heat to melt the caramel.)

MILK PUDDING

(PUDIM DE LEITE)

8 servings | 3 hours | Easy

- 1 CUP SUGAR, FOR THE SYRUP
- 8 EGG YOLKS
- 4 EGGS
- 1¼ CUP SUGAR
- 1 LITRE MILK
- ½ TEASPOON VANILLA ESSENCE

Prepare the syrup: cook sugar and ¼ of water, over low heat, until lightly brown. Pour over a rectangular 10 cm x 20 cm baking dish; allow to cool. In a bowl, mix the eggs with the sugar. Add milk and vanilla essence. Transfer to the caramelized baking dish. Bake in water bath in the oven at 180 °C for 2h30. To check if it is ready, move the dish to see if the pudding is set. Remove from the oven and slide a slim knife through the edges to detach. Take to the fridge for at least 2 hours and, before serving, put the pudding over the heat to melt the caramel.

IN DETAIL: *Unbeatable in each and every household, milk pudding is a top classic. We are aware that condensed milk pudding – which recipe was printed on the condensed milk can – has become much more popular than this classic version. But we decided to register both on this book, so no one will feel uncovered!*

CONDENSED MILK PUDDING

(PUDIM DE LEITE CONDENSADO)

1 large ring mold | 1h40 | Easy

- 1 CUP SUGAR
- 1½ CUP CONDENSED MILK (RECIPE BELOW)
- 3 CUPS MILK
- 3 EGGS

For the syrup: make a syrup with the sugar and ¼ cup of water, right on the ring mold; set aside. Process all other ingredients in a blender and pour over the caramel. Cover with aluminium foil and bake in a water bath in preheated oven at 180 °C for about 1h30. Unmold carefully and serve cold.

HOMEMADE CONDENSED MILK

500 g | 1 hour | Medium

- 1¼ CUP COARSE SUGAR
- 1 LITRE MILK

Keep a cup plate for about 1 hour in the refrigerator. Mix sugar with milk and cook over a low heat for about 45 minutes, until thickens and gets a light golden caramel colour. Remove from the heat and whip it on a stand mixer until cooled, for 15 minutes. To make sure condensed milk is at the right texture, put a drop of it on the cold cup plate: it's ready when the drop doesn't run fast. Use it right away.

CASSAVA CAKE

(PUDIM DE MANDIOCA)

10 servings | 50 minutes | Easy

- 300 G RAW CASSAVA
- 1½ CUP MILK
- ½ CUP COCONUT MILK (P. 290)
- 4 EGGS
- 1 CUP SUGAR
- 1 CUP PARMESAN CHEESE, GRATED
- 1 CUP COCONUT MEAT, GRATED
- GROUND CINNAMON

SYRUP

- 1 CUP SUGAR

To make the syrup, dissolve sugar in ½ cup of water. Without stirring, take it to the heat and let it thickens until golden brown. Pour into a ring mold with diameter of 20 cm. Grate cassava and place in a bowl. Combine with all remaining ingredients, stirring constantly. Transfer to the ring mold, bake in a water bath for 40 minutes and unmold while still warm.

BREAD FLAN

(PUDIM DE PÃO)

8 servings | 1h30 | Easy

- 3 BRAZILIAN FRENCH-ROLLS, DAY-OLD
- 2½ CUPS MILK, PLUS EXTRA MILK TO SOAK
- 3 EGGS
- 1 TABLESPOON BUTTER
- 1 CUP SUGAR
- 1 TEASPOON GROUND CINNAMON

SYRUP

- 1 CUP SUGAR

Finely slice one of the rolls and set aside. Soak the other two in milk and process in a blender with all the milk, eggs, butter, sugar, and cinnamon. Make a syrup with sugar and ¼ cup of water, straight in the baking pan. Soak bread slices and place in the syrup. Pour the pudding over the pan, cover with aluminium foil and bake in water bath in the oven at 180 °C for 40 to 45 minutes, or until firm. Before unmolding, heat the bottom of the baking pan to melt the syrup.

GOOSEBERRY, YELLOW MOMBIM AND COCONUT TAPIOCA FREEZIES

(SACOLÉS DE GROSELHA, CAJÁ E TAPIOCA COM COCO)

4 units | 10 minutes, plus extra time to freeze

Easy

GOOSEBERRY

- ½ CUP GOOSEBERRY SYRUP
- 2 CUPS SUGAR

Combine all ingredients with 1 litre of water, fill the bags with it, using a funnel, and keep in the freezer for 6 hours.

YELLOW MOMBIM

- 200 G YELLOW MOMBIM PULP
- 2 CUPS SUGAR

Process all ingredients with 1 litre of water, fill the bags with it, and keep in the freezer for at least 6 hours.

- TAPIOCA GRANULES AND COCONUT
- 4 TABLESPOONS INSTANT TAPIOCA GRANULES
- 100 ML COCONUT MILK (P. 290)
- 1 LITRE MILK
- 2 CUPS SUGAR

Soak tapioca granules in coconut milk for 30 minutes. Combine all ingredients, fill the bags and freeze for 6 hours.

IN DETAIL: *In São Paulo contryside, there were popsicles and freezies. Ice cream, almost never. No wonder I've got an emotional connection with freezies. My favorite flavours were toasted coconut, lime and gooseberry. Very typical in beach areas, it can also be called chupe-chupe, picolé-de-saco or gelinho, it depends.*

TAPIOCA PEARL WITH RED WINE

(SAGU COM VINHO TINTO)

6 servings | 1 hour | Easy

- 1 CUP TAPIOCA PEARLS
- 1 BOTTLE RED WINE (OR GRAPE JUICE)
- 1 CINNAMON STICK
- 3 CLOVES
- 1 CUP, PLUS 2 TABLESPOONS SUGAR
- 1 CUP WHIPPING CREAM

Bring 4 cups of water to a boil, add tapioca pearls and, when it boils again, lower the heat and cook for 15 minutes. Drain and discard the liquid. Repeat the step, boiling more water, and add tapioca pearls again; cook until transparent. Meanwhile, on another saucepan, heat the wine with cinnamon, cloves and 1 cup of sugar. When it comes to a boil, remove cinnamon stick and cloves and add the pearls. Whip 2 tablespoons of sugar with whipping cream, until firm. Serve with tapioca pearls as a topping.

CHOCOLATE SALAME

(SALAME DE CHOCOLATE)

4 servings | 30 minutes, plus extra time to freeze

Easy

- 230 G BITTERSWEET CHOCOLATE, CHOPPED
- 150 G UNSALTED BUTTER
- 2 EGGS
- ¾ CUP SUGAR
- 1 TEASPOON VANILLA ESSENCE, OR 1 TABLESPOON RUM
- 2 TABLESPOON COCOA POWDER
- 1 CUP WALNUTS, CHOPPED
- 300 G HOMEMADE COOKIES, CRUSHED (P. 374)

Melt chocolate with butter in a water bath; stir well to get homogeneous. In a stand mixer, beat the eggs with sugar until pale and double its volume. Add vanilla essence and keep beating. Combine cocoa powder with melted chocolate, and then with beaten eggs. Stir well. Add walnuts and biscuits, with crumbs and everything. Mix altogether, it should be creamy. Place a plastic wrap over a clean surface and, in spoonfuls, mold a salame-like log with the mixture. Roll the plastic around the mixture and twist the ends, to create a round cylinder of salame. Repeat until the mixture is totally molded. Place salames on a baking tray and take it to the fridge until next day, to set. Serve it cold, in slices.

IN DETAIL: *Portugueses and italians were used to this cylindrical dessert that looked like salame. Crushed biscuits, chocolate, butter and eggs are always in the recipe, which can also contain chestnuts, almonds and hazelnuts.*

BANANA PIE WITH MERINGUE

8 servings | 40 minutes | Easy

CREAM

- 1 LITRE MILK
- 2 CUPS SUGAR
- ½ CUP CORNSTARCH
- 6 EGG YOLKS, STRAINED
- 1 TEASPOON VANILLA ESSENCE

BANANA SYRUP

- 2 CUPS SUGAR
- 6 BANANAS, SLICED

MERINGUE

- 6 EGG WHITES
- 1½ TABLESPOON SUGAR

To make the meringue, beat egg whites with sugar in a stand mixer until stiff peak stage; set aside. To the cream, put all ingredients in a sauce pan, stir well and cook under low heat, mixing; set aside. In another pan, melt the sugar until golden brown. Add 1 cup of water, wait to dissolve, add bananas and cook for 5 minutes. Drain off some syrup and transfer to a baking pan. Spread the cream over the syrup, and cover with meringue. Bake in the hot oven at 200 °C for about 10 minutes, until brown. Remove, and serve hot or cold.

LIME PIE

(TORTA DE LIMÃO)

6-8 serving | 1-2 hours | Medium

CRUST

- ½ CUP BUTTER
- 1 CUP ALL-PURPOSE FLOUR
- 1½ TABLESPOON SUGAR

FILLING

- 2 CUPS MILK
- 1 CUP SUGAR
- 8 EGG YOLKS
- 2 LIMES
- 2 TABLESPOONS CORNSTARCH

TOPPING

- 1 CUP SUGAR
- 3 EGG WHITES

Prepare the crust: combine flour, butter and sugar. Add 200 ml of water in a slow, steady stream, in order to obtain a smooth and homogeneous crust. Cover a springform pan with it, poke some holes with a fork and bake for 25 minutes in the oven at 160 °C. Remove from the oven and set aside.

Prepare the filling: bring the milk and half the sugar to a boil. Meanwhile, beat the egg yolks and the rest of the sugar for 3 minutes, with a wire whip, until pale. Add cornstarch and stir well. When the milk starts to boil, add beaten yolks in a constant stream, whisking non-stop. Cook altogether over low heat, stirring, until thicken. Keep cooking for 3 more minutes and turn off the heat. Transfer the cream to a bowl and cover with a plastic wrap. Take it to the fridge and wait for it to chill completely before using. Add lime juice, combine and cover the crust.

Prepare the topping: make a syrup with the sugar and ½ cup of water until a thread-stage. Beat the egg whites and add syrup in a slow steady stream, while beating. Put in a piping bag and cover the pie with it. Burn to caramelize the top with a kitchen torch or bake it in the oven at 180 °C for 15 minutes, to set the meringue and brown.

STRAWBERRY PIE

(TORTA DE MORANGO)

1 large pie | 1-2 hours | Medium

CRUST

- 1 CUP ALL-PURPOSE FLOUR
- ½ CUP BUTTER
- 1½ TABLESPOON SUGAR

FILLING

- 5 CUPS MILK
- 1 CUP SUGAR
- 2 EGGS
- ½ CUP CORNSTARCH
- 1 TABLESPOON BUTTER

TOPPING

- 3 BOXES STRAWBERRIES
- 1 CUP SUGAR
- 2 TABLESPOONS CORNSTARCH

Prepare the crust: combine flour, butter and sugar. Add gently 100 ml of water, in a slow, steady stream, in order to obtain a smooth and homogeneous crust. Cover a springform pan with the crust, poke some holes with a fork and bake for 25 minutes in the oven at 160 °C. Remove from the oven and set aside.

For the filling: bring the milk and half the sugar to a boil. Meanwhile, beat the eggs with a stand mixer, until it doubles its volume. Combine cornstarch with the hot milk and add beaten yolks in a constant stream, whisking non-stop, avoiding curdling. Take it back to a low heat until it thickens. Take off the heat and add butter. (If you want, add 4 drops of vanilla essence or 1 vanilla bean) Allow to cool and fill the crust. Cut strawberries in half and layer the filling with the fruit. Cook sugar and cornstarch with 1 cup of water. Allow to cool and pour over the pie.

PAULISTA PIE

(TORTA PAULISTA)

8 servings | 30 minutes, plus extra time to chill
Easy

- 2 CUPS SINGLE CREAM
- 2 EGGS
- 1 CUP SUGAR
- 100 G BUTTER
- 250 G WALNUTS, CHOPPED
- 200 G HOMEMADE COOKIES (P. 374)
- 2 CUPS MILK
- 2 CUPS CREAMY MILK CARAMEL SPREAD (DULCE DE LECHE)

Keep single cream in the freezer for 30 minutes. Beat egg yolks with sugar in a stand mixer, until creamy. Add butter and the cold single cream. Combine ¾ of walnuts (save some for the topping), stirring well; set aside. Soak the cookies in milk, to moisture. On a baking pan, place layers of cookies and cream, topping with cookies. Spread dulce de leche and decorate with walnuts. Let in the fridge for 1 hour before serving.

BRAZIL PLUM JAM
(UMBUZADA)
10 servings | 30 minutes | Easy

- 1 KG DE FRESH BRAZIL PLUMS
- 1,5 LITRE MILK
- 2 CUPS SUGAR

Wash clean Brazil plums, cover with water and take to the heat. When boiling, wait 5 minutes and check if it is cooked. Remove from water and discard the pits, keeping only the pulp. Heat milk with the sugar, add plums and cook for about 10 minutes over low heat. Process in a blender and serve.

CANDIES AND PARTY DELIGHTS

CARAMELIZED CANDIED PEANUT
(AMENDOIM CARAMELADO)
10 servings | 20 minutes | Easy

- 500 G RAW PEANUTS, PEELED
- 2 CUPS SUGAR
- 1 TABLESPOON GROUND CINNAMON

In a wide skillet, combine peanuts, sugar and 400 ml of water. Stir constantly over medium heat, until the liquid seizes up. When the mixture becomes sandy, mix until the first stage of caramel. Sprinkle quickly with ground cinnamon, until peanuts are loosen and brown. Tilt the peanuts out onto a greased baking tray or a marble countertop. Peanuts will be crunchy, without any clumps, when cooled completely.

COFFEE TOFFEE
(BALA DE CAFÉ)
50 servings | 1h30 | Difficult

- 1 CUP MILK
- 2 CUPS SUGAR
- 1 TABLESPOON UNSALTED BUTTER
- 1 PINCH OF SALT
- ½ CUP STRONG, BREWED COFFEE
- ¼ CUP OF NATA (HEAVY CREAM)
- BUTTER, FOR GREASING

Heat milk and sugar. Add butter and salt, and boil until the temperature reaches 160 °C. Mix coffee and cream. Cook until soft-ball stage. Tilt out the candy onto a marble surface or countertop, greased with butter. Allow to cool and cut the toffees.

BRAZILIAN COCONUT CANDY
(BALA DE COCO)
900 g | 1h20 | Difficult

- 1 KG SUGAR
- 200 ML COCONUT MILK
- 200 ML WATER
- 1½ CUP DRY COCONUT MEAT, FINELY GRATED
- OIL OR BUTTER, FOR GREASING

Bring all ingredients to a bowl and combine, dissolving the sugar. Transfer to a medium sauce pan and cook over low heat, without stirring. Let it cook for about 40 minutes. Check if is done: take a spoonful of syrup to a bowl of water and, with your fingers, try to shape a ball with it. If you succeed, it's done. If not, keep syrup a little longer over heat. When the syrup it ready, take it from the heat and spread over a marble countertop, greased with oil or butter. Leave to cool. When it's cool enough to touch, grease both of your hands and stretch by pulling each end away, folding together and stretching again. After 5 minutes of stretching, candy gets a colour of pearl. At this point, the mixture is dense and hardened; keep a scissor around to cut. Start cutting the candy. Coat with grated coconut meat to serve.

MILK TOFFEE
(BALA DE LEITE)
50 servings | 20 minutes | Easy

- 3 CUPS SUGAR
- 4 CUPS MILK
- 8 TABLESPOONS HONEY
- 1 PINCH OF BAKING SODA
- BUTTER, FOR GREASING

Combine all ingredients, until it gets homogeneous. Cook over medium heat, until sugar is at soft-ball stage. Tilt out the candy onto a marble surface, greased with butter, allow to cool, cut the candies and wrap.

EGG CANDY
(BALA DE OVO)
24 candies | 2 hours | Difficult

- 15 EGG YOLKS
- 3 CUPS SUGAR
- ⅓ CUP COCONUT MILK

- 2 CUPS SUGAR, FOR COATING
- ½ CUP SHREDDED COCONUT
- BUTTER, FOR GREASING

Strain the egg yolks. Make a thread-stage syrup with sugar and 200 ml of water. Pour gently over egg yolks, whisking constantly, so it won't coagulate. Cook over low heat in a non-stick pan, stirring until blended and pulling away from the bottom. Place in a baking pan and allow to cool. Take it to the fridge for 2 hours, to set. Mold little ball with the mixture and take it again to the fridge, to set. Prepare the coating: make a syrup with sugar and 1 cup of water. When reduced by half, cook for 5 more minutes, add shredded coconut and take away from the heat. Coat the balls quickly with the syrup and place over a greased marble countertop. Allow to cool and serve.

COCONUT BALL

(BEIJINHO)

50 units | 20 minutes | Easy

- 1 COCONUT, IN CHUNKS OR GRATED
- 1½ CUP SANDING SUGAR, PLUS EXTRA FOR ROLLING
- 1 CUP MILK
- 2 TABLESPOONS CORNSTARCH
- 1 TABLESPOON BUTTER

Poke a hole in the coconut and remove the water (save it for another recipe). Grate the coconut, put in a pot and add ingredients. Take it to the heat, stirring constantly. When the mixture starts pulling away from the bottom of the pan, remove from the heat and transfer to a large dish. Wait it to chill. Mold little balls with your hands, coat with sanding sugar all over and place in mini paper liners.

IN DETAIL: *In ancient Northeast confectionery, one would find beijos (kisses) made with milk, vanilla, sugar, coconut and egg yolks, rolled and covered in sanding sugar. Beijinho (little kiss) is much more modern, from the 20th century. Among variations, this candy can be made with or without yolks, with sanding sugar or coconut as topping, lime zest or orange juice. Many are 'crowned' with a clove.*

CUPUAÇU BONBONS

(BOMBOM DE CUPUAÇU)

20 units | 1h40 | Difficult

- 2 CUPS SUGAR
- 400 G CUPUAÇU PULP
- 3 CUPS BITTERSWEET CHOCOLATE, GRATED

Melt sugar and cupuaçu pulp over medium heat. Let it reduce by half and remove from the heat. Melt chocolate in a water bath and spread over a marble surface. With two spatulas, move the chocolate from one side to the other, allowing it cool. When it cools and gets creamy, fill little molds and let it harden. Fill the molds with cupuaçu and cover with the rest of the chocolate. Take it to the fridge to firm and unmold bonbons.

CHOCOLATE FUDGE BALLS

(BRIGADEIRO)

20-30 units | 40 minutes | Easy

- 4 TABLESPOONS COCOA POWDER
- 3 TABLESPOONS SUGAR
- 2 TABLESPOONS BUTTER
- 1 CUP MILK
- 2 EGG YOLKS
- CHOCOLATE SPRINKLES

Bring cocoa, sugar and butter to a pan, stir quickly, add milk and egg yolks. Cook over medium heat, with a wooden spoon, until thickened. Turn off the heat and allow to cool. Roll into small balls and coat with chocolate sprinkles.

IN DETAIL: *The story of brigadeiro, a national unanimity, is a classic one. It was symbol of air marshal Eduardo Gomes political campaign, in the 1940s. A must-have in all birthday parties, or even served in adult celebrations, brigadeiro admits many variations through time: they are ubiquitous at brigaderias, candy shops that vary its flavour with special ingredients such as walnuts, pistachios, coconut and orange, among others. It can also be eaten directly from little cups, with spoons.*

BRIGADEIRO WITH CONDENSED MILK

(BRIGADEIRO COM LEITE CONDENSADO)

30 units | 40 minutes | Easy

- 1⅔ CUP CONDENSED MILK
- 1 TABLESPOON UNSALTED BUTTER
- 2 TABLESPOONS COCOA POWDER
- 1½ CUP CHOCOLATE SPRINKLES

Bring condensed milk, butter and cocoa to a pan and cook over low/medium heat, stirring with a wooden spoon until thickened. Turn off the heat and allow to cool. Roll into small balls and coat with chocolate sprinkles.

PEANUT BONBON
(CAJUZINHO)
60 units | 40 minutes | Easy

- 500 G PEANUTS, ROASTED AND GROUND
- 1 CUP SUGAR
- 2 TABLESPOONS COCOA POWDER
- 2 EGG WHITES
- 1 CUP SUGAR
- ½ CUP PEANUTS, ROASTED AND PEELED

On a large bowl, combine ground peanuts, sugar and cocoa powder. Add egg whites and stir very well, until blended. With your hands, roll the dough into little conic-shape bonbons ("coxinhas"), roll in the sugar and garnish with peanut halves.

WALNUT CAMEO BONBON
(CAMAFEU DE NOZES)
60 units | 50 minutes | Medium

- 500 G WALNUTS, FINELY CHOPPED
- 4 TABLESPOONS SUGAR
- 2 EGGS
- ¼ CUP MILK
- BUTTER, FOR GREASING

FONDANT
- 2 CUPS ICING SUGAR
- ¼ CUP MILK
- LIME DROPS

Combine the walnuts, sugar, eggs and milk and cook, stirring constantly, until the mixture pulls away from the pan. Allow to cool. Prepare the fondant: in a bowl, place icing sugar and pour over the milk, in a constant stream. Blend altogether and cook in a water bath, with 3 drops of lime. Keep it in the simmering water bath while you shape the bonbons. Grease your hands with butter and roll portions of walnut paste into little balls. Press them lightly with the palm of your hand, shaping it rectangularly. Dip the dough in the hot fondant, and put a nut on top of each bonbon. Place in a baking tray greased with butter and let dry.

IN DETAIL: *The shape of this peculiar bonbon, still frequent in wedding parties, reminds one of a... cameo, a gemstone used by noble people since Ancient times.*

TOASTED COCONUT
(COQUINHO QUEIMADO)
10 servings | 1 hour | Medium

- 1 DRY COCONUT, WITHOUT SHELL
- 2 CUPS SUGAR

Cut the coconut into small squares. Cook over high heat with sugar and ½ cup of water, stirring constantly until sugar dissolves and melts – at this point, it will start coating the coconut pieces. Keep stirring, until sugar solidifies again. Remove from the pan and spread over a greased countertop, or a silicone baking mat, cracking the sticking clumped coconut and taking care not to burn yourself.

COCONUT AND PRUNE BONBON
(OLHO DE SOGRA)
30 units | 40 minutes | Easy

- 2 CUPS SUGAR
- ¾ CUP MILK
- ½ DRY COCONUT MEAT, FINELY GRATED
- 4 EGG YOLKS
- 30 PITTED PRUNES
- SANDING SUGAR

Combine sugar with milk. Place in the heat and let the milk dissolve the sugar. When it starts boiling, add grated coconut, stirring well. Add egg yolks, whisking non-stop, so it won't coagulate and thicken the dough. Cook for 5 more minutes and allow to cool outside the fridge. Roll the dough into little balls and place inside the prunes, coating with sanding sugar.

PEANUT PAÇOCA
20 units | 20 minutes | Easy

- 2 CUPS PEANUTS, ROASTED AND PEELED
- 1 CUP SUGAR
- ½ CUP MANIOC FLOUR, TOASTED, OR FLAKED CORN MEAL (BEIJU)
- 1 DASH OF SALT

Combine all ingredients (if you can't find roasted peanuts, take them to the oven for 10 minutes at 160 °C) and mix, to moist the paçoca. Shape with your hands and place them in molds to get similar candies.

IN DETAIL: *Typical from countryside culture, seen on June Festivities in Pernambuco, Minas Gerais and São Paulo, peanut paçoca became a classic candy all over the country, in squares and in tubes.*

PEANUT BRITTLE
(PÉ DE MOLEQUE)
10 servings | 40 minutes | Medium

- 1 KG MUSCOVADO SUGAR
- 1 KG PEANUTS, ROASTED AND PEELED

Make syrup with sugar and 1½ cup of water, over medium heat, until you obtain a soft-ball stage (110 °C). Meanwhile, process half the peanuts in a blender and mix with whole grains. Add to the syrup; stir well and vigorously, in order to get an airy dough. Tilt the dough onto a greased marble countertop, or a silicone baking mat, mold or cut into any shape you want. To give a chocolate taste to the candy, add 1 cup of cocoa powder to the syrup.

IN DETAIL: *In colonial towns like Paraty and Ouro Preto, people usually relate the irregular stone paths of the sidewalks to the shape of this candy, made with peanut and rapadura sugar. Another tale refers to quituteiras (street vendors, usually women) screaming to the boys that stole the candies: "Pede, moleque!" ('Just ask for it, brat!')*

MANIOC-PEANUT BRITTLE WITH CASHEW NUT

(PÉ DE MOLEQUE DE MANDIOCA COM CASTANHA-DE-CAJU)

6 servings | 1h30 | Easy

- 2 KG MANIOC
- 2 TABLESPOONS BUTTER
- 6 EGG YOLKS
- 1 KG SANDING SUGAR
- 1 DASH OF SALT
- 900 ML HOMEMADE COCONUT MILK (P. 290)
- 150 G CASHEW NUTS
- 80 G PEANUTS
- 3 CINNAMON STICKS
- 5 CLOVES
- 1 TEASPOON FENNEL SEEDS

Cook manioc, remove inner corners and process in a blender with part of the cooking liquid, to get smooth and homogeneous. In a bowl, place the soft manioc paste, butter, egg yolks, sugar, and salt, some coconut milk and blend, until the paste gets smooth. Add cashew nuts, peanuts, cinnamon sticks, cloves, fennel seeds and the rest of the coconut milk until you get a paste similar to a cake batter, but thicker. Place small portions over banana leaves (or aluminium foil, or waxed paper) and bake in the oven for 45 minutes. Allow to cool and serve in chunks.

PELEZINHO

10 servings | 20 minutes | Easy

- 2 CUPS CONDENSED MILK (P. 365)
- 1 CUP COCOA POWDER
- 5 TABLESPOONS BUTTER, PLUS EXTRA FOR GREASING
- 200 G CORNSTARCH OR DIGESTIVE COOKIES
- ¾ CUP SANDING SUGAR

Cook condensed milk, cocoa powder and butter over low heat, stirring constantly until it pulls away from the pan. Turn off the heat and add cracked cornstarch cookies. Spread on a baking pan, greased with butter, and allow to cool. Cut into little squares of 4 cm and coat with sanding sugar.

QUEBRA-QUEIXO

8 servings | 30 minutes | Medium

- 250 G SUGAR
- 250 G FRESH COCONUT MEAT, COARSELY GRATED
- 100 ML COCONUT WATER
- 1 CINNAMON STICK
- 2 CLOVES
- 1 TEASPOON GINGER, CHOPPED

In a sauce pan, heat the sugar until you get a dark caramel. Add all other ingredients and let it cook until gets to a thread-stage syrup. Remove from the heat and transfer to a baking tray, greased with butter. Allow to cool and cut into chunks to serve.

IN DETAIL: *very common in the Northeast region and in São Paulo countryside, especially during June Festivities, this recipe is an easy treat, just coconut and sugar combined. If you put more sugar, it becomes more tender. It used to be sold by walking street vendors.*

EGG AND COCONUT PUDDING

(QUINDIM)

12 servings | 8 hours | Difficult

- 4 CUPS COCONUT MEAT, FINELY GRATED
- 4 CUPS SUGAR, SIFTED
- 6 TABLESPOONS UNSALTED BUTTER
- 24 EGG YOLKS, STRAINED TWICE
- BUTTER, FOR GREASING
- SUGAR, FOR DUSTING

Combine coconut with sugar. Blend with your hands so the sugar can melt. Add softened butter, in room temperature. Leave this paste rest in the fridge for 6 hours. Add egg yolks. Before taking it to a baking pan, leave the mixture untouched for 20 minutes. Grease a baking pan with butter and cover with sugar. Bake in a water bath in a preheated oven at 150 °C for about 30 minutes, until quindim is firm and coconut gets brown.

IN DETAIL: *Quindim as known in Brazil results from an adaptation of a Portuguese recipe, brisas do lis, a conventual pastry made with eggs, sugar, and almonds. In Northeast, however, it started to be produced with coconut and it conquered all country. It can be molded small or big, or in ring molds. When it's in a big mold, it's called quindão.*

BREADS AND "QUITANDAS"

My kids already know what "quitanda" is. Their eyes fill with joy when they see the cookie jars, be them sweet or savoury, the suspiros, goiabinhas, everything that is served during afternoon snacks or along with coffee (they don't drink coffee yet, but they know all about what comes along with it).

This set of delicacies made from a flour dough, be it wheat, manioc, corn, or arrowroot, is named after a word commonly used in Minas Gerais – in my home, we always used it in the plural: "I went to buy some quitandas so we can have a cup of coffee!" Is there a warmer time than this one?

They could be bought in the store around the corner, but the homemade variety was even more flavourful. That's where the notebooks of family recipes come in. In the handwriting of our grandma or godmother, we recognize the affection they still give us. In the same way, we give special meaning to everything that comes out of the oven, everything that is served in a jar or in a nice tray. Our recipes dialog with indigenous women, the ladies of the house, the slaves, the nuns – the hands of confectioners who knew how to make cookies, biscuits, cakes, cupcakes, breads, and doughnuts to bright up our lives.

If Portugal already knew the tradition of cakes as a way of celebrating a special occasion, be it a christening, an engagement or wake, over here the custom quickly spread out. Cakes were combined with fruits, manioc and corn flour, sugar and rapadura. And nothing was offended by any influence, be them from European immigrants or from neighbouring countries. Our spread of breads and quitandas welcomed them all. We do not turn fancy confectionary away, but we do everything our own way. With some coffee on the side – because that's how we like it.

THE FOLLOWING RECIPES ARE SHOWN IN THE ORDER AS THEY APPEAR IN THE MAIN SECTION OF THE BOOK. THEY ARE ALSO PAIRED WITH THEIR ORIGINAL BRAZILIAN NAMES FOR FASTER AND EASIER REFERENCE.

COOKIES AND BISCUITS

TOCANTINS CRACKNEL

(AMOR-PERFEITO)

40 servings | 25 minutes | Easy

- 1 KG MANIOC STARCH
- 2 TEACUPS OF SUGAR
- 1¼ TEACUPS OF BUTTER
- 1 PINCH OF SALT
- 1 TEACUP OF COCONUT MILK (P. 290)

Mix the ingredients one by one and stir vigorously. Add the coconut milk last, so the batter won't stick to your hands and will be at the right consistency. To make each cracknel, roll them into a ball, flatten and make a cross shaped cut. This cut is what will give shape to the cracknel. Bake the biscuits in a preheated oven at 220 °C for 15 minutes. When it is golden, remove from the oven.

IN DETAIL: *This specific kind of cracknel comes from Natividade, in Tocantins, where the community has been keeping the recipe alive for over 100 years. But where did it come from? The Portuguese were the ones who introduced the amor-perfeito when they landed in the region during the 18th century.*

GUAVA JAM COOKIES

(BEIJO-DE-FREIRA)

40 units | 40 minutes | Easy

- 3 SIFTED YOLKS
- 6 TABLESPOONS OF SUGAR
- 500 G OF BUTTER
- 1 TABLESPOON OF BAKING POWDER
- 10 DROPS OF VANILLA EXTRACT
- 500 G OF CORNSTARCH
- 1 TEACUP OF ALL-PURPOSE FLOUR
- ½ TEACUP OF GRANULATED SUGAR, FOR GARNISHING

FILLING

- 500 G OF SOFTENED GOIABADA (GUAVA JAM)

Combine the yolks, sugar, and butter. Add the other ingredients, kneading until the dough can be handled. Grease a baking tray with butter and sprinkle it with all-purpose flour. Roll into small balls and bake in a preheated oven at 180 °C for about 20 minutes, or until their bottoms are golden. After they cool, stick two pieces of cookie together with the goiabada (or whichever jam you prefer) and garnish it with sprinkled granulated sugar.

IN DETAIL: *This sweet with a provocative name ("Nun kisses") appeared at the Santa Clara do Porto Convent and arrived in Brazil during the 17th century, possibly by the hands of nuns from the Order of Saint Clare. The original recipe, which used almonds, was adapted until it arrived at the present form.*

DULCE DE LECHE CAKES

(BEM-CASADO)

16 units | 2h30 | Medium

- 6 LARGE EGGS
- ½ TEACUP PLUS ¾ TEACUP OF SUGAR
- ½ TEACUP OF ALL-PURPOSE FLOUR
- 1 SHALLOW TABLESPOON OF BAKING POWDER
- 1½ TEACUPS OF CREAMY DULCE DE LECHE

Using a beater, whip the eggs and ½ teacup of sugar until obtaining a light and yellowish cream. Add the sifted flour and baking powder, mixing gently. Transfer to a greased tin and bake in a preheated oven at 160 °C for about 25 minutes, until golden. Remove from the oven and allow to cool. Remove from the tin and cut portions of bem-casado with a round or square cutter. Cut those in half and fill with the dulce de leche. For the frosting, make a syrup with ¾ teacup of sugar and ½ teacup of water. Carefully coat the bem-casados. Another way to do it is to bake them individually, by putting the batter into a pastry bag and making small bunches on a baking paper or silicon mat.

IN DETAIL: *During colonial times, in Northern Portugal, treats called "casadinhos" were popular - the name, literally "married", refers to their two parts, which are glued together with a pasty sweet. But the bem-casado found in Brazilian wedding receptions is Brazilian through and through. The custom of wrapping them in crepe paper, tulle, and ribbons seems to have appeared in doll christening games played in the country side of Minas Gerais and São Paulo.*

HOMEMADE COOKIES

(BISCOITO CASEIRO)

10 to 15 servings | 30 minutes, plus time to rest | Easy

- 1¼ TEACUPS OF ALL-PURPOSE FLOUR
- ½ TEACUP OF POWDERED SUGAR
- ¾ TEACUP OF COLD BUTTER, CUT INTO CUBES
- 1 EGG
- 1 PINCH OF SALT

Sift the flour, salt and sugar mixed together. Cut the cold butter into small cubes and return them to the fridge for 10 minutes. Place the butter on top the flour mixture so the little pieces won't stick to one another. Mix them with your fingertips as fast as you can, until you obtain a crumbly dough. Add the eggs and knead gently until the dough is formed. If the dough isn't coming together, add a bit of ice-cold water. Roll up the dough into a ball, wrap it with a plastic film and flatten it so it will be easier to roll out later. Allow it to rest in the fridge for at least 1 hour, or up to 48 hours. When you choose to use it, roll it out in a surface sprinkled with a bit of flour until you have a 1 cm thickness. Cut it into rectangles or another shape. Bake in a preheated oven at 180 °C for 12 minutes, or until lightly golden.

LADYFINGER BISCUITS

(BISCOITO CHAMPANHE)

48 units | 40 minutes | Medium

- 4 EGGS
- 135 G OF SUGAR
- 110 G OF ALL-PURPOSE FLOUR
- ½ TEASPOON OF BAKING POWDER

Preheat the oven at 200 °C. Line two baking trays of approximately 30 cm X 45 cm with baking paper. Whip the egg whites until they form soft peaks. Little by little, add 2 tablespoons of sugar and continue to whip until forming stiff peaks. In another bowl, whip the remaining sugar with the yolks until obtaining a light-coloured cream. Sift the flour and baking powder. Put half of the whipped egg whites into the bowl with the sugar and yolks cream. Stir. Add the flour and the remaining half of the egg whites. Stir again. Put the cream into a pastry bag with a round and smooth end. Squeeze it and arrange the ladyfingers on top of the baking paper. Bake for 14 minutes.

IN DETAIL: *The basis for the pavê (a type of trifle), a popular Christmas dessert, the ladyfinger biscuit comes from the Northern Italy region known as "Duchy of Savoy" in the 15th century. It was prepared for the official reception for the French king and it was called, in Italian, "savoiardi". It spread out to Europe and, in Portugal, was known as "palito de Reine", or "biscoito de champanhe", such as we know it here.*

ARROWROOT BISCUITS

(BISCOITO DE ARARUTA)

40 units | 1h10 | Easy

- 1 TEACUP OF ARROWROOT OR MANIOC STARCH
- 1 TEACUP OF ALL-PURPOSE FLOUR
- 1 EGG WHITE
- 3 YOLKS
- 1 TEACUP OF SUGAR
- 1 TEACUP OF BUTTER

Sift the arrowroot (or manioc starch) with the flour. Set aside. Whip the egg whites until firm. Combine the yolks and the sugar. Add the whipped egg whites and the butter to the yolks and sugar mixture. Whip vigorously to combine the ingredients. Add the flours and whip. If it is too soft, add a bit more of arrowroot. Roll out the dough in a surfaced with sprinkled flour and cut the biscuits with cookie-cutter, using whichever shape you wish. Bake in a preheated oven for 20 minutes on a greased and floured baking tray.

GOMA BISCUITS

(BISCOITO DE GOMA)

1 kg | 20 minutes | Easy

- 4½ TEACUPS OF MANIOC STARCH
- 4 YOLKS
- 2 TABLESPOONS OF BUTTER
- 1 TEACUP OF SUGAR
- 1 PINCH OF SALT

Combine all the ingredients. Remove little pieces of the dough, roll them in the palm or you hand and press down on them with a fork. Put the biscuits on a greased baking tray and bake at 170 °C for 12 minutes. Be careful not to brown them.

CREAM BISCUITS

(BISCOITO DE NATA)

30 units | 1 hour | Medium

- 3 TABLESPOONS OF SUGAR
- 1 TABLESPOON OF BUTTER
- 2 YOLKS
- 190 ML OF NATA (DOUBLE CREAM)
- 1 COFFEE SPOON OF SALT
- AS MUCH CORNSTARCH AS NEEDED

Whip the sugar with the butter. Add the yolks while continuously whipping. Put in the nata and the salt; mix until smooth. Little by little, add the cornstarch until the dough no longer sticks to your hands. Roll it out with a rolling pin and cut into the desired shape. Bake in a greased baking tray at 160 °C until firm, without allowing it to brown. Wait until it cools and serve.

MANIOC STARCH BISCUITS

(BISCOITO DE POLVILHO)

50 units | 30 minutes | Easy

- 2¼ CUPS MANIOC STARCH
- ½ CUP MILK
- ½ CUP CORN OIL
- ½ TEASPOON SALT
- 1 EGG
- CORN OIL, FOR GREASING

Heat ¼ cup of water until it boil. Put in a bowl the manioc starch and gently add the the water, stirring constantly so they won't form lumps. Add milk, oil and salt. Gently mix the beaten eggs, until the dough is soft but firm enough for molding in a pastry bag. Put in a pastry bag and squeeze out line over a silicon mat or baking paper. Bake at 180 °C for about 15 minutes, until firm and golden. Allow it to cool and serve.

BUTTERY COOKIES

(BOLACHA AMANTEIGADA)

8 servings | 1h20 | Easy

- 100 G OF UNSALTED BUTTER AT ROOM TEMPERATURE
- ½ TEACUP OF SUGAR
- 1 EGG
- 1 PINCH OF SALT
- ZESTS OF ½ A LIME
- ½ TEACUP OF ALL-PURPOSE FLOUR
- 1½ TEACUPS OF CORNSTARCH
- 250 G OF CREAMY GOIABADA (GUAVA JAM)
- MELTED BUTTER, FOR BRUSHING
- GRANULATED OR REFINED SUGAR

With a spatula, combine the butter with the sugar until smooth. Add the egg, salt, and lime zests. Stir until smooth. Put in the flour and cornstarch, after sifting them together. Arrange the dough between two pieces of baking paper and roll them out with a rolling pin until it is about 0.5 cm thick. Set aside in the fridge for 2 hours. With a round cookie-cutter, cut several slices of dough. Put then in a baking tray lined with baking paper and put them in the freezer for 20 to 30 minutes. Preheat the oven at 160°C and bake the cookies for 10 to 15 minutes. Do not allow them to turn golden; remove from the oven while still white. As soon as they cool down, put them together with the creamy goiabada, brush with the melted butter, and coat them with sugar.

CHIPA

20 units | 45 minutes | Medium

- 3⅓ TEACUPS OF MANIOC STARCH
- 3 CUPS OF MEIA-CURA CHEESE
- ½ STICK OF BUTTER AT ROOM TEMPERATURE
- 3 EGGS
- 1 TEACUP OF WHOLE MILK
- ½ TABLESPOON OF SALT

Combine the manioc starch, meia-cura cheese, butter, salt, and eggs, one by one. After mixing, slowly add the milk and stir until the dough is smooth, easy to work with and no longer sticks to your hands. Grease a baking tray with butter, make small, horseshoe-shaped rolls and bake in a preheated oven at 180 °C for about 12 minutes, or until golden.

GUAVA TREATS

(GOIABINHA)

4 servings | 1 hour | Medium

- 2 TEACUPS OF ALL-PURPOSE FLOUR
- 1 TEACUP OF SUGAR
- ¾ STICK OF BUTTER
- GOIABADA CASCÃO CUT INTO STRIPS, FOR THE FILLING
- 1 PINCH OF SALT

Combine the flour, sugar, and butter, forming a crumbly dough. Slowly add water and knead until the dough is soft and even. Roll out the dough with a rolling pin, cut circles with 5 to 6 cm of diameter and place a strip of goiabada at the center. Fold and bake in a preheated oven at 160 °C for 20 minutes, or until lightly golden. You can sprinkle it with granulated sugar, if you wish, and serve.

CRACKNEL

(SEQUILHO)

40 servings | 25 minutes | Easy

- 500 G OF CORNSTARCH
- 1 TEACUP OF SUGAR
- 250 G OF BUTTER
- 2 YOLKS

Put half of the cornstarch in a bowl. Add the sugar, butter, and yolks and stir. Slowly add the remaining cornstarch until reaching the right consistency - an even dough that does not stick to the hands. Take small portions of the dough and roll them into balls. Put them in a baking tray greased with butter or lined with baking paper. Mark the balls, pressing down on them with a fork. Bake in an oven at 180 °C for 10 to 15 minutes. Remove when the bottom is golden (their top should remain light). Allow to cool and remove from the tray.

MERINGUES
(SUSPIRO)
20 units | 20 minutes | Medium

- 2 EGG WHITES
- ½ CUP SUGAR
- ½ TEASPOON LIME ZEST
- 2 DROPS LIME JUICE

Mix the egg whites with the sugar and warm in a water bath until the sugar dissolves. Mix in the zest and lime juice. Beat with an electric whisk until firm. Transfer to a confectioner's bag and shape small mounds on a baking sheet lined with parchment paper. Bake for 1 hour – or until firm – in a 100 °C oven. Leave to cool inside the oven and transfer to an airtight container.

TARECO
20 servings | 15 minutes | Easy

- ½ TEACUP OF MILK
- 140 G OF SUGAR
- 1 EGG
- 1 SHALLOW TABLESPOON OF BAKING POWDER
- 4 TABLESPOONS OF BUTTER
- ½ TEACUP OF ALL-PURPOSE FLOUR
- 1 PINCH OF SALT

Stir the ingredients with a spoon until obtaining a smooth dough. While using the spoon, shape thin flat discs and lay them on a greased tray. Bake in a preheated oven at 170 °C for 8 minutes, or until golden.

CAKES AND DUMPLINGS

BELÉU
1 rectangular baking pan | 40 minutes | Easy

- 1½ TEACUPS OF RAW, GRATED MANIOC, PEELED
- ½ TEACUP OF BROWN OR GRAMIXÓ SUGAR
- 1 TEACUP OF COCONUT MILK (P. 290)
- ½ TEACUP OF WHOLE MILK
- 3 EGGS
- 3 TABLESPOONS OF BUTTER
- 1 TABLESPOON OF BAKING POWDER
- ALL-PURPOSE OR RICE FLOUR, TO COAT THE BAKING TRAY

Combine all the ingredients, except for the baking powder, and mix them in a blender until smooth. Add the baking powder, mixing it into the dough. Grease a baking pan with butter and all-purpose or rice flour, pour in the dough and bake in a preheated oven at 180 °C for about 30 minutes, or until golden.

IN DETAIL: *This popular cake found on the tables and fairs of Acre state uses gramixó, a kind of brown sugar. In the North region, this type of sugar is very similar to rapadura, although not as firm. I've watched the gramixó making process in a community in Juruá, one of the Amazon's tributary rivers. By means of a hoe, the sugar slowly reaches a unique, rustic texture, that is reminiscing of a grated or pressed rapadura.*

ROLLED DOUGHNUTS
(BOLINHO DE CHUVA)
30 units | 35 minutes | Easy

- 3 TEACUPS OF ALL-PURPOSE FLOUR
- 2 TABLESPOONS OF SUGAR
- 1 TABLESPOON OF BAKING POWDER
- 2 TABLESPOONS OF BUTTER
- 1 TEACUP OF MILK
- 1 EGG
- ½ COFFEE SPOON OF SALT
- CORN OIL, FOR FRYING
- SUGAR AND CINNAMON, FOR COATING

Combine all the ingredients, except for the milk and egg. After you've obtained a crumbly dough, add the milk and egg. Allow the dough to rest for 15 minutes. Heat up the oil and fry spoonfuls of dough. When it is golden, remove and leave it to drain on a paper towel. Coat with sugar and cinnamon and serve.

IN DETAIL: *This simple mixture produces a small dumpling that, to many people, is reminiscing of the sweet taste of childhood days. It's easily found in bakeries and many homes.*

STUDENT'S DOUGHNUT
(BOLINHO DE ESTUDANTE)
20 units | 40 minutes | Easy/Medium

- 2 TEACUPS OF GRANULATED TAPIOCA, PLUS A BIT EXTRA FOR COATING THE CAKES
- ¾ TEACUP OF SUGAR
- 1 PINCH OF SALT
- 2 TEACUPS OF COCONUT MILK (P. 290)
- CORN OIL, FOR FRYING
- SUGAR AND CINNAMON, FOR SPRINKLING

Combine the tapioca, sugar, and salt; hydrate with coconut milk and stir thoroughly. Allow it to rest for 20 minutes, or until the tapioca has soaked up the liquid. Roll up the cakes, shaping them like a croquette, with a tip at the ends. Coat them with granulated tapioca and fry them in hot oil, until golden. Wait until they cool for a bit, and sprinkle with sugar and cinnamon before serving.

IN DETAIL: *One of writer Jorge Amado's favourite treats, who referred to it by a name that is more popular in Bahia: "punhetinha". It can be found at homes or being sold by female street vendors (baianas), next to other staples of Bahia's cuisine.*

BAETA CAKE

(BOLO BAETA)

8 servings | 1h40 minutes | Easy

- 1 LITRE OF MILK
- 2 TABLESPOONS OF BUTTER
- 2½ TEACUPS OF ALL-PURPOSE FLOUR
- 2 TEACUPS OF SUGAR
- 2 EGGS

Preheat the oven at 180 °C. Mix all the ingredients in a blender. Grease a medium-sized mould with a hole in the middle with butter and all-purpose flour. Pour the liquid batter into the mould and bake for 1 hour and 30 minutes. Remove from the oven and wait until it's totally cool before taking out of the mould.

IN DETAIL: *It's peculiarity lies in the absence of baking powder, which is why it resembles a pudding. Also known as "bolo de leite".*

PLAIN CAKE

(BOLO COMUM)

1 round mould with a hole in the middle
40 minutes | Easy

- 2 TEACUPS OF SUGAR
- 2 TABLESPOONS OF UNSALTED BUTTER
- 1 TEACUP OF MILK
- 2½ TEACUPS OF ALL-PURPOSE FLOUR
- 1 TABLESPOON OF BAKING POWDER
- 5 EGG WHITES, WHIPPED UNTIL FIRM

Whip the sugar and butter. While still whipping, add the milk, flour and, lastly, the baking powder. Mix the egg whites into the dough, pour everything into a mould greased with butter and flour and bake in a preheated oven at 160 °C for about 30 minutes.

IN DETAIL: *"Bolo comum", "bolo simples", "bolo de nada": these are all terms used to refer to this simple cake that goes so well with a cup of coffee – it may not be packed with flavour, but it tastes like memories. It takes me right back to my childhood. As our cook wasn't much of a "cake baker", I was the one who prepared the cake my father ate each morning.*

CREAMY CORN CAKE

(BOLO CREMOSO DE MILHO-VERDE)

1 rectangular baking pan | 40 minutes | Easy

- 2 TEACUPS OF MILK
- 2 TEACUPS OF SUGAR
- 3 TABLESPOONS OF SIFTED ALL-PURPOSE FLOUR
- 3 EGGS
- 2 TEACUPS OF THRESHED, COOKED FRESH CORN
- 2 TABLESPOONS OF BUTTER
- 1 TABLESPOON OF BAKING POWDER

Whip all the ingredients, except for the baking powder. Add the baking powder and pour the batter into a pan greased with butter and all-purpose flour. Bake in a preheated oven at 170 °C for 30 minutes, or until golden. The centre should be creamy and the surface, golden.

CREAMY PUPUNHA CAKE

(BOLO CREMOSO DE PUPUNHA)

8 servings | 1h45 | Easy

- 6 EGGS
- 2 TEACUPS OF PUPUNHA PULP, COOKED AND MASHED, KERNELS REMOVED
- 200 ML OF COCONUT MILK (P. 290)
- 200 ML OF MILK
- 1 TABLESPOON OF BUTTER
- 250 G OF SUGAR
- 2 TABLESPOONS OF ALL-PURPOSE FLOUR
- 1 TABLESPOON OF BAKING POWDER
- 1 PINCH OF SALT

Whip the egg whites until firm and set aside. Process the pupunha in a blender, until obtaining a puree, and combine it with both kinds of milk. In another bowl, mix the butter and the sugar. Add the yolks, one at a time, and stir to combine. Add the pupunha puree, salt, flour, and baking powder, stirring thoroughly. Gently add the egg whites. Transfer to a greased mould with flour and bake at 180 °C for 30 minutes.

PINEAPPLE UPSIDE-DOWN CAKE

(BOLO DE ABACAXI)

1 round baking pan | 50 minutes | Medium

- 2 EGGS
- 1 TEACUP OF SUGAR
- ½ TEACUP OF MILK
- 1 TEACUP OF ALL-PURPOSE FLOUR
- 2 TEASPOONS OF BAKING POWDER
- ½ PINEAPPLE, SLICED, CORE REMOVED
- BUTTER AND SUGAR TO GREASE THE PAN

Separate the eggs and whip the yolks with the sugar until obtaining a delicate, light-coloured cream. Add the milk whip a bit longer. Whip the egg whites until firm and gently mix them in with the yolks. Sift the all-purpose flour and gently combine the baking powder. Grease the pan with butter and sugar and arrange the pineapple slices so they cover the bottom of the baking pan. Cover with the cake batter and bake in a preheated oven at 160 °C for about 35 minutes, or until golden. Remove the cake from the pan so that the pineapple slices are on the top.

CASSAVA CAKE

(BOLO DE AIPIM)

6-8 servings | 1 hour | Easy

- 1 WHOLE COCONUT, GRATED
- 4 TEACUPS OF SUGAR
- 4 EGGS
- 4 TABLESPOONS OF BUTTER
- 1.5 LITRE OF MILK
- 2.5 KG OF GRATED CASSAVA

Beat the coconut, sugar, eggs, butter, and milk in a blender until smooth. Pour into a bowl and add the grated cassava. Combine all the ingredients thoroughly and put everything in a greased pan. Bake in a preheated oven for 40 minutes, or until golden.

ARROWROOT CAKE

(BOLO DE ARARUTA)

8 servings | 1 hour | Easy

- 4 EGGS
- 2 TEACUPS OF SUGAR
- 250 G OF ARROWROOT
- 1 TEASPOON OF BAKING POWDER
- 3 DROPS OF VANILLA EXTRACT

Firstly, whip the egg whites until they are firm. Add the yolks, sugar, and arrowroot. Whip again. Add the baking powder and vanilla extract. Grease a baking pan with butter. Pour the batter into the pan and bake in a preheated oven for 45 minutes at medium temperature.

RICE CAKE

(BOLO DE ARROZ)

12 servings | 30 minutes | Easy

- 130 G OF RAW RICE
- 190 ML OF MILK
- 1 TEACUP OF OIL
- 3 EGGS
- 1½ TEACUP OF SUGAR
- ½ TEACUP OF GRATED COCONUT
- ½ TEACUP OF GRATED PARMESAN CHEESE
- 1 TABLESPOON OF BAKING POWDER

Combine the rice and milk in a container and allow to soak in the fridge for 3 hours. In a blender, mix the rice and milk with the oil and eggs. Mix until you obtain a cream. Next, using the blender's "pulse" feature, mix the sugar, coconut, grated cheese and, lastly, the baking powder. Bake for 20 minutes at 180 °C in a preheated oven, in a pan that has been greased with butter and sprinkled with sugar.

BANANA CAKE

(BOLO DE BANANA)

1 round baking pan | 50 minutes | Medium

- 2 EGGS
- 1 TEACUP OF SUGAR
- ½ TEACUP OF MILK
- 6 RIPE BANANAS
- 1 TEACUP OF ALL-PURPOSE FLOUR
- 2 TEASPOONS OF BAKING POWDER
- CINNAMON POWDER, FOR SPRINKLING

FOR GREASING

- ½ TEACUP OF SUGAR

Separate the eggs and whip the yolks with the sugar until obtaining a delicate, light-coloured cream. Add the milk whip a bit longer. Whip the egg whites until firm and gently mix them in with the yolks. Using your hands, thoroughly mash two bananas and combine them with the whipped eggs. Slice the other bananas horizontally and set aside. Sift the all-purpose flour and add the baking powder, mixing it gently into the batter. Make a syrup with the sugar and ½ teacup of water and grease the bottom of the pan, arranging the bananas in such a way they line the whole bottom. Cover with the cake batter and bake in a preheated oven at 160 °C for about 35 minutes, or until golden. Remove the cake from the pan so that the banana slices are on the top. Sprinkle with cinnamon and serve.

CARROT CAKE WITH CHOCOLATE FROSTING

(BOLO DE CENOURA COM COBERTURA DE CHOCOLATE)

1 rectangular baking pan | 50 minutes
Medium

- 3 CARROTS, PEELED
- 3 EGGS
- 1 TEACUP OF CORN OIL
- 3 TEACUPS OF ALL-PURPOSE FLOUR
- 2 TEACUPS OF SUGAR
- 1 TABLESPOON OF BAKING POWDER

ICING

- 1 TABLESPOON OF UNSALTED BUTTER
- 4 TABLESPOONS OF CHOCOLATE POWDER
- 4 TABLESPOONS OF SUGAR

Mix the carrots, eggs, and oil in a blender. When the mixture is smooth, slowly add the flour and, then, the sugar. Continue to mix. Finally, stop mixing and add the baking powder, mixing it in with a spoon. Grease a baking pan with butter and all-purpose flour, and bake in a preheated oven at 170 °C for about 30 minutes. When the cake is almost done, combine all the icing's ingredients with ½ teacup of water and cook until thread stage. Pour the frosting over the cake and allow it to cool before serving.

CHOCOLATE CAKE WITH BRITTLE ICING

(BOLO DE CHOCOLATE COM COBERTURA "QUE QUEBRA")

6-8 servings | 1 hour | Easy

CAKE

- 1 TEACUP OF LUKEWARM MILK
- 3 EGGS
- 4 TABLESPOONS OF MELTED BUTTER
- 2 TEACUPS OF SUGAR
- 1 TEACUP OF CHOCOLATE POWDER
- 2 TEACUPS OF ALL-PURPOSE FLOUR
- 1 TABLESPOON OF BAKING POWDER

ICING

- 8 TABLESPOONS OF CHOCOLATE POWDER
- 8 TABLESPOONS OF SUGAR
- 2 TABLESPOONS OF BUTTER
- 4 TABLESPOONS OF MILK

Mix all the batter ingredients in a blender. Pour it into a round baking pan greased with butter and sprinkled with all-purpose flour. Bake for about 40 minutes at medium temperature (180 °C) in a preheated oven. For the icing, combine all the ingredients and cook over heat. Keep it over heat until it boils and begins to let go of the bottom of the pan - stir continuously. Once it boils, leave it on for another 30 seconds, then turn off the heat.

POTATO STARCH CAKE

(BOLO DE FÉCULA DE BATATA)

8 servings | 50 minutes | Easy

- 6 EGGS, SEPARATED
- 8 TABLESPOONS OF SUGAR
- 1 TABLESPOON OF VANILLA EXTRACT
- 4 TABLESPOONS OF POTATO STARCH
- 1 TABLESPOON OF BAKING POWDER

Mix the yolks, sugar, vanilla extract, and potato starch. Next, add the whipped egg whites. Lastly, gently mix in the baking powder. Bake in a preheated oven in a previously greased pan.

CORNMEAL CAKE

(BOLO DE FUBÁ)

1 round mould with a hole in the middle

40 minutes | Easy

- 9 TABLESPOONS OF ALL-PURPOSE FLOUR
- 1⅓ TEACUPS OF YELLOW CORNMEAL
- 1½ TEACUP OF SUGAR
- 6 EGGS
- ½ TEACUP OF WHOLE MILK
- ⅓ TEACUP OF CORN OIL
- 2 TABLESPOONS OF BAKING POWDER

Combine all the dry ingredients, except for the baking powder. Add the yolks, milk, corn oil, mixing them with a spatula. Put in the egg whites, previously whipped until firm and, lastly, the baking powder. Mix thoroughly and pour into a greased mould. Bake at 150 °C for 30 minutes, or until is baked through.

TARO CAKE

(BOLO DE INHAME)

6-8 servings | 1 hour | Easy

- 1 EGG
- ½ TEACUP OF SUGAR
- 1 TEACUP OF FINELY GRATED RAW TARO
- 2 TEACUPS OF CORNMEAL
- 2 TEASPOONS OF BAKING POWDER
- 1 TEASPOON OF FENNEL
- 1 TEACUP OF MILK

Whip the egg with the sugar until it foams. Add the remaining ingredients and mix thoroughly. Pour the batter into a mould with a hole in the middle, previously greased and sprinkled with cornmeal. Bake at medium temperature for about 30 minutes, or until golden. Take it out of the mould when it's lukewarm.

ORANGE CAKE

(BOLO DE LARANJA)

1 round mould with a hole in the middle

40 minutes | Easy

- ½ TEACUP OF BUTTER
- 1 TEACUP OF SUGAR
- 4 EGGS
- ORANGE ZEST, TO TASTE
- 1 TEACUP OF ORANGE JUICE

- 2 TEACUPS OF ALL-PURPOSE FLOUR
- 1 TEASPOON OF BAKING POWDER

Beat the butter and sugar until you obtain a pale cream. Add the yolks, orange zest and juice. Slow down the beater and add the flour little by little. At last, add the baking powder. Whip the egg whites until firm and gently mix them in with the other ingredients. Put the batter in a greased mould and bake at 170 °C for 30 minutes, until golden.

BRIDAL CAKE

(BOLO DE NOIVA)

1 large, round baking pan | 1h30, plus time for soaking | Medium/Difficult

CAKE

- 1½ TEACUP OF SEEDLESS RAISINS
- 1 TEACUP OF PORT WINE OR MUSCATEL
- 2 TEACUPS OF PITTED PRUNES
- 1¾ TEACUP OF SUGAR
- 1¼ STICK OF BUTTER
- 5 EGGS
- 2 TEACUPS OF ALL-PURPOSE FLOUR
- 1 TEACUP OF MILK
- ½ TEACUP OF COCOA POWDER
- 1 TABLESPOON OF BAKING SODA
- 1 TEACUP OF CANDIED FRUITS
- 1½ TABLESPOON OF BAKING POWDER

ICING

- 2 EGG WHITES
- 3 TEACUPS OF POWDERED SUGAR
- JUICE AND ZEST OF 1 LIME

Put the raisins in the Port wine and allow to soak for at least 24 hours. Cook the prunes with ½ teacup of sugar and ½ teacup of water over low heat until you obtain a thick syrup, stirring occasionally. Mix in a blender and set aside. Mix the butter with the remaining sugar until obtaining a pale cream. Add the yolks, one by one, saving the egg whites - you will whip them until firm later. While continuously beating, slowly add the flour and milk. Next, the cocoa powder, baking soda, candied fruits, prune syrup, and the raisins that were soaking (without the wine). Remove from the beater, beat the egg whites until firm and gently combine them with the batter. Add the baking powder and pour the batter into a pan greased with butter and all-purpose flour. Bake in a preheated oven at 170 °C for about 40 minutes, or until a toothpick comes out clean after you've poked the cake with it. Remove from the oven and allow it to cool so you can apply the icing. For the icing, beat the egg whites with the powdered sugar and lime zest. Slowly add the juice until the mixture is spongy. Ice the cake and serve.

IN DETAIL: *Chocolate, wine, and fruits make up the cake's moist interior, which is covered with a meringue and then decorated for weddings – hence its name. It's also present in other celebrations and many know it as "bolo pernambucano". Each family usually has its very own recipe, kept behind lock and key and handed down from one generation to the next.*

CHEESE CAKE

(BOLO DE QUEIJO)

8 servings | 1 hour | Easy

- 4 EGGS
- 2 TEACUPS OF SUGAR
- ½ TEACUP OF BUTTER
- 3 TEACUPS OF ALL-PURPOSE FLOUR
- 1 TABLESPOON OF BAKING POWDER
- 1½ TEACUP OF MILK
- 1 TEACUP OF GRATED PARMESAN CHEESE
- 1 PINCH OF SALT

Grease a mould with a whole in the middle with butter and sprinkle it with flour. Beat the egg whites until firm, add salt. Set aside In the beater's bowl, put the yolks, sugar, and butter. Beat thoroughly. Sift the all-purpose flour and the baking powder into the beater while it's running, alternating with the milk. Turn off the beater and add the grated cheese and, gently, mix in the egg whites. Put it in the mould and bake in a preheated oven at 180 °C for 50 minutes.

THREE WISE MEN CAKE

(BOLO DE REIS)

8 servings | 1 hour | Easy/medium

- 1 TEACUP OF BLACK RAISINS
- ½ TEACUP OF BLACK PRUNES
- ½ TEACUP OF APRICOT
- ZEST OF 2 ORANGES
- 23 TABLESPOONS OF BRANDY
- 200 G OF BUTTER
- 1 TEACUP OF BROWN SUGAR
- 4 EGGS
- 1 TEACUP OF MILK
- 2 TEACUPS OF ALL-PURPOSE FLOUR
- 1 TABLESPOON OF BAKING POWDER
- ½ TABLESPOON OF CINNAMON POWDER
- ⅓ TEASPOON OF CHOPPED WALNUTS
- CANDIED FRUITS FOR GARNISHING

ICING

- 2 TEACUPS OF POWDERED SUGAR
- 4 TABLESPOONS OF ORANGE JUICE

Soak the raisins, prunes, apricot and orange zests in brandy. In a beater, whip the butter until you obtain a cream. Continue to whip while adding the brown sugar and yolks, one by one. Turn off the beater, add the milk stirring with a wire whip. Mix in the all-purpose flour, baking powder, candied fruits which were soaking in brandy, cinnamon powder, walnuts, and whipped egg whites. Pour the batter into a mould with a hole in the middle, with about 24 cm of diameter. It should be greased and sprinkled with flour. Bake in a preheated oven at 200 °C for 40 minutes, or until golden. Allow it to cool and remove from the mould. For the icing, mix the sugar with the orange juice. Ice the cake and garnish it with the candied fruits.

IN DETAIL: *The recipe for this cake that celebrates the Kings Day, on the 6th of January, has been prepared in Portugal since the 19th century. Since its origin, it usually brings a small surprise mixed in with the batter: a gold coin, or some metal trinket. The one who finds it has assured good luck in the year that is beginning.*

ROLLED CAKE
(BOLO DE ROLO)

6 cakes | 1 hour | Difficult

- 250 G UNSALTED BUTTER
- 1½ TEACUP SUGAR
- 6 EGGS
- 2 TEACUPS ALL-PURPOSE FLOUR, SIFTED
- 3 TEACUPS CREAMY GOIABADA
- GRANULATED SUGAR, FOR SPRINKLING

Using the beater, whisk butter and sugar, until it forms a whitish cream. Add the eggs, one at a time, at medium speed. Gently add the flour. Pour the batter into a baking tray, greased and lined with an equally grease sheet of waxed paper. Bake in a preheated oven at medium temperature (160 °C) for about 6 minutes. Remove from the tray and lay it on top of a moist dishcloth sprinkled with granulated sugar. Spread the goiabada thoroughly and roll the cake very tightly, aided by the dishcloth. Allow it to rest for at least 15 minutes before serving.

IN DETAIL: *While bearing a great cake making tradition, Pernambuco state gifted the country with this famous log cake recipe with very thin layers of dough and goiabada filling. Something you should know: the slices should be cut as thin as the layers. Nowadays we see many versions, which are far from orthodox, with chocolate and dulce de leche fillings.*

SPRINKLES CAKE
(BOLO FORMIGUEIRO)

2 loaf pans | 40 minutes | Easy

- 1 TEACUP OF UNSALTED BUTTER
- 1¼ TEACUPS OF SUGAR
- 5 EGGS
- ½ TEACUP OF COCONUT FLAKES
- 1 TEACUP OF WHOLE MILK
- 1¾ TEACUPS OF ALL-PURPOSE FLOUR
- 1¼ TEACUPS OF CHOCOLATE SPRINKLES
- 2 TABLESPOONS OF BAKING POWDER

Beat the butter and sugar in a beater until you obtain a cream. Add the yolks, setting the whites aside, and beat until the cream is pale. Add the coconut, milk, and sprinkle in the flour, gently mixing it in. Add the sprinkles and the baking powder and mix thoroughly. Add the eggs whites, previously whipped until firm, and combine until smooth. Pour into a grease pan and bake in a preheated oven at 140 °C for 30 minutes, or until its baked through.

COLD COCONUT CAKE
(BOLO GELADO DE COCO)

1 rectangular baking pan | 1h30 | Easy

- 2 TEACUPS OF SUGAR
- 4 EGGS
- 2 TABLESPOONS OF UNSALTED BUTTER
- 1 TEACUP OF MILK
- 2 TEACUPS OF ALL-PURPOSE FLOUR
- 3 TABLESPOONS OF FINELY GRATED FRESH COCONUT
- 1 TABLESPOON OF BAKING POWDER

ICING

- 1 TEACUP OF SUGAR
- 285 ML OF COCONUT MILK (P. 290)
- 1 TEACUP OF FRESHLY GRATED COCONUT

In a blender, combine the sugar, eggs, butter, and milk. Add the all-purpose flour and grated coconut; mix. Mix in the baking powder and transfer the batter to a square or rectangular pan, greased and floured. Bake in a preheated oven at 160 °C for about 35 minutes. Meanwhile, combine the ingredients for the icing. Remove the cake from the oven, allow it to cool and cut into squares. Dip each piece into the icing and gently squeeze them, removing the excess liquid; wrap them in aluminium foil if you wish. Put it in the fridge before serving.

IN DETAIL: *Cake slices wrapped in aluminium were a staple of the 80's birthday parties for children. I can remember taking part in many birthday parties in the country side where the "cake" itself was a large Styrofoam structure, decked with party motifs. Inside the structure, the cold coconut cake slices were wrapped in aluminium foil to preserve their temperature and moistness. In the South region, it's known as "toalha felpuda".*

ENGLISH CAKE

(BOLO INGLÊS)

8 servings | 40 minutes | Easy/medium

- 50 G OF SEEDLESS RAISINS
- 95 ML OF RUM
- 150 G OF CANDIED FRUITS
- 1 LIME
- 150 G OF BUTTER
- 1½ TEACUPS OF SUGAR
- 4 EGGS
- 2 TEACUPS OF ALL-PURPOSE FLOUR
- 1½ TABLESPOON OF BAKING POWDER
- 100 G OF TOASTED, PEELED ALMONDS

Combine the rum and raisins in a frying pan; cook over very low heat, without boiling. Tilt the pan over the flames, igniting the rum, and flambé the raisins. Run the candied fruits through boiling water and chop them into pieces. Grate the lime and add the zest to the raisins. Run boiling water through a deep bowl, to warm it. Beat the butter with the sugar until obtaining a smooth cream. Add the eggs, one by one, beating thoroughly after each egg. Put in the candied fruits and the sifted flour and baking powder. Grease a loaf pan and line it with waxed paper, also previously greased. Pour in the batter until reaching about ¾ of the pan's height. Arrange the almonds on top and bake in a hot oven (200 °C) for 20 minutes. Turn the heat down and allow it to bake for about 30 minutes, or until being able to pull out a clean toothpick after sticking it into the cake. Remove the paper when the cake has cooled.

IN DETAIL: *Besides its compact build, filled with candied and dried fruits, the "bolo inglês" is characterized by its rectangular shape and buttery texture. It's a tea-time classic, both in Europe and Brazil.*

PUBA CAKE

(BOLO PUBA)

1 round mould with a hole in the middle
50 minutes | Easy

- 2 TABLESPOONS OF UNSALTED BUTTER
- 3 TEACUPS OF SUGAR
- 4 EGGS
- 500 G OF PUBA FLOUR
- 190 ML OF COCONUT MILK (P. 290)
- 1 TABLESPOON OF BAKING POWDER
- 1 PINCH OF SALT

Beat the butter and sugar until you obtain a pale cream. Add the yolks and beat them for bit longer. Then add the puba flour and the coconut milk while continuously beating. Whip the egg whites until firm and gently mix them in. Gently add the baking powder and salt to the batter. Bake in a greased mould in a preheated oven at 180 °C for about 35 minutes, or until golden.

SOUZA LEÃO CAKE

(BOLO SOUZA LEÃO)

1 large, round cake | 1h30 | Difficult

- 2 TEACUPS OF SUGAR
- 2 CLOVES
- 3 CINNAMON STICKS
- 1½ TEACUP OF UNSALTED BUTTER
- 1 COFFEE SPOON OF SALT
- 1 KG OF PUBA MASS
- 16 YOLKS
- 3 TEACUPS OF COCONUT MILK (P. 290)

Make a syrup with the sugar, 2 teacups of water, cloves and cinnamon - cook it until thread stage. Remove from the heat, add the butter and salt and allow it to cool. Set aside. Combine the puba mass with the sifted yolks and the coconut milk. Add the syrup to this mixture and stir until smooth. Pass the batter through a fine sieve three time. Put the batter in a greased pan and bake in a water bath for about 40 minutes, until lightly golden.

IN DETAIL: *In his book "Açúcar", sociologist Gilberto Freyre tells a curious story about one of the country's most famous cakes. "I've collected several recipes for this delicacy, but they all contradict themselves, so much so I began to doubt the existence of a canonical Souza Leão cake. I've collected them like one who violates masonic secrets". In fact, the recipe for the cake, which first emerged among the Souza Leão family of Pernambuco during the sugar cane heydays, had varying details depending on the sugar mill where it came from.*

BOMBOCADO

12 servings | 40 minutes | Easy

- 2 TEACUPS OF SUGAR
- 2 TEACUPS OF WHOLE MILK
- 200 ML OF COCONUT MILK (P. 290)
- 1 DESSERT SPOON OF UNSALTED BUTTER
- 3 TABLESPOONS OF CORNMEAL
- 3 TABLESPOONS OF ALL-PURPOSE FLOUR
- 4 EGGS
- 1⅓ TEACUPS OF GRATED COCONUT
- 1 TABLESPOON OF BAKING POWDER

Combine all the ingredients in a blender, except for the baking powder. When the mixture is smooth, add the baking powder and mix it in with a spatula. Grease a baking pan with butter and flour and bake in a preheated oven at 170 °C for 25 minutes, or until golden. Allow it to cool and serve.

IN DETAIL: *The "bombocado" was commonly sold in large straw baskets carried by street vendors of seaside touristic towns. Nowadays it can be found in bakeries throughout Brazil. It's similar to the queijadinha and the grated coconut is optional.*

BREVIDADE

12 units | 40 minutes | Easy

- 2 TEACUPS OF SUGAR
- 5 YOLKS
- 2 EGG WHITES
- 2 TEACUPS OF MANIOC STARCH
- 1 DASH OF CINNAMON POWDER

Combine all the ingredients and beat thoroughly until bubbles begin to form. Pour it into cupcake pans greased with butter and a bit of manioc starch. Bake in a preheated oven at 170 °C until firm and lightly golden.

"TURNED BRIEFS" (CUECA VIRADA)

20 units | 1 hour | Medium

- 3⅓ TEACUPS OF ALL-PURPOSE FLOUR
- ½ TEACUP OF SUGAR
- 2 TABLESPOONS OF UNSALTED BUTTER AT ROOM TEMPERATURE
- 190 ML OF WARM MILK
- 2 EGGS
- 1 TABLESPOON OF BAKING POWDER
- CORN OIL, FOR FRYING
- SUGAR AND CINNAMON, FOR SPRINKLING

Put the flour into a bowl and open a hole in the middle. Pour in the sugar, butter, and milk and stir so it will cool down a bit. Put the eggs and baking powder in, mixing until the dough no longer sticks to your fingers. Roll out the dough and cut it into wide strips. Make a cut in the middle, in a longitudinal direction, and move the tip of the dough to the other side, forming the "briefs". Fry in preheated oil until golden and coat with a mixture of sugar and cinnamon.

IN DETAIL: *This type of filhó is linked to European Christmas and New Year celebration. Probqbly it came to us through Italians, who make them for the Christmas festivities. Here, it received the tongue-in-cheek name due to the pastry's similarity with the piece of clothing after it's undressed. In Santa Catarina, it is known as "orelha de gato". In other regions, it's also known as "cueca rasgada".*

ESPERA-MARIDO

25 units | 2 hours | Medium

- 95 ML OF WARM MILK
- 2 EGGS
- 48 ML OF CORN OIL
- 2½ TABLESPOONS OF SUGAR
- 1 TABLESPOON OF BAKING POWDER
- 4 TEACUPS OF ALL-PURPOSE FLOUR
- CORN OIL, FOR FRYING

GLAZE

- 3 TEACUPS OF SUGAR
- 2 TABLESPOONS OF VANILLA EXTRACT
- 70 G OF GRATED COCONUT

In a blender, mix the milk, eggs, oil, and sugar until smooth. Pour the mixture into a bowl, add the baking powder and slowly mix in the flour, until the dough is flexible and smooth. Allow the dough to rest for 20 minutes. Separate it into equally sized balls. Then, open the dough forming a tube and tie it into a knot. Rest them for 30 minutes. Fry the little knots in very hot oil until they are golden.

For the glaze, cook the sugar along with 1 teacup of water and the vanilla extract. When it reaches thread stage, turn off the heat and throw the fried dough in, then sprinkle with coconut. Allow it to cool for a bit, then serve.

IN DETAIL: *These fried rolls are a classic that can be made different ways and whose name – which translates into something like "Husband-Waiting" – is met with curiosity. In Portugal, there was already a cream, made with eggs, sugar and cinnamon, with this same name. "Sonho de pobre" is another Brazilian name for it.*

FILHÓS

30 servings | 30 minutes | Easy

- 1½ TEACUP OF MILK
- ¼ TEACUP OF CLARIFIED BUTTER
- 3 EGGS
- 3 TEACUPS OF SIFTED ALL-PURPOSE FLOUR
- 1½ TEASPOONS OF BAKING POWDER
- 2 LITERS OF OIL, FOR FRYING
- 2 TEACUPS OF HONEY
- 1 TEASPOON OF SALT

Cook the milk, butter, and 1½ teacups of water until boiling. While waiting for it to boil, whip the egg whites until firm then add the (sifted) yolks and continue to whip. Set aside In a bowl, combine the sifted flour, baking powder, and salt. Add the boiled liquid to the flour mixture and slowly stir with a spoon until lukewarm. Afterwards, knead with your hands. Add the whipped eggs and mix them thoroughly into the dough, which should be moist and smooth. Heat the oil and, with two small spoons, make balls and drop them into the oil. Stir so they will fry evenly. Ideally, all the surface should be immersed. Place the balls on a paper towel to drain out the frying oil. In another pot, heat up the honey with ½ teacup of water. Boil until it's the syrup is thick. Bath the rolls in the honey glaze. Serve them hot or cold.

IN DETAIL: *In some cities in Portugal, batches of filhós are usually cooked on Christmas Eve. Here, they've also became popular in other shapes besides discs – such as hearts and flowers.*

MÃE BENTA

8 servings | 1 hour | Easy

- 1 TEACUP OF SUGAR
- 3 TABLESPOONS OF BUTTER
- 2 YOLKS
- 3 TABLESPOONS OF GRATED COCONUT
- 1 TEASPOON OF RICE CREAM
- 2 TEASPOONS OF BAKING POWDER
- 1 TEASPOON OF VANILLA EXTRACT
- ½ TEACUP OF COCONUT MILK (P. 290)
- 2 EGGS WHITES, WHIPPED UNTIL FIRM
- 1 PINCH OF SALT

Grease and sprinkle cupcake pans. Set aside Preheat the oven at 180 °C. In a beater, combine the sugar and butter, beating until obtaining a light-colored cream. Add the yolks and beat for a bit longer, combining them thoroughly. Put in the grated coconut, rice cream, baking powder, vanilla, coconut milk, salt, and beat until you obtain a smooth batter. Add the egg whites to the dough, gently mixing them in with a spatula until obtaining a smooth batter. Pour it into the cupcake pans. Bake in the oven for about 20 minutes. You can tell if the cupcakes are ready by sticking a toothpick in the middle of one and, if it comes out clean, you can take them out of the oven.

IN DETAIL: *According to the book "Culinária Brasileira", by Mariza Lira, Mãe (mother) Benta really existed: her name was Benta Maria da Conceição Torres, a famed confectioner who lived in Rio de Janeiro during the regency period. "She created delicious cake recipes, which were greatly appreciated by regent Feijó, who ate them with coffee each afternoon at her house – but he was not the only one", states the author.*

MANÉ PELADO

14 servings | 40 minutes | Easy

- 3 TEACUPS OF RAW MANIOC, GRATED
- 1 TEACUP OF MEIA-CURA CHEESE, GRATED
- 70 G OF GRATED FRESH COCONUT
- 2 TABLESPOONS OF BUTTER
- 2½ TEACUPS OF WHOLE MILK
- 2 TEACUPS OF SUGAR
- 6 EGGS, BEATEN
- 1 TABLESPOON OF BAKING POWDER

Combine all the ingredients, except the baking powder, in a large bowl and mix them until smooth. Add the baking powder and mix for a bit longer. Grease a baking pan with butter and rice flour and pour in the batter. Bake in a preheated oven at 180 °C for about 30 minutes, or until the top is golden.

IN DETAIL: *Also known as "manioc and cheese cake", it's very common during the June celebrations in Goiás and Minas Gerais. Its name – literally "naked Mané" – come from a tale: apparently it pays tribute to a farmer who used to harvest manioc while...naked.*

CORN CAKE

(MANUÊ)

6 servings | 1 hour | Medium

- 5 LARGE COBS OF FRESH CORN
- 2 TEACUPS OF COCONUT MILK (P. 290)
- 1 MEDIUM COCONUT, GRATED
- 1 TEACUP OF SUGAR
- 1 TABLESPOON OF BUTTER, FOR GREASING
- CINNAMON POWDER, TO TASTE
- 1 PINCH OF SALT

Grate the corn with a grater or cut out the kernels with a knife. Set aside In a blender, combine 1 teacup of coconut milk and the grated fresh coconut with the grated corn. In a pot, over medium heat, put the mixture of corn and coconut milk, then add the sugar and a pinch of salt. Stir until you obtain a thick mush. Pour it into a baking pan greased with butter. Sprinkle it with cinnamon and pour over the remaining coconut milk. In a preheated oven, bake at medium temperature for 30 to 40 minutes. It will be done when the edges are golden.

IN DETAIL: *In the menus of 19th century Salvador this manioc cake could already be found. Some local twists are added in Paraíba and Pernambuco states.*

GOMA CAKE

(ORELHAS DE BURRO)

5 servings | 35 minutes | Easy

- 3 EGGS
- 1 TEACUP OF OIL
- 3 TEACUPS OF MANIOC STARCH

Mix all the ingredients in a blender. Grease the baking pan and bake in a preheated oven at 180 °C for 30 minutes, or until a toothpick that has been stuck into the cake comes out clean.

SPONGE CAKE

(PÃO DE LÓ)

6-8 servings | 1 hour | Easy/medium

- 8 EGGS
- 8 TABLESPOONS OF SUGAR
- 8 TABLESPOONS OF SIFTED ALL-PURPOSE FLOUR
- 2 TEASPOONS OF BAKING POWDER
- POWDERED SUGAR, FOR SPRINKLING

In a beater, beat the eggs and the sugar until they form a yellowish, light cream. Add the sifted flour and baking powder, mixing gently. Pour the batter into a springform pan. Grease only the bottom with butter and flour. Bake in a preheated oven at 160 °C for about 35 minutes, or until golden. Remove from the oven and allow to cool. Sprinkle with powdered sugar and serve.

IN DETAIL: *Present in our cuisine since the Portuguese colonization, it seems that "pão de ló" never goes out of style: it goes well with tea, coffee, chocolate. It's so airy that it was incorporated into a popular figure of speech: "tratado a pão de ló", "to be treated with pão de ló", meaning that a person is being very well treated. It's also part of other cake recipes as it is filled with ingredients such as dulce de leche and is garnished with sprinkled cinnamon, among other things.*

HONEY BREAD

(PÃO DE MEL)

12 units | 1 hour | Medium

- 2 TEACUPS OF ALL-PURPOSE FLOUR
- ½ TEACUP OF CHOCOLATE POWDER
- 2 TEASPOONS OF BAKING SODA
- 2 TEASPOONS OF CINNAMON POWDER
- 1 COFFEE SPOON OF GROUND CLOVE
- 1 TEACUP OF MILK
- ½ TEACUP OF HONEY
- 1 TEACUP OF BROWN SUGAR
- 2 TEACUPS OF CREAMY DULCE DE LECHE
- 3 TEACUPS OF CHOPPED BITTERSWEET CHOCOLATE

Combine all the dry ingredients, except for the brown sugar, and pass them through a sieve. Set aside Combine the milk, honey, and brown sugar and pour them into the dry ingredients, stirring with a wire whip or spoon. Pour the batter into small, round pans or in a greased rectangular pan. Bake in a preheated oven at 180 °C for 30 minutes. Remove from the oven and allow it to cool. For the icing, melt the chocolate in a water bath and set aside. If you used a rectangular pan, take a cutter and cut the breads in a round or square shape. Then, open each one in half and fill with dulce de leche. Put them in a wire rack and pour the chocolate over them. Wait until it hardens, then serve.

QUEQUE

10 servings | 30 minutes | Easy

- ¾ TEACUP OF BUTTER
- ¾ TEACUP OF SUGAR
- 2 EGGS
- ¾ TEACUP OF SIFTED ALL-PURPOSE FLOUR
- 1 TEASPOON OF BAKING POWDER

In a beater, beat the butter and the sugar. Add the eggs, all-purpose flour, and the baking powder. Pour into individual paper or silicon cups. Bake in a preheated oven at 180 °C for about 13 minutes.

IN DETAIL: *In Portugal, there are so many queques you could spend a stint over there without ever trying the same recipe twice. The name comes from the word "cake". Usually they are found in cupcake paper cups.*

DULCE DE LECHE AND COCONUT LOG

(ROCAMBOLE DE DOCE DE LEITE E COCO)

10 servings | 30 minutes | Medium

- 9 EGGS
- 9 TABLESPOONS OF SUGAR
- 8 TABLESPOONS OF ALL-PURPOSE FLOUR, SIFTED
- 1 TEACUP OF DULCE DE LECHE
- 1 TEACUP OF FRESH COCONUT
- GRANULATED SUGAR, FOR SPRINKLING

Beat the egg whites thoroughly using the beater's maximum speed. When they are quite firm, add the yolks. Put in the sugar and turn off the beater. With the help of a spoon, add the sifted flour making an upwards motion. Transfer to a 20 x 25 cm baking tray lined with an equally greased waxed-paper. Bake in a preheated oven at medium temperature (170 °C to 190 °C) for 10 minutes. Remove from the tray and lay it on top of a moist dishcloth sprinkled with granulated sugar. For the filling, mix the fresh coconut with the dulce de leche. Spread the filling thoroughly and roll the cake aided by the dishcloth. Allow it to rest for 15 minutes before serving.

DOUGHNUT

(SONHO)

10 units | 1h30 | Medium

- 190 ML OF LUKEWARM MILK
- 2 EGGS
- 48 ML OF CORN OIL
- 2½ TABLESPOONS OF SUGAR
- 1 TABLESPOON OF BAKING POWDER
- 4 TEACUPS OF ALL-PURPOSE FLOUR
- 1 LITRE OF CORN OIL, FOR FRYING

FILLING

- 5 TEACUPS OF MILK
- 1 TEACUP OF SUGAR
- 2 EGGS
- ½ TEACUP OF CORNSTARCH
- 1 TABLESPOON OF BUTTER
- 1 VANILLA POD, OR 5 DROPS OF VANILLA EXTRACT

In a blender, mix the milk, eggs, oil, and sugar until smooth. Pour the mixture into a bowl, add the baking powder and slowly mix in the flour, until the dough is flexible and smooth. Allow the dough to rest for 20 minutes. Divide it into 10 equally sized balls, round them so the dough is totally smooth, and allow them to rest for another 30 minutes, or until they have doubled in size. Fry in very hot oil until the dough-nuts are golden. For the cream, cook the milk and sugar over heat. Beat the eggs in a beater until they have doubled in size. Dissolve the cornstarch in warm milk and add it to the eggs, bit by bit, so it won't clog, and go back to cooking them over low heat until thick. Remove from the heat, add the butter and vanilla. Cut the doughnuts open and fill them with the cream.

IN DETAIL: *An adaptation of a Portuguese sweet called "Bola de Berlim", sold in beaches, just as it is sold today in Pernambuco.*

PARAGUAYAN SAVOURY CAKE

(SOPA PARAGUAIA)

1 large pie | 40 minutes | Easy

- 2 MEDIUM ONIONS, GRATED
- 4 TABLESPOONS OF CORN OIL
- 4 TEACUPS OF MILK
- 2½ TEACUPS OF MEIA-CURA CHEESE, GRATED
- 2 TEACUPS OF FLAKED CORN FLOUR
- 4 EGGS
- ¼ BUNCH OF GREEN ONIONS, CHOPPED
- ¼ BUNCH OF PARSLEY, CHOPPED
- 1 TABLESPOON OF BAKING POWDER
- SALT TO TASTE

Braise the grated onion in corn oil, until it wilts a bit. Cover with milk and cook over medium heat. Turn off when it begins to boil and set aside. Mix the meia-cura cheese, the corn flour, the beaten eggs and the previously boiled milk, stirring until you obtain a smooth dough. Season with salt and the chopped herbs and add the baking powder. Bake in a greased baking tray at 180 °C for 30 minutes, or until the pie is firm and golden.

IN DETAIL: *This salty cake is another example of influences from neighbouring countries. As the name itself indicates, the recipe – which is called a "sopa" (soup), but is not a sopa – is a popular breakfast in Paraguay, a habit that spread out to the frontier cities in the Mid-West.*

BREADS AND DOUGHNUTS

BIJAJICA

16 units | 30 minutes | Easy

- 3 LARGE EGGS
- 6 TABLESPOONS OF SUGAR
- 500 G OF MANIOC STARCH
- 1 PINCH OF SALT
- CORN OIL, FOR FRYING

Combine the eggs and sugar and beat thoroughly. Put in the salt and slowly add the manioc starch while mixing, until the dough no longer sticks to your hands and can be properly shaped. Make the donuts and fry them in hot oil until golden.

IN DETAIL: *Typically found in the mountain ridge of Santa Catarina, these donuts originally were fried in lard. The name is shared with another recipe from the region – a baked cake that also uses manioc flour, but is garnished with brown sugar and ground peanuts.*

PEANUT CORN BREAD

(BROA DE AMENDOIM)

21 units | 50 minutes | Easy

- 2 TEACUPS OF ALL-PURPOSE FLOUR
- 2 TEACUPS OF CORNMEAL
- 2 TEACUPS OF SUGAR
- 2 TEACUPS OF SHELLED, TOASTED AND GROUND PEANUTS
- 2 TEACUPS OF MILK
- 1 TEACUP OF OIL

- 3 EGGS
- 1 TABLESPOON OF BAKING POWDER

In a blender, combine the eggs, oil, milk, and sugar. Pour the all-purpose flour, cornmeal, and ground peanuts into a container and mix thoroughly, slowly adding this mixture to the one in the blender, stirring thoroughly with a spoon (the batter should be softer than a cake batter). Finally, mix in the baking powder, grease a rectangular baking tray and bake at 170 °C, in a preheated oven, for 35 minutes or until pulling out a clean toothpick. Cut into squares and serve with coffee.

CORNMEAL BREAD

(BROA DE FUBÁ)

20 units | 1h20 | Medium/difficult

- 2 TEACUPS OF CORNMEAL
- 1¾ TEACUP OF MANIOC STARCH
- ¾ TEACUP OF SUGAR
- 3½ TEACUPS OF MILK
- 100 ML OF CORN OIL
- 4 EGGS
- 1 TABLESPOON OF BAKING POWDER
- 1 COFFEE SPOON OF SALT
- BUTTER, FOR GREASING
- CORNMEAL, FOR SPRINKLING

Combine the cornmeal, manioc starch, and sugar. Put the milk and oil in a pot and cook over heat. When it begins to boil, turn down the heat and pour it on the dry mixture. Stir continuously, until it no longer sticks to the bottom of the pot. Remove from the pot and set aside. When the dough has cooled, put in the eggs, one by one, add the baking powder and salt and knead, with your hands, until the dough is smooth. Grab a mug with a round bottom and put in some cornmeal, for sprinkling. Take a spoonful of dough and put it in the mug, rotating the mug to make the dough round. Pour into a baking tray greased with butter and cornmeal. Bake at 180 °C, in a preheated oven, for about 12 minutes, until golden.

CUCA

1 large unit | 3 hours | Medium/difficult

- 2 EGGS
- ½ TEACUP OF SUGAR
- 1 TEASPOON OF SALT
- 3 TABLESPOONS OF BUTTER OR LARD
- 2 TEACUPS OF ALL-PURPOSE FLOUR
- 2½ TABLESPOONS OF BAKING POWDER
- 1½ TEACUPS OF WHOLE MILK
- 1 YOLK, FOR BRUSHING

FOR THE CRUMBLE

- ¼ TEACUP OF SUGAR
- 1¼ TEACUPS OF ALL-PURPOSE FLOUR
- 2 TABLESPOONS OF NATA (HEAVY CREAM)
- ZEST OF ½ LIME

Beat the eggs with the sugar and salt. Add the butter and slowly put in the all-purpose flour, until the dough is smooth. Add the baking powder and knead the dough until it is smooth and no longer sticks to your hands. Allow it to rest for 3 hours at room temperature. Make the crumble mixing all ingredients; set aside. Grease a baking pan with butter and flour and put in the dough. Brush it with the yolk and cover with the crumble. Bake in a preheated oven at 180 °C for 20 minutes, or until it's golden and baked through.

IN DETAIL: *The name is a Portuguese adaptation of the word küche – a traditional German cake which was brought by German settlers to the South of Brazil. The biggest difference between the cuca and other breads or cakes is the crunchy crumble that covers the dough.*

HOMEMADE BREAD

(PÃO CASEIRO)

1 large unit | 3 hours | Medium

- 2 EGGS
- 5 TABLESPOONS OF SUGAR
- 1 LEVEL TABLESPOON OF DRY YEAST
- ¾ TEACUP OF MILK
- 1½ TABLESPOONS OF BUTTER
- ½ TEASPOONS OF SALT
- 500 G OF ALL-PURPOSE FLOUR

Separate the egg whites from the yolks. Whip the egg whites until firm, add the yolks, one by one, and then 3 tablespoons of sugar. Set aside Heat up ¼ teacup of water for 1 minute, just so it will accelerate the yeast's reaction. Put in the yeast and the remaining sugar and allow to rest for 5 minutes. Meanwhile, also quickly heat up the milk, butter, and salt. Put the flour on the counter or in a container and open a whole in the middle. Put in the liquids, stirring while pouring them. Put the beaten eggs last of all and mix the dough until it is smooth and no longer sticks to the hands. Allow it to rest for 30 minutes on a tray greased with a bit of oil. Shape the bread and allow it to rest for another hour and a half. Bake at 180 °C for 20 to 25 minutes. Wait until cool before slicing. If you wish for a crispier crust, put a tray with water on the bottom part of the oven, allow it to heat up and then put in the dough.

POTATO BREAD
(PÃO DE BATATA)
20 units | 1h30 | Medium

- 2 LARGE POTATOES, PEELED
- 500 G OF ALL-PURPOSE FLOUR, PLUS A BIT EXTRA FOR SPRINKLING
- 2 EGGS
- ½ DESSERT SPOON OF SALT
- 50 G OF FRESH ACTIVE YEAST
- 1 TABLESPOON OF BUTTER
- 2 TABLESPOONS OF SUGAR
- ½ TEACUP OF OIL
- 2 YOLKS, FOR BRUSHING

Cook the potatoes in water, drain and mash them in a bowl while they're still hot. In the centre, add 300 g of all-purpose flour, eggs, salt, and the yeast. In the sides, put in the butter and sugar. Be careful not to mix the sugar with the yeast at first. Put the oil in the centre and begin to stir, first combining the central ingredients. Stir thoroughly and continue to the sides, until you've mixed all the bowl's contents. Add the reaming flour and knead thoroughly, sprinkling a bit of flour so the dough won't stick. The dough should be done when it's still a bit soft, smooth, and not sticking to the hands. Allow it to rest for about 30 minutes. Divide the dough into twenty small balls, transfer them to a greased and floured tray, brush with the yolk and allow them to rise for another 30 minutes. Preheat the oven at 180 °C and bake for 40 minutes, or until golden.

DELÍCIA BREAD
(PÃO DELÍCIA)
50 units | 3 hours | Medium

- 4 TABLESPOONS OF SUGAR
- 1 TEASPOON OF SALT
- 1½ TABLESPOON OF BAKING SODA (10 G)
- 2 EGGS
- 1 TEACUP OF WARM MILK
- ½ TEACUP OF CORN OIL
- 2½ TEACUPS OF ALL-PURPOSE FLOUR
- BUTTER, FOR GREASING
- ALL-PURPOSE FLOUR, FOR SPRINKLING

FILLING

- 2 TABLESPOONS OF UNSALTED BUTTER
- 4 TABLESPOONS OF ALL-PURPOSE FLOUR
- 3 TEACUPS OF MILK
- 1 PINCH OF SALT
- ½ TEACUP OF FINELY GRATED PARMESAN CHEESE
- 1½ TEACUPS OF FINELY GRATED PARMESAN CHEESE, FOR SPRINKLING

Blend all the ingredients, except the flour. Pour the liquid in a bowl and gently add the flour, untill it is smooth and no longer sticks to the hands. Cover with a dishcloth and allow it to rise for about 30 minutes, until double in size. Grease a baking pan with butter and flour. Butter your hands and roll the breads into cocktail size (knowing they will double in size). Allow them to rise again for about 30 minutes. Meanwhile, work on the filling, melting the butter and adding flour, stirring constantly until a cookie like aroma emerges. Add the milk, still stirring, until you obtain a thick cream. Season with salt and Parmesan and set aside. Bake the breads, on a baking tray, in a preheated oven at 180 °C, with a pan with water below, for about 10 minutes (they shouldn't be golden). Allow the breads to cool for a bit, covered with a dishcloth. Open without separating them, spread a spoonful of filling, and sprinkle with Parmesan.

IN DETAIL: *Typical of Salvador, this small bread is present in celebrations as well as everyday life. The secret of this recipe is in knowing how to handle the dough, as the treats should be light-coloured and the filling, creamy. Bakeries and supermarkets in Southern states also have begun to sell this type of bread.*

MANIOC BREAD
(PÃO DE MANDIOCA)
20 units | 1h30 | Medium

- 300 G OF MANIOC
- 500 G OF ALL-PURPOSE FLOUR
- 2 WHOLE EGGS, PLUS 2 YOLKS, FOR BRUSHING
- ½ DESSERT SPOON OF SALT
- 50 G OF FRESH ACTIVE YEAST
- 1 TABLESPOON OF BUTTER
- 1 TABLESPOON OF SUGAR
- ⅓ TEACUP OF CORN OIL

Cook the manioc in water; drain and mash them inside a bowl, while still very hot, removing the central fibre. In the centre of the bowl, add 300 g of all-purpose flour, the eggs, salt, and yeast. In the sides, put in the butter and sugar. Be careful not to mix the sugar with the yeast at first. Put the oil in the centre and begin to stir, first combining the central ingredients. Stir thoroughly and continue to the sides, until you've mixed all the bowl's contents. Add the reaming flour and knead thoroughly, sprinkling a bit of flour so the dough won't stick. The dough should be done when it's still a bit soft, smooth, and not sticking to the hands. Allow it to rest for about 30 minutes. Divide the dough into twenty small balls, transfer them to a greased and floured tray, brush with the yolk and allow them to rise for another 30 minutes. Preheat the oven at 180 °C and bake for 40 minutes, or until golden.

CORN BREAD
(PÃO DE MILHO)

1 whole loaf pan of bread | 1h30
Easy/medium

- 1¼ TEACUPS OF ALL-PURPOSE FLOUR
- ¾ TEACUP OF FINE CORNMEAL
- 2 TEASPOONS OF BAKING POWDER
- ⅓ TEACUP OF SUGAR
- 1¼ TEACUPS OF MILK
- 4 TABLESPOONS OF BUTTER
- 1 EGG
- 1 PINCH OF SALT

Combine all the dry ingredients: flour, cornmeal, sugar, salt, and baking powder. In another container, mix the milk, melted butter, and egg. Pour the liquids over the dry ingredients and combine thoroughly. Put the dough in a greased loaf pan. Bake in a preheated oven at 190 °C for 10 minutes. Lower to 160 °C and bake for another 15 to 20 minutes. Wait until it cools and serve.

SAVOURY CHEESE BREAD
(PÃO DE QUEIJO)

30 units | 1 hour | Medium

- 1 KG OF MANIOC STARCH
- 1½ TEACUPS OF MEIA-CURA CHEESE, GRATED
- 2 TEACUPS OF MILK
- 1 TEACUP OF OIL
- 6 EGGS
- 2 TABLESPOONS OF SALT

Mix the manioc starch with the meia-cura cheese; set aside. Combine 2 teacups of water with the milk and oil, then cook until it begins to boil. Remove from the heat and slowly pour it over the manioc starch to heat it, stirring until you obtain a crumbly dough. When it cools, add the grated cheese and eggs, stirring again until smooth. Shape into balls and bake in a preheated oven at 180 °C for about 20 minutes.

IN DETAIL: *Each family from Minas has its own little secret for the pão de queijo dough. But the fact is that this classic treat conquered the whole country many decades ago. Traditionally, ripened cheese and artisanal manioc starch are part of the recipe.*

CRACKLING BREAD
(PÃO DE TORRESMO)

15 units | 2 hours | Medium

- 1 TABLESPOON OF SUGAR
- 15 G OF FRESH ACTIVE YEAST OR 5 G OF BAKING POWDER
- 3 TABLESPOONS OF OLIVE OIL
- 1 TABLESPOON OF SALT
- 3½ TEACUPS OF ALL-PURPOSE FLOUR
- 4 TEACUPS OF FRIED AND GROUND CRACKLING

For the dough, combine the sugar, yeast, olive oil, salt, and 250 ml of water in a bowl. Add the flour and mix until you obtain a dry and smooth dough. Allow it to rise, covered with a dishcloth, for about 40 minutes. Roll out the dough, add 2 teacups of crackling bits and mix them in with your hands, until thoroughly combined. Let it rise for 40 minutes. Roll out the dough with a rolling pin, spread 1 teacup of crackling bits and shape into balls (or whichever shape you wish). Cover with 1 teacup of cracking, pressing them down so it won't come loose, and let it rise for another 40 minutes. Bake in a preheated oven at 180 °C, until golden.

SWEET ROLLS
(PÃO DOCE)

12 units | 3 hours | Easy/medium

- 160 ML OF MILK
- 1½ TEASPOONS OF ACTIVE DRY YEAST
- 5 YOLKS, AT ROOM TEMPERATURE
- 3½ TEACUPS OF ALL-PURPOSE FLOUR
- 2 TABLESPOONS OF SUGAR
- 4 TABLESPOONS OF GRANULATED SUGAR, FOR SPRINKLING
- ¾ TEACUPS OF SOFTEN BUTTER, CUT INTO SMALL CUBES
- 1 EGG, FOR BRUSHING
- 1 PINCH OF SALT

In a bowl, combine half the milk and the dry yeast, dissolving it. Leave it somewhere warm for about 15 minutes, until bubbles begin to form. In another bowl, mix the remaining milk with the lightly beaten yolks, add the flour, sugar, and a pinch of salt and stir enough to combine everything. Open a hole in the centre and put in the yeast. Spread it out over a counter and knead the dough until it's soft. Slowly, add ⅓ of butter at a time and knead quickly until the butter has been combined into the dough. Be sure that you're working in a ventilated area, as the butter will melt with the warmth of your hands and become sticky. Transfer the dough to a bowl greased with butter, cover, and let it rise for 1 and half hours to 2 hours, until it has doubled in volume. Roll out the dough with your fist and put it over a surface sprinkled with flour, forming a roll that can be fit into a 11 x 24 cm loaf pan greased with butter. Cover with a cloth and allow it to rise for 30 more minutes. Preheat the oven at 170 °C (medium) and brush the surface of the dough with the lightly beaten egg. Sieve sugar on top and bake for 30 minutes, or until it rises and is golden.

FRENCH TOAST
(RABANADA)
6 servings | 20 minutes | Easy

- 3 ROLLS
- 2 TEACUPS OF MILK
- 2 TEACUPS OF SUGAR
- 3 EGGS
- 4 TABLESPOONS OF BUTTER
- ½ TEACUP OF CINNAMON POWDER

Slice the rolls Mix the milk, half the sugar, and the thoroughly beaten eggs. Dip both sides of the bread in milk, then fry in butter. Then coat it with sugar and cinnamon; serve.

IN DETAIL: *Present in Portugal's Christmas dinners to this day, the French toast is also known as "fatia de parida" or "fatia dourada". In Bahia, it was served with coffee, just as fried bananas with cinnamon and sugar or cooked and roasted breadfruit.*

BRAIDED BREAD
(ROSCA)
1 large donut | 3 hours | Medium/difficult

- 1 TEACUP OF MILK
- ½ TEACUP OF SUGAR
- 1 HEAPING TABLESPOON OF DRY YEAST
- 4 TEACUPS OF ALL-PURPOSE FLOUR
- 3 EGGS, BEATEN
- ¾ STICK OF UNSALTED BUTTER
- 1 PINCH OF SALT
- 2 YOLKS
- GRANULATED SUGAR, FOR SPRINKLING

Mix the milk, sugar, yeast and ½ teacup of all-purpose flour and make a sponge; cover and let it rest for 45 minutes. When it has doubled in size, put the flour on the counter, open a hole in the middle and put in the eggs, butter, and salt. Mix it in with the sponge and knead the dough until smooth. Roll out the dough with a rolling pin until you obtain a rectangle. Cut it into 3 pieces and braid those three pieces; allow it to rest for 30 to 40 minutes, or until it has doubled in size. Brush it with the yolks and sprinkle a bit of granulated sugar. Bake in a preheated oven at 170 °C for 30 minutes, or until golden. As soon as you remove it from the oven, sprinkle a bit more of granulated sugar. Allow it to cool and serve.

BRAZILIAN NUT DOUGHNUTS
(ROSQUINHA DE CASTANHA-DO-BRASIL)
40 servings | 40 minutes | Easy

- 1 STICK OF BUTTER
- 1 TEACUP OF SUGAR
- 2 TEACUPS OF GROUND BRAZILIAN NUTS
- ½ TEACUP OF ALL-PURPOSE FLOUR
- 1½ TEACUPS OF CORNSTARCH
- 1 PINCH OF SALT

Beat the butter and sugar until you obtain a pale cream. Add the remaining ingredients and beat thoroughly, forming a firm and smooth dough. Shape the cookies like Brazilian nuts and put them on a greased tray. Bake in a preheated oven at 160 °C for 20 minutes, or until they are lightly golden and firm. Allow it to cool and serve.

CACHAÇA DOUGHNUTS
(ROSQUINHA DE PINGA)
40 servings | 30 minutes | Easy

- 1 TEACUP OF CACHAÇA
- ¾ TEACUP OF MELTED PORK LARD
- 1 TABLESPOON OF SUGAR
- 1 TABLESPOON OF FENNEL
- 3½ TEACUPS OF ALL-PURPOSE FLOUR
- CACHAÇA, FOR BRUSHING
- SUGAR, FOR SPRINKLING

Heat up the lard and put in the fennel, so it releases its flavour. Set aside Mix the cachaça, lard, sugar, and all-purpose flour until obtaining a smooth dough. Shape the donuts, making a strand and then joining the ends, like rings. On a greased and floured tray, bake in a preheated oven at 180 °C for 20 minutes, or until lightly golden. Do not allow them to brown. While still hot, brush them with the cachaça and coat with sugar. Allow it to cool and serve with coffee.

SPREADS AND JAMS

The basic principle could not be simpler: fruits and sugar, slowly cooked, until they reach the point of a spread. Typical in the Southern region, the chimia (or schmear) – which could also be spelled as "schmier" or "chimíer", among other variations – is thicker and pastier. When it comes to jam, its characteristic consistency requires sugar, water, some acid and pectin, a substance found in fruits that helps to thicken the mixture that's in the pot.

BLACKBERRY SPREAD
(CHIMIA DE AMORA)
4 -6 servings | 1 hour | Easy

- 500 G OF FRESH BLACK MULBERRIES
- 2 TEACUPS OF SUGAR
- 2 TEACUPS OF WATER

Cook all ingredients over medium heat, stirring until the sugar dissolves. Lower the heat and cook until obtaining the consistency of a jam, stirring occasionally. If you want it to be more rustic, leave the mulberries whole. If you'd rather have it smoother, crush the mulberries while cooking them.

IN DETAIL: *Chimias are different from jams because they have no sauce, but the pulp and, frequently, the peel of the fruit, and because usually they take longer to prepare. The term is an adaptation of the German word "schmier", meaning "something pasty". It's typical of Rio Grande do Sul's cuisine.*

BACURI JAM
(GELEIA DE BACURI)
12 servings | 20 minutes | Easy

- 3 TEACUPS OF BACURI PULP
- 3 TEACUPS OF SUGAR
- PEEL OF 1 LIME

Cover the bacuri with water and cook until soft. Drain and, in the same pot, cover the bacuri with sugar. Add 2 teacups of water and the lime peel. Cook until obtaining a thick syrup. Allow it to cool and put it in the fridge. Serve cold.

JABUTICABA JAM
(GELEIA DE JABUTICABA)
1 large jar | 1 hour | Easy

- 1 KG OF FRESH JABUTICABA
- 500 G OF SUGAR

Squeeze the jabuticaba in a strainer; set the peels aside and squeeze the seeds so you can harvest all the pulp. Cook this juice over heat along with the sugar, 2 teacups of water, and half the jabuticaba peels (save the other half for another recipe). Cook until it thickens, then beat it in a blender. Wait until it cools before serving.

SNACKS AND SANDWICHES

BAURU SANDWICH
(BAURU)
6 servings | 20 minutes | Easy

- 6 ROLLS
- 1 YOLK
- 1 TABLESPOON OF MUSTARD
- 1½ TEACUPS OF CORN OIL
- JUICE OF ½ LIME
- 720 G OF ROAST BEEF, FINELY SLICED
- 300 G OF PRATO CHEESE
- 2 TOMATOES, SLICED
- ½ TEACUP OF PICKLES
- SALT TO TASTE

Cut the rolls horizontally and set aside. Make the mayonnaise by placing the yolk in a bowl with the mustard and, with a wire beater, whisk the yolk while pouring a continuous strand of oil until it emulsifies, turning into a lighter cream. Add the lime juice and season with salt. Heat up the bread for 2 minutes, spread on the mayonnaise and put in the roast beef. Grill the cheese, just enough so it melts, and put it on top of the roast beef. Put the tomato on the cheese and the pickles on the tomato.

BEIRUT
(BEIRUTE)
6 servings | 30 minutes | Easy

- 6 LARGE PITA BREADS
- 900 G OF ROAST BEEF, FINELY SLICED
- 300 G OF SLICED MOZZARELLA CHEESE
- 1 TABLESPOON OF DRIED OREGANO
- 1 YOLK
- 1 TABLESPOON OF MUSTARD
- 1½ TEACUPS OF CORN OIL
- JUICE OF ½ LIME
- 12 LARGE FLAT LETTUCE LEAVES
- 4 TOMATOES, FINELY SLICED
- SALT TO TASTE

Open the pita bread, dividing it into two pieces. On the bottom part, arrange the roast beef and mozzarella. Sprinkle with oregano and heat on the oven for 5 minutes, until the cheese melts and the meat is warm. For the mayonnaise, mix the yolk with the mustard and beat with a wire whip while adding a continuous tread of oil, until it emulsifies into a light-coloured cream. Add the lime juice and season with salt. Remove the beirut from the oven and spread the mayonnaise on the cheese. Finish off with the lettuce and tomato, cover with the top bread slice, also previously warmed, and serve. In other versions of this sandwich, the roast beef is replaced with tenderloin, chicken fillet, or other type of meat - and there are those who add a fried egg to this recipe.

IN DETAIL: *The family of Lebanese immigrant Fares Sader claims the creation of the sandwich – he was one of the founders of Bambi, a restaurant in São Paulo. That's where, in the 50's, the recipe for the sandwich with cheese, za'atar, roast beef, and tomatoes was created in tribute to his homeland. Ham, eggs, lettuce and mayonnaise were filling variations that emerged in diners – not only in São Paulo, but throughout the country.*

BURACO QUENTE

6 servings | 50 minutes | Easy

- 700 G OF GROUND BEEF (KNUCKLE OR INSIDE ROUND)
- 2 TABLESPOONS OF CORN OIL
- 1 ONION, DICED
- 2 GARLIC CLOVES, MINCED
- 8 PEELED AND DESEEDED TOMATOES, CHOPPED
- ½ BUNCH OF PARSLEY AND SCALLIONS, CHOPPED
- 6 ROLLS
- PEPPER SAUCE, TO TASTE
- SALT TO TASTE

Braise the ground beef in oil. When it's dry, add the onion and garlic; braise for a bit longer. Put in the tomato and allow it to cook through, until it falls apart and turns into a sauce. Season with salt and a few drops of pepper sauce. Turn off the heat and put in half of the chopped scallions and parsley. Push the crumb to the inside of the bread and stuff with the meat. Sprinkle the remaining herbs and serve.

IN DETAIL: *The crispy roll is used as a container for the fillings that vary according to the region. São Paulo and Rio de Janeiro are the birthplace of the most common versions, which are frequent in children's parties and roadside restaurants. In Santos, it's known as "mexicano". In Minas Gerais, "pão de sal com molho".*

CHICKEN PIE

(EMPADÃO DE FRANGO)

8 servings | 1h30 | Easy

- 250 G OF BUTTER AT ROOM TEMPERATURE
- 500 G OF ALL-PURPOSE FLOUR
- 1 YOLK, FOR BRUSHING
- SALT TO TASTE

FILLING

- 2 CHICKEN BREASTS, COOKED AND SHREDDED
- 2 TABLESPOONS OF OLIVE OIL
- 1 ONION, DICED
- 2 TOMATOES, CHOPPED
- 3 TABLESPOONS OF TOMATO SAUCE
- ½ TEACUP OF HOMEMADE CHICKEN STOCK
- ½ TEACUP OF OLIVES, CHOPPED
- 200 G OF COOKED FRESH CORN
- 1 GLASS OF CREAMY REQUEIJÃO SPREAD
- ½ BUNCH OF PARSLEY AND ½ BUNCH OF SCALLIONS

Add the butter and all-purpose flour to a bowl and mix with your fingertips until obtaining a moist but crumbly dough. Take pieces of the dough and press them down against the bottom of the baking pan, moulding until it's 1 cm high. Save some dough for the empadão's lid. For the filling, cook the chicken breasts in water and salt, shred them, then set aside. In a pot with olive oil, braise the onion, add the tomato, tomato sauce, and chicken stock. Afterwards, put in the shredded chicken and all the other filling ingredients. Stir thoroughly, pour on the dough and set aside. For the empadão's lid, add ¼ teacup of water to the dough and stir until smooth. Roll out the dough with a rolling pin and shape the lid into a square the same size as the edges of the baking pan. Put it over the filling and, with your fingers, secured the edges of the dough. Brush the yolk on the lid. Bake in a preheated oven at 180 °C for 35 to 40 minutes, or until golden.

HEART OF PALM PIE

(EMPADÃO DE PALMITO)

8 servings | 1h30 | Easy

- 250 G OF BUTTER AT ROOM TEMPERATURE
- 500 G OF ALL-PURPOSE FLOUR
- 1 YOLK, FOR BRUSHING
- SALT TO TASTE

FILLING

- ½ ONION, FINELY DICED
- 2 TABLESPOONS OF OLIVE OIL
- 1 GARLIC CLOVE
- 1½ TEACUPS OF HOMEMADE VEGETABLE STOCK
- 1 JAR OF HEART OF PALMS (LARGE)
- 2 TEASPOONS OF ALL-PURPOSE FLOUR
- ½ BUNCH OF PARSLEY AND ½ BUNCH OF SCALLIONS
- 1 DASH OF NUTMEG
- SALT TO TASTE

Add the butter and all-purpose flour to a bowl and mix with your fingertips until obtaining a moist but crumbly dough. Take pieces of the dough and press them down against the bottom of the baking pan, moulding until it's 1 cm high. Save the remaining dough for the empadão's lid. Braise the onion and garlic in olive oil, add the chopped heart of palm, flour, nutmeg and, lastly, the vegetable stock. Cook over medium heat for 15 minutes. Adjust the salt if necessary, pour over the dough and set aside. For the empadão's lid, add ¼ teacup of water to the dough and stir until smooth. Roll out the dough with a rolling pin and shape the lid into a square the same size as the edges of the baking pan. Put it over the filling and, with your fingers, secured the edges of the dough. Brush the yolk on the lid. Bake in a preheated oven at 180 °C for 35 to 40 minutes, or until golden.

HAM AND CHEESE ROLLS

(ENROLADINHO DE PRESUNTO E QUEIJO)

15 servings | 1h20 | Medium

- 1 TEACUP OF LUKEWARM MILK
- 30 G OF FRESH ACTIVE YEAST
- 1 TABLESPOON OF SUGAR
- ½ TEACUP OF OIL
- 3 EGGS
- 2½ TEACUPS OF ALL-PURPOSE FLOUR
- 300 G OF MOZZARELLA (OR PRATO CHEESE, OR COTTAGE CHEESE) FOR THE FILLING
- 300 G OF HAM, FOR THE FILLING
- 2 TOMATOES, SLICED, FOR THE FILLING
- 1 TEASPOON OF SALT
- OREGANO TO TASTE

Combine the milk, oil, and yeast, until it dissolves. Add the eggs; slowly put in the flour, then the sugar and, lastly, the salt. Knead thoroughly until the dough is smooth. Cover with a plastic film and allow it to rise until it doubles in size. Divide the dough into pieces, with about 50 g each and, with a rolling pin, roll them out into a rectangular shape with a thin thickness. Arrange a slice of ham, one of cheese, two thin tomato slices, and oregano. While keeping the filling inside the dough, fold it into a pillow-like shape, securing the edges tightly. Allow it to rise for another 15 minutes, covered with plastic film. Bake in a preheated oven at 170 °C for about 25 minutes, or until golden.

GRILLED CHEESE AND HAM SANDWICH

(MISTO QUENTE)

4 sandwiches | 10 minutes | Easy

- 8 LOAFS OF BREAD
- 4 TABLESPOONS OF SALTED BUTTER AT ROOM TEMPERATURE
- 16 SLICES OF HAM
- 16 SLICES OF PRATO CHEESE

Set aside 2 loafs of bread for each sandwich, buttering the up side of the bottom loaf, saving some butter for the outer part as well. Put 2 slices of ham in each sandwich and cover them with 2 slices of prato cheese. Put it in a stovetop sandwich maker and place it over the flame, turning when it's golden. Serve as soon as you remove from the heat.

IN DETAIL: *A classic snack found in diners throughout Brazil, it can be made with bread loafs or rolls and served cold or hot. A variation of the French croque monsieur, it can be coated with an egg before grilling or covered with béchamel sauce.*

PAN PIZZA

(PIZZA DE PANELA)

6 servings | 2h30
Medium/difficult

- 500 G OF ALL-PURPOSE FLOUR
- ½ TEACUP OF SUGAR
- 1 TEASPOON OF SALT
- 1½ TABLESPOONS OF DRY YEAST
- ¼ TEACUP OF OLIVE OIL
- 1 TEACUP OF TOMATO SAUCE
- 2 TEACUPS OF GRATED MOZZARELLA
- 2 TOMATOES, SLICED
- BASIL

Put the flour on a clean counter and open a hole in the middle. Arrange the dry ingredients in the centre and mix them a bit. Then, add 1 teacup of water and the olive oil, stirring thoroughly until the dough is very smooth. Knead for about 30 minutes, so the dough is very flexible (if you want, you can beat the dough in a beater). Roll the dough into' a ball and let it rise for 30 minutes, covered with a damp cloth. Divide the dough into 6 equally-sized balls and allow it to rise for another 45 minutes, or until it doubled in size, covered with a cloth. Spread flour across the counter and roll out the dough until it's about the size of the pan you'll use. Heat up a pan, put in the dough, spread the sauce over it, top it with mozzarella and close the lid. Allow the pizza to grill and the cheese to melt, taking care not to burn the bottom part. When the pizza's dough is cooked through and the cheese has melted, put the tomato slices and basil leaves. Serve right away. You can use whichever flavours you'd like for the topping.

CALABRESA SAUSAGE AND VINAIGRETTE SANDWICH

(SANDUÍCHE DE CALABRESA COM VINAGRETE)

4 servings | 20 minutes | Easy

- 1 CALABRESA SAUSAGE OF 500 G
- 2 TABLESPOONS OF CORN OIL
- 4 PEELED, DESEEDED TOMATOES, DICED
- ¼ ONION, DICED
- 1 TABLESPOON OF CHOPPED CORIANDER
- 1 TABLESPOON OF THINLY SLICED GREEN ONIONS
- 1 TABLESPOON OF CHOPPED PARSLEY
- ⅓ TEACUP OF OLIVE OIL
- 1 TABLESPOON OF LIME JUICE OR VINEGAR
- 4 ROLLS
- SALT AND BLACK PEPPER TO TASTE

Quarter the calabresa and sear each side in hot oil. Meanwhile, prepare the vinaigrette by mixing the tomato, onions, greens, olive oil, lime juice, salt, and black pepper. Cut the sausage pieces in half and fry their middle section until cooked through. Cut the bread in half, warm it, and fill it with the sausage and the vinaigrette. If you want to, top it off with homemade mayonnaise.

BARBECUE AND CHEESE SANDWICH

(SANDUÍCHE DE CHURRASQUINHO COM QUEIJO)

4 servings | 15 minutes | Easy

- 4 TENDERLOIN OR STRIPLOIN STEAKS WITH 150 G EACH
- 4 PEELED, DESEEDED TOMATOES, DICED
- ¼ ONION, DICED
- 1 TABLESPOON OF CHOPPED CORIANDER
- 1 TABLESPOON OF THINLY SLICED SCALLIONS
- 1 TABLESPOON OF CHOPPED PARSLEY
- ⅓ TEACUP OF OLIVE OIL
- 1 TABLESPOON OF LIME JUICE OR VINEGAR
- 1 TABLESPOON OF CORN OIL
- 12 SLICES OF PRATO CHEESE
- 4 ROLLS
- SALT AND BLACK PEPPER TO TASTE

Pound the steaks, so they are a bit thinner, and season with salt and black pepper. Prepare the vinaigrette: mix the tomato, onions, greens, olive oil, lime juice, salt, and black pepper. Heat up the oil and brown the meat on both sides. Cover with the prato cheese, put on the lid and wait until it melts. Warm the rolls, put in the steaks, and top it off with the vinaigrette.

MORTADELLA SANDWICH

(SANDUÍCHE DE MORTADELA)

1 sandwich | 5 minutes | Easy

- 1 ROLL
- MORTADELLA SLICES, TO TASTE

Open the bread and arrange the mortadella slices. If you wish, you can heat it on a griddle.

PORK SHANK SANDWICH

(SANDUÍCHE DE PERNIL)

8 servings | 2h30, plus time to marinate
Medium

- 500 G OF BONED FRESH PORK SHANK

FOR THE MARINADE

- ¼ LARGE ONION
- ¼ LARGE CARROT
- 1 CELERY STALK
- ¼ LEEK STALK
- 1 GARLIC CLOVE
- ½ DEDO-DE-MOÇA PEPPER, DESEEDED
- 1 TEACUP OF WHITE WINE
- 1 BAY LEAF

FOR THE SAUCE

- ¼ ONION, CUT INTO STRIPS
- ¼< RED BELL PEPPER, PEELED AND CUT INTO STRIPS
- 8 ROLLS
- SALT AND BLACK PEPPER TO TASTE

Prepare the pork shank with the marinade ingredients following the recipe of fresh ham on p. 306 – allow it to marinate for 3 hours and roast for 2 hours. With the gravy of the roast that was left of the bottom of the baking dish, braise the onions and bell pepper until soft. Slice the ham finely, put the slices in the preheated roll and finish off with the sauce.

MANIOC STARCH CREPES

(TAPIOCA)

6 units | 30 minutes | Medium

- 500 G OF MANIOC STARCH
- SALT TO TASTE

Put the manioc starch in a bowl, season with salt, and slowly pour in 332 ml of water while mixing with your hands. The manioc starch will become dull and slightly puffed up. Using a sieve, sprinkle the starch directly onto an iron skillet, creating a layer that shouldn't be too thin, or else it will crack. Cook over high heat for about 30 seconds. Turn and cook for another 15 seconds. Now you can butter it up and eat it. For the filling, you can also mix fresh coconut milk with grated coconut and a bit of condensed milk (p. 365), or fill it with a slice of grilled coalho cheese.

IN DETAIL: *This type of crepe made with manioc starch is also known as beiju. It's an iconic breakfast food and snack throughout Brazil, a habit that was handed down directly from indigenous peoples. The consistency, thickness and fillings can vary.*

SARDINE PIE
(TORTA DE SARDINHA)
1 rectangular pie | 2 hours | Medium

- 2 TABLESPOONS OF OLIVE OIL
- ½ MEDIUM ONION, DICED
- 2 GARLIC CLOVES, MINCED
- 3 DESEEDED TOMATOES, CHOPPED
- 500 G OF FRESH, CLEAN SARDINES
- ½ BUNCH OF PARSLEY, CHOPPED
- SALT AND BLACK PEPPER TO TASTE

FOR THE DOUGH
- 1 TEACUP OF MILK
- 1 TEACUP OF CORN OIL
- 3 EGGS
- 2 TEACUPS OF ALL-PURPOSE FLOUR, PLUS A BIT EXTRA FOR SPRINKLING
- 1 TEASPOON OF SALT
- 1 TEASPOON OF BAKING POWDER
- BUTTER, FOR GREASING

Heat the olive oil and braise the onion with the garlic and tomatoes. Add the sardines, parsley, and a dash of water. Put on the lid and cook until the sardines begin to fall apart. Season with salt and black pepper; set aside. In a blender, combine all of ingredients for the dough, except the baking powder. Mix until smooth. Add the baking powder and stir. Grease a baking tray with butter, sprinkle it with flour and layer half of the dough, the filling, and the remaining dough. Bake in a preheated oven at 180 °C for 30 minutes, or until golden.

TUCUMÃ AND CHEESE SANDWICH
(X-CABOQUINHO)
1 serving | 10 minutes | Easy

- 1 ROLL
- ½ TABLESPOON OF BUTTER
- 2 SLICES OF COALHO CHEESE
- 1 TUCUMÃ, CUT INTO FLAKES.

Toast the buttered bread and heat the coalho cheese until it's slightly melted. Ensemble the sandwich with the tucumã and the cheese. If you wish to, you can add a vertically sliced banana-pacova fried in a bit of butter.

IN DETAIL: *The tucumã is an Amazonian fruit that is used as the filling for this typical Northern delicacy. Served in a roll and accompanied by coalho cheese – often also garnished with French fries and eggs – it's a nourishing sandwich eaten between meals.*

CHICKEN HEART SANDWICH
(X-GAÚCHO)
4 servings | 20 minutes | Easy

- 2 TEACUPS OF CHICKEN HEARTS
- 1 TABLESPOON OF CORN OIL
- 8 PRATO CHEESE SLICES
- 4 LARGE HAMBURGER BUNS
- 1 TEACUP OF MAYONNAISE
- 4 LARGE LETTUCE LEAVES
- 1 TEACUP OF BOILED CORN
- 1 TEACUP OF FRESH, BOILED PEAS
- 2 PEELED AND DESEEDED TOMATOES, CHOPPED
- SALT AND BLACK PEPPER TO TASTE

Season the hearts with salt and black pepper. Heat up the olive oil and grill the meat quickly, so it won't be chewy. Cover with cheese, put on the lid and wait for it to melt. Cut the bums in half, spread out the mayonnaise, arrange the lettuce, corn, peas, and tomatoes. Fill with the chicken heart and serve.

IN DETAIL: *The "X", as it is affectionately called by natives of Rio Grande do Sul, is as versatile as all sandwiches made on the grill. The classic version uses chicken hearts, besides the conventional hamburger bun. New versions were created and it began to appear in the menus of diners, which now invest in huge versions that serve up to 4 people, supplemented with bacon, tenderloin, and sausages, among other ingredients.*

USEFUL INFORMATION

Recipes have been divided into five chapters: Tira-gosto, Mistura, Sustância, Fartura and Breads & Quitanda. In the index, beginning at p. 400, they are also sorted by alphabetical order by main ingredient and type of dish among other relevant classifications.

Thae degrees of difficulty – easy, medium, and hard – shown in the recipes account for the time of execution and required techniques.

TIPS

* Sugar syrups and water can be set at distinct stages. In the **thread stage**, the syrup forms thin threads when pulled up with a fork. For the **soft-ball stage**, drop a bit of syrup into a glass of water and squeeze it between your fingers: it should form a soft ball; for the **firm-ball stage**, the ball should be quite firm.

* Beaten egg whites also reach distinct stages. When in **soft peaks** stage, they turn downwards when lifted with a fork. In the **firm peaks** stage, they remain in place when the bowl is turned upside down.

* For the breaded recipes, the all-purpose flour could be replaced by corn or manioc flour.

* In ovens, the indication of temperature can vary depending on the manufacturer.

OVEN TEMPERATURE

1 🔥🔥🔥🔥🔥
VERY HIGH
(VERY HOT)
220 °C

2 🔥🔥🔥🔥
HIGH
(HOT)
200 °C

3 🔥🔥🔥
MEDIUM
160 °C TO 180 °C

4 🔥🔥
LOW
150 °C TO 160 °C

5 🔥
VERY LOW
100 °C TO 150 °C

EQUIVALENCIES CHART

SUGAR	
1 cup	180 g
½ cup	90 g
¼ cup	45 g
1 tablespoon	12 g

ALL-PURPOSE FLOUR	
1 cup	120 g
½ cup	60 g
¼ cup	30 g
1 tablespoon	7,5 g

BUTTER	
1 cup	200 g
½ cup	100 g
¼ cup	65 g
1 tablespoon	100 g

LIQUIDS	
1 cup	240 ml
½ cup	120 ml
¼ cup	60 ml
1 tablespoon	15 ml

TECNIQUES

BLANCHING Diving the ingredients into boiling water for a few minutes, then halting the cooking by putting them under cold water.

BRAISING Cooking a food in a bit of previously heated liquid or grease until it is tender and golden.

BREADING Coating a food with flour and egg (or any kind of batter) before frying or roasting.

DEGLAZING Adding a liquid – water, juice, or wine – to a baking tray or frying pan, then heating it while scraping to break loose the pieces of food sticking to the bottom.

DESALTING (SOAKING) Removing the excess salt in foods by soaking them in water, replacing the liquid several times.

FLAMBÉ Adding an alcoholic beverage to a food, then setting it on fire; the alcohol evaporates while leaving its flavour and aroma in the recipe.

FRYING To cook in grease, such as oils or butter. When there is very little grease, the process is called sauté. Large quantities of fat characterize the process of deep frying.

GRATIN To cook, in the oven, a food that has previously been covered with cream, grated cheese, butter or breadcrumbs, so it will be golden and toasted.

GREASING Spreading some type of grease (butter or oil) in a surface to prevent food from sticking to it.

GRILLING Cooking or toasting in a grill or griddle.

REDUCING Cooking a liquid for longer, until the volume decreases and the flavour is more concentrated.

ROASTING Cooking in dry, direct heat, such as in an oven or grill.

SCALDING Diving the ingredient into boiling water.

SEARING Quickly toasting the surface of foods in a bit of heated grease, avoiding the subsequent loss of moist and succulence.

STEAMING Cooking the ingredients in a bowl with a perforated bottom that is set on a pot with boiling water or stock.

WATER BATH Putting the bowl where the food is inside another container with water, slowing down the cooking process.

BASIC UTENSILS

Types of appliances frequently found in homes and markets around the country

BRUSH
For greasing foods, baking trays and dishes.

CHOPPING BOARDS
Made from wood or polypropylene, for chopping food such as meats, vegetables, and greens.

DOUGH SPATULA
A type of spatula with a flexible tip meant for scraping dough out of bowls.

KNIVES
Various models of them, with their own roles: for varied tasks; serrated, for breads; for fruits and vegetables.

MANUAL PRESSERS
From garlic to vegetables, they are perfect for making purees and extracting the juices from foods such as spinach, for instance.

MEASURING SETS
For cups, spoons, and liquids (measuring jars), for standardizing the measurements used in a recipe.

PEELERS
For peeling fruits and vegetables – and to slice very finely.

POTS
In small, medium and large sizes, besides non-stick skillet, cauldrons, pressure cookers, and iron and clay pots.

SIEVES
For liquids or powdered ingredients, such as sugar, flour, and cocoa.

SKIMMERS
For removing fried or cooked foods from pots.

SPATULA
For stirring doughs; the ones with a whole in the middle can be used to remove residues and foam from broths and stocks.

TONGS
For turning or grabbing foods in the grill or pan.

WHIPS
The wire whip, also called fouet, helps in whipping egg whites until firm and creating sauce emulsions. The electric mixer can grind and make foods creamy.

ÍNDICES

I. RECEITAS POR TIPO DE PRATO

II. RECEITAS POR ORDEM ALFABÉTICA

A

B

III. RECEITAS POR INGREDIENTE

IV. RECEITAS VEGETARIANAS

• • •

V. RECEITAS SEM GLÚTEN

Ensinamos a fazer vários produtos normalmente comprados prontos. Se usar industrializados, leia atentamente o rótulo.

•••

VI. RECEITAS SEM LACTOSE

Ensinamos a fazer vários produtos normalmente comprados prontos. Se usar industrializados, leia atentamente o rótulo.

•••

VII. RECEITAS SEM GLÚTEN E SEM LACTOSE

Ensinamos a fazer vários produtos normalmente comprados prontos. Se usar industrializados, leia atentamente o rótulo.

BIBLIOGRAFIA

AMADO, Paloma Jorge. ***A comida baiana de Jorge Amado***. Rio de Janeiro: Record, 2003.

ATALA, Alex. ***Por uma gastronomia brasileira***. São Paulo: BEI, 2005.

CASCUDO, Luís da Câmara. ***História da alimentação no Brasil***. São Paulo: Global, 2004.

CASTANHO, Thiago; **BIANCHI**, Luciana. ***Cozinha de origem***. São Paulo: Publifolha, 2013.

CHAVES, Guta; **FERRAZ**, Rodrigo; **FREIXA**, Dolores. ***Expedição Brasil Gastronômico***. São Paulo: Melhoramentos, 2013.

CHRISTO, Maria Stella Libânio. ***Minas de forno e fogão***. São Paulo: Papagaio, 2002.

CHRISTO, Maria Stella Libânio. ***Fogão de lenha***. Garamond, 2006.

COMER BEM: DONA BENTA. São Paulo: Companhia Editora Nacional, 2014.

COSTA FILHO, Odylo et al. ***Cozinha do arco-da-velha***. Rio de Janeiro: Nova Fronteira, 1997.

O COZINHEIRO IMPERIAL. Rio de Janeiro: Nova Cultural, 1996.

O COZINHEIRO NACIONAL. São Paulo: Editora Senac, 2008.

A CULINÁRIA BAIANA NO RESTAURANTE SENAC DO PELOURINHO. Editora Senac Nacional, 1999.

DÓRIA, Carlos Alberto. Estrelas no céu da boca. São Paulo: Senac São Paulo, 2006.

DÓRIA, Carlos Alberto. Formação da culinária brasileira. São Paulo: Três Estrelas, 2014.

DOS COMES E BEBES DO ESPÍRITO SANTO. Rio de Janeiro: Editora Senac Nacional, 1999.

FERNANDES, Caloca. ***Viagem gastronômica através do Brasil***. São Paulo: Editora Senac SP: Estúdio Sonia Robatto, 2001.

FLORENÇANO, Paulo Camilher; **ABREU**, Maria Morgado de. *A culinária tradicional do Vale do Paraíba*. Taubaté/São Paulo: Fundação Nacional do Tropeirismo/Centro Educacional Objetivo, 1992.

FREYRE, Gilberto. ***Açúcar: uma sociologia do doce, com receitas de bolos e doces do Nordeste do Brasil***. São Paulo: Companhia das Letras, 1997.

FRIEIRO, Eduardo. ***Feijão, angu e couve: ensaio sobre a comida dos mineiros***. Belo Horizonte: Ed. Itatiaia; São Paulo: Ed. Da Universidade de São Paulo, 1982.

GOMES, Virgílio Nogueiro. ***Dicionário prático da cozinha portuguesa***. Marcador Editora, 2015.

JUNQUEIRA, Lígia. ***Receitas tradicionais da cozinha baiana***. Ediouro, 1977.

LODY, Raul (org.). ***À mesa com Gilberto Freyre***. Rio de Janeiro: Editora Senac Nacional, 2004.

LORENZI, Harri; **KINUPP**, Valdely Ferreira. ***Plantas alimentícias não convencionais (PANC) no Brasil***. Plantarum, 2014.

MARCELLINI, Rusty; **FERRAZ**, Rodrigo. ***Expedição Brasil Gastronômico – Volume 2***. São Paulo: Melhoramentos, 2014.

MARTINS, Paulo. ***Culinária Paraense***. Belém: IECA, Instituto de Educação e Cultura da Amazônia, 2005.

ONOFRE, Palmirinha. ***O grande livro da Palmirinha***. São Paulo: Alaúde, 2014.

ORTENCIO, Bariani. ***Cozinha goiana***. Goiânia: Editora Kelps, 2008.

QUERINO, Manuel. ***A arte culinária na Bahia***. São Paulo: WMF Martins Fontes, 2011.

REGO, Dr. Antonio José de Souza. ***Dicionário do doceiro brasileiro***. São Paulo: Editora Senac, 2010.

ROMIO, Eda. ***500 anos de sabor: Brasil 1500-2000***. São Paulo: ER Comunicações, 2000.

SAMPAIO, A.J. ***Alimentação sertaneja e do interior da Amazônia***. Companhia Editora Nacional, 1944.

SUASSUNA, Ana Rita. ***Gastronomia sertaneja: receitas que contam histórias***. São Paulo: Editora Melhoramentos, 2010.